Knaur.

Knaur.

Im Knaur Taschenbuch Verlag sind bereits folgende Bücher der Autorin erschienen:
Ein Ort für die Ewigkeit
Die Erfinder des Todes
Abgekupfert

Tony Hill/Carol Jordan-Reihe:
Das Lied der Sirenen
Schlussblende
Ein kalter Strom
Tödliche Worte

Mehr Informationen über die Bücher von Val McDermid im Knaur Taschenbuch Verlag finden Sie ab Seite 559.

Über die Autorin:
Val McDermid wuchs in einer Bergarbeiterstadt in der Nähe des schottischen Universitätsstädtchens St. Andrews auf. Als erste aus ihrer Familie ging sie an eine Universität, und das gleich in Oxford. Nach Jahren als Dozentin für Englische Literatur und als Journalistin bei namhaften britischen Zeitungen lebt sie heute in Manchester und an der Nordseeküste im Nordosten Englands. Sie ist eine der international erfolgreichsten Autorinnen von Thrillern und Kriminalromanen. Ihre Bücher erscheinen weltweit in mehr als zwanzig Sprachen. Für *Das Lied der Sirenen* erhielt sie 1995 den Gold Dagger der britischen Crime Writers' Association.

Val McDermid

Echo einer Winternacht

Roman

Aus dem Englischen von
Doris Styron

Knaur Taschenbuch Verlag

Die englische Originalausgabe erschien 2003 unter dem Titel
The Distant Echo bei HarperCollins Publishers, London

Besuchen Sie uns im Internet:
www.knaur.de

Vollständige Taschenbuchausgabe Dezember 2005
Knaur Taschenbuch.
Ein Unternehmen der Droemerschen Verlagsanstalt
Th. Knaur Nachf. GmbH & Co. KG, München

Redaktion: Viola Eigenberz
Umschlaggestaltung: ZERO Werbeagentur, München
Umschlagabbildung: Corbis
Satz: Ventura Publisher im Verlag
Druck und Bindung: Clausen & Bosse, Leck
Printed in Germany
ISBN-13: 978-3-426-63158-4
ISBN-10: 3-426-63158-X

2 4 5 3 1

Für die, die davonkamen;
und für die anderen,
besonders den Thursday Club,
die diese Flucht möglich machten.

»Ich beschreibe mein Land,
als schriebe ich für Fremde.«

Deacon Blue, »Orphans«,
Text von Ricky Ross

Prolog

November 2003, St. Andrews, Schottland

Er war im Morgengrauen immer gern auf dem Friedhof gewesen. Nicht weil der Tagesanbruch einen neuen Anfang versprach, sondern weil es für andere Besucher noch zu früh war. Sogar mitten im Winter, wenn das schwache Licht erst spät heraufdämmerte, konnte er sich darauf verlassen, allein zu sein. Ohne neugierige Blicke, die wissen wollten, wer er war und warum er mit geneigtem Kopf vor einem bestimmten Grab stand. Keine wissbegierigen Spaziergänger, die sein Recht hier zu sein anzweifelten.

Er hatte einen langen, mühsamen Weg zurückgelegt, bevor er sein Ziel erreichte. Aber bei der Beschaffung von Informationen war er sehr geschickt. Manche würden sagen, sogar richtig besessen. Er selbst sprach lieber von Ausdauer. Er hatte gelernt, offizielle und inoffizielle Quellen zu durchforsten, um dann nach Monaten schließlich die Antworten zu finden, die er suchte. Waren sie auch nicht zufriedenstellend, so hatten sie ihm wenigstens diesen Hinweis verschafft. Für manche bedeutete ein Grab das Ende. Nicht für ihn – er sah darin einen Anfang. Sozusagen.

Er war sich immer im Klaren gewesen, dass das allein nicht genügen würde. Also hatte er gewartet und auf ein Zeichen gehofft, das ihm den weiteren Weg zeigte. Und endlich war es so weit. Als die Färbung des Himmels nicht mehr der Außenseite einer Muschel, sondern der Innenseite ihrer Schale glich, griff er in die Tasche und zog einen Zeitungsausschnitt des Lokalblatts heraus.

POLIZEI VON FIFE ROLLT ALTE KRIMINALFÄLLE WIEDER AUF

Die Polizei gab diese Woche bekannt, dass alte Mordfälle in Fife, die bis zu dreißig Jahre zurückliegen, noch einmal gründlich untersucht werden sollen.

Chief Constable Sam Haig teilte mit, dass auf Grund neuer Arbeitsweisen der Gerichtsmedizin lange ruhende Fälle mit einiger Hoffnung auf Erfolg jetzt wieder aufgenommen werden könnten. Alte Beweisstücke, die Jahrzehnte in den Archiven der Polizei schlummerten, würden jetzt nach modernen Methoden wie z. B. der DNA-Analyse noch einmal untersucht, um zu sehen, ob man zu neuen Ergebnissen kommt.

Assistant Chief Constable James Lawson, der stellvertretende Chef der Kriminalpolizei, wird die Ermittlungen leiten. Er sagte dem *Courier:* »Mordfälle sind nie abgeschlossen. Wir schulden es den Opfern und ihren Familien, die Arbeit fortzusetzen.

Es ist vorgekommen, dass damals eine Person unter starkem Verdacht stand, wir aber nicht genug Beweismaterial hatten, um sie definitiv zu belasten. Aber mit den neuesten Methoden der Gerichtsmedizin könnte ein einziges Haar, ein Blutfleck oder ein Tropfen Sperma genügen, um eine Verurteilung zu erreichen. Es hat in England in letzter Zeit mehrere Beispiele dafür gegeben, dass Fälle nach zwanzig oder mehr Jahren noch mit Erfolg zu Ende gebracht wurden.

Eine Gruppe erfahrener Ermittler wird die Aufklärung dieser Fälle zu ihrer vorrangigen Aufgabe machen.«

ACC Lawson wollte nicht bekannt geben, welche Fälle ganz oben auf der Liste stehen.
Aber bestimmt dürfte der tragische Tod eines hiesigen jungen Mädchens, Rosie Duff, dazugehören.
Die Neunzehnjährige aus Strathkinness wurde vor fast 25 Jahren vergewaltigt, erstochen und tödlich verletzt liegen gelassen. Kein Verdächtiger wurde jemals wegen ihrer brutalen Ermordung verhaftet.
Ihr Bruder Brian, 46, der mit seiner Familie noch in Caberfeidh Cottage lebt und in der Papierfabrik von Guardbridge arbeitet, sagte gestern Abend: »Wir haben die Hoffnung, dass Rosies Mörder eines Tages seine gerechte Strafe bekommen wird, nie aufgegeben. Es gab damals Verdächtige, aber die Polizei konnte nicht genug Beweise finden, um sie zu überführen.
Es ist traurig, dass meine Eltern gestorben sind, ohne zu wissen, wer diese schreckliche Tat an Rosie verübt hat. Aber vielleicht bekommen wir jetzt die Antwort, die sie damals verdient gehabt hätten.«

Er konnte den Artikel auswendig und betrachtete ihn trotzdem immer wieder gern. Es war ein Talisman, der ihn daran erinnerte, dass sein Leben jetzt ein Ziel hatte. So lange hatte er nach jemandem gesucht, dem er die Schuld geben konnte, und kaum noch auf Vergeltung zu hoffen gewagt. Aber endlich konnte er vielleicht tatsächlich Rache nehmen.

Teil I

1

1978, St. Andrews, Schottland

Es war vier Uhr morgens, mitten im Dezember. Vier verschwommene Schatten schwankten im Schneesturm, den der Nordostwind nach Lust und Laune vom Ural her über die Nordsee trieb. Stolpernd folgten die acht Füße der jungen Männer, die sich selbst die »Laddies fi' Kirkcaldy« nannten, dem ihnen vertrauten Pfad. Sie hatten die Abkürzung über Hallow Hill gewählt, um zum Fife Park zu kommen, dem modernsten der zur Universität St. Andrews gehörenden Wohnheime, wo ihre permanent ungemachten Betten mit zerwühlten Laken und auf den Boden hängenden Decken auf sie warteten.

Das Gespräch ging um Dinge, die ihnen genauso vertraut waren wie der Weg. »Ich sag dir, Bowie ist der King«, nuschelte Sigmund Malkiewicz laut, und sein sonst meist unbewegtes Gesicht war nach den vielen Drinks entspannter. Ein paar Schritte hinter ihm zerrte Alex Gilbey die Kapuze seines Parkas enger ums Gesicht und kicherte in sich hinein, denn im Stillen kannte er die Antwort schon genau.

»Quatsch«, sagte David Kerr. »Bowie ist doch eine Flasche. Pink Floyd, die können Bowie jederzeit zeigen, wo's langgeht. *Dark Side of the Moon*, das ist Spitzenklasse. Bowie hat nichts fertig gekriegt, was da rankommt.« Seine langen dunklen, von den schmelzenden Schneeflocken feuchten Locken hingen schwer herunter, und er strich sie sich ungeduldig aus dem Gesicht, das so traurig wie das eines verlassenen Kindes aussah. Und wieder legten sie los. Wie Hexenmeister, die sich mit Zaubersprüchen bekriegen, warfen Sigmund und Davey einander Songtitel, Textzeilen und Fetzen von Melodien in einem Streitritual zu, das sich schon über die letzten sechs oder sieben Jahre erstreckte. Es war ihnen egal, dass die Musik, bei der heute die Fenster ihrer Studentenbuden klirrten, eher von The Clash, The Jam oder The Skids kam. Selbst ihre Spitznamen zeugten noch von ihrer früheren Leidenschaft. Vom ersten Nachmittag an, an dem sie sich nach der Schule in Alex' Zimmer versammelt hatten, um sich sein frisch erworbenes Album *Ziggy Stardust and the Spiders from Mars* anzuhören, war es unvermeidlich gewesen, dass der charismatische Sigmund, der ausgestoßene Messias, für alle Zeiten Ziggy heißen würde. Und die anderen würden sich mit den Spiders zufrieden geben müssen. Alex nannte man Gilly, obwohl er sich gegen diesen läppischen Namen wehrte, der für jemanden mit dem stämmigen Körperbau eines Rugbyspielers nicht passte. Aber über seinen Familiennamen, den er nun mal zufällig hatte, ließ sich kaum streiten. Und keiner zweifelte auch nur einen Moment daran, dass für das vierte Mitglied ihrer Gruppe nur Weird – der komische Kauz – in Frage kam. Denn seltsam war dieser Tom Mackie, daran ließ sich nicht deuteln. Als der Größte seines Jahrgangs sah er mit seinen langen, schlaksigen Gliedern absonderlich aus, was zu seiner Persönlichkeit passte, denn er hatte eine Vorliebe fürs Ausgefallene.

Dann blieb nur noch Davey übrig, ein treuer Pink-Floyd-Anhänger, der sich hartnäckig weigerte, einen Spitznamen aus dem Bowie-Spektrum anzunehmen. Eine Weile hatte er sich widerstrebend Pink nennen lassen, aber als sie zum ersten Mal »Shine on, You Crazy Diamond« hörten, gab es keine weitere Diskussion mehr. Davey war eben einfach der Crazy Diamond, er sprühte unerwartet Feuer in alle Richtungen, war aber außerhalb seiner gewohnten Umgebung gereizt und empfindlich. Aus Diamond wurde bald Mondo, und der Name Mondo Davey Kerr blieb ihm für den Rest des Schuljahres und bis zur Universität erhalten.

Alex schüttelte verwundert den Kopf. Obwohl er nach viel zu viel Bier benebelt war, fragte er sich, was ihre Viererbande all diese Jahre zusammengehalten hatte. Schon beim Gedanken daran stieg eine Wärme in ihm auf, die der heftigen Kälte entgegenwirkte, als er plötzlich über eine hoch stehende Wurzel stolperte, die unter der weichen Schneedecke verborgen lag.

»Scheiße«, murmelte er und rempelte Weird an, der ihm einen gutmütigen Schubs gab, so dass Alex strauchelnd nach vorn schoss. Er versuchte mit den Armen fuchtelnd das Gleichgewicht zu halten, ließ sich dann vom Schwung weiter torkelnd den Hang hinauftragen, wobei der kalte Schnee auf seinen geröteten Wangen ihn wach machte. Als er die Kuppe erreichte, sanken seine Beine plötzlich in eine unerwartete Mulde, und er fiel kopfüber hinein.

Aber sein Sturz wurde von etwas Weichem gebremst. Alex versuchte verzweifelt sich aufzusetzen und drückte gegen das, worauf er gefallen war. Er spuckte den Schnee aus, rieb sich mit kribbelnden Fingern die Augen und schnaufte durch die Nase, um die eiskalten schmelzenden Flocken loszuwerden. Als er sich umsah, was ihn so weich hatte fallen lassen, erschienen gerade die Köpfe seiner Kameraden am Abhang, die über seine absurde Lage grinsten.

Selbst in dem unheimlichen, schwachen Licht auf dem Schnee konnte er erkennen, dass das Hindernis, das seinen Sturz gebremst hatte, nichts Pflanzliches war. Der Umriss eines menschlichen Körpers war unverkennbar. Die schweren weißen Flocken begannen zu schmelzen, sobald sie auftrafen, und so konnte Alexander sehen, dass es eine Frau war, deren nasse dunkle Haarsträhnen sich auf dem Schnee wie die Locken der Medusa ausbreiteten. Ihr Rock war bis zur Taille hochgeschoben, ihre schwarzen, bis zu den Knien reichenden Stiefel sahen deshalb an den weißen Beinen umso unpassender aus. Er sah merkwürdige dunkle Flecken auf ihrer Haut, und die helle Bluse klebte eng an ihrer Brust. Alex starrte eine Weile darauf, ohne etwas zu begreifen, dann betrachtete er seine Hände und sah dieselben dunklen Flecken auf seiner eigenen Haut.

Blut. In dem Augenblick, als der Schnee in seinen Ohren schmolz und er ihr schwaches röchelndes Atmen hörte, kam ihm die Erkenntnis.

»Guter Gott«, stotterte Alex und versuchte vor dem entsetzlichen Fund zurückzuweichen. Aber er stieß immer wieder an etwas, das sich wie eine niedrige Steinmauer anfühlte, als er rückwärts kriechen wollte. »Mein Gott.« Er sah verzweifelt hoch, als könne der Anblick seiner Freunde den Bann brechen und all dies verschwinden lassen. Dann schaute er auf das entsetzliche Bild im Schnee zurück. Es war nicht die Halluzination eines Betrunkenen. Es war Realität. Er wandte sich an seine Freunde. »Hier oben liegt ein Mädchen«, rief er.

Weird Mackies Stimme kam gespenstisch zurück. »Du Glückspilz.«

»Nein, mach keinen Quatsch, sie blutet.«

Weirds Gelächter klang laut durch die Nacht. »Also doch kein Glück, Gilly.«

Alex spürte eine plötzliche Wut in sich aufsteigen. »Ich mach keinen Spaß, verdammt noch mal. Kommt hier rauf. Ziggy, komm her, Mensch.«

Jetzt hörten sie, wie ernst Alex' Stimme klang. Ziggy wie immer voran, stapften sie durch den Schnee zur Kuppe des Hügels. Ziggy lief mit Schwung den Hang hoch, Weird stürzte der Länge nach in Alex' Richtung hin, und Mondo kam als Letzter und setzte vorsichtig einen Fuß vor den anderen.

Nach seinem Sturz landete Weird Hals über Kopf auf Alex, wodurch sie beide auf die Frau fielen. Dann warfen sie sich herum und versuchten freizukommen, wobei Weird albern kicherte. »Hey, Gilly, so nah bist du ja noch nie an 'ne Frau rangekommen.«

»Du hast zu viel Stoff intus«, sagte Ziggy zornig, zog ihn zurück, kauerte neben der Frau und fühlte am Hals ihren Puls. Es war noch ein Klopfen zu spüren, aber erschreckend schwach. Die Angst machte ihn augenblicklich nüchtern, als ihm klar wurde, was er da in dem trüben Licht sah. Er war nur Medizinstudent und hatte noch kein Examen, aber er konnte eine lebensbedrohliche Verletzung einschätzen, wenn er sie vor sich hatte.

Weird hockte sich auf die Fersen zurück und runzelte die Stirn. »He, Mann, weißt du, wo wir hier sind?« Niemand beachtete ihn, aber er sprach trotzdem weiter. »Das hier ist der piktische Friedhof. Diese Buckel im Schnee, wie kleine Mauern, sind Steine, die sie als Grabeinfassungen benutzten. Mensch, Alex hat eine Leiche auf dem Friedhof gefunden.« Und er begann zu kichern, was hier, wo alle Geräusche vom Schnee gedämpft wurden, unheimlich klang.

»Weird, halt verdammt noch mal die Klappe.« Ziggy fuhr mit den Händen weiter über den Leib der Frau, und seine tastenden Finger spürten dabei eine beängstigend tiefe Wunde. Er legte den Kopf zur Seite, um sie besser sehen zu können. »Mondo, hast du dein Feuerzeug?«

Mondo trat zögernd heran und zog sein Zippo heraus, ließ das Rädchen schnippen und kam mit dem schwachen Lichtschein auf Armeslänge an den Körper der Frau und ihr Gesicht heran. Er hielt sich die freie Hand vor den Mund, konnte aber sein Stöhnen nicht unterdrücken. Seine blauen Augen waren vor Entsetzen aufgerissen, und die Flamme zitterte in seiner Hand.

Ziggy zog scharf die Luft ein, seine Gesichtszüge wirkten in dem flackernden Licht unheimlich. »Scheiße«, stöhnte er. »Es ist Rosie von der Lammas Bar.«

Alex konnte sich nicht vorstellen, dass er sich jemals schlimmer fühlen könnte. Ziggys Worte waren wie ein Stich in sein Herz. Mit einem leisen Ächzen wandte er sich ab und erbrach Bier, Pommes und Knoblauchtoast in den Schnee.

»Wir müssen Hilfe holen«, sagte Ziggy entschieden. »Sie lebt noch, aber sie wird nicht lange in diesem Zustand bleiben. Weird, Mondo – zieht eure Mäntel aus.« Während er sprach, streifte er seine eigene Schaffelljacke ab und legte sie vorsichtig um Rosies Schultern. »Gilly, du bist der Schnellste. Geh und hol Hilfe. Geh zu einem Telefon. Weck jemanden auf, wenn's sein muss. Aber hol jemand her, ja? Alex?«

Völlig benommen kam Alex auf die Beine, rannte den Hügel wieder hinunter, dass seine Stiefel den Schnee aufwirbelten, und versuchte zugleich, den Halt nicht zu verlieren. Er trat aus der Baumgruppe in den Schein der Straßenlaternen, die die neueste Sackgasse eines in den letzten Jahren entstandenen Wohngebiets beleuchteten. Auf dem schnellsten Weg dorthin zurück, wo sie hergekommen waren, das war am besten.

Alex lief mit gesenktem Kopf mitten auf der Straße, rutschte hin und wieder aus und versuchte das Bild dessen loszuwerden, was er gerade vor sich gesehen hatte. Aber das war genauso unmöglich, wie im Pulverschnee gleichmäßig und zügig voranzukommen. Wie konnte diese erschütternde Gestalt zwischen den piktischen Gräbern Rosie von der Lammas Bar sein? Heute Abend waren sie gerade dort gewesen, hatten gut gelaunt und lärmend im warmen gelben Licht der Bar gesessen, ein Glas Tennent nach dem anderen getrunken und noch einmal die Freiheit des Studentenlebens genossen, bevor sie dreißig Meilen weiter in die steifen Zwänge weihnachtlicher Familienfeiern zurückkehren mussten.

Er hatte selbst mit Rosie gesprochen und mit ihr in der ungeschickten Art Einundzwanzigjähriger geflirtet, die nicht sicher sind, ob sie noch dumme Jungs oder schon Männer von Welt sind. Er hatte sie – und das nicht zum ersten Mal – gefragt, wann sie mit der Arbeit fertig wäre, und hatte ihr sogar gesagt, zu wessen Party sie dann gehen wollten. Er hatte die Adresse auf die Rückseite eines Bierdeckels gekritzelt und ihn ihr über den feuchten Tresen hingeschoben. Sie hatte ihn mit einem mitleidigen Lächeln an sich genommen. Er hatte den

Verdacht, dass er direkt im Abfalleimer gelandet war. Was sollte auch eine Frau wie Rosie mit einem grünen Jungen wie ihm anfangen? Bei ihrem Aussehen und ihrer Figur konnte sie sich die Männer aussuchen und sich jemanden nehmen, mit dem sie Spaß haben konnte, nicht aber einen armen Studenten, der mühsam mit seinem Stipendium auskommen musste, bis er seinen Ferienjob antrat und Supermarktregale einräumte.

Wie konnte es nur Rosie sein, die da blutend im Schnee des Hallow Hill lag? Ziggy musste sich getäuscht haben, sagte sich Alex immer wieder und bog dann links auf die Hauptstraße ab. Es konnte jedem passieren, sich beim flackernden Schein von Mondos Zippo zu täuschen. Und Ziggy hatte ja nie besonders auf die dunkelhaarige Bedienung an der Bar geachtet. Das hatte er Alex und Mondo überlassen. Es musste irgendein armes Mädchen sein, das Rosie ähnlich sah. So war es bestimmt, beruhigte er sich. Ein Irrtum, bestimmt war es einfach ein Irrtum.

Alex zögerte einen Moment, holte Luft und fragte sich, in welche Richtung er laufen sollte. Es gab viele Häuser in der Nähe, aber in keinem war noch Licht. Selbst wenn er jemanden wecken konnte, bezweifelte er, dass man mitten im Schneesturm einem verschwitzten jungen Mann mit einer Bierfahne die Tür öffnen würde.

Dann fiel ihm etwas ein. Um diese Zeit stand nachts immer ein Polizeiauto am Haupteingang des Botanischen Gartens, nur eine Viertelmeile von hier entfernt. Sie hatten es oft genug gesehen, wenn sie frühmorgens nach Hause wankten, und den prüfenden Blick des Polizisten in dem Wagen wohl bemerkt, während sie versuchten, möglichst nüchtern zu erscheinen. Weird ließ sich bei dem Anblick immer zu einer seiner Tiraden über Korruption und Arbeitsscheu der Polizei hinreißen. »Sie sollten lieber die richtigen Gangster da draußen jagen und die grauen Männer in Nadelstreifen schnappen, die uns beklauen, statt mit einer Thermoskanne Tee und einer Tüte Kekse die ganze Nacht hier zu hocken und darauf zu hoffen, dass sie irgendeinen Besoffenen erwischen, der in eine Hecke pisst, oder einen Trottel, der zu schnell nach Hause fährt. Faule Kerle.« Vielleicht würde heute Nacht Weirds Wunsch zum Teil in Erfüllung gehen. Denn es sah so aus, als würde der faule Kerl in der grünen Minna mehr zu tun bekommen, als er erwartet hatte.

Alex wandte sich in Richtung Canongate und begann wieder zu laufen, der frische Schnee knirschte unter seinen Stiefeln. Als er Seitenstechen bekam, sein Laufen zu einem unregelmäßigen Humpeln und Hüpfen wurde und er nach Luft schnappen musste, wünschte er, er hätte sein Rugbytraining nicht aufgegeben. Nur noch ein paar Dutzend Meter, sagte er sich. Jetzt, wo Rosies Leben vielleicht davon abhing, wie schnell er rannte, durfte er nicht schlappmachen. Der Schnee fiel inzwischen noch dichter, so dass er kaum weiter als zwei Meter sehen konnte, wenn er nach vorn spähte.

Er sah das Polizeiauto erst, als er fast schon davor stand. Während sein schweißbedeckter Körper gerade dabei war, sich erleichtert zu entspannen, umklammerte schon wieder die Angst sein Herz. Vom Schock und der Erschöpfung ernüchtert, wurde Alex klar, dass er keinerlei Ähnlichkeit mit der Sorte ehrenwerter Bürger hatte, die normalerweise ein Verbrechen meldete. Er war zerzaust und verschwitzt, blutbefleckt und konnte sich kaum auf den Beinen halten. Irgendwie musste es ihm gelingen, den Polizisten, der schon halb aus seinem Streifenwagen gestiegen war, zu überzeugen, dass er sich das alles nicht einbildete und es sich auch nicht um irgendeinen Streich handelte. Einen halben Meter vor dem Wagen kam er zum Stehen, wartete, bis der Fahrer ausgestiegen war, und bemühte sich, möglichst wenig bedrohlich auszusehen.

Der Beamte setzte seine Mütze auf dem kurzen dunklen Haar zurecht und schaute Alex argwöhnisch von der Seite an. Trotz seines dicken Uniformanoraks sah Alex, wie angespannt seine Körperhaltung war. »Was gibt's, Junior?«, fragte er. Obwohl er ihn so herablassend ansprach, wirkte er kaum älter als Alex selbst und strahlte ein Unbehagen aus, das gar nicht zu seiner Uniform passte.

Alex versuchte wieder zu Atem zu kommen, schaffte es aber nicht. »Am Hallow Hill liegt ein Mädchen«, platzte er heraus. »Sie ist überfallen worden. Sie blutet ziemlich stark und braucht Hilfe.«

Der Polizist kniff gegen den Schnee die Augen zusammen und runzelte die Stirn. »Sie ist überfallen worden, sagen Sie. Woher wissen Sie das?«

»Sie ist überall blutig. Und ...« Alex unterbrach sich, um nachzudenken. »Und sie ist für das Wetter nicht richtig angezogen. Sie hat keinen Mantel an. Hören Sie, können Sie einen Krankenwagen und einen Arzt holen, oder so? Mann, sie ist wirklich schwer verletzt.«

»Und Sie haben sie ganz zufällig mitten im Schneesturm gefunden, was? Haben Sie vielleicht etwas zu viel getrunken?« Die Worte klangen überheblich, aber die Stimme verriet Angst.

Alex konnte sich vorstellen, dass so etwas in dem stillen Vorort von St. Andrews nicht oft mitten in der Nacht vorkam. Irgendwie musste er jedoch diesen Trottel davon überzeugen, dass es ihm ernst war. »Natürlich hab ich etwas getrunken«, sagte er und konnte seine Frustration nicht mehr bezähmen. »Warum sollte ich sonst zu dieser Zeit hier draußen sein? Also, ich habe mit meinen Freunden eine Abkürzung zum Studentenheim genommen, und wir haben dabei allerhand Quatsch gemacht, ich bin bis oben auf den Hügel vorausgerannt, dann gestolpert und direkt auf sie gefallen.« Seine Stimme wurde laut und eindringlich. »Bitte. Sie müssen helfen. Sie könnte da draußen sterben.«

Der Polizist sah ihn prüfend an, es kam Alex wie mehrere Minuten vor, dann stieg er in den Wagen, begann ein unverständliches Gespräch auf seinem Funkgerät und streckte schließlich den Kopf heraus. »Steigen Sie ein. Wir fahren zum

Trinity Place hoch. Aber ich hoffe, dass Sie nicht nur herumalbern, Junior«, sagte er grimmig.
Der Wagen schlitterte mit den für dieses Wetter ungeeigneten Reifen die Straße hoch. Die wenigen Autos, die davor auf der Straße gefahren waren, hatten Spuren hinterlassen, die jetzt nur noch als schwache Eindrücke auf der glatten weißen Oberfläche zu sehen waren, ein Beweis dafür, wie heftig es schneite. Der Polizist fluchte leise, als das Auto in der Kurve fast an einem Laternenpfahl gelandet wäre. Am Ende des Trinity Place wandte er sich an Alex. »Also, dann zeigen Sie mir mal, wo sie liegt.«
Alex lief los und folgte dabei seinen eigenen, schnell im Schnee verschwindenden Spuren. Mehrmals schaute er sich um, ob der Polizist noch hinter ihm war. Einmal brauchten seine Augen ein paar Momente, um sich auf die tiefere Dunkelheit einzustellen, als das Licht der Straßenbeleuchtung von den Bäumen verdeckt wurde, und er fiel fast der Länge nach hin. Der Schnee ließ die Landschaft in einem eigenen, seltsamen Licht erscheinen, das die dichten Büsche größer und den Weg zu einem schmaleren Band als sonst werden ließ. »Hier lang«, sagte Alex und bog nach links ab. Ein kurzer Blick über die Schulter bestätigte ihm, dass sein Begleiter direkt hinter ihm war.
Aber der Polizist zögerte. »Sind Sie sicher, dass Sie keine Drogen genommen haben, Junior?«, sagte er misstrauisch.
»Kommen Sie«, drängte Alex, als die dunklen Schatten über ihm sichtbar wurden. Ohne zu warten, ob der Polizist ihm folgte, eilte Alex den Hang hinauf. Er war fast dort, als der junge Beamte ihn überholte und unvermittelt ein paar Schritte vor der kleinen Gruppe stehen blieb.
Ziggy kauerte noch neben der Frau, sein Hemd war von Schnee und Schweiß durchnässt und klebte an seinem dünnen Oberkörper. Weird und Mondo standen hinter ihm, hatten die Arme verschränkt, die Hände unter die Achseln gesteckt und die Köpfe zwischen die Schultern gezogen. So versuchten

sie zwar nur, sich ohne ihre Mäntel warm zu halten, boten aber dadurch einen eher ungünstigen und arrogant wirkenden Anblick.
»Was ist denn hier los, Jungs?«, fragte der Polizist und versuchte, aggressiv zu klingen, um gegenüber ihrer zahlenmäßigen Überlegenheit seine Autorität zu behaupten.
Ziggy richtete sich mühsam auf und strich sich die nassen Haare aus den Augen. »Sie kommen zu spät. Sie ist tot.«

2

Nichts in den einundzwanzig Jahren seines Lebens hatte Alex auf eine Vernehmung durch die Polizei mitten in der Nacht vorbereitet. Bei Krimis im Fernsehen oder im Kino sah das immer so planmäßig aus. Aber tatsächlich war die mangelnde Organisation bei der ganzen Sache irgendwie nervenaufreibender, als es jede militärisch präzise Aktion hätte sein können. Die vier waren als aufgeregter chaotischer Haufen auf der Wache angekommen. Man hatte sie schnell den Abhang hinuntergetrieben, und im Blaulicht der Streifen- und Krankenwagen schien dann niemand genau zu wissen, was man mit ihnen vorhatte.

Sie standen fröstelnd eine Weile, die ihnen wie eine Ewigkeit vorkam, unter einer Straßenlaterne und wurden dort von dem Polizisten, den Alex geholt hatte, und einem seiner Kollegen, einem grauhaarigen, missmutigen Mann mit hängenden Schultern, mit finsteren Blicken beobachtet. Keiner der Beamten sprach mit den vier jungen Männern, obwohl sie sie keinen Augenblick aus den Augen ließen.

Schließlich kam ein entnervt aussehender Mann in einem zwei Nummern zu großen Mantel und mit Schuhen, deren dünne, glatte Sohlen für das Gelände völlig ungeeignet waren, zu ihnen herüber. »Lawson, Mackenzie, nehmt diese Jungs mit auf die Wache und haltet sie dort getrennt. Wir sind bald unten, um mit ihnen zu reden.« Dann drehte er sich um und stolperte wieder in Richtung des schrecklichen Fundorts davon, der

jetzt hinter Zeltbahnen verschwunden war, durch die gespenstisches grünes Licht auf den Schnee fiel.
Der jüngere Polizeibeamte warf seinem Kollegen einen besorgten Blick zu. »Wie kriegen wir sie denn zur Wache?«
Er zuckte die Schultern. »Du wirst sie in deinen Streifenwagen quetschen müssen. Ich bin im Sherpa Van heraufgekommen.«
»Können wir sie nicht damit runterbringen? Dann könntest du sie im Auge behalten, während ich am Steuer sitze.«
Der ältere Mann schüttelte den Kopf und schob die Lippen vor. »Wenn du meinst, Lawson.« Er wies auf die vier Studenten. »Los, steigt ein. Und treibt keinen Unfug, klar?« Er führte sie zum Polizeiwagen und rief Lawson über die Schulter zu: »Lass dir von Tam Watt die Schlüssel geben.«
Lawson machte sich auf den Weg den Hügel hinauf und ließ sie bei Mackenzie. »In eurer Haut möcht ich nicht stecken, wenn der Chef da runterkommt«, sagte er beiläufig, als er hinter ihnen einstieg. Alex zitterte, aber nicht wegen der Kälte. Langsam ging ihm auf, dass die Polizei ihn und seine Freunde eher als eventuelle Verdächtige statt als Zeugen ansehen würde. Man hatte ihnen keine Gelegenheit gegeben, sich zu unterhalten, sich abzusprechen. Die vier tauschten besorgte Blicke untereinander. Selbst Weird war jetzt nüchtern genug, um zu verstehen, dass es hier nicht um irgendein beklopptes Spiel ging.
Als Mackenzie sie zum Wagen trieb und einsteigen ließ, waren sie ein paar Sekunden ohne Aufsicht. Gerade Zeit genug für Ziggy, um ihnen so leise wie möglich zuzuraunen: »Sagt verdammt noch mal nichts über den Landrover.« Ihre Blicke zeigten, dass alle ihn sofort verstanden hatten.
»Verdammt, ja«, sagte Weird und fuhr bei dem erschreckenden Gedanken zusammen. Mondo kaute stumm an seinem Daumennagel. Alex nickte nur.
Auf der Polizeiwache ging es nicht viel gelassener zu als am Fundort. Der Dienst habende Beamte beklagte sich heftig, als

zwei Uniformierte mit vier Personen ankamen, die daran gehindert werden sollten, miteinander zu sprechen. Es zeigte sich, dass es nicht genug Büros gab, um sie getrennt zu befragen. Weird und Mondo wurden in unverriegelte Zellen gebracht, während man Alex und Ziggy in den beiden Vernehmungsbüros des Reviers sich selbst überließ.

Der Raum, in dem Alex saß, war bedrückend eng – kaum drei Schritte in jeder Richtung, wie er sofort feststellte, als man ihn dort hineingeführt hatte. Es gab keine Fenster, und die niedrige Decke mit den schon grau gewordenen Styroporplatten machte alles nur noch bedrohlicher. Es gab einen abgenutzten Holztisch und vier nicht dazu passende Stühle, die genauso unbequem aussahen, wie sie waren. Alex probierte einen nach dem anderen aus und blieb schließlich auf dem sitzen, der ihn an den Oberschenkeln nicht ganz so stark drückte wie die anderen.

Er fragte sich, ob hier Rauchen erlaubt sei. Nach der muffigen Luft zu urteilen wäre er wohl nicht der Erste. Aber er war ein wohlerzogener Junge, und da kein Aschenbecher zu sehen war, ließ er es erst mal. In seinen Taschen fand er dann die zerknüllte Silberfolie von einer Rolle Drops, glättete sie vorsichtig und bog die Ränder nach oben, um einen Aschenbecher daraus zu basteln. Dann nahm er seine Packung Bensons heraus und machte sie auf. Noch neun. Das würde eine Weile reichen.

Alex zündete sich seine Zigarette an und dachte, seit er auf der Wache angekommen war, jetzt zum ersten Mal über seine Lage nach. Beim Überlegen wurde ihm alles klar. Sie hatten eine Leiche gefunden und wurden deshalb wohl verdächtigt. Jedermann wusste schließlich, dass bei der Untersuchung eines Mordfalls die ersten Kandidaten für eine Verhaftung entweder die waren, die das Opfer zuletzt lebend gesehen hatten, oder diejenigen, die die Leiche fanden. Beides traf auf sie zu.

Er schüttelte den Kopf. Die Leiche. Er fing schon an genauso zu denken wie sie. Aber es ging hier nicht einfach um eine

Leiche. Es war Rosie. Jemand, den er kannte, wenn auch nur flüchtig. Er vermutete, dass ihn dies alles noch verdächtiger machte. Aber daran wollte er jetzt gar nicht denken, sondern diese entsetzlichen Dinge verdrängen. Wann immer er die Augen schloss, sah er die Bilder vom Hügel wie Filmszenen vor sich ablaufen. Rosie, schön und sexy, lag verwundet und blutend im Schnee. »Denk an etwas anderes«, sagte er laut vor sich hin.

Er fragte sich, wie die anderen auf die Vernehmung reagieren würden. Weird war völlig weggetreten, das stand fest. Er hatte mehr intus als nur ein paar Drinks. Alex hatte ihn mit einem Joint in der Hand gesehen, aber bei Weird wusste man nie, was er sonst noch genommen hatte. Es war auch LSD herumgegangen. Alex selbst hatte mehrmals abgelehnt. Er hatte nichts gegen einen Joint, wollte sich aber nicht das Hirn kaputtmachen. Weird war allerdings auf jeden Fall immer offen für alles, was der Erweiterung seines Bewusstseins dienen konnte. Alex hoffte inständig, dass die Wirkung all dessen, was er geschluckt, eingeatmet oder geschnieft hatte, bis zu seiner Vernehmung abgeklungen sein würde. Andernfalls war es eher wahrscheinlich, dass Weird die Bullen wirklich ziemlich verärgern würde. Und jeder Dummkopf wusste, dass das während der Ermittlungen zu einem Mordfall nicht gerade eine gute Idee war.

Bei Mondo war das etwas anderes. Die Sache würde ihn auf ganz andere Art und Weise verstören. Wenn man es recht betrachtete, war Mondo sensibler, als gut für ihn war. In der Schule war immer auf ihm herumgehackt worden, er wurde Flasche genannt, zum Teil wegen seines Aussehens und auch, weil er sich nie wehrte. Seine Haare hingen in festen Löckchen um sein elfenzartes Gesicht, seine großen saphirblauen Augen waren immer weit offen wie die einer Maus, die aus einem Loch herausspäht. Die Mädchen mochten das, sicher. Alex hatte einmal mitbekommen, dass zwei sich kichernd unterhielten, Davey Kerr sehe genau wie Marc Bolan aus. Aber in der High School von Kirkcaldy konnte etwas, das einem die Gunst der Mädchen versprach, auch Prügel auf der Toilette einbringen. Hätte Mondo nicht die anderen drei hinter sich gehabt, wäre es ihm ziemlich dreckig gegangen. Aber man musste ihm anrechnen, dass er das nie vergaß und ihnen ihre Gefälligkeiten verzinst zurückzahlte. Alex wusste, dass er die Französischprüfung ohne Mondos Hilfe nie geschafft hätte.

Aber der Polizei würde Mondo allein gegenüberstehen. Alex sah ihn förmlich vor sich, wie er mit gesenktem Kopf, ab und zu einen verstohlenen Blick wagend, an der Nagelhaut seines Daumens nagte oder mit dem Deckel seines Zippo-Feuerzeugs spielte. Sie würden die Geduld verlieren und glauben, dass er etwas zu verbergen hatte. Niemals, nicht in tausend Jahren, würden sie Mondos großem Geheimnis auf die Spur kommen, dass es nämlich in neunundneunzig von hundert Fällen gar kein Geheimnis gab – nichts Mysteriöses, das sich in einem Rätsel versteckte. Er war einfach ein Junge, der auf Pink Floyd abfuhr, gerne Fisch und Chips mit reichlich Essig aß und außerdem auf Tennent-Bier und Bumsen stand. Und der merkwürdigerweise Französisch sprach, als hätte er es auf dem Schoß seiner Mutter gelernt.

Allerdings gab es heute Nacht doch ein Geheimnis. Und wenn einer von ihnen nicht dichthalten konnte, dann wäre es bestimmt Mondo. *Bitte, lieber Gott, lass ihn den Landrover für sich behalten*, dachte Alex. Im besten Fall würden sie alle gemeinsam dafür angeklagt werden, ohne die Zustimmung des Besitzers damit gefahren zu sein. Im schlimmsten Fall würden die Bullen feststellen, dass einer von ihnen – oder sie alle – ein perfektes Transportmittel gehabt hatten, um das sterbende Mädchen an einen stillen Ort zu verfrachten.

Weird würde nichts sagen, er hatte am meisten zu verlieren. Er war derjenige gewesen, der, als er ins Lammas gekommen war, Henry Cavendishs Schlüsselbund geschwenkt und dabei breit gegrinst hatte wie der Gewinner auf einer Swinger-Party.

Alex selbst würde nichts verraten, da war er sich sicher. Geheimnisse hüten war eine seiner Spezialitäten. Wenn ein Verdacht dadurch vermieden werden konnte, dass er die Klappe hielt, hatte er keine Zweifel, dass er das packen würde.
Auch Ziggy würde nichts sagen. Bei Ziggy stand immer die Sicherheit an erster Stelle. Schließlich war er derjenige, der sich weggeschlichen und den Landrover weggebracht hatte, als er merkte, wie benebelt Weird inzwischen war. Er hatte Alex auf die Seite genommen und gesagt: »Ich habe die Schlüssel aus Weirds Manteltasche und geh jetzt und stelle den Landrover woanders hin, damit er nicht in Versuchung kommt. Er hat schon ein paar Leute um den Block spazieren gefahren, es ist Zeit, damit Schluss zu machen, bevor er sich oder sonst jemanden umbringt.« Alex hatte keine Ahnung, wie lange Ziggy weg gewesen war, aber als er zurückkam, hatte er ihm gesagt, der Landrover sei sicher hinter einem der Industriegebäude bei der Largo Road abgestellt. »Wir können ihn morgen früh holen«, hatte er hinzugefügt.
Alex hatte grinsend erwidert: »Oder wir könnten ihn einfach da stehen lassen. Eine nette kleine Denksportaufgabe für Hurra-Henry, wenn er nächstes Semester zurückkommt.«
»Lieber nicht. Sobald er merkt, dass seine kostbare Kiste nicht da geparkt ist, wo er sie hat stehen lassen, würde er zur Polizei gehen und uns die Hölle heiß machen. Und unsere Fingerabdrücke sind ja überall dran.«
Und er hatte recht gehabt, dachte Alex. Zwischen den Laddies fi' Kirkcaldy und den beiden Engländern, die zusammen das Haus mit sechs Zimmern auf dem Unigelände bewohnten, herrschte keine besonders herzliche Atmosphäre. Henry würde die Tatsache, dass Weird sich den Landrover ausgeliehen hatte, auf keinen Fall als lustigen Streich betrachten. Henry konnte an vielem, was seine Mitbewohner taten, nichts Lustiges finden. Deshalb würde Ziggy nichts sagen. Das stand fest.
Aber Mondo vielleicht doch. Alex hoffte, dass Ziggy mit seiner Warnung so weit in Mondos immer an sich selbst inte-

ressierte Gedankenwelt eingedrungen war, dass er über die Konsequenzen nachdachte. Wenn Mondo der Polizei sagte, dass Weird sich das Auto eines anderen Studenten geschnappt hatte, würde das nicht bedeuten, dass er damit aus dem Schneider war. Sondern dadurch würden sie alle vier in der Patsche sitzen. Außerdem war er auch selbst gefahren, als er dieses Mädchen aus Guardbridge nach Hause brachte. *Überdenk die Sache gründlich, wenigstens dies eine Mal im Leben, Mondo.*

Wenn man einen kühlen Denker brauchte, dann war Ziggy der Mann dafür. Hinter seiner scheinbaren Offenheit für alles, seinem lässigen Charme und der schnellen Auffassungsgabe spielte sich noch einiges ab, von dem niemand etwas wusste. Alex war seit neuneinhalb Jahren Ziggys Vertrauter, und er hatte das Gefühl, dass er gerade erst mal die Oberfläche geritzt hatte. Ziggy überraschte einen oft mit einer Einsicht, brachte einen mit einer Frage aus der Fassung, ließ einen etwas mit anderen Augen betrachten, weil er die Welt wie einen Zauberwürfel gedreht und sie anders gesehen hatte. Alex wusste das eine oder andere über Ziggy, was, da war er ziemlich sicher, Mondo und Weird noch unbekannt war. Das verhielt sich deshalb so, weil Ziggy wollte, dass Alex Bescheid wusste, und er sicher war, dass seine Geheimnisse bei ihm immer gut aufgehoben wären.

Er stellte sich vor, wie Ziggy sich den Ermittlern gegenüber verhalten würde. Dem Anschein nach würde er entspannt und gelassen in sich ruhen. Wenn jemand die Bullen überzeugen konnte, dass ihre Beziehung zu der Leiche auf dem Hallow Hill vollkommen unverdächtig war, dann wäre das Ziggy.

Detective Inspector Barney Maclennan warf seinen nassen Mantel auf den nächsten Stuhl in seinem Büro. Es war etwa so groß wie ein Klassenzimmer und damit weitläufiger als normalerweise nötig. St. Andrews wurde von der oberen Polizeibehörde von Fife nicht als Zentrum für die Aufdeckung spektakulärer Kriminalfälle eingestuft, was seinen Niederschlag in der nicht gerade üppigen Personalausstattung der Polizei fand. Maclennan war nicht aus Mangel an Ehrgeiz Chef der Kriminalpolizei in dieser Randzone des britischen Empire, sondern weil er ein unbequemer Zeitgenosse und einer dieser aufsässigen Polizisten war, die sich die Vorgesetzten lieber vom Leib hielten. Normalerweise ärgerte es ihn, dass es nicht viel Interessantes zu tun gab, aber das hieß nicht, dass er die Ermordung eines jungen Mädchens in seinem Revier begrüßte.

Sie hatte sofort identifiziert werden können. In dem Pub, in dem Rosie Duff arbeitete, verkehrten gelegentlich einige der uniformierten Polizisten, und PC Jimmy Lawson, der erste am Tatort, hatte sie sofort erkannt. Wie die meisten anderen Beamten vor Ort hatte er völlig schockiert gewirkt und ausgesehen, als sei ihm übel. Maclennan konnte sich nicht erinnern, wann in ihrem Gebiet zum letzten Mal ein Mord geschehen war, der nicht auf reine Familienangelegenheiten zurückging. Deshalb hatten diese jungen Polizisten nicht genug gesehen, um für einen Anblick wie den auf dem verschneiten Hügel abgehärtet zu sein. Ja, selbst er hatte erst zwei Mordopfer gesehen, aber niemals etwas so Erschütterndes wie Rosie Duffs Leiche nach ihrer Vergewaltigung.

Nach der Aussage des Polizeiarztes sah es aus, als sei sie missbraucht und durch einen Stich in den Unterleib verletzt worden. Ein einziger furchtbarer, tödlicher Einstich, der sich bis nach oben durch ihre Eingeweide zog. Und wahrscheinlich hatte es eine Weile gedauert, bis der Tod eintrat. Schon allein der Gedanke daran löste bei Maclennan den Impuls aus, den Verantwortlichen grün und blau zu schlagen. Bei solchen Gelegenheiten hatte man das Gefühl, das Gesetz sei bei der Durchsetzung des Rechts eher ein Hindernis als eine Hilfe.

Maclennan seufzte und zündete sich eine Zigarette an, setzte sich an seinen Schreibtisch und machte sich Notizen zu dem wenigen, was er bis jetzt wusste. Rosemary Duff, neunzehn

Jahre alt. Beschäftigt in der Lammas Bar. Wohnhaft in Strathkinness bei ihren Eltern und zwei älteren Brüdern. Die Brüder arbeiteten in der Papierfabrik draußen in Guardbridge, ihr Vater war Gärtner im Craigtoun Park oben. Maclennan beneidete Detective Constable Iain Shaw und die Polizistin nicht, die er in das Dorf geschickt hatte, um die Nachricht zu überbringen. Natürlich würde er später selbst mit der Familie sprechen müssen, das war ihm klar. Aber es war jetzt wichtiger, dass er diese Ermittlung in Gang brachte. Schließlich hatten sie nicht gerade Überfluss an Kriminalbeamten, die sich mit großen Ermittlungsverfahren auskannten. Wenn sie vermeiden wollten, von den Oberen im Präsidium zur Seite gedrängt zu werden, musste Maclennan die Sache ins Rollen bringen und dafür sorgen, dass sie kompetent aussah.

Er schaute ungeduldig auf seine Uhr. Bevor er die Vernehmung der vier Studenten angehen konnte, die behaupteten, die Leiche gefunden zu haben, brauchte er einen weiteren Kripobeamten. Er hatte DC Allan Burnside angewiesen, so schnell wie möglich wieder zur Wache zurückzukommen, aber er war noch nicht da. Maclennan seufzte. Hier draußen war er ja nur von Trotteln und Angebern umgeben.

Er zog die feuchten Schuhe aus und drehte sich mit dem Stuhl, damit er die Füße auf die Heizung legen konnte. Mein Gott, was für eine scheußliche Nacht, um mit den Ermittlungen zu einem Mord anzufangen. Der Schnee hatte den Tatort in einen Albtraum verwandelt, sämtliche Indizien verdeckt und alles noch hundertmal schwieriger gemacht. Wer konnte sagen, welche Spuren der Mörder hinterlassen hatte und welche von den Zeugen stammten? Natürlich unter der Annahme, dass Mörder und Zeugen nichts miteinander zu tun hatten. Maclennan rieb sich die schläfrigen Augen und dachte über seine Strategie für die Vernehmungen nach.

Alles herkömmliche Wissen sagte ihm, er solle zuerst mit dem jungen Mann sprechen, der die Leiche tatsächlich entdeckt hatte. Ein gut gebauter Junge, breitschultrig, von seinem Gesicht war wegen der großen, herabgezogenen Parkakapuze nicht viel zu sehen gewesen. Maclennan lehnte sich zurück und schaute in sein Notizbuch. Alex Gilbey, der war es. Aber er hatte bei ihm irgendwie ein komisches Gefühl. Nicht unbedingt, dass er verschlagen gewirkt hätte, aber er war Maclennans Blick nicht mit der Mitleid erregenden Unschuldsmiene begegnet, auf die man bei den meisten Jungs in seiner Lage gestoßen wäre. Und er sah jedenfalls kräftig genug aus, um die sterbende Rosie den leicht ansteigenden Hallow Hill hinauftragen zu können. Es wäre nicht das erste Mal, dass ein Mörder die Entdeckung des toten Opfers eingefädelt hätte, um sich selbst zu entlasten. Nein, er würde den jungen Mr. Gilbey noch ein Weilchen schwitzen lassen.

Der Dienst habende Kollege hatte ihm gesagt, dass in dem zweiten Vernehmungsraum der Medizinstudent mit dem polnischen Namen saß. Das war derjenige, der so hartnäckig darauf hingewiesen hatte, dass Rosie noch lebte, als sie sie fanden, und behauptete, er hätte alles getan, um sie am Leben zu erhalten. Er war ihm ziemlich gelassen vorgekommen, cooler als Maclennan selbst unter solchen Umständen gewesen wäre. Er beschloss, mit ihm anzufangen. Sobald Burnside endlich auftauchte.

Das Vernehmungsbüro, in dem Ziggy saß, war identisch mit dem, wo Alex sich befand. Irgendwie gelang es Ziggy, es sich darin bequem zu machen. Er saß locker auf dem Stuhl, halb an die Wand zurückgelehnt, und sah vor sich hin. Er war so erschöpft, dass er leicht hätte einschlafen können, hätte er nicht jedes Mal, sobald er die Augen schloss, Rosie klar vor sich gesehen. Das theoretische Studium der Medizin hatte Ziggy nicht auf die brutale Wirklichkeit vorbereitet, dass ein menschliches Wesen so gewaltsam zerstört werden konnte. Sein Wissen hatte einfach nicht ausgereicht, um Rosie zu helfen, als es darauf ankam, und das machte ihn wütend. Er wusste, er sollte Mitleid mit der toten Frau haben, aber sein

Frust ließ keinen Raum für ein anderes Gefühl. Nicht einmal für Angst.
Aber Ziggy war auch klug genug zu wissen, dass er eigentlich Angst haben müsste. Rosie Duffs Blut war überall an seinen Kleidern, unter seinen Fingernägeln, wahrscheinlich sogar an seinen Haaren. Er erinnerte sich, dass er sich das nasse Haar aus der Stirn gestrichen hatte, als er verzweifelt festzustellen versuchte, woher das Blut kam. Das war nicht so schlimm, wenn die Polizei ihm glaubte. Aber dank Weirds merkwürdiger Auffassung von einem harmlosen Streich war er auch der Mann ohne Alibi. Dass die Polizei das Fahrzeug fand, das sich am allerbesten für einen Schneesturm eignete – und das überall seine Fingerabdrücke aufwies –, konnte er sich absolut nicht leisten. Normalerweise war Ziggy so umsichtig, aber jetzt konnte sein Leben durch ein einziges unvorsichtiges Wort zerstört werden. Er wollte gar nicht daran denken.
Es war fast eine Erleichterung, als die Tür aufging und zwei Beamte hereinkamen. Er erkannte den einen, der den Streifenpolizisten gesagt hatte, sie sollten sie zur Wache bringen. Ohne seinen riesigen Mantel war er ein dünner, kleiner Mann, seine unscheinbaren braunen Haare waren etwas länger als üblich. Die Bartstoppeln zeigten, dass er mitten in der Nacht geweckt worden war, obwohl sein ordentliches weißes Hemd und der gepflegte Anzug aussahen, als kämen sie direkt aus der Reinigung. Er ließ sich auf den Stuhl Ziggy gegenüber fallen und sagte: »Ich bin Detective Inspector Maclennan, und dies hier ist Detective Constable Burnside. Wir müssen uns ein bisschen mit Ihnen unterhalten.« Er nickte Burnside zu. »Mein Kollege wird sich Notizen machen, und dann werden wir eine Aussage für Sie formulieren, die Sie unterzeichnen.«
Ziggy nickte. »Geht in Ordnung. Fragen Sie nur.« Er richtete sich auf. »Könnte ich vielleicht eine Tasse Tee haben?«
Maclennan wandte sich an Burnside und nickte. Burnside stand auf und verließ den Raum. Maclennan lehnte sich auf

dem Stuhl zurück und betrachtete seinen Zeugen genauer. Komisch, wie diese Haarschnitte der sechziger Jahre wieder in Mode gekommen waren. Dieser dunkelhaarige junge Mann, der ihm da gegenübersaß, hätte ganz gut zu den Small Faces gepasst, wie sie vor einem Dutzend Jahren aussahen. Nach Maclennans Ansicht wirkte er nicht polnisch. Er hatte die helle Haut und roten Wangen der Leute aus Fife, obwohl seine braunen Augen etwas ungewöhnlich waren. Breite Backenknochen gaben seinem Gesicht eine scharf geschnittene, exotische Note. Ein bisschen wie dieser russische Tänzer, Rudolph Nerejow oder wie immer der hieß.

Burnside war gleich wieder zurück. »Der Tee kommt«, sagte er, setzte sich und nahm seinen Stift.

Maclennan legte die Unterarme auf den Tisch und verschränkte die Finger. »Zuerst die Angaben zur Person.« Sie gingen schnell die Details durch, dann sagte der Beamte: »Eine schlimme Sache. Sie sind bestimmt ziemlich erschüttert.«

Ziggy hatte das Gefühl, im Land der Klischees gelandet zu sein. »Das kann man wohl sagen.«

»Ich hätte gern in Ihren eigenen Worten gehört, was sich im Laufe der Nacht zugetragen hat.«

Ziggy räusperte sich. »Wir waren auf dem Rückweg nach Fife Park …«

Maclennan unterbrach ihn mit erhobener Hand. »Fangen Sie mal ein bisschen früher an. Wir wüssten gern über den ganzen Abend Bescheid.«

Ziggy verließ der Mut. Er hatte gehofft, den Besuch in der Lammas Bar nicht erwähnen zu müssen. »Okay. Wir vier, wir wohnen im selben Haus in Fife Park, also essen wir meistens gemeinsam. Gestern Abend war ich dran mit dem Kochen. Wir haben Eier, Pommes und Bohnen gegessen und sind gegen neun Uhr runter in die Stadt gegangen. Wir wollten später noch zu einer Party, planten aber, vorher ein paar Bier zu trinken.« Er hielt inne, um sicherzugehen, dass Burnside mitschreiben konnte.

»Wo sind Sie etwas trinken gegangen?«

»In der Lammas Bar.« Die Worte schienen in der Luft zwischen ihnen zu hängen.

Maclennan zeigte keine Reaktion, fühlte aber, wie sich sein Pulsschlag beschleunigte. »Sind Sie dort öfter eingekehrt?«

»Ziemlich regelmäßig. Das Bier dort ist billig, und sie haben nichts gegen Studenten, nicht wie in manchen anderen Lokalen hier.«

»Sie haben also Rosie Duff gesehen? Das Mädchen, das jetzt tot ist?«

Ziggy zuckte die Schultern. »Ich habe eigentlich nicht weiter auf sie geachtet.«

»Was, so ein hübsches Mädchen, die haben Sie nicht bemerkt?«

»Als ich mir was geholt hab an der Bar, hat mich jemand anderes bedient.«

»Aber Sie müssen doch sonst schon mal mit ihr gesprochen haben?«

Ziggy holte tief Luft. »Wie ich schon sagte, ich habe eigentlich nie besonders auf sie geachtet. Mädchen hinter der Bar anzumachen ist nicht so mein Ding.«

»Sind Ihnen wohl nicht gut genug, was?«, sagte Maclennan sarkastisch.

»Ich bin kein Snob, Inspector. Ich bin selbst in einer Siedlung mit Sozialwohnungen aufgewachsen. Es macht mir nur keinen Spaß, im Pub den Macho rauszuhängen, okay? Ja, ich wusste, wer sie war, aber ich habe nie mehr mit ihr gesprochen als: ›Vier Tennent, bitte.‹«

»Haben Ihre Freunde sich mehr für sie interessiert?«

»Nicht, dass ich es bemerkt hätte.« Ziggys Gelassenheit wich einem plötzlichen Argwohn gegenüber der Gesprächsführung.

»Sie haben also ’n paar Gläser Bier im Lammas getrunken. Was dann?«

»Wie ich schon sagte, wir gingen zu einer Party. Bei Pete,

einem im sechsten Semester, der Mathematik studiert, ein Freund von Tom Mackie. Er wohnt in St. Andrews, in Learmonth Gardens. Die Nummer weiß ich nicht. Seine Eltern waren nicht da, und er gab eine Party. Wir sind ungefähr um Mitternacht angekommen, und es war fast vier, als wir weggingen.«

»Waren Sie alle zusammen bei der Party?«

Ziggy lachte schnaubend. »Sind Sie je auf einer Studentenfete gewesen, Inspector? Sie wissen doch, wie das ist. Man kommt zusammen durch die Tür, holt sich ein Bier, dann geht der eine hier-, der andere dorthin. Wenn man genug hat, sieht man nach, wer noch aufrecht steht, sammelt sie ein und torkelt zusammen in die Nacht hinaus. Der gute Hirte, das bin immer ich.« Er lächelte ironisch.

»Sie sind also zu viert angekommen und auch zusammen wieder weggegangen, aber Sie haben keine Ahnung, was die anderen in der Zwischenzeit gemacht haben?«

»So ungefähr, ja.«

»Sie könnten nicht einmal schwören, dass keiner wegging und nach einer Weile wiederkam?«

Wenn Maclennan erwartet hatte, dass Ziggy dies beunruhigte, sah er sich enttäuscht. Stattdessen neigte er nachdenklich den Kopf zur Seite. »Wahrscheinlich nicht, nein«, gab er zu. »Ich war die meiste Zeit im Wintergarten im hinteren Teil des Hauses. Zusammen mit zwei Engländern. Tut mir leid, an ihre Namen kann ich mich nicht erinnern. Wir haben über Musik, Politik und Ähnliches gesprochen. Ich habe mich ziemlich aufgeregt, als es um die Dezentralisierung in Schottland ging, wie Sie sich denken können. Ein paarmal bin ich ins Wohnzimmer gegangen, um mir ein Bier und etwas zu essen zu holen, aber nein, ich war nicht der Hüter meiner Brüder.«

»Gehen Sie meistens alle zusammen nach Haus?« Maclennan war nicht sicher, was er damit erreichen wollte, aber es schien ihm, als sei es eine passende Frage.

»Es kommt darauf an, ob jemand sich eine geangelt hat.«

Jetzt war er entschieden in der Defensive, dachte der Polizist. »Kommt das oft vor?«

»Manchmal.« Ziggys Lächeln war etwas gezwungen. »Na ja, wir sind ja gesunde, kräftige junge Männer, verstehen Sie?«

»Aber Sie vier gehen normalerweise gemeinsam nach Haus – ganz bieder?«

»Also wissen Sie, Inspector, nicht alle Studenten sind sexbesessen. Manche von uns wissen, wie privilegiert wir sind, hier sein zu können, und das wollen wir nicht kaputtmachen.«

»Sie sind also lieber in der Gruppe zusammen? Wo ich herkomme, würden die Leute Sie vielleicht für schwul halten.«

Ziggys Gelassenheit verließ ihn einen Moment. »Na und? Ist ja nicht verboten.«

»Das kommt darauf an, was und mit wem Sie es tun«, sagte Maclennan, und alle vorgeschützte Freundlichkeit war verschwunden.

»Hören Sie, was hat das alles damit zu tun, dass wir eine sterbende junge Frau gefunden haben?«, verlangte Ziggy zu wissen und beugte sich vor. »Was wollen Sie damit sagen? Dass wir schwul sind und darum ein Mädchen vergewaltigt und ermordet haben?«

»Das sind Ihre Worte, nicht meine. Es ist allgemein bekannt, dass manche Homosexuelle Frauen hassen.«

Ziggy schüttelte ungläubig den Kopf. »Wo ist das bekannt? Bei Leuten mit Vorurteilen, die keine Ahnung haben? Hören Sie mal, nur weil Alex, Tom und Davey die Party mit mir zusammen verlassen haben, macht das noch keine Schwulen aus ihnen, ja? Sie könnten Ihnen eine Liste von Mädchen geben, um Ihnen zu beweisen, wie sehr Sie sich täuschen.«

»Und wie steht's mit Ihnen, Sigmund? Könnten Sie das auch?«

Ziggy saß unbeweglich da und zwang seinen Körper, ihn nicht zu verraten. Eine Welt so groß wie ganz Schottland lag zwischen dem, was legal war, und dem, wofür man Verständnis erwarten konnte. Er war an einer Stelle angekommen, wo die Wahrheit sich nicht zu seinem Vorteil auswirken würde.

»Können wir auf das Thema zurückkommen, Inspector? Ich verließ die Party gegen vier Uhr mit meinen drei Freunden. Wir gingen Learmonth Place entlang, bogen bei Canongate links ein und weiter am Trinity Place entlang. Der Hallow Hill ist eine Abkürzung nach Fife Park ...«
»Haben Sie sonst jemanden gesehen, als Sie auf den Hügel zugingen?«, unterbrach ihn Maclennan.
»Nein. Aber die Sicht war nicht gerade gut wegen des Schnees. Jedenfalls gingen wir auf dem Fußweg unten am Hügel entlang, und Alex fing an, den Hang hochzulaufen. Ich weiß nicht, warum, ich ging vor ihm und sah nicht, was ihn dazu brachte. Als er oben ankam, stolperte er und fiel in ein Loch. Dann rief er uns auch schon zu, wir sollten hochkommen, da läge eine junge Frau und sie blute.« Ziggy schloss die Augen, schlug sie aber hastig wieder auf, weil er das tote Mädchen wieder vor sich sah. »Wir liefen zu ihm hoch und fanden Rosie, die im Schnee lag. Ich habe ihren Puls an der Halsschlagader gefühlt. Er war sehr schwach, aber noch zu spüren. Sie schien aus einer Bauchwunde zu bluten. Fühlte sich wie ein ziemlich langer Schnitt an. Vielleicht acht bis zehn Zentimeter. Ich sagte zu Alex, er solle Hilfe holen, die Polizei rufen. Wir haben sie mit unseren Mänteln zugedeckt, und ich versuchte, Druck auf die Wunde auszuüben. Aber es war zu spät. Sie hatte zu viele innere Verletzungen, zu viel Blut verloren. Innerhalb von ein paar Minuten starb sie.« Er tat einen tiefen Atemzug. »Ich konnte nichts mehr tun.«
Die Intensität seiner Worte ließ selbst Maclennan einen Augenblick schweigen. Er sah zu Burnside hinüber, der eifrig alles niederschrieb. »Warum haben Sie Alex Gilbey gebeten, Hilfe zu holen?«
»Weil Alex nüchterner war als Tom. Und Davey verliert bei Krisen immer die Nerven.«
Es war logisch. Fast zu logisch. Maclennan schob seinen Stuhl zurück. »Einer meiner Leute wird Sie jetzt nach Haus bringen, Mr. Malkiewicz. Wir brauchen Ihre Kleidung für die Unter-

suchung durch die Gerichtsmedizin. Und Ihre Fingerabdrücke, damit Sie als Verdächtiger ausgeschlossen werden können. Und wir möchten später noch einmal mit Ihnen reden.« Es gab bestimmte Dinge, die Maclennan über Sigmund Malkiewicz wissen wollte. Aber die konnten warten. Sein Unbehagen in Bezug auf diese vier jungen Männer wuchs von Minute zu Minute. Er wollte Druck anwenden. Und er hatte das Gefühl, dass der, der in Krisen die Nerven verlor, vielleicht auch derjenige war, der jetzt einknicken würde.

3

Mit Baudelaires Gedichten würde er es schaffen. Zusammengekauert auf einer so harten Matratze, dass sie diesen Namen kaum verdiente, ging Mondo *Les Fleurs du Mal* durch. Der Titel schien auf ironische Art und Weise zu den Ereignissen der Nacht zu passen. Der melodische Klang der Sprache wirkte beruhigend und verdrängte die Wirklichkeit von Rosie Duffs Tod und der Polizeizelle, in die er ihn gebracht hatte. Die Texte halfen ihm, sich aus seinem Körper über die Wirklichkeit zu erheben und an einen anderen Ort zu versetzen, wo der wohlklingende Fluss der Silben allein sein Bewusstsein erfüllte. Er wollte sich nicht mit Tod, Schuld, Angst oder Misstrauen auseinander setzen.

Aber sein Zufluchtsort schwand unvermittelt dahin, als die Tür der Zelle mit lautem Knall aufging. PC Jimmy Lawson stand groß und bedrohlich über ihm. »Auf die Beine, Junior. Sie werden verlangt.«

Mondo rutschte ein Stück zurück, weg von dem jungen Polizisten, der irgendwie vom Retter zum Verfolger geworden war. Lawsons Lächeln war alles andere als beruhigend. »Sie brauchen sich nicht gleich in die Hose zu machen. Na los, Beeilung. Inspector Maclennan mag es nicht, wenn er warten muss.«

Mondo kam langsam auf die Beine und folgte Lawson aus der Zelle in den hell erleuchteten Flur. Hier war für Mondos Geschmack alles zu scharf umrissen und klar definiert. Es gefiel ihm hier wirklich nicht.

Auf dem Flur ging Lawson um eine Ecke und riss dann eine Tür auf. Mondo blieb zögernd auf der Schwelle stehen. Am Tisch saß der Mann, den er oben auf dem Hallow Hill gesehen hatte. Er sieht zu klein für einen Polizisten aus, dachte er. »Mr. Kerr, nicht wahr?«, fragte der Mann.
Mondo nickte. »Ja«, sagte er. Der Klang seiner eigenen Stimme überraschte ihn.
»Kommen Sie herein und nehmen Sie Platz. Ich bin Inspector Maclennan, dies ist Constable Burnside.«
Mondo setzte sich den beiden Männern gegenüber und hielt den Blick auf den Tisch gesenkt. Burnside brachte die Formalitäten mit einer Höflichkeit hinter sich, die Mondo erstaunte, da er nur Gebrüll und Machogehabe wie in manchen Fernsehserien erwartet hatte.
Als Maclennan die Gesprächsführung übernahm, kam ein etwas strengerer Ton hinein. »Sie kannten Rosie Duff«, sagte er.
»Ja.« Mondo schaute immer noch nicht auf. »Na ja, ich wusste, dass sie im Lammas Barkellnerin war«, fügte er hinzu, als es still um ihn blieb.
»Gut aussehendes Mädchen«, sagte Maclennan. Mondo reagierte nicht darauf. »Das müssen Sie doch wenigstens bemerkt haben.«
Mondo zuckte die Achseln. »Ich hab nicht weiter darüber nachgedacht.«
»War sie nicht Ihr Typ?«
Mondo hob den Blick, ein Mundwinkel hob sich zu einem zögernden Lächeln. »Ich glaube, dass ich jedenfalls nicht ihr Typ war. Sie hat mich nie beachtet. Es gab immer Männer, an denen sie mehr Interesse hatte. Ich musste im Lammas immer warten, bis ich bedient wurde.«
»Das muss Sie doch geärgert haben.«
Da blitzte plötzlich Panik in Mondos Augen auf. Langsam wurde ihm klar, dass Maclennan schlauer war, als er es einem Polizisten zugetraut hätte. Er würde strategisch klug vorgehen

und seinen Verstand beisammenhalten müssen. »Eigentlich nicht. Wenn wir es eilig hatten, habe ich für meine Runde einfach Gilly hingeschickt.«

»Gilly? Meinen Sie Alex Gilbey?«

Mondo nickte und senkte wieder den Blick. Er wollte diesem Mann nicht die Gefühle zeigen, die in ihm tobten. *Tod, Schuld, Angst, Misstrauen.* Er wollte unbedingt aus der ganzen Sache raus, aus dieser Polizeiwache, aus diesem Fall. Er wollte dabei keinen anderen in die Bredouille bringen, aber das hier konnte er nicht aushalten. Er wusste, dass er es nicht durchstehen konnte, und er wollte sich schließlich nicht so verhalten, dass diese Bullen von ihm dachten, er sei verdächtig oder schuldig. Denn er war ja nicht der Verdächtige. Er hatte Rosie Duff nicht angequatscht, wie gern er es auch getan hätte. Er hatte keinen Landrover gestohlen. Er hatte ihn nur geliehen, um ein Mädchen nach Guardbridge nach Hause zu fahren. Er war nicht über eine Leiche im Schnee gestolpert. Das ging auf Alex' Konto. Er saß wegen der anderen in der Scheiße. Wenn Sicherheit für ihn hieß, die Aufmerksamkeit der Bullen von sich abzulenken, würde Gilly das nie erfahren. Und selbst wenn er es erführe, war Mondo sicher, dass Gilly ihm verzeihen würde.

»Also mochte sie Gilly, was?«, beharrte Maclennan unnachgiebig.

»Keine Ahnung. Soviel ich weiß, war er einfach ein Gast wie jeder andere für sie.«

»Aber einer, den sie mehr beachtete als Sie.«

»Na ja, das machte ihn ja nicht gerade zu etwas Besonderem.«

»Wollen Sie damit sagen, dass Rosie viel geflirtet hat?«

Mondo schüttelte ärgerlich über sich selbst den Kopf. »Nein. Überhaupt nicht. Es war ja ihre Arbeit. Sie war Barkellnerin, da musste sie nett zu den Leuten sein.«

»Aber nicht zu Ihnen.«

Mondo zog nervös an seinen Locken, die ihm über die Ohren fielen. »Sie verdrehen ja alles. Passen Sie auf, sie bedeutete mir nichts, und ich bedeutete ihr nichts. Also, kann ich jetzt bitte gehen?«

»Noch nicht ganz, Mr. Kerr. Wessen Idee war es, heute Nacht über den Hallow Hill zurückzugehen?«

Mondo runzelte die Stirn. »Keiner hatte die Idee. Es ist einfach der kürzeste Weg nach Fife Park zurück. Wir gehen oft da lang. Niemand hat daran einen Gedanken verschwendet.«

»Und hatten Sie jemals zuvor das Bedürfnis, zum piktischen Friedhof hinaufzugehen?«

Mondo schüttelte den Kopf. »Wir wussten, dass er da oben ist, wir sind raufgegangen, als er ausgegraben wurde, und haben ihn uns angesehen wie halb St. Andrews auch. Deshalb sind wir noch keine komischen Außenseiter.«

»Das habe ich auch nicht gesagt. Aber Sie haben doch nie zuvor auf Ihrem Rückweg zum Wohnheim diesen Umweg gemacht?«

»Warum sollten wir?«

Maclennan zuckte die Achseln. »Ich weiß es nicht. Dumme-Jungen-Streiche. Vielleicht haben Sie ein paarmal zu oft *Carrie* gesehen.«

Mondo zog wieder an einer Locke. *Tod, Schuld, Angst, Misstrauen.* »Ich interessiere mich nicht für Horrorfilme. Hören Sie, Inspector, Sie verstehen das alles falsch. Wir sind nur vier normale Typen, die irgendwie in etwas Außergewöhnliches reingeraten sind. Nicht mehr und nicht weniger.« Er breitete die Hände mit einer Geste aus, die ihre Unschuld beteuern sollte, und er hoffte und betete, dass sie überzeugend war. »Es tut mir leid, dass dem Mädchen das passiert ist, aber es hat nichts mit mir zu tun.«

Maclennan lehnte sich zurück. »Das sagen Sie.« Mondo erwiderte nichts, sondern stieß nur einen langen frustrierten Seufzer aus. »Was war bei der Party? Wo waren Sie da?«

Mondo rutschte auf seinem Stuhl zur Seite, der Wunsch, sich davonzumachen, sprach aus jeder Bewegung. Würde das Mädchen etwas sagen? Er glaubte kaum. Sie hatte sich ins

Haus schleichen müssen, weil sie schon Stunden zuvor hätte zurück sein sollen. Und sie war keine Studentin, hatte fast niemanden auf der Party gekannt. Mit etwas Glück würde sie überhaupt nie erwähnt und nie befragt werden. »Hören Sie, warum ist Ihnen das wichtig? Wir haben doch nur die Leiche gefunden, verstehen Sie?«

»Wir müssen alle Möglichkeiten ausschöpfen.«

Mondo sagte höhnisch: »Sie tun nur Ihre Arbeit, was? Na ja, Sie verschwenden Ihre Zeit, wenn Sie meinen, wir hätten etwas mit dem zu tun, was ihr passiert ist.«

Maclennan zuckte die Achseln. »Trotzdem wüsste ich gern etwas über die Party.«

Während Mondos Magen rumorte, gab er eine Version zum Besten, die, so hoffte er, akzeptiert werden würde. »Ich weiß nicht. Es ist schwer, sich an jede Einzelheit zu erinnern. Nicht lange nachdem wir kamen, hab ich mich mit einem Mädchen unterhalten. Marg hieß sie. Aus Elgin. Wir tanzten eine Weile. Ich dachte, ich hätte es geschafft, verstehen Sie?« Er machte ein bedauerndes Gesicht. »Dann ist ihr Freund aufgetaucht. Sie hatte ihn vorher nicht erwähnt. Ich war ziemlich wütend, also hab ich noch zwei Bier getrunken und bin dann nach oben gegangen. Da gab es ein kleines Arbeitszimmer, eigentlich nur ein Abstellraum mit einem Schreibtisch und einem Stuhl. Ich hab da gesessen und mich eine Weile bemitleidet. Nicht lange, nur so lange wie man braucht, um 'ne Dose Bier zu trinken. Dann ging ich wieder runter und hing da rum. Ziggy hat im Wintergarten ein paar Typen aus England die Proklamation von Arbroath vorgetragen, also bin ich nicht geblieben. Ich hab sie schon zu oft gehört. Sonst habe ich auf weiter niemanden geachtet. Es war ja nicht viel Auswahl da, und die, die da waren, waren schon vergeben. Ich hing nur herum. Ehrlich gesagt, ich war schon lange so weit, dass ich gehen wollte, bevor wir dann endlich aufbrachen.«

»Aber Sie haben nicht vorgeschlagen zu gehen?«

»Nein.«

»Warum nicht? Haben Sie denn keine eigene Meinung?«
Mondo warf ihm einen verärgerten Blick zu. Es war nicht das erste Mal, dass ihm vorgeworfen wurde, er folge den anderen wie ein dummes Schaf. »Natürlich hab ich das. Ich hatte einfach keine Lust dazu, okay?«
»Also gut«, sagte Maclennan. »Wir werden Ihre Aussagen überprüfen. Sie können jetzt nach Hause gehen. Wir brauchen die Kleidung, die Sie tragen. Ein Beamter wird sie Ihnen in Ihrer Wohnung abnehmen.« Er stand auf, und Mondo bekam vom Quietschen der Stuhlbeine eine Gänsehaut. »Wir sprechen uns noch mal, Mr. Kerr.«

Constable Janice Hogg schloss die Tür des Streifenwagens so leise wie möglich. Es war ja nicht nötig, die ganze Straße aufzuwecken. Die Nachbarn würden die Neuigkeit noch bald genug erfahren. Sie zuckte zusammen, als Detective Constable Iain Shaw gedankenlos die Fahrertür zuknallte, und warf einen Blick auf sein schütteres Haar. Erst fünfundzwanzig und schon eine Halbglatze, dachte sie spöttisch. Und dabei hielt er sich für einen so guten Fang.
Als ahnte er, was in ihren Gedanken vor sich ging, drehte sich Shaw um und sah sie mit finsterem Blick an. »Komm endlich, los. Bringen wir's hinter uns.«
Während Shaw das Holztor aufstieß und rasch den kurzen Weg entlangging, musterte Janice das kleine Haus. Es war typisch für die Gegend. Ein niedriges Gebäude mit zwei Gauben auf dem Ziegeldach, deren Stufengiebel schneebedeckt waren. Zwischen den Fenstern ragte im Erdgeschoss eine kleine Veranda nach vorn heraus, deren Putz mit einer dunklen, im schwachen Licht der Straßenlaternen undefinierbaren Farbe gestrichen war. Es schien in ganz gutem Zustand zu sein, fand sie und fragte sich, welches Rosies Zimmer gewesen war.
Aber sie verdrängte den Gedanken und bereitete sich innerlich auf das bevorstehende ernste Gespräch vor. Öfter als es fair war, beauftragte man sie, solche schlechten Nachrichten zu

überbringen. Das kam daher, dass sie eine Frau war. Während Shaw mit dem schweren Eisenklopfer an die Tür schlug, machte sie sich also darauf gefasst. Zuerst rührte sich nichts. Dann leuchtete ein matter Schimmer hinter den Gardinen am rechten unteren Fenster auf. Eine Hand zog die Gardine zur Seite, dann erschien ein Gesicht, auf das schräg das Licht fiel. Ein älterer Mann mit grauem, zerzaustem Haar starrte die beiden mit offenem Mund an.

Shaw hob mit einer unmissverständlichen Geste seinen Ausweis hoch. Die Gardine fiel zurück, einen Augenblick später ging die Haustür auf, und der Mann erschien und band die Kordel seines dicken, wollenen Morgenmantels. Die Beine seines Schlafanzugs hingen auf die ausgeblichenen karierten Hausschuhe herunter. »Was ist los?«, fragte er und konnte seine Angst nur teilweise hinter dem streitlustigen Ton verbergen.

»Mr. Duff?«, fragte Shaw.

»Ja, stimmt. Was wollen Sie so früh von mir?«

»Ich bin Detective Constable Shaw, und dies hier ist Constable Hogg. Dürfen wir reinkommen, Mr. Duff? Wir müssen Sie sprechen.«

»Was haben meine Jungs denn angestellt?« Er trat zurück und ließ sie eintreten. Eine dreiteilige Couchgarnitur in braunem Kord belagerte den größten Fernseher, den Janice je gesehen hatte. »Setzen Sie sich«, sagte er.

Als sie auf die Couch zugingen, erschien Eileen Duff an der hinteren Tür des Zimmers. »Was ist denn hier los, Archie?«, fragte sie. Ihr ungeschminktes Gesicht glänzte von der Nachtcreme, und ein beiges Chiffontuch bedeckte ihr Haar zum Schutz der Frisur. Ihr gesteppter Nylonhausmantel war falsch zugeknöpft.

»Die Polizei«, sagte ihr Mann.

Die Frau riss ängstlich die Augen auf. »Was ist passiert?«

»Könnten Sie herkommen und Platz nehmen, Mrs. Duff«, sagte Janice, ging zu der Frau hinüber, führte sie am Ellbogen

zur Couch und machte ihrem Mann ein Zeichen, dass er sich zu ihr setzen solle.
»Schlimme Nachrichten, das seh ich schon«, sagte die Frau bekümmert und fasste ihren Mann am Arm. Archie Duff starrte teilnahmslos auf den leeren Bildschirm und presste die Lippen aufeinander.
»Es tut mir sehr leid, Mrs. Duff. Aber ich fürchte, Sie haben recht. Wir haben wirklich sehr schlechte Nachrichten für Sie.«
Shaw stand verlegen da, den Kopf leicht gesenkt, den Blick auf den bunt gemusterten Teppich gerichtet.
Mrs. Duff stieß ihren Mann an. »Ich hab dir ja gesagt, du sollst Brian das Motorrad nicht kaufen lassen. Ich hab's dir gesagt.«
Shaw warf Janice einen mahnenden Blick zu. Sie trat einen Schritt näher an die Duffs heran und sagte sanft: »Es geht nicht um Brian, sondern um Rosie.«
Ein leises Wimmern kam von Mrs. Duff. »Das kann nicht stimmen«, widersprach Mr. Duff.
Janice zwang sich, weiterzusprechen. »Heute Nacht wurde auf dem Hallow Hill die Leiche einer jungen Frau gefunden.«
»Das muss ein Irrtum sein«, sagte Archie Duff störrisch.
»Ich glaube, leider nicht. Einige der Polizisten vor Ort haben Rosie erkannt. Sie kannten sie von der Lammas Bar. Es tut mir sehr leid, Ihnen sagen zu müssen, dass Ihre Tochter tot ist.«
Janice hatte diesen vernichtenden Schlag oft genug geführt, um zu wissen, dass es bei den Menschen zwei verschiedene Reaktionen darauf gab. Entweder sie leugneten es ab wie Archie. Oder der Schmerz brach überwältigend wie eine elementare Naturgewalt über sie herein. Eileen Duff warf den Kopf zurück und schrie ihren Schmerz zur Decke empor, rang und wand die Hände im Schoß, und ihr ganzer Körper war von Qual erfüllt. Ihr Mann starrte sie wie eine Fremde an, und seine finster zusammengezogenen Augenbrauen zeigten den festen Entschluss, nicht zuzulassen, was hier geschah.
Janice stand da und ließ die erste Welle der Erregung wie eine

Springflut auf den West Sands über sich ergehen. Shaw trat von einem Fuß auf den anderen und war unsicher, was er als Nächstes sagen sollte.

Plötzlich hörte man schwere Schritte auf der Treppe, die sich an das eine Ende des Raums anschloss. Über Beinen in einer Schlafanzughose und einem nackten Oberkörper erschien ein schläfriges Gesicht, gekrönt von einem dunklen, zerzausten Haarschopf. Der junge Mann blieb auf der zweitletzten Stufe stehen und betrachtete die Anwesenden. »Was ist denn hier los, verdammt noch mal?«, brummte er.

Ohne den Kopf zu wenden, sagte Archie: »Deine Schwester ist tot, Colin.«

Colin Duffs Kinnlade fiel herunter. »Was?«

Janice sprang wieder in die Bresche. »Es tut mir sehr leid, Colin. Aber die Leiche Ihrer Schwester ist vor kurzem gefunden worden.«

»Wo denn? Was ist passiert? Was soll das heißen, ihre Leiche wurde gefunden?« Die Worte überschlugen sich, seine Beine gaben nach, und er setzte sich auf die unterste Stufe.

»Sie wurde auf dem Hallow Hill gefunden.« Janice holte tief Luft. »Wir vermuten, dass Rosie ermordet wurde.«

Colin ließ den Kopf auf seine Hände sinken. »Oh Gott«, flüsterte er immer wieder.

Shaw beugte sich vor. »Wir werden Ihnen einige Fragen stellen müssen, Mr. Duff. Könnten wir vielleicht in die Küche gehen?«

Bei Eileen begann sich der erste lähmende Kummer etwas zu lösen. Sie hörte auf zu klagen und wandte Archie ihr tränenüberströmtes Gesicht zu.

»Bleibt da. Ich bin doch kein Kind, das die Wahrheit nicht hören darf«, sagte sie und unterdrückte die Tränen.

»Haben Sie vielleicht Brandy?«, fragte Janice. Archie starrte ratlos vor sich hin. »Oder Whisky?«

Colin kam schwankend auf die Beine. »Im Küchenschrank ist eine Flasche. Ich hol sie.«

Eileen sah Janice mit ihren verschwollenen Augen an. »Was ist mit meiner Rosie passiert?«
»Wir wissen es noch nicht genau. Es scheint, dass sie erstochen wurde. Aber wir müssen auf den Befund des Arztes warten, bevor wir sicher sein können.«
Bei diesen Worten zuckte Eileen zurück, als sei sie selbst von einem Messer getroffen worden. »Wer sollte denn Rosie so etwas antun? Ihr, die nie einer Fliege was zuleid getan hat.«
»Das wissen wir auch noch nicht«, fuhr jetzt Shaw fort. »Aber wir werden ihn finden, Mrs. Duff. Wir werden ihn finden. Ich weiß, es ist der schlechteste Zeitpunkt, Ihnen Fragen zu stellen, aber je eher wir die notwendige Information bekommen, desto schneller können wir Fortschritte machen.«
»Kann ich sie sehen?«, fragte Eileen.
»Wir werden dafür sorgen, dass es heute noch geht«, sagte Janice. Sie kauerte neben Eileen und legte tröstend eine Hand auf ihren Arm. »Um wie viel Uhr ist Rosie gewöhnlich nach Hause gekommen?«
Colin kam aus der Küche mit einer Flasche Bells und drei Gläsern. »Das Lammas schließt um halb elf. Meistens war sie bis Viertel nach elf hier.« Er stellte die Gläser auf den Couchtisch und goss drei kräftige Drinks ein.
»Aber an manchen Abenden kam sie später?«, fragte Shaw.
Colin reichte seinen Eltern den Whisky. Archie trank seinen mit einem Schluck halb aus. Eileen umklammerte das Glas, führte es aber nicht an die Lippen. »Ja. Wenn sie zu 'ner Party ging oder so.«
»Und gestern Abend?«
Colin nahm einen Schluck Whisky. »Ich weiß nicht. Mum? Hat sie dir etwas gesagt?«
Eileen schaute benommen und verwirrt zu ihm auf. »Sie sagte, sie würde sich mit Freunden treffen. Mit wem hat sie nicht gesagt, und ich hab nicht gefragt. Sie hat das Recht, ihr eigenes Leben zu führen.« Sie klang etwas gereizt, woraus Janice

schloss, dass dies ein Streitpunkt gewesen war, wahrscheinlich zwischen ihr und Archie.
»Wie ist Rosie gewöhnlich nach Hause gekommen?«, fragte Janice.
»Wenn ich oder Brian in der Stadt waren, sind wir, bevor geschlossen wurde, vorbeigegangen und haben sie mitgenommen. Eine der anderen Bedienungen, Maureen, hat sie gebracht, wenn sie die gleiche Schicht hatten. Wenn sie mit niemand mitfahren konnte, hat sie ein Taxi genommen.«
»Wo ist Brian?«, sagte Eileen, plötzlich in Sorge um ihre Kinder.
Colin zuckte die Achseln. »Er ist nicht nach Hause gekommen. Er muss in der Stadt geblieben sein.«
»Er sollte hier sein. Er sollte das nicht von Fremden hören.«
»Zum Frühstück wird er wieder da sein«, sagte Archie schroff. »Er muss sich für die Arbeit fertig machen.«
»Ist Rosie mit jemandem ausgegangen? Hatte sie einen Freund?« Shaw versuchte in seiner Ungeduld, von hier wegzukommen, das Gespräch wieder in die Richtung zu lenken, die ihm wichtig war.
Archie sah finster drein. »Sie hat nie Mangel an Verehrern gehabt.«
»Hat es da jemanden im Besonderen gegeben?«
Eileen nahm einen winzigen Schluck Whisky. »Sie ist in letzter Zeit mit jemandem ausgegangen. Aber sie wollte mir nichts über ihn erzählen. Ich hab sie gefragt, aber sie sagte, sie würde es mir schon erzählen, wenn es ihr passte.«
Colin schnaubte. »Muss ein verheirateter Mann sein, wie sich's anhört.« Archie starrte seinen Sohn an. »Du nimmst dich zusammen, wenn du von deiner Schwester sprichst, ist das klar?«
»Na ja, warum würde sie es sonst geheim halten?« Das Kinn des jungen Mannes schob sich trotzig nach vorn.
»Vielleicht wollte sie nicht, dass ihr beide, du und dein Bruder, wieder euren Senf dazugebt«, erwiderte Archie und wandte

sich an Janice. »Die beiden haben mal einen Jungen verdroschen, weil sie angenommen haben, er hätte Rosie nicht gut behandelt.«

»Wer war das?«

Archie riss vor Überraschung die Augen auf. »Das war vor vielen Jahren. Es hat nichts mit dieser Sache zu tun. Der Junge wohnt überhaupt nicht mehr hier. Er ist bald, nachdem es passiert ist, nach England runtergezogen.«

»Wir werden trotzdem seinen Namen brauchen«, beharrte Shaw.

»John Stobie«, sagte Colin aufmüpfig. »Sein Dad ist Golfwart beim Old Course. Wie Dad sagt, er würde sich nicht in Rosies Nähe trauen.«

»Es ist kein verheirateter Mann«, sagte Eileen. »Ich hab sie gefragt. Sie hat gesagt, sie würde uns doch nicht solche Probleme ins Haus bringen.«

Colin schüttelte den Kopf, wandte sich ab und widmete sich seinem Whisky. »Ich hab sie in letzter Zeit nie mit jemand gesehen«, sagte er. »Aber Rosie hat schon immer ihre Geheimnisse gehabt.«

»Wir werden uns ihr Zimmer ansehen müssen«, sagte Shaw. »Nicht gleich. Aber heute noch, später am Tag. Wenn Sie also vermeiden könnten, dort irgendetwas zu verändern, würde uns das helfen.« Er räusperte sich. »Wenn Sie möchten, kann Constable Hogg bei Ihnen bleiben.«

Archie schüttelte den Kopf. »Wir kommen schon zurecht.«

»Vielleicht werden Reporter herkommen«, sagte Shaw. »Es wäre leichter für Sie, wenn Sie jemanden von der Polizei hier hätten.«

»Sie haben gehört, was mein Dad gesagt hat. Wir sind allein besser dran«, sagte Colin.

»Wann kann ich Rosie sehen?«, fragte Eileen.

»Wir werden später einen Wagen für Sie herschicken. Ich kümmere mich darum, dass jemand Sie anruft und dann abholt. Und wenn Ihnen etwas einfällt, ob Rosie gesagt hat, wo

sie gestern Abend hin- oder mit wem sie ausgehen wollte, lassen Sie es uns bitte wissen. Es wäre gut, wenn Sie eine Liste ihrer Freunde für uns machen könnten. Besonders von denen, die vielleicht wissen könnten, wo sie letzte Nacht war und mit wem sie zusammen war. Könnten Sie das für uns tun?« Jetzt, wo Shaw seinen Fluchtweg aus der Situation vor sich sah, war er sehr rücksichtsvoll.
Archie nickte und stand auf. »Das machen wir. Später.«
Janice richtete sich auf, ihre Knie schmerzten, weil sie zu lange in der Hocke verblieben war. »Wir finden schon allein raus.«
Sie folgte Shaw zur Tür. Das Elend im Raum war greifbar – fast wie eine Substanz, die schwer in der Luft lag und das Atmen mühevoll machte. Es war immer das Gleiche. Der Kummer schien sich in diesen ersten Stunden nach der Todesnachricht konstant zu verschlimmern.
Aber das würde sich ändern. Bald würde der Zorn an seine Stelle treten.

4

Weird hatte seine dünnen Arme vor der schmalen Brust verschränkt und starrte Maclennan an. »Ich will 'ne Zigarette«, sagte er. Die Wirkung des LSD, das er genommen hatte, war abgeklungen, und er war jetzt nervös und reizbar. Er wollte nicht hier sein und war entschlossen, so bald wie möglich wieder wegzukommen. Aber das hieß nicht, dass er auch nur einen Fingerbreit nachgeben würde.
Maclennan schüttelte den Kopf. »Tut mir leid, ich rauche nicht.«
Weird wandte den Kopf und starrte auf die Tür. »Sie dürfen keine Folter anwenden, das wissen Sie ja.«
Maclennan ließ sich nicht reizen. »Wir müssen Ihnen einige Fragen zu den Vorfällen von heute Nacht stellen.«
»Nicht ohne einen Anwalt.« Weird lächelte leise vor sich hin.
»Warum sollten Sie einen Anwalt brauchen, wenn Sie nichts zu verbergen haben?«
»Weil Sie hier das Sagen haben. Außerdem haben Sie ein totes Mädchen am Hals und brauchen jemanden, dem Sie die Schuld geben können. Und ich unterschreibe keine falschen Geständnisse, egal, wie lange Sie mich hier behalten.«
Maclennan seufzte. Er fand es deprimierend, dass die zweifelhaften Mätzchen einiger Leute cleveren Jungs wie diesem hier die Waffe in die Hand gaben, alle Polizeibeamten anzugreifen. Er hätte einen Wochenlohn darauf verwettet, dass dieser selbstgerechte junge Kerl ein Poster von Che Guevara in

seinem Zimmer hängen hatte. Und dass er der Meinung war, er hätte ein besonderes Anrecht darauf, den Helden der Arbeiterklasse zu spielen. Was natürlich alles nicht bedeutete, dass er Rosie nicht hätte umbringen können. »Sie haben eine sehr merkwürdige Auffassung von unserer Arbeit hier.«
»Sagen Sie das doch den Birmingham Six und den Guildford Four«, sagte Weird, als zöge er damit eine Trumpfkarte aus dem Ärmel.
»Wenn Sie nicht da landen wollen, wo die sind, mein Sohn, schlage ich vor, dass Sie mit uns zusammenarbeiten. Also, wir können das ganz einfach machen, ich stelle ein paar Fragen und Sie beantworten sie, oder wir können Sie ein paar Stunden einsperren, bis wir einen Anwalt finden, der verzweifelt genug nach Arbeit sucht.«
»Verweigern Sie mir das Recht, mich von einem Rechtsbeistand beraten zu lassen?« Weirds Stimme klang so wichtigtuerisch, dass seinen Freunden der Mut gesunken wäre, hätten sie ihn hören können.
Aber Maclennan glaubte, einem Studenten auf seinem hohen Ross durchaus gewachsen zu sein. »Wie Sie wünschen.« Er rutschte vom Tisch zurück.
»Ich ...«, sagte Weird halsstarrig, »ich habe Ihnen nichts zu sagen, wenn kein Anwalt dabei ist.« Maclennan ging zur Tür, gefolgt von Burnside. »Sie werden also jemanden holen, ja?«
Maclennan wandte sich an der offenen Tür um. »Das ist nicht meine Aufgabe, junger Mann. Wenn Sie einen Anwalt möchten, dann rufen Sie ihn selbst an.«
Weird überlegte. Er kannte keine Anwälte. Ach Mist, er konnte sich sowieso keinen Anwalt leisten, selbst wenn er einen gekannt hätte. Und er konnte sich vorstellen, was sein Vater sagen würde, wenn er zu Hause anrief und in dieser Situation um Hilfe bat. Es war nicht gerade ein angenehmer Gedanke. Außerdem würde er einem Anwalt die komplette Geschichte erzählen müssen, und jeder Anwalt, den sein Vater bezahlte, würde ihm einen vollen Bericht über den Stand der Dinge

liefern müssen. Er fand, es gab weit Schlimmeres, als wegen eines geklauten Landrovers geschnappt zu werden. »Also, ich sag Ihnen was«, lenkte er widerwillig ein. »Stellen Sie Ihre Fragen. Wenn sie so harmlos sind, wie Sie offenbar glauben, werde ich sie beantworten. Aber wenn es so aussieht, als wollten Sie mich aufs Glatteis führen, dann sage ich nichts.«
Maclennan schloss die Tür und setzte sich wieder hin. Er fixierte Weird lange und gründlich, betrachtete die intelligenten Augen, die scharfe Hakennase und die relativ vollen Lippen. Er glaubte nicht, dass Rosie Duff ihn als eine begehrenswerte Eroberung angesehen hätte. Wahrscheinlich hätte sie ihn ausgelacht, wenn er sich je an sie ranzumachen versucht hätte. Eine solche Reaktion konnte zu einem unterschwelligen Groll führen. Ein Groll, der vielleicht sogar zu Mordgedanken eskalieren könnte. »Wie gut kannten Sie Rosie Duff?«, fragte er.
Weird legte den Kopf schief. »Nicht gut genug, um zu wissen, wie sie mit Nachnamen hieß.«
»Haben Sie sie jemals gefragt, ob sie mit Ihnen ausgehen würde?«
Weird lachte. »Sie machen wohl Witze. Da bin ich schon ein bisschen anspruchsvoller. Mädchen in 'ner Kleinstadt mit kleinkarierten Träumen, das ist nicht mein Ding.«
»Und Ihre Freunde?«
»Glaub ich kaum. Weil wir etwas Größeres vorhaben als das, genau deshalb sind wir hier.«
Maclennan hob die Augenbrauen. »Was? Ihr seid alle den weiten Weg von Kirkcaldy nach St. Andrews gekommen, um euren Horizont zu erweitern? Menschenskind, da hat die Welt bestimmt vor Spannung die Luft angehalten. Hören Sie mal, junger Mann, Rosie Duff ist ermordet worden. Und ihre Träume sind mit ihr gestorben, wovon auch immer sie geträumt haben mag. Überlegen Sie es sich also gut, bevor Sie hier sitzen und sich herablassend über sie äußern.«
Weird hielt Maclennans durchdringendem Blick stand. »Ich habe nur gemeint, dass unser Leben nichts mit dem ihren

gemeinsam hatte. Wenn wir nicht zufällig über ihre Leiche gestolpert wären, hätten Sie unsere Namen niemals in Verbindung mit diesem Ermittlungsverfahren gehört. Und ehrlich gesagt, wenn wir das Beste sind, was Sie als Tatverdächtige vorweisen können, dann verdienen Sie nicht, dass man Sie Ermittler nennt.«

Die Luft zwischen den beiden war zum Schneiden dick. Normalerweise begrüßte es Maclennan, wenn bei einer Vernehmung die Spannung zunahm. Es war ein brauchbares Mittel, um die Befragten dazu zu bringen, mehr zu sagen, als sie eigentlich wollten. Und er hatte instinktiv das Gefühl, dass dieser Junge mit seiner anscheinend aufgesetzten Arroganz etwas zu verbergen suchte. Es mochte nichts von Bedeutung sein, konnte sich aber auch als genau das herausstellen, was entscheidend war. Maclennan blieb also dran, sollte er sich dabei auch nichts weiter als Kopfschmerzen holen. Nur auf Verdacht. »Erzählen Sie mir von der Party«, sagte er.

Weird rollte mit den Augen. »Gut, ich nehme an, Sie werden nicht oft zu so was eingeladen. Ich sag Ihnen, wie es geht. Männliche und weibliche Gäste versammeln sich in einem Haus oder einer Wohnung, trinken 'n bisschen was und tanzen zur Musik. Manchmal kommen sie sich näher. Manchmal kommt es sogar zum Bumsen. Und dann gehen alle nach Hause. So war es auch diesmal.«

»Und manchmal kommt es zum Kiffen«, sagte Maclennan milde, ohne sich vom Sarkasmus des Jungen weiter ärgern zu lassen.

»Nicht, wenn Sie dabei sind, wette ich.« Weird lächelte verächtlich.

»Haben Sie gestern Abend gekifft?«

»Sehen Sie? Da haben wir's. Sie versuchen mich reinzulegen.«

»Mit wem waren Sie zusammen?«

Weird überlegte. »Wissen Sie was, ich weiß es wirklich nicht mehr. Ich kam mit den Jungs, und mit ihnen bin ich auch wieder weggegangen. Und in der Zwischenzeit? Ich kann nicht behaupten, es noch zu wissen. Aber wenn Sie damit sagen wollen, ich hätte mich davongemacht, um einen Mord zu begehen, da liegen Sie falsch. Fragen Sie mich, *wo* ich war, da kann ich Ihnen eine Antwort geben. Den ganzen Abend war ich im Wohnzimmer, außer in der Zeit, in der ich nach oben aufs Klo ging.«

»Und der Rest Ihrer Freunde? Wo waren die?«

»Keine Ahnung. Ich bin nicht meiner Brüder Hüter.«

Maclennan bemerkte sofort die Übereinstimmung mit Sigmund Malkiewiczs Worten. »Aber Sie kümmern sich doch umeinander, oder?«

»Das ist Ihnen wahrscheinlich fremd, dass Freunde das füreinander tun, oder?«, bemerkte Weird höhnisch.

»Sie würden also auch füreinander lügen?«

»Aha, die Trickfrage. ›Wann haben Sie aufgehört, Ihre Frau zu schlagen?‹ Wir haben keine Veranlassung, füreinander zu lügen, soweit es um Rosie Duff geht. Weil wir nichts getan haben, weswegen man lügen müsste.« Weird rieb sich die Schläfen. Das dringende Verlangen, in seinem Bett zu liegen, saß ihm wie ein körperlicher Schmerz in den Knochen. »Wir hatten einfach nur Pech.«

»Erzählen Sie mir, wie es dazu kam.«

»Alex und ich, wir haben Unfug gemacht. Wir schubsten einander im Schnee herum. Er verlor das Gleichgewicht und torkelte weiter den Hang hoch. Als hätte ihn der Schnee ganz ausgelassen gemacht. Er stolperte, fiel hin und rief uns dann auch schon zu, wir sollten schnell zu ihm nach oben kommen.« Weirds Großspurigkeit hatte ihn einen Augenblick verlassen, und er sah jünger aus, als er war. »Und wir fanden sie. Ziggy versuchte … aber er konnte nichts mehr tun, um sie zu retten.« Er wischte einen Schmutzfleck von seinem Hosenbein. »Kann ich jetzt gehen?«

»Sie haben sonst niemanden da oben gesehen? Oder auf dem Weg dorthin?«

Weird schüttelte den Kopf. »Nein. Der Monsterkiller mit der

Axt muss einen anderen Weg gegangen sein.« Er hatte wieder seine Abwehrhaltung eingenommen, und Maclennan war klar, dass alle weiteren Versuche, etwas aus ihm herauszubekommen, wahrscheinlich vergeblich sein würden. Aber morgen war auch noch ein Tag. Und er vermutete, dass hinter Tom Mackies Abwehr noch etwas anderes steckte. Er musste nur herausbekommen, was das sein konnte.

Janice Hogg schlitterte hinter Iain Shaw über den Parkplatz. Auf der Rückfahrt zur Wache hatten sie die meiste Zeit geschwiegen und ihre Begegnung mit den Duffs jeweils mehr oder weniger erleichtert mit ihrem eigenen Leben verglichen. Als Shaw die Tür zu der willkommenen Wärme der Polizeiwache aufstieß, holte Janice ihn ein. »Ich frage mich, warum sie vor ihrer Mutter verheimlichte, mit wem sie ausging«, sagte sie.

Shaw zuckte die Schultern. »Vielleicht hatte der Bruder recht. Vielleicht war es ein verheirateter Mann.«

»Aber wenn sie die Wahrheit gesagt hat? Wenn es keiner war? Um welchen anderen Mann würde sie so ein Geheimnis machen?«

»Du bist doch eine Frau, Janice. Was meinst du denn?« Shaw ging weiter durch den kleinen Raum, in dem der Kollege arbeitete, der die lokale Kriminalkartei führte. Das Büro war jetzt mitten in der Nacht leer, aber die Schränke mit den alphabetisch geordneten Karteikarten waren unverschlossen, so dass jeder Zugriff darauf hatte.

»Na ja, wenn es schon eine Vorgeschichte mit ihren Brüdern gab, die unerwünschte Männer in die Schranken wiesen, müsste ich mir überlegen, was für Männer Colin und Brian als unerwünscht betrachten würden«, sinnierte sie.

»Und welche wären das?«, fragte Shaw und zog die Schublade heraus, auf der »D« stand. Er begann mit seinen überraschend langen, schlanken Fingern die Karten durchzublättern.

»Also, mal laut gedacht … Wenn man sich die Familie ansieht, diese zugeknöpfte Fifer Achtbarkeit ... dann würde ich meinen, alle, die sie für unter ihrer Würde oder zu hochgestellt betrachten.«

Shaw drehte sich zu ihr um. »Das schränkt es ja wirklich beträchtlich ein.«

»Ich sagte ja, ich denke jetzt mal laut«, murmelte sie. »Wenn es irgendein Penner wäre, würde sie wahrscheinlich denken, dass er sich gegen ihre Brüder behaupten könnte. Aber wenn es ein bisschen was Kultivierteres war ...«

»Was Kultivierteres? Ein nobles Wort für eine, die in Uniform steckt, Janice.«

»Uniformiert heißt nicht, dass jemand blöd ist, DC Shaw. Vergiss nicht, dass du selbst vor nicht allzu langer Zeit Uniform getragen hast.«

»Okay, okay. Bleiben wir bei kultiviert. Du meinst, zum Beispiel ein Student?«, fragte Shaw.

»Genau.«

»Wie die, die sie gefunden haben?« Er wandte sich wieder seiner Suche zu.

»Das würde ich nicht ausschließen.« Janice lehnte sich an den Türrahmen. »Sie hatte bei ihrer Arbeit jede Menge Gelegenheit, Studenten kennen zu lernen.«

»Hier ist es«, sagte Shaw und zog zwei Karten aus der Schublade. »Ich dachte doch, Colin Duff klingt irgendwie bekannt.« Er las die erste Karte und gab sie dann an Janice weiter. In ordentlicher Handschrift stand da: *Colin James Duff. Geb. 5. 3. 55, wohnhaft in: Caberfeidh Cottage, Strathkinness. Beschäftigt in Guardsbridge in der Papierfabrik als Gabelstaplerfahrer. 9/74 Trunkenheit am Steuer und ordnungswidriges Verhalten, Strafe von 25 Pfund, 5/76 öffentliche Ruhestörung, Verwarnung. 6/78 Geschwindigkeitsüberschreitung, Bußgeld 37 Pfund. Oft in Gesellschaft von Brian Stuart Duff, Bruder, und Donald Angus Thomson.* Janice drehte die Karte um. In der gleichen Handschrift, aber diesmal mit Bleistift, so dass es wegradiert werden konnte, sollte es jemals als Beweisstück angefordert werden, las sie: *Duff schlägt sich gern, wenn er getrunken hat. Er ist geschickt mit den Fäusten, schafft es aber, sich aus der Schusslinie zu halten. Etwas brutal, nicht unehrlich, aber nicht ganz einfach im Umgang.*

»Also, bei so einem würde man sich nicht wünschen, dass er Umgang mit einem sensiblen Freund von der Uni hat«, äußerte Janice, als sie die zweite Karteikarte von Shaw nahm. *Brian Stuart Duff. Geb. 27. 5. 57, wohnhaft Caberfeidh Cottage, Strathkinness. In Guardbridge in der Papierfabrik als Lagerarbeiter beschäftigt. 6/75 Bedrohung, Geldbuße 50 Pfund. 5/76 Bedrohung, drei Monate Haft in Perth. 3/78 öffentliche Ruhestörung, Verwarnung. Pflegt Umgang mit: Colin James Duff, Bruder. Donald Angus Thomson.* Als sie die Karte umdrehte, las sie: *Der jüngere Duff ist ein Rüpel, der sich für einen echten Mann hält. Sein Strafregister wäre noch viel länger, wenn sein großer Bruder ihn nicht wegschleppen würde, bevor der Ärger richtig losgeht. Er hat früh angefangen – John Stobies gebrochene Rippen und Arm gehen wahrscheinlich auf ihn zurück, Stobie hat sich geweigert, etwas zu sagen, behauptete, er hätte einen Unfall mit dem Fahrrad gehabt. Duff wird verdächtigt, bei einem nicht aufgeklärten Einbruch im Spirituosenladen an West Post 8/78 dabei gewesen zu sein. Irgendwann wird er für lange Zeit verschwinden.* Janice war immer froh über solche persönlichen Notizen, die ihr Sammler von Informationen zu der offiziellen Liste hinzufügte. Wenn man eine Verhaftung vornehmen musste, war es von Nutzen zu wissen, ob die Dinge eventuell riskant werden konnten. Und so wie es aussah, konnte es mit den beiden Duffs wirklich ziemlich riskant werden. Eigentlich schade, dachte sie. Jetzt erschien ihr Colin Duff doch ziemlich stattlich.

»Was meinst du?«, fragte Shaw und überraschte sie, erstens, weil sie in Gedanken vertieft, und zweitens, weil sie nicht daran gewöhnt war, dass er ihr zusammenhängendes Denken zutraute.

»Ich glaube, Rosie hat sich darüber ausgeschwiegen, mit wem

sie ausging, weil sie wusste, dass es ihre Brüder herausfordern würde. Sie scheinen als Familie zusammenzuhalten. Also hat sie vielleicht genauso sehr ihre Brüder geschützt wie ihren Freund.«

Shaw runzelte die Stirn. »Wie meinst du das?«

»Sie wollte nicht, dass sie in noch größere Schwierigkeiten geraten. Besonders bei Brians Strafregister hätte eine weitere schwere Tätlichkeit ihm eine Haftstrafe eingebracht. Also hat sie lieber den Mund gehalten.« Janice steckte beide Karten in den Kasten zurück.

»Gut kombiniert. Hör mal, ich geh jetzt ins Büro und schreibe den Bericht. Fährst du ins Leichenschauhaus und legst die Zeit fest, wann die Familie kommen und sie sehen kann? Die von der Tagschicht können mit den Duffs hingehen, aber es wäre gut, wenn sie wüssten, wann das ungefähr sein wird.«

Janice verzog das Gesicht. »Wieso krieg ich immer die tollen Jobs?«

Shaw zog die Augenbrauen hoch. »Da fragst du noch?«

Janice sagte nichts. Sie ließ Shaw in dem Büro mit der Kartei zurück und ging gähnend zum Frauenumkleideraum. Sie hatten dort einen Kocher, von dem die Männer nichts wussten. Ihr Körper sehnte sich nach Koffein, und wenn sie in die Leichenhalle ging, durfte sie sich ruhig etwas gönnen. Schließlich lief ihr Rosie Duff nicht weg.

Alex war bei seiner fünften Zigarette und fragte sich, ob ihm die Packung reichen würde, als die Tür zum Vernehmungsbüro aufging. Er erkannte den Beamten mit dem schmalen Gesicht, den er oben auf dem Hallow Hill gesehen hatte. Der Mann sah viel weniger erschöpft aus, als Alex selbst sich fühlte. Was kaum überraschte, denn es war für die meisten Leute bereits Frühstückszeit. Und Alex bezweifelte sehr, dass der Beamte einen ebenso stumpfen Schmerz am Schädelansatz fühlte, wie sein Kater ihm jetzt verursachte. Der Beamte ging zum Stuhl, der Alex gegenüberstand, und ließ ihn dabei nicht aus den Augen. Alex zwang sich, seinem Blick standzuhalten, denn er war fest entschlossen, sich seine Erschöpfung nicht anmerken zu lassen.

»Ich bin Detective Inspector Maclennan«, sagte der Mann knapp.

Alex fragte sich, welche guten Umgangsformen in dieser Situation wohl angebracht wären. »Ich bin Alex Gilbey«, versuchte er sein Bestes.

»Das weiß ich, junger Mann. Und ich weiß auch, dass Sie derjenige sind, der in Rosie Duff verknallt war.«

Alex spürte, wie er errötete. »Das ist ja kein Verbrechen«, sagte er. Es war sinnlos, etwas abzustreiten, wovon Maclennan so überzeugt zu sein schien. Er überlegte, welcher seiner Freunde wohl sein Interesse an der toten Barkellnerin verraten hatte. Mondo mit ziemlicher Sicherheit. Wenn er unter Druck stand, würde er seine eigene Großmutter verkaufen und sich dann einreden, das sei doch das Beste für die alte Frau.

»Nein, das ist es nicht. Aber was ihr heute Nacht geschehen ist, gehört zu den schlimmsten Verbrechen. Und es ist meine Aufgabe, herauszufinden, wer es getan hat. Bis jetzt gibt es nur eine einzige Person, bei der eine Verbindung zu dem toten Mädchen und auch zur Entdeckung der Leiche besteht, und das sind Sie, Mr. Gilbey. Also, offensichtlich sind Sie ein kluger Junge. Ich brauche Ihnen das wohl nicht weiter zu erklären, oder?«

Alex klopfte nervös auf seine Zigarette, obwohl keine Asche daran war. »Es gibt ja Zufälle.«

»Weniger oft, als Sie vielleicht denken.«

»Ja, aber dies hier ist einer.« Unter Maclennans Blick fühlte sich Alex, als würden ihm Insekten unter die Haut kriechen. »Ich hatte einfach Pech, dass ich Rosie so gefunden habe.«

»Das sagen Sie. Aber wenn ich Rosie Duff auf einem kalten, verschneiten Hügel hätte liegen lassen und mich sorgen würde, ob ich vielleicht Blutspuren an mir trage, wenn ich also ein kluger Junge wäre, hätte ich es so eingerichtet, dass ich derjenige gewesen wäre, der sie fand. Dann hätte ich eine perfekte Erklärung für die Blutspuren gehabt.« Maclennan wies auf Alex' Hemd, das mit dem schmutzigen Rostbraun getrockneter Blutspuren beschmiert war.

»Ich bin sicher, Sie hätten das getan. Aber ich hab es nicht getan. Ich habe die Party überhaupt nicht verlassen.« Alex fing jetzt an, richtig Angst zu bekommen. Er hatte zwar erwartet, dass es bei einem Gespräch mit der Polizei unangenehme Momente geben würde, aber nicht vorausgesehen, dass Maclennan so bald und so heftig gegen ihn vorgehen würde. Seine Handflächen wurden feucht, und er musste den Impuls unterdrücken, sie an seinen Jeans abzuwischen.

»Können Sie uns Zeugen dafür nennen?«

Alex kniff die Augen zusammen und versuchte, gegen das Pochen in seinem Kopf anzukämpfen, um sich erinnern zu können, wann er während der Party wo gewesen war. »Als wir hinkamen, habe ich eine Weile mit einer Studienkollegin gesprochen. Penny Jamieson heißt sie. Sie ging dann tanzen, und ich hing im Esszimmer herum und hab hier und da ein bisschen was gegessen. Verschiedene Leute kamen herein, ich habe nicht auf sie geachtet. Ich war etwas angetrunken. Später ging ich in den Garten hinterm Haus, um einen klaren Kopf zu bekommen.«

»Ganz allein?« Maclennan beugte sich leicht vor.

Alex erinnerte sich plötzlich an etwas, das Erleichterung in ihm aufkommen ließ. »Ja. Aber Sie werden wahrscheinlich den Rosenbusch finden können, neben dem ich erbrochen habe.«

»Es hätte Ihnen zu jeder beliebigen Zeit schlecht werden können«, betonte Maclennan. »Zum Beispiel wenn Sie gerade jemanden vergewaltigt und erstochen und diese Person hätten liegen lassen, weil Sie dachten, sie sei tot. Davon hätte Ihnen schlecht werden können.«

Alex' kurzer Hoffnungsschimmer verblasste und wurde zu Asche. »Vielleicht, aber das habe ich nicht getan«, sagte er

trotzig. »Wenn ich überall voller Blut gewesen wäre, glauben Sie nicht, dass jemand das bemerkt hätte, als ich wieder hineinging? Ich fühlte mich besser, nachdem ich erbrochen hatte. Ich ging rein und tanzte im Wohnzimmer mit den anderen weiter. Da müssen mich viele gesehen haben.«
»Und die werden wir fragen. Wir werden eine Liste von allen brauchen, die bei der Party waren. Wir werden mit dem Gastgeber sprechen. Und mit allen anderen, die wir aufspüren können. Und wenn Rosie Duff sich da gezeigt hat, wenn auch nur für eine Minute, dann werden wir beide eine viel weniger freundliche Unterhaltung führen, Mr. Gilbey.«
Alex fühlte wieder, dass sein Gesichtsausdruck ihn verriet, und wandte hastig den Blick ab. Aber nicht schnell genug. Maclennan schoss auf ihn los. »War sie da?«
Alex schüttelte den Kopf. »Ich habe sie nicht mehr gesehen, nachdem wir die Lammas Bar verließen.« Er sah es Maclennans starrem Blick an, dass diesem gerade eine Einsicht dämmerte.
»Aber Sie haben sie zu der Party eingeladen.« Mit den Händen umklammerte der Beamte den Rand des Tisches und beugte sich so weit vor, dass Alex den merkwürdigen Duft seiner frisch gewaschenen Haare roch.
Alex nickte, er hatte zu große Angst, das zu leugnen. »Ich habe ihr die Adresse gegeben. Als wir im Pub waren. Aber sie ist nicht gekommen, und ich hatte das auch nicht erwartet.« Dabei unterdrückte er ein Schluchzen, als er Rosie hinter der Bar – lebhaft, keck und freundlich – vor sich sah, und er fing an, seine mühsam aufrechterhaltene Beherrschung zu verlieren. Tränen traten ihm in die Augen, als er den Kriminalbeamten ansah.
»Hat Sie das geärgert? Dass sie nicht auftauchte?«
Alex schüttelte den Kopf. »Nein. Ich habe das eigentlich gar nicht erwartet. Hören Sie, ich wünschte, sie wäre nicht tot. Ich wünschte, ich hätte sie nicht gefunden. Aber eins müssen Sie mir glauben. Ich hatte nichts damit zu tun.«

»Das sagen Sie, junger Mann. Das sagen Sie.« Maclennan hielt weiter seine Stellung, nur ein paar Zentimeter von Alex' Gesicht entfernt. Alle seine Instinkte sagten ihm, dass unter der Oberfläche dieser Befragungen irgendetwas verborgen lag. Und so oder so würde er herausfinden, was es war.

5

Constable Janice Hogg sah auf ihre Uhr, als sie sich dem Eingang näherte. Noch eine Stunde, und sie hatte Dienstschluss, theoretisch zumindest. Da die Untersuchung eines Mordfalls im Gange war, würde sie vermutlich Überstunden machen müssen, besonders weil Polizistinnen in St. Andrews ziemlich dünn gesät waren. Sie schob die Tür zum Eingangsbereich auf, als gleichzeitig so fest gegen die Außentür gestoßen wurde, dass diese gegen die Wand knallte.

Die Kraft dahinter stammte von einem jungen Mann mit Schultern, die fast so breit wie der Türrahmen waren. Schnee bedeckte sein welliges Haar, und sein Gesicht war nass, ob nun von Tränen, Schweiß oder geschmolzenen Schneeflocken. Er stürzte mit einem wütenden Grollen auf den Schalter zu. Der Dienst habende Beamte wich schockiert zurück und wäre fast von seinem hohen Stuhl gekippt. »Wo sind die Dreckskerle?«, brüllte der Mann.

Man muss anerkennen, dass der Polizist es schaffte, die Erinnerung an seine Ausbildung aus dem hintersten Winkel seines Bewusstseins hervorzuholen und mit ihrer Hilfe eine gewisse Kaltblütigkeit an den Tag zu legen. »Kann ich Ihnen helfen, Sir?«, fragte er und entfernte sich aus der Reichweite der auf die Schalterplatte hämmernden Fäuste. Janice stand unbemerkt im Hintergrund. Wenn die Szene so gefährlich wurde, wie es jetzt aussah, wäre für sie ein Überraschungsmoment die beste Taktik.

»Ich will die Scheißkerle sehen, die meine Schwester umgebracht haben«, schrie der Mann.
Aha, dachte Janice. Die Neuigkeit war also bei Brian Duff angekommen.
»Sir, ich weiß nicht, wovon Sie sprechen«, sagte der Polizist behutsam.
»Meine Schwester. Rosie. Sie ist ermordet worden. Und Sie haben sie hier. Die Kerle, die es getan haben.« Duff sah aus, als werde er in seinem verzweifelten Wunsch nach Rache gleich über den Schalter springen.
»Sir, ich glaube, Sie sind nicht richtig informiert.«
»Hören Sie auf damit, Sie Mistkerl«, schrie Duff. »Meine Schwester ist tot, jemand wird dafür bezahlen.«
Janice beschloss, dies sei der richtige Moment. »Mr. Duff?«, sagte sie ruhig und trat vor.
Er wirbelte herum und starrte sie mit großen Augen an, weißer Speichel hing in seinen Mundwinkeln. »Wo sind sie?«, knurrte er.
»Es tut mir sehr leid wegen Ihrer Schwester. Aber es ist wegen ihres Todes noch niemand verhaftet worden. Wir sind noch ganz am Anfang der Ermittlungen und vernehmen die Zeugen. Keine Tatverdächtigen. Zeugen.« Sie legte vorsichtig eine Hand auf seinen Unterarm. »Sie sollten nach Hause gehen. Ihre Mutter braucht jetzt ihre Söhne.«
Duff schüttelte ihre Hand ab. »Ich hab gehört, dass Sie sie eingesperrt haben. Die Schweine, die das getan haben.«
»Wer immer Ihnen das gesagt hat, hat sich geirrt. Wir suchen alle dringend die Person, die diese schreckliche Tat begangen hat, und manchmal ziehen die Leute dann falsche Schlüsse. Glauben Sie mir, Mr. Duff. Wenn wir einen Tatverdächtigen in Haft hätten, würde ich es Ihnen sagen.«
Janice sah ihm fest in die Augen und hoffte inständig, dass ihre besonnene, nüchterne Haltung ihre Wirkung nicht verfehlen würde. Sonst konnte er ihr mit einem einzigen Schlag den Kiefer brechen.

»Ihre Familie wird zuallererst erfahren, wenn wir jemanden verhaften. Das verspreche ich Ihnen.«
Duff schien verblüfft und zornig. Dann füllten sich seine Augen plötzlich mit Tränen, und er sank auf einen der Stühle im Wartebereich. Er legte den Kopf auf seine verschränkten Arme, und ein heftiger Weinkrampf schüttelte ihn. Janice tauschte einen hilflosen Blick mit dem Kollegen hinter dem Schalter. Er machte ein Zeichen für Handschellen, aber sie schüttelte den Kopf und setzte sich neben Brian.
Nach und nach gewann Brian Duff seine Fassung wieder. Er ließ die Hände schwer in den Schoß fallen und wandte Janice sein tränennasses Gesicht zu. »Aber Sie werden ihn kriegen? Den Kerl, der das getan hat?«
»Wir werden unser Bestes tun, Mr. Duff. Soll ich Sie nicht nach Hause fahren? Ihre Mutter hat sich schon um Sie gesorgt. Man sollte sie beruhigen, dass mit Ihnen alles in Ordnung ist.« Sie stand auf und schaute fragend auf ihn hinunter.
Die Wut hatte sich für den Augenblick gelegt. Demütig stand Duff auf und nickte. »Ja.«
Janice drehte sich zu ihrem Kollegen hinter dem Schalter um und sagte: »Richten Sie Detective Shaw aus, dass ich Mr. Duff nach Hause bringe. Wenn ich zurückkomme, hole ich das nach, was ich hier machen sollte.« Endlich einmal würde niemand meckern, wenn sie die Initiative ergriff. Alles, was sich über Rosie Duff und ihre Familie herausfinden ließ, hatte im Moment absoluten Vorrang, und Janice hatte jetzt die beste Gelegenheit, um aus Brian Duff in seiner hilflosen Lage etwas herauszukriegen. »Sie war so ein nettes Mädchen, die Rosie«, sagte sie ganz nebenbei, als sie Duff durch die Eingangstür und um das Gebäude herum zum Parkplatz führte.
»Kannten Sie sie?«
»Ich geh manchmal etwas trinken im Lammas.« Es war eine Notlüge, aber unter den Umständen zweckdienlich. Für Janice hatte die Lammas Bar etwa die Attraktivität von kaltem Porridge. Noch dazu mit Rauchgeschmack.

»Ich kann es einfach nicht begreifen«, sagte Duff. »So was sieht man in der Glotze. Aber so etwas passiert doch nicht Leuten wie uns.«
»Wie haben Sie davon gehört?« Janice war wirklich neugierig, das zu erfahren. In einer kleinen Stadt wie St. Andrews sprachen sich Neuigkeiten meistens rasend schnell herum, aber normalerweise nicht mitten in der Nacht.
»Ich hab bei einem von meinen Freunden übernachtet. Seine Freundin arbeitet im Imbiss in der South Street und hatte Frühstücksschicht. Sie hörte davon, als sie um sechs zur Arbeit kam, und hat sich gleich ans Telefon gehängt. Verdammte Scheiße«, explodierte er. »Ich dachte zuerst, es wäre ein blöder makabrer Scherz. Ich meine, das denkt man doch, oder?«
Janice schloss das Auto auf und dachte: *Nein, eigentlich nicht, ich habe keine Freunde, die so etwas witzig finden würden.* Sie sagte: »Man will einfach nicht mal für eine Sekunde glauben, dass es wahr sein könnte.«
»Genau«, sagte Duff und setzte sich auf den Beifahrersitz. »Aber wer würde denn so was mit Rosie machen? Ich meine, sie war ein guter Mensch, wissen Sie? Ein nettes Mädchen. Nicht irgend'ne Schlampe.«
»Sie und Ihr Bruder haben ja auf sie aufgepasst. Haben Sie irgendjemanden gesehen, der sich in ihrer Nähe herumtrieb und der Ihnen nicht gefiel?« Janice ließ den Motor an und fröstelte, als ein kalter Schwall aus den Luftschlitzen kam. Mein Gott, war es bitterkalt heute früh.
»Es gab immer Kerle, die um sie rumscharwenzelten. Aber alle wussten, dass sie es mit mir und Colin zu tun bekämen, wenn sie Rosie belästigten. Also haben sie Abstand gehalten. Wir haben uns immer um sie gekümmert.« Er schlug plötzlich mit der Faust auf die Handfläche der anderen Hand. »Wo waren wir also gestern Abend, als sie uns wirklich brauchte?«
»Sie sollten sich nicht die Schuld daran geben, Brian.« Janice fuhr den Streifenwagen vorsichtig vom Parkplatz auf den

spiegelglatten gefrorenen Schnee der Landstraße hinaus. Vor dem gelbgrauen Himmel sah die Weihnachtsbeleuchtung kümmerlich aus, und der grandiose Laserstrahl, den das Physikalische Institut der Universität beigesteuert hatte, warf nur eine unscheinbare, blasse Kritzelei auf die niedrig hängenden Wolken.

»Ich geb mir ja nicht selbst die Schuld, sondern dem Schwein, der das getan hat. Aber ich wünschte, ich wäre dabei gewesen, damit ich es hätte verhindern können. Zu spät, verdammt, immer zu spät, verdammt noch mal«, murmelte er düster vor sich hin.

»Sie wussten also nicht, mit wem sie ausging?«

Er schüttelte den Kopf. »Sie hat mich angelogen. Sie sagte, sie würde mit ihrer Kollegin Dorothy auf eine Weihnachtsparty gehen. Aber Dorothy ist auf der Party aufgetaucht, auf der ich war. Sie sagte, Rosie sei weggegangen, um sich mit einem Typ zu treffen. Ich wollte sie mir vorknöpfen, wenn ich sie sehen würde. Ich meine, es ist eine Sache, Mum und Dad nichts zu sagen. Aber ich und Colin, wir waren immer auf ihrer Seite.« Er rieb sich mit dem Handrücken die Augen. »Ich kann's nicht ertragen. Das Letzte, was sie zu mir gesagt hat, war eine Lüge.«

»Wann haben Sie sie zum letzten Mal gesehen?« Janice brachte beim Westtor den schlitternden Wagen zum Stehen und fuhr ganz langsam auf die Straße nach Strathkinness.

»Gestern, als ich von der Arbeit kam. Ich traf sie in der Stadt, wir haben zusammen Mums Weihnachtsgeschenk gekauft. Wir drei haben uns zusammengetan, um ihr einen neuen Föhn zu schenken. Dann sind wir zu Boots gegangen, weil wir ihr ein paar gute Stücke Seife kaufen wollten. Ich ging mit Rosie zum Lammas, und da hat sie mir gesagt, sie wollte mit Dorothy ausgehen.« Er schüttelte den Kopf. »Sie hat mich angelogen. Und jetzt ist sie tot.«

»Vielleicht hat sie nicht gelogen, Brian«, sagte Janice. »Vielleicht hatte sie geplant, zu der Party zu gehen, aber später am

Abend kam was dazwischen.« Das war wahrscheinlich genauso wahr wie die Geschichte, die Rosie erzählt hatte, aber Janice wusste aus Erfahrung, dass Hinterbliebene sich immer an den letzten Strohhalm klammerten, um sich das Bild von der Person, die sie verloren hatten, zu erhalten.

Duff benahm sich ganz genauso. Hoffnung erhellte sein Gesicht. »Wissen Sie was, das ist es wahrscheinlich. Rosie war nämlich keine Lügnerin.«

»Aber Geheimnisse hatte sie wohl schon, wie jedes Mädchen.«

Er machte wieder ein finsteres Gesicht. »Geheimnisse bringen Probleme, das hätte sie wissen sollen.« Plötzlich fiel ihm etwas ein, und sein ganzer Körper spannte sich an. »War sie ... Sie wissen schon. Hat sich jemand an ihr vergangen?«

Nichts, was Janice sagen konnte, würde ihm Trost bringen. Wenn der Draht, den sie jetzt zu ihm zu haben schien, erhalten bleiben sollte, konnte sie es sich nicht leisten, dass er auch sie für eine Lügnerin hielt. »Wir werden es erst nach der Obduktion genau wissen, aber ja, es sieht so aus.«

Duff ließ seine Faust auf das Armaturenbrett donnern. »Scheißkerl«, brüllte er. Während der Wagen den Hügel hinauf in Richtung Strathkinness schlingerte, drehte er sich auf dem Sitz zu ihr um. »Wer immer das getan hat, der sollte verdammt noch mal hoffen, dass Sie ihn vor mir in die Finger kriegen. Ich schwör's, ich bring ihn um.«

Man hatte das Gefühl, das Haus sei irgendwie geschändet worden, dachte Alex, als er die Tür zu der Wohnung aufschloss, die die Laddies fi' Kirkcaldy in ihr persönliches Reich verwandelt hatten. Cavendish und Greenhalgh, die beiden Engländer, die früher teure Privatschulen besucht hatten und mit denen sie das Haus teilten, verbrachten so wenig Zeit wie möglich dort, ein Zustand, der allen zusagte. Sie waren schon für die Feiertage nach Hause gefahren, aber heute wäre ihr penetranter Akzent, der Alex so affig vorkam, ihm doch lieber gewesen als die Anwesenheit der Polizei, die er sogar in der Luft, die er atmete, zu spüren schien.

Maclennan folgte ihm auf dem Fuß, als Alex in das Zimmer hochrannte, in dem er schlief. »Vergessen Sie nicht, wir wollen alles haben, was Sie anhaben, auch die Unterwäsche«, erinnerte ihn Maclennan, als Alex die Tür aufstieß. Der Kriminalpolizist stand auf der Schwelle und sah leicht verwirrt auf die zwei Betten in dem winzigen Raum, der offensichtlich nur für ein Bett ausgelegt war. »Mit wem teilen Sie das Zimmer?«, fragte er.

Bevor Alex antworten konnte, war Ziggys gelassene Stimme zu hören. »Er glaubt, dass wir alle miteinander schwul sind«, sagte er sarkastisch. »Und natürlich haben wir deshalb Rosie ermordet. Dass das völlig unlogisch ist, spielt keine Rolle, es geht ihm eben im Kopf herum. In Wirklichkeit, Mr. Maclennan, ist die Erklärung viel banaler.« Ziggy wies über seine Schulter auf die geschlossene Tür auf der anderen Seite des Treppenabsatzes. »Schauen Sie mal hier rein«, sagte er.

Maclennan war neugierig und folgte Ziggys Aufforderung. Alex nutzte die Gelegenheit, als er ihm den Rücken zuwandte, um sich hastig auszuziehen, sich seinen Morgenmantel zu schnappen und seine Verlegenheit zu verbergen. Er folgte den beiden anderen über den Treppenabsatz und konnte ein selbstgefälliges Lächeln nicht unterdrücken, als er Maclennans verwirrten Gesichtsausdruck sah.

»Sehen Sie?«, sagte Ziggy. »Es ist einfach kein Platz für Schlagzeug, eine Farsifa-Orgel, zwei Gitarren und ein Bett in einem dieser Hasenkäfige. Also haben Weird und Gilly das schlechte Los gezogen und mussten teilen.«

»Ihr Jungs habt also 'ne Band?« Maclennan klang wie sein Vater, dachte Alex mit plötzlicher Zuneigung, die ihn überraschte.

»Wir spielen seit ungefähr fünf Jahren zusammen«, sagte Ziggy.

»Was, ihr werdet die nächsten Beatles sein?« Das konnte sich Maclennan nicht verkneifen.

Ziggy hob den Blick zum Himmel. »Es gibt zwei Gründe, weshalb wir nicht die nächsten Beatles sein werden. Erstens spielen wir nur zu unserem Vergnügen. Anders als die Rezillos haben wir nicht den Wunsch, in *Top of the Pops* aufzutreten. Der zweite Grund ist das Talent. Wir sind ganz gute Musiker, aber keiner von uns hat originelle musikalische Ideen. Wir nannten uns früher *Muse*, bis uns klar wurde, dass wir keine haben. Jetzt heißen wir *Combine*.«

»The Combine?«, wiederholte Maclennan leise, von Ziggys plötzlichem Anfall von Zutraulichkeit verblüfft.

»Dafür gibt es wieder zwei Gründe. Combine Harvester holen die Ernte aller anderen ein. Wie wir. Und weil es schon eine Aufnahme von Jam mit dem gleichen Namen gibt. Wir heben uns einfach nicht von den vielen anderen ab.«

Maclennan wandte sich ab und schüttelte den Kopf. »Da drin werden wir auch alles durchsuchen müssen, ist Ihnen das klar?«

Ziggy lachte. »Die einzigen Beweise für illegale Handlungen, die Sie dort finden werden, sind Verstöße gegen das Urheberrecht«, sagte er. »Schauen Sie, wir haben doch alle mit Ihnen und Ihren Beamten zusammengearbeitet. Wann werden Sie uns in Ruhe lassen?«

»Sobald wir alle Ihre Kleider eingepackt haben. Wir hätten gern auch Notizbücher, Terminkalender und Adressbücher.«

»Alex, gib dem Mann, was er haben möchte. Wir haben alle unsere Sachen schon abgegeben. Je eher wir unsere Wohnung wiederhaben, desto eher kriegen wir unsere Köpfe wieder in Ordnung.« Ziggy wandte sich noch einmal an Maclennan. »Wissen Sie, Sie und Ihre Gesetzeshüter scheinen nicht bemerkt zu haben, dass wir etwas Schreckliches erlebt haben. Wir sind auf eine blutende junge Frau gestoßen, die im Sterben lag und die wir kannten, wenn auch nur flüchtig.« Seine Stimme versagte ihm den Dienst, und es zeigte sich, wie brüchig seine coole Fassade war. »Wenn wir Ihnen merkwürdig vorkommen, Mr. Maclennan, dann sollten Sie nicht vergessen,

dass dies etwas mit der Tatsache zu tun haben könnte, dass unsere Köpfe heute Nacht hochgradig durcheinander gebracht wurden.«
Ziggy drängte sich an dem Beamten vorbei und lief die Treppe hinunter, schoss in die Küche und knallte die Tür hinter sich zu. Auf Maclennans schmalem Gesicht erschien um den Mund ein betrübter Zug.
»Er hat recht«, sagte Alex langmütig.
»Da gibt es eine Familie in Strathkinness oben, die hat eine viel schlechtere Nacht gehabt als ihr, mein Junge. Und es ist meine Aufgabe, für sie die Dinge aufzuklären. Wenn das heißt, dass ich auf ein paar Hühneraugen treten muss, dann ist das eben Pech. Also geben Sie uns Ihre Kleider und das andere Zeug.« Er stand auf der Schwelle, während Alex seine schmutzigen Kleider in einen Müllsack stopfte. »Brauchen Sie auch meine Schuhe?«, fragte er besorgt und hielt sie hoch.
»Alles«, sagte Maclennan und merkte sich, dass sie ihr besonderes Augenmerk auf Gilbeys Schuhe richten sollten.
»Ich habe nämlich sonst keine vernünftigen, nur Baseballstiefel, und die kann man bei dem Wetter nicht brauchen.«
»Mir kommen gleich die Tränen. Rein damit.«
Alex warf die Schuhe auf die Kleider. »Sie verschwenden damit nur Zeit. Jede Minute, die Sie damit verbringen, sich auf uns zu konzentrieren, ist verloren. Wir haben nichts zu verbergen. Wir haben Rosie nicht umgebracht.«
»Soweit ich weiß, hat das auch niemand behauptet. Aber dass ihr dauernd wieder davon anfangt, bringt mich ins Grübeln.« Maclennan nahm Alex den Sack und das zerfledderte Ringbuch ab, das er ihm hinhielt. »Wir werden wiederkommen, Mr. Gilbey. Entfernen Sie sich nicht von hier.«
»Wir sollten aber heute nach Hause fahren«, wandte Alex ein.
Maclennan blieb zwei Schritte vor der Treppe stehen. »Davon hab ich ja noch gar nichts gehört«, sagte er argwöhnisch.
»Ich nehme an, Sie haben nicht gefragt. Wir müssten heute Nachmittag den Bus nehmen. Wir fangen alle morgen mit

Ferienjobs an. Außer Ziggy.« Er verzog den Mund zu einem sarkastischen Lächeln. »Sein Vater meint, Studenten sollten sich in den Ferien ihren Büchern widmen, nicht bei Safeway Regale einräumen.«

Maclennan überlegte. Ein hauptsächlich gefühlsmäßiger Verdacht war kein Grund, sie in St. Andrews festzuhalten. Es bestand keine Fluchtgefahr, und schließlich war es nicht weit nach Kirkcaldy. »Sie können nach Hause fahren«, sagte er endlich. »Wenn es Ihnen nichts ausmacht, dass ich und meine Mitarbeiter bei Ihren Eltern vorbeikommen.«

Alex sah ihm nach, als er wegging, und die Bestürzung machte ihn noch deprimierter. Das fehlte gerade noch für die richtige Feiertagsstimmung.

6

Die Ereignisse der letzten Nacht hatten zumindest Weird geschafft. Als Alex und Ziggy verdrossen eine Tasse Kaffee getrunken hatten, ging Alex hinauf und fand Weird in seiner gewohnten Lage: Flach auf dem Rücken, die langen Arme und Beine guckten unter der Decke hervor, und sein lautes Schnarchen, das hin und wieder zu einem hohen Pfeifen wurde, störte den relativ friedlichen Morgen. Normalerweise konnte Alex bei diesem durchdringenden Hintergrundgeräusch problemlos einschlafen. Sein Zimmer zu Hause ging nach hinten auf die Bahngleise hinaus, und er war nie an Nachtruhe gewöhnt gewesen.

Aber heute früh wusste Alex, ohne es zu probieren, dass er bei Weirds Geräuschkulisse und seinen ihn jagenden Gedanken keinen Schlaf finden würde. Obwohl er so übernächtigt war, dass ihm schwindelte, war er nicht schläfrig. Er nahm einen Arm voll Kleidungsstücke von seinem Stuhl, suchte unter dem Bett nach den Baseballstiefeln und ging rückwärts aus dem Zimmer. Im Bad zog er sich an und schlich nach unten, denn er wollte auch Mondo nicht aufwecken. Diesmal verzichtete er sogar auf Ziggys Gesellschaft. Bei den Kleiderhaken im Flur blieb er stehen. Sein Parka war bei der Polizei, das hieß, er hatte nur eine Jeans- und eine Regenjacke. Er griff sich beide und ging hinaus.

Es schneite nicht mehr, aber die schweren Wolken hingen noch tief herab. Die Stadt sah aus wie in Watte gepackt, und die ganze Welt war schwarz-weiß. Wenn er die Augen halb schloss, verschwanden die weißen Gebäude von Fife Park, und das helle Gesamtbild wurde nur durch die leeren Rechtecke der Fenster unterbrochen. Auch keine Geräusche waren zu hören, sie wurden vom Schnee erstickt. Alex schritt über die früher grüne Rasenfläche auf die Hauptstraße zu. Heute sah sie wie ein Weg in den Cairngorms aus, auf dem sich hier und da im Schnee Spuren von Fahrzeugen abzeichneten, die sich mühsam ihren Weg gesucht hatten. Niemand, der nicht unbedingt fahren musste, tat es bei diesem Wetter. Als er das Sportgelände der Universität erreichte, waren seine Füße nass und eiskalt, aber irgendwie kam ihm das ganz passend vor. Alex ging die Einfahrt entlang und auf die Hockeyplätze zu. Mitten in der weißen Fläche wischte er den Schnee von einem Torbrett und setzte sich. Die Ellbogen auf die Knie und das Kinn in die Hände gestützt, starrte er über die endlose weiße Schneedecke, bis kleine Lichter vor seinen Augen blitzten.

Was er auch versuchte, konnte Alex seinen Kopf einfach nicht so leer fegen wie die Einöde, die vor ihm lag. Die Bilder von Rosie Duff liefen vor seinem inneren Auge ab. Wie sie ernst und konzentriert ein Guinness vom Hahn zapfte, wie sie halb abgewandt über den Kommentar eines Gastes lachte oder schelmisch die Augenbrauen bei einer seiner Bemerkungen hochzog. Das waren Erinnerungen, die er gerade noch ertragen konnte. Aber dabei würde es nicht bleiben. Diese Bilder wurden ständig von der anderen Rosie mit dem schmerzverzerrten Gesicht verdrängt, die blutend im Schnee lag und um die letzten Atemzüge rang.

Alex bückte sich und nahm zwei Hände voll Schnee, drückte sie mit den Fäusten fest zusammen, bis seine Hände vor Kälte anfingen, blau zu werden, und Wassertropfen an seinen Handgelenken hinunterrannen. Die Kälte verwandelte sich in den Schmerz der Betäubung. Er wünschte, es gäbe irgendetwas, das die gleiche Wirkung in seinem Kopf hervorrufen

könnte. Ihn ausschalten, völlig ausschalten, damit alles so leer wäre wie die leuchtend weiße Schneedecke.
Als er eine Hand auf seiner Schulter spürte, machte er sich fast in die Hose. Er sprang auf, stolperte vorwärts, wäre beinahe in den Schnee gefallen und fing sich gerade noch rechtzeitig. Die Fäuste an die Brust gedrückt wirbelte er herum. »Ziggy«, rief er, »Mensch, hast du mir 'n Schreck eingejagt.«
»Tut mir leid.« Ziggy sah aus, als werde er gleich in Tränen ausbrechen. »Ich hab dich gerufen, aber du hast nicht reagiert.«
»Ich hab dich nicht gehört. Mein Gott, sich so anzuschleichen, du schaffst dir ja einen Namen als böser Geist, Mann«, sagte Alex mit nervösem Lachen und versuchte, seine Angst durch einen Scherz zu überspielen.
Ziggy kratzte mit der Spitze seines Gummistiefels im Schnee. »Ich weiß, du wolltest wahrscheinlich allein sein, aber als ich dich rausgehen sah, bin ich dir nachgegangen.«
»Ist schon gut, Ziggy.« Alex beugte sich vor und wischte noch mehr Schnee vom Brett. »Setz dich zu mir auf meine luxuriöse Couch, wo Haremsdamen uns mit Sorbet und Rosenwasser erfrischen werden.«
Ziggy gelang ein schwaches Lächeln. »Das Sorbet – da passe ich lieber. Da krieg ich immer so 'ne kalte Zunge. Macht dir doch nichts aus, dass ich da bin?«
»Nein, nein, es stört mich nicht, klar?«
»Ich hab mich um dich gesorgt, das ist alles. Du hast sie von uns allen am besten gekannt. Ich wusste nicht, ob du vielleicht vor den anderen nicht reden willst.«
Alex zog die Schultern hoch und schüttelte den Kopf. »Ich habe nichts Besonderes zu sagen, seh immer nur ihr Gesicht vor mir. Ich dachte, ich würde nicht schlafen können.« Er seufzte. »Ach was, nein. Ich meine, ich hatte einfach zu viel Angst, es auch nur zu probieren. Als ich klein war, wurde ein Freund meines Vaters bei einem Unfall in der Werft verletzt. Irgendeine Explosion, ich weiß nicht genau, was. Jedenfalls

hatte er dann nur noch ein halbes Gesicht. Wortwörtlich. Er hat ein halbes Gesicht. Die andere Hälfte ist eine Plastikmaske, die er über dem verbrannten Gewebe tragen muss. Du hast ihn wahrscheinlich schon mal auf der Straße oder dem Fußballplatz gesehen. Man übersieht ihn nicht leicht. Mein Vater hat mich damals zu einem Besuch im Krankenhaus mitgenommen. Ich war erst fünf. Und es hat mich völlig verstört. Ich stellte mir immer vor, was hinter der Maske war. Nachts wachte ich schreiend auf, weil ich ihn im Traum sah. Manchmal, wenn die Maske weg war, waren dort Maden. Manchmal war es nur eine blutige Fläche wie die Illustrationen in deinen Lehrbüchern für Anatomie. Am schlimmsten war es, wenn die Maske abgenommen wurde und nichts da war, nur glatte Haut mit Andeutungen dessen, was dort sein sollte.« Er hustete. »Deshalb habe ich Angst einzuschlafen.«

Ziggy legte Alex den Arm um die Schultern. »Das ist schlimm, Alex. Aber die Sache ist ja, du bist jetzt älter. Was wir letzte Nacht gesehen haben, gehört mit zum Schlimmsten, was es gibt. Deine Phantasie kann es wirklich nicht sehr viel schlimmer machen. Was immer du jetzt träumst, es wird nicht halb so schlimm sein wie Rosie wirklich so gesehen zu haben wie wir.«

Alex wünschte, er könnte in Ziggys Worten mehr Trost finden. Aber er spürte, dass sie nur die halbe Wahrheit waren. »Ich nehme an, wir alle werden nach dieser Nacht mit Dämonen zu kämpfen haben«, sagte er.

»Manche davon sind konkreter als andere«, sagte Ziggy, nahm seinen Arm zurück und legte die Hände ineinander. »Ich weiß nicht wieso, aber Maclennan hat irgendwie gemerkt, dass ich schwul bin.« Er biss sich auf die Lippe.

»Oh Scheiße«, sagte Alex.

»Du bist der einzige Mensch, dem ich es je gesagt habe, weißt du das?« Ziggys Mund verzog sich zu einem sarkastischen Lächeln. »Na ja, außer den Typen, mit denen ich zusammen war, natürlich.«

»Natürlich. Woran hat er es gemerkt?«, fragte Alex.
»Ich war vorsichtig genug, nicht zu lügen, und er hat irgendwo dazwischen die Wahrheit ausgemacht. Und jetzt mache ich mir Sorgen, dass es sich weiter herumspricht.«
»Warum sollte es das?«
»Du weißt doch, wie gern die Leute tratschen. Ich nehme an, dass Polizisten in dieser Beziehung nicht anders sind als alle anderen Menschen. Sie werden bestimmt mit der Uni reden. Wenn sie Druck auf uns ausüben wollten, wäre das eine Möglichkeit dazu. Und was wäre, wenn sie kommen und uns zu Hause in Kirkcaldy besuchen? Was ist, wenn Maclennan es für eine clevere Idee hält, es meinen Eltern zu sagen?«
»Das wird er nicht tun, Ziggy. Wir sind doch nur Zeugen. Es kommt für ihn nichts dabei heraus, wenn er uns verärgert.«
Ziggy seufzte. »Ich wollte, ich könnte dir glauben. Soweit ich es beurteilen kann, behandelt uns Maclennan eher wie Tatverdächtige als wie Zeugen. Und das bedeutet, er wird jede Möglichkeit nutzen, uns unter Druck zu setzen, stimmt's?«
»Ich glaube, du bist paranoid.«
»Vielleicht. Aber was ist, wenn er etwas zu Weird oder Mondo sagt?«
»Sie sind doch deine Freunde. Wegen so etwas werden sie sich nicht von dir abwenden.«
Ziggy lachte sarkastisch. »Ich sage dir, was passieren wird, wenn Maclennan verrät, dass ihr bester Kumpel schwul ist. Ich glaube, Weird würde auf mich losgehen, und Mondo würde sich, solange er lebt, weigern, mit mir zusammen eine Toilette zu betreten. Sie haben eine Phobie vor Homosexuellen, Alex. Das weißt du doch.«
»Sie kennen dich schon ihr halbes Leben lang. Das würde viel mehr ins Gewicht fallen als blöde Vorurteile. Ich bin ja auch nicht ausgeflippt, als du es mir gesagt hast.«
»Genau deshalb hab ich dir's ja erzählt. Weil du nicht einer dieser primitiven Kerle bist, die ohne jede Überlegung handeln.«

Alex schaute ihn mit ironischem Lächeln an. »Es war kein allzu großes Risiko, es einem zu erzählen, dessen Lieblingsmaler Caravaggio ist, glaube ich. Aber sie sind doch auch keine gedankenlosen Rüpel, Ziggy. Sie würden es akzeptieren und vor dem Hintergrund dessen, was sie über dich wissen, neu betrachten. Ich glaube wirklich nicht, dass du dich deswegen aufregen solltest.«

Ziggy zuckte die Schultern. »Vielleicht hast du recht. Aber ich würde es lieber nicht darauf ankommen lassen. Und selbst wenn sie es akzeptieren, was passiert denn, wenn es draußen bekannt wird? Keiner der englischen Jungs von den exklusiven Schulen, die als Jugendliche miteinander geschlafen haben, hat doch etwas davon verlauten lassen, oder? Sie laufen doch alle mit ihren Fionas und Fenellas herum und sichern die Erbfolge. Sieh dir Jeremy Thorpe an. Er lässt sich wegen Beihilfe zur Ermordung seines Ex-Lovers vor Gericht stellen, nur um seine Homosexualität geheim halten zu können. Wir sind hier nicht in San Francisco, Alex. Wir sind in St. Andrews. Ich habe noch Jahre vor mir, bis ich mit der Ausbildung zum Arzt fertig bin, und ich sage dir, meine Karriere ist im Eimer, wenn Maclennan das publik macht.«

»Das wird nicht passieren, Ziggy. Du siehst die Dinge jetzt überspitzt. Du bist müde und hast ja selbst gesagt, das, was passiert ist, hat uns alle ganz konfus gemacht. Ich sag dir, worüber ich mir viel mehr Gedanken mache.«

»Was denn?«

»Den Landrover. Was machen wir nur damit, verdammt noch mal?«

»Wir müssen ihn zurückbringen. Es gibt keine andere Möglichkeit. Andernfalls wird er als gestohlen gemeldet, und dann sind wir in großen Schwierigkeiten.«

»Natürlich, das weiß ich. Aber wann?«, fragte Alex. »Heute können wir es nicht machen. Wer immer Rosie dort abgeladen hat, muss irgendein Fahrzeug gehabt haben, und wir erscheinen nur durch die Tatsache weniger verdächtig, dass keiner

von uns ein Auto hat. Aber wenn wir gesehen werden, wie wir in einem Landrover im Schnee herumkutschieren, stehen wir sofort als Nummer eins auf Maclennans schwarzer Liste.«
»Aber das Gleiche gilt, wenn ein Landrover plötzlich einfach so vor unserem Haus auftaucht«, sagte Ziggy.
»Was machen wir also?«
Ziggy scharrte mit dem Fuß im Schnee. »Ich nehme an, wir werden warten müssen, bis sich die Dinge beruhigt haben, dann komme ich zurück und hole ihn. Gott sei Dank hab ich rechtzeitig an die Schlüssel gedacht und sie in den Bund meiner Unterhose gesteckt. Andernfalls wären wir geliefert gewesen, als wir vor Maclennan unsere Taschen umdrehen mussten.«
»Da hast du recht. Bist du sicher, dass du ihn holen willst?«
»Ihr anderen habt doch die Ferienjobs. Ich kann leicht weg. Ich muss mir nur eine Ausrede ausdenken, weshalb ich zur Unibibliothek muss.«
Alex rutschte verlegen auf seinem Sitz herum. »Ich nehme an, dir ist klar, dass es dem Killer helfen könnte, wenn wir von dem Landrover nichts sagen?«
Ziggy schien schockiert. »Du meinst doch nicht etwa im Ernst …?«
»Was? Dass einer von uns es getan haben könnte?« Alex konnte selbst kaum glauben, dass er diesen hinterhältigen Verdacht, der sich in sein Bewusstsein fraß, ausgesprochen hatte. Hastig versuchte er, ihn zu verbergen. »Nein. Aber die Schlüssel sind bei der Party durch mehrere Hände gegangen. Vielleicht hat das irgendjemand als Chance gesehen und sie genommen …« Er verstummte.
»Du weißt doch, dass das nicht der Fall war. Und im Grunde deines Herzens weißt du auch, dass du nicht wirklich glaubst, einer von uns könnte Rosie ermordet haben«, sagte Ziggy zuversichtlich.
Alex wünschte, er könnte auch so sicher sein. Wer wusste, was in Weirds Kopf vor sich ging, wenn er mit Drogen zugedröhnt war? Und was war mit Mondo? Er hatte dieses Mädchen nach

Hause gefahren und offensichtlich gedacht, er hätte es geschafft. Aber was war, wenn sie ihn zurückgestoßen hätte? Er wäre wütend und frustriert und vielleicht auch gerade betrunken genug gewesen, um seine Wut an einem anderen Mädchen auszulassen, das ihn abgewiesen hatte, so wie Rosie das mehr als einmal im Lammas getan hatte. Und wenn er ihr auf dem Rückweg begegnet wäre? Er schüttelte den Kopf. Daran durfte man gar nicht denken.

Als ahnte er, was Alex durch den Kopf ging, sagte Ziggy leise: »Wenn du über Weird und Mondo nachdenkst, musst du auch mich in diese Liste aufnehmen. Ich hatte genau die gleiche Gelegenheit. Und ich hoffe, du weißt, wie lächerlich der Gedanke ist.«

»Es ist verrückt. Du würdest nie jemandem etwas zuleide tun.«

»Dasselbe gilt für die beiden anderen. Misstrauen ist wie ein Virus, Alex. Du hast es dir bei Maclennan eingefangen. Aber du musst es loswerden, bevor es sich festsetzt und deinen Kopf und dein Herz infiziert. Denk dran, was du über uns weißt. Nichts davon passt zu einem kaltblütigen Mörder.«

Ziggys Worte zerstreuten Alex' Unbehagen nicht vollständig, aber er wollte nicht weiter darüber sprechen. Stattdessen legte er den Arm um Ziggys Schultern. »Du bist ein guter Kumpel, Zig. Komm. Wir gehen in die Stadt. Ich lade dich zu einem Pfannkuchen ein.«

Ziggy grinste. »Spendabel heute, was? Ich lass es lieber, wenn's dir nichts ausmacht. Irgendwie hab ich keinen Appetit. Und denk dran. Alle für einen und einer für alle. Das heißt nicht, dass man über die Macken hinwegsieht, sondern dass man zueinander Vertrauen hat. Ein Vertrauen, das darauf beruht, dass wir uns seit Jahren gut kennen. Lass Maclennan das nicht unterminieren.«

Barney Maclennan sah sich im Büro um. Heute war es ausnahmsweise zum Bersten voll. Maclennan war der Überzeugung, die bei Kriminalbeamten in Zivil recht selten war, dass es sinnvoll sei, die Kollegen in Uniform bei den Besprechungen seiner wichtigeren Fälle dabeizuhaben. Es hieß, dass sie sich in die Ermittlungen einbezogen fühlten. Sie waren viel näher an der Praxis und würden so wahrscheinlich eher Dinge bemerken, die den Ermittlern entgehen könnten. Dass er ihnen das Gefühl gab, zum Team zu gehören, hieß, dass sie eher gewillt waren, auch Beobachtungen nachzugehen, die sie sonst als unwichtig abgetan hätten.

Er stand zwischen Burnside und Shaw hinten im Zimmer, eine Hand in der Hosentasche, in der er gedankenlos mit Münzen klimperte. Müdigkeit und Anstrengung hatten ihn zermürbt, aber er wusste, dass das Adrenalin ihm noch für Stunden Auftrieb geben würde. So war es immer, wenn er seinem Instinkt folgte. »Ihr wisst, warum ihr hier seid«, sagte er, als sie sich gesetzt hatten. »Die Leiche einer jungen Frau wurde am frühen Morgen auf dem Hallow Hill entdeckt. Rosie Duff wurde durch eine einzige Stichwunde in den Leib getötet. Es ist noch zu früh für Einzelheiten, aber wahrscheinlich wurde sie auch vergewaltigt. Wir bekommen nicht viele solcher Fälle in unserem Revier, aber das ist kein Grund, diesen nicht aufklären zu können. Und zwar bald. Es gibt da draußen eine Familie, die es verdient, schnell eine Antwort zu bekommen.

Bis jetzt haben wir noch nicht viel, von dem wir ausgehen können. Rosie wurde von vier Studenten gefunden, die von einer Party in Learmonth Gardens auf dem Rückweg nach Fife Park waren. Vielleicht sind sie nur harmlose Unbeteiligte, aber genauso gut könnten sie viel mehr als das sein. Schließlich sind sie die einzigen Leute, die wir kennen, die mitten in der Nacht blutbeschmiert herumliefen. Ich möchte, dass eine Gruppe sich mit der Party beschäftigt. Wer war da? Was ist beobachtet worden? Haben unsere Jungs wirklich Alibis? Gibt es Zeitabschnitte, die sie nicht belegen können? Wie haben sie sich benommen? DC Shaw wird diese Gruppe leiten, und ich möchte, dass einige der uniformierten Kollegen mit ihm zusammenarbeiten. Lasst uns diesen Partygästen einen heiligen Schrecken einjagen.

Also, Rosie arbeitete in der Lammas Bar, wie sicher manche von euch wissen?« Er blickte sich um und sah einige nicken, einschließlich Jimmy Lawson, der Polizist, der zuerst vor Ort gewesen war. Er kannte Lawson. Er war jung und ehrgeizig und würde für die Übertragung von etwas Verantwortung empfänglich sein. »Diese vier jungen Männer waren am frühen Abend auf einen Drink dort. DC Burnside soll also eine weitere Gruppe übernehmen: Sprechen Sie mit allen, die Sie finden können, die gestern Abend im Lammas waren. Hat sich irgendjemand besonders für Rosie interessiert? Was haben unsere vier Jungs gemacht? Wie haben sie sich benommen? PC Lawson, Sie verkehren dort als Gast. Ich möchte, dass Sie als Verbindungsmann zu DC Burnside fungieren und ihm in jeder Weise helfen festzustellen, wer dort Stammkunde ist.« Maclennan hielt inne und ließ den Blick durch den Raum schweifen.

»Am Trinity Place müssen wir eine Befragung von Haus zu Haus machen. Rosie ist nicht zu Fuß auf den Hallow Hill gegangen. Wer immer es getan hat, muss ein Fahrzeug gehabt haben. Vielleicht haben wir Glück und finden jemanden in der Nähe, der eine schlaflose Nacht hatte. Oder wenigstens jemanden, der mal aufs Klo musste. Ich will über alle Fahrzeuge Bescheid wissen, die in den frühen Morgenstunden in dieser Gegend unterwegs waren.«

Maclennan sah sich im Raum um. »Es ist möglich, dass Rosie die Person kannte, die dies getan hat. Hätte irgendein Fremder sie sich auf der Straße geschnappt, dann hätte er sich wohl kaum die Mühe gemacht, sie halb tot noch wegzubringen. Wir müssen also auch ihr Leben untersuchen. Ihrer Familie und ihren Freunden wird das kaum gefallen, daher müssen wir auf ihren Kummer Rücksicht nehmen. Aber das heißt nicht, dass wir uns damit zufrieden geben, nur die halbe Geschichte zu erfahren. Es gibt da draußen jemanden, der sie heute Nacht umgebracht hat. Und ich will ihn zur Rechenschaft ziehen, bevor er die Gelegenheit bekommt, so etwas noch einmal zu tun.« Ein zustimmendes Gemurmel war im Raum zu hören. »Gibt es Fragen?«

Zu seiner Überraschung hob Lawson die Hand, wobei er leicht verlegen aussah. »Sir? Ich habe mir überlegt, ob die Wahl der Stelle, wo die Leiche abgelegt wurde, irgendeine Bedeutung haben kann?«

»Wie meinen Sie das?«, fragte Maclennan.

»Weil es der piktische Friedhof ist. War es vielleicht eine Art satanisches Ritual? Und hätte es in diesem Fall nicht doch irgendein Fremder sein können, der sich Rosie einfach genommen hat, weil sie ihm gerade recht kam?«

Bei diesem Gedanken bekam Maclennan eine Gänsehaut. Wieso hatte er versäumt, daran zu denken? Wenn es Jimmy Lawson eingefallen war, konnte auch die Presse auf die Idee kommen. Und das Letzte, was er wollte, waren Schlagzeilen darüber, dass ein Ritualmörder frei herumlaufe. »Das ist ein interessanter Gedanke. Und wir sollten ihn alle im Auge behalten. Aber kein Gedanke, den wir außerhalb dieser vier Wände erwähnen sollten. Wir wollen uns jetzt auf das konzentrieren, was wir mit Sicherheit wissen. Die Studenten, die Lammas Bar und die Befragung von Haus zu Haus. Das heißt nicht, dass wir die Augen nicht für andere Möglichkeiten offen halten. Also, fangen wir an.«

Als die Besprechung vorbei war, ging Maclennan durch den Raum, hier und da ein paar ermutigende Worte mit den Beamten wechselnd, die sich um Schreibtische scharten und ihre Aufgaben einteilten. Er konnte die Hoffnung nicht unterdrücken, dass sich die Sache einem der Studenten zuschreiben ließ: So würden sie vielleicht ein schnelles Resultat haben, denn das war es, was bei der Öffentlichkeit in Fällen wie diesem zählte. Und dazu wäre es gut, dass ihre Stadt nicht mit einem solchen Verdacht belastet würde. Es war immer leichter, wenn die Bösewichter von außerhalb kamen. Selbst wenn außerhalb, wie in diesem Fall, nur eine Entfernung von dreißig Meilen bedeutete.

Ziggy und Alex kamen zurück in die Wohnung und hatten kaum noch eine Stunde Zeit, bevor sie zum Busbahnhof gehen mussten. Sie waren dort gewesen, um sich zu erkundigen, und hatten erfahren, dass der Busverkehr über Land funktionierte, obwohl die Verstöße gegen den Fahrplan mehr belobigt wurden als seine Einhaltung. »Sie müssen eben Ihr Glück versuchen«, hatte ihnen der Mann am Fahrkartenschalter gesagt. »Ich kann keine genaue Zeit garantieren, aber es werden Busse fahren.«
In der Küche fanden sie Weird und Mondo zusammengekauert beim Kaffee sitzend, beide mürrisch und unrasiert. »Hab ich mir schon gedacht, dass ihr fix und fertig seid«, sagte Alex und füllte den Wasserkocher für eine neue Kanne Kaffee.
»Wir haben verdammt schlechte Chancen«, murmelte Weird.
»An diese Geier haben wir nicht gedacht«, sagte Mondo. »Journalisten. Sie klopfen dauernd an die Tür, und wir sagen ihnen immer wieder, sie sollen sich verpissen. Aber es funktioniert nicht. Nach zehn Minuten sind sie wieder da.«
»Es ist wie ein blöder Witz mit 'ner endlosen Pointe. Ich habe dem letzten gesagt, er solle verschwinden, oder ich würde ihm die Fresse polieren, dass er noch nächste Woche dran denkt.«
»Mhm«, sagte Alex. »Und den Mrs.-Joyful-Preis für Takt und diplomatisches Geschick gewinnt dieses Jahr …«
»Was denn? Hätte ich sie etwa reinlassen sollen?«, explodierte Weird. »Diese Arschlöcher. Man muss einen Ton anschlagen, den sie verstehen. Sie akzeptieren einfach kein ›Nein‹ als Antwort, wisst ihr.«
Ziggy spülte zwei Becher und gab Kaffeepulver hinein. »Jetzt haben wir gerade niemanden gesehen, oder, Alex?«
»Nein. Weird muss sie überzeugt haben, dass sie falsch vorgehen. Aber wenn sie zurückkommen, meint ihr nicht, wir

sollten eine Erklärung abgeben? Wir haben ja nichts zu verbergen.«

»Wir würden sie loswerden«, stimmte Mondo zu, aber auf die Art und Weise, wie Mondo immer sein Einverständnis äußerte. Er war darauf spezialisiert, Zweifel auszudrücken, sich aber, sollte er dabei zufällig gegen den Strom schwimmen, auch immer einen Ausweg offen zu halten. Sein Bedürfnis, geliebt zu werden, zusammen mit dem Wunsch, sich zu schützen, prägte alles, was er sagte und tat.

»Wenn du meinst, ich rede mit den wilden Hunden des imperialistischen Kapitalismus, bist du auf dem Holzweg.« Bei Weird gab es dagegen nie Raum für Zweifel. »Sie sind Abschaum. Wann hast du jemals einen Artikel über ein Spiel gelesen, das auch nur entfernt Ähnlichkeit mit dem Spiel hatte, das du gerade gesehen hattest? Sieh dir doch mal an, wie sie Ally McLeod in die Pfanne gehauen haben. Bevor er nach Argentinien ging, war der Mann ein Gott, ein Held, der die Weltmeisterschaft bringen würde. Und jetzt – ist er der letzte Dreck. Wenn sie nicht mal über etwas so Einfaches wie Fußball sachlich berichten können, welche Chance haben wir dann, fehlerfrei zitiert zu werden?«

»Ich find's ja immer toll, wenn Weird so gut gelaunt aufwacht«, sagte Ziggy. »Aber er hat recht, Alex. Es ist besser, uns einfach nicht zu zeigen. Bis morgen sind sie zum nächsten großen Ereignis übergegangen.« Er rührte seinen Kaffee um und ging zur Tür. »Ich muss fertig packen. Wir sollten ein bisschen früher als sonst weggehen, damit wir Spielraum haben. Man kommt draußen nicht gut vorwärts, und dank Maclennan haben wir alle keine guten Schuhe. Ich kann's nicht glauben, dass ich in diesen Gummistiefeln rumlaufen muss.«

»Pass auf, die Kommission für Stil und Schick wird dich erwischen«, rief Weird ihm nach. Er streckte sich und gähnte. »Ich kann's gar nicht fassen, wie müde ich bin. Hat einer noch 'n paar Dexies?«

»Wenn ja, dann wären sie schon längst durch die Toilette

gespült«, sagte Mondo. »Vergisst du, dass die Bullen hier überall herumgeschnüffelt haben?«

Weird war beschämt. »Tut mir leid. Ich bin ganz durcheinander. Wisst ihr, als ich aufgewacht bin, hätte ich fast geglaubt, das von gestern Nacht wäre alles nur 'n schlechter Trip gewesen. Es hätte gereicht, um mir LSD für den Rest meines Lebens zu verleiden, das kann ich euch sagen.« Er schüttelte den Kopf. »Armes Mädchen.«

Alex nahm das zum Anlass, nach oben zu verschwinden und ein letztes Bündel Bücher in seine Tasche zu stopfen. Es tat ihm nicht leid, dass er nach Hause fuhr. Zum ersten Mal, seit er mit den anderen drei zusammenlebte, fühlte er sich beengt und bedrängt. Er sehnte sich nach seinem eigenen Zimmer und nach einer Tür, die er zumachen konnte und bei der niemand anders auf die Idee kommen würde, sie ohne Erlaubnis zu öffnen.

Es war Zeit aufzubrechen. Drei Reisetaschen und Ziggys riesiger Rucksack standen in der Diele. Die Laddies fi' Kirkcaldy waren bereit, sich nach Hause aufzumachen. Sie hängten sich die Taschen um, öffneten die Tür, und Ziggy ging als Anführer voraus. Leider war die Wirkung von Weirds harten Worten offenbar schon verpufft. Als sie in den aufgewühlten Schneematsch auf dem Weg hinaustraten, tauchten scheinbar aus dem Nichts fünf Männer auf. Drei mit Kameras, und bevor den vier Jungs überhaupt klar war, was da lief, surrten schon die Nikon-Auslöser.

Neben den Fotografen kamen ihnen zwei Journalisten entgegen und bombardierten sie mit Fragen, die sie so schnell herunterratterten, dass sie es schafften, wie eine ganze Pressekonferenz zu klingen. »Wie haben Sie das Mädchen gefunden?«, »Wer von Ihnen hat sie entdeckt?«, »Was haben Sie mitten in der Nacht auf dem Hallow Hill gemacht?«, »War es ein satanisches Ritual?« Und natürlich das Unvermeidliche: »Wie fühlen Sie sich?«

»Hauen Sie ab«, brüllte Weird sie an und schwang seine schwere Tasche wie eine zu massiv geratene Sense. »Wir haben Ihnen nichts zu sagen.«
»Mein Gott, mein Gott, mein Gott«, murmelte Mondo wie eine stecken gebliebene Platte.
»Zurück«, rief Ziggy. »Kommt wieder rein.«
Alex, der am Schluss ging, drehte sich schnell um. Mondo taumelte hinein und stolperte fast über seine eigenen Füße, so eilig hatte er es, der hartnäckigen Belästigung und dem Klicken der Kameras zu entkommen. Weird und Ziggy folgten und schlugen die Tür hinter sich zu. Sie sahen sich an, gehetzt und verfolgt. »Was tun wir jetzt?«, fragte Mondo und sprach die Frage aus, die alle sich stellten. Sie waren allesamt ratlos, denn dies war eine Situation, die völlig außerhalb ihrer begrenzten Welterfahrung lag.
»Wir können nicht hier bleiben«, fuhr Mondo gereizt fort. »Wir müssen nach Kirkcaldy zurück. Ich soll um sechs morgen früh bei Safeway anfangen.«
»Alex und ich auch«, sagte Weird. Alle sahen erwartungsvoll auf Ziggy.
»Okay. Wie wär's, wenn wir hinten rausgingen?«
»Es gibt keinen Weg hinten raus, Ziggy. Wir haben nur eine Vordertür«, erklärte Weird.
»Es gibt ein Toilettenfenster. Ihr drei könnt da rauskriechen, und ich bleibe hier. Ich werde nach oben gehen und Licht anmachen, damit sie denken, wir sind noch hier. Ich kann morgen nach Hause fahren, wenn sich alles beruhigt hat.«
Die anderen drei sahen sich an. Es war keine schlechte Idee.
»Geht das in Ordnung, wenn du allein hier bleibst?«, fragte Alex.
»Das geht klar. Solange nur einer von euch meine Eltern anruft und ihnen erklärt, warum ich noch hier bin. Ich will nicht, dass sie es aus der Zeitung erfahren.«
»Ich rufe sie an«, erklärte Alex. »Danke, Ziggy.«
Ziggy hob den Arm, die anderen schlossen sich an und legten

wie gewohnt die Hände übereinander. »Alle für einen«, sagte Weird.

»Und einer für alle«, antworteten die anderen im Chor. Es war ihnen jetzt genauso wichtig wie vor neun Jahren, als sie dies zum ersten Mal getan hatten. Und zum ersten Mal, seit er Rosie Duff gefunden hatte, spürte Alex einen leisen Trost.

7

Alex stapfte über die Eisenbahnbrücke und bog rechts in die Balsusney Road ein. In Kirkcaldy war es wie in einem anderen Land. Als der Bus die gewundene Küstenstraße von Fife entlangfuhr, war aus Schnee nach und nach Matsch und danach nur noch eine beißend kalte, graue Feuchtigkeit geworden. Wenn der Nordostwind es bis hierher geschafft hatte, war er seine Schneeladung los und brachte den etwas geschützteren Orten an der Trichtermündung nicht mehr als kalte, stürmische Regenschauer. Er fühlte sich wie einer von Brueghels armseligen Bauern, die müde nach Hause stapften.

Alex hob den Riegel an dem vertrauten schmiedeeisernen Tor und ging den kurzen Weg zu der kleinen Steinvilla hinauf, in der er aufgewachsen war. Er zog seine Schlüssel aus der Hosentasche und schloss auf. Ein warmer Luftschwall kam ihm entgegen. Sie hatten im Sommer Zentralheizung einbauen lassen, und jetzt merkte er zum ersten Mal, was für einen Unterschied das machte. Er ließ seine Tasche an der Tür auf den Boden fallen und rief: »Ich bin's.«

Seine Mutter kam, sich die Hände an einem Geschirrtuch trocknend, aus der Küche. »Alex, wie schön, dass du wieder da bist. Komm rein, es gibt Brühe und Stew. Wir haben schon zu Abend gegessen, ich hatte dich früher erwartet. Ich nehme an, es ist wegen des Wetters? Ich hab's im Fernsehen gesehen, wie schlimm es bei euch da oben war.«

Er ließ sich von ihren Worten, dem vertrauten Tonfall und

dem beruhigenden Inhalt wie von einer weichen Decke einhüllen, streifte seine Regenjacke ab und ging den Flur entlang, um sie in die Arme zu nehmen. »Du siehst müde aus, mein Junge«, sagte sie mit besorgter Stimme.

»Ich hab eine ziemlich schreckliche Nacht hinter mir, Mum«, sagte er und folgte ihr in die winzige Küche.

Vom Wohnzimmer aus war die Stimme seines Vaters zu hören. »Bist du das, Alex?«

»Ja, Dad«, antwortete er. »Ich komme gleich.«

Seine Mutter gab ihm schon einen Teller Brühe und einen Löffel in die Hand. Wenn es Essen aufzutischen gab, hatte Mary Gilbey keinen Sinn mehr für Kleinigkeiten wie persönlichen Kummer. »Geh und setz dich zu deinem Vater. Ich mache das Stew warm. Im Ofen ist noch eine gebackene Kartoffel.«

Alex ging ins Wohnzimmer, wo sein Vater in seinem Sessel vor dem Fernseher saß. In der Ecke war am Esstisch ein Platz gedeckt, und Alex setzte sich mit seiner Suppe dorthin. »Alles klar?«, fragte sein Vater, ohne den Blick von der Spielshow auf dem Bildschirm zu wenden.

»Nein, eigentlich nicht.«

Das ließ seinen Vater aufhorchen. Jock Gilbey drehte sich um und sah seinen Sohn mit dem prüfenden Blick an, der Lehrern eigen ist. »Du siehst nicht gut aus«, sagte er. »Was hast du?«

Alex nahm einen Löffel Suppe. Er war nicht hungrig gewesen, aber beim Geschmack der hausgemachten Scotch Broth merkte er, dass er einen Bärenhunger hatte. Seine letzte Mahlzeit war auf der Party gewesen, und die war er schon doppelt wieder losgeworden. Jetzt wollte er sich eigentlich nur den Bauch vollschlagen, aber für dieses Abendessen würde er alles preisgeben müssen. »Letzte Nacht ist etwas Schreckliches passiert«, sagte er kauend. »Ein Mädchen wurde ermordet. Und wir haben es gefunden. Also eigentlich ich, aber Ziggy, Weird und Mondo waren auch dabei.«

Sein Vater starrte ihn mit offenem Mund an. Seine Mutter kam gerade bei den letzten Worten von Alex' Offenbarung ins

Zimmer, schlug die Hände vors Gesicht und riss erschrocken die Augen auf. »Oh, Alex, das ist ... Oh, mein armes kleines Herz«, sagte sie, lief auf ihn zu und nahm seine Hand.

»Es war wirklich schlimm«, sagte Alex. »Sie ist erstochen worden. Und sie lebte noch, als wir sie fanden.« Er blinzelte heftig. »Wir sind schließlich den Rest der Nacht auf der Polizeiwache gewesen. Sie haben unsere Kleider und alles andere mitgenommen, so als dächten sie, wir hätten etwas damit zu tun. Weil wir sie gekannt haben, versteht ihr. Na ja, gut kannten wir sie nicht. Aber sie bediente in einem der Pubs, in die wir manchmal gehen.« Der Appetit verging ihm bei der Erinnerung, er legte den Löffel hin und ließ den Kopf hängen. Eine Träne rollte ihm aus dem Augenwinkel über die Wange herunter.

»Das tut mir furchtbar leid, mein Sohn«, war der wenig angemessene Kommentar seines Vaters. »Das muss ein ganz schrecklicher Schock gewesen sein.«

Alex versuchte den Kloß in seinem Hals hinunterzuschlucken. »Bevor ich es vergesse«, sagte er, schob seinen Stuhl zurück und stand auf. »Ich muss Mr. Malkiewicz anrufen und ihm sagen, dass Ziggy heute Abend nicht kommt.«

Jock Gilbey riss vor Schreck die Augen auf. »Die Polizei hat ihn doch nicht auf der Wache behalten?«

»Nein, nein, das nicht«, sagte Alex und wischte sich mit dem Handrücken über die Augen. »In Fife Park haben Journalisten vor unserem Haus gewartet und wollten Bilder und Interviews. Und wir wollten nicht mit ihnen reden. Also sind Weird, Mondo und ich aus dem Toilettenfenster geklettert und haben uns hinten herum weggeschlichen. Wir fangen morgen alle an, bei Safeway zu arbeiten. Nur Ziggy hat keinen Ferienjob, deshalb hat er gesagt, er würde dableiben und morgen nach Haus kommen. Wir wollten das Fenster nicht offen lassen. Also muss ich seinen Vater anrufen und es ihm erklären.«

Alex machte sich behutsam von der Hand seiner Mutter los

und ging in den Flur. Er hob den Hörer ab und wählte aus dem Gedächtnis Ziggys Nummer. Nach dem Klingeln hörte er Karel Malkiewicz' gewohntes Schottisch mit polnischem Akzent. Also los, dachte Alex. Er würde die Ereignisse der letzten Nacht noch einmal erklären müssen. Und er hatte das Gefühl, es würde nicht das letzte Mal sein.

»Das kommt davon, wenn du nachts deine Zeit mit Trinken und Gott weiß was sonst noch verplemperst«, sagte Frank Mackie bitter. »Du brockst dir Probleme mit der Polizei ein. Ich genieße Respekt in dieser Stadt, weißt du. Bei mir zu Hause ist noch nie die Polizei erschienen. Aber man braucht ja nur einen nichtsnutzigen Einfaltspinsel wie dich, und schon dreht man uns durch die Mangel.«

»Wenn wir nicht noch so spät unterwegs gewesen wären, hätte sie bis zum nächsten Morgen dagelegen. Sie wäre ganz allein gestorben«, wehrte sich Weird.

»Das geht mich nichts an«, sagte sein Vater und goss sich einen Whisky von der Bar ein, die er im vorderen Zimmer hatte einbauen lassen, um die Klienten zu beeindrucken, die er für angesehen genug hielt, dass er sie in sein Heim einlud. Es passte zu einem Steuerberater, meinte er, dass er die Trophäen seines Erfolgs zeigte. Er hatte sich ja nur gewünscht, dass sein Sohn etwas Ehrgeiz zeigte, aber stattdessen hatte er einen müßigen Taugenichts von einem Jungen in die Welt gesetzt, der seine Nächte im Pub zubrachte. Und was noch schlimmer war: Tom hatte offensichtlich ein Talent für Zahlen. Aber anstatt sich das praktisch für die Buchhaltung zunutze zu machen, hatte er sich der abgehobenen Welt der reinen Mathematik verschrieben. Als sei das der erste Schritt auf dem Weg zu Erfolg und Ehrbarkeit. »Also, das war's dann. Du bleibst jeden Abend zu Hause, mein Lieber. Keine Partys, keine Pubs für dich in diesen Ferien. Du hast Hausarrest. Du gehst zur Arbeit und kommst dann direkt nach Hause.«

»Aber Dad, es ist doch Weihnachten«, protestierte Weird.

»Alle werden ausgehen. Ich will doch bei meinen Kumpeln sein.«
»Das hättest du dir überlegen sollen, bevor du mit der Polizei aneinander geraten bist. Du hast dieses Jahr Prüfungen. Da kannst du die Zeit zum Lernen nutzen. Du wirst mir später dankbar dafür sein, glaub mir.«
»Aber Dad ...«
»Das ist mein letztes Wort zu dem Thema. Solange du die Beine unter meinen Tisch streckst, solange ich für dein Studium zahle, wirst du tun, was ich dir sage. Wenn du deinen eigenen Unterhalt verdienst, kannst du die Regeln machen. Bis dahin tust du das, was ich sage. Jetzt geh mir aus den Augen.«
Wütend stürzte Weird aus dem Zimmer und rannte die Treppe hoch. Herrgott, wie er seine Familie hasste. Und er hasste dieses Haus. Raith Estate war angeblich der letzte Schrei modernen Wohnstils, aber er hielt das nur für einen weiteren Schwindel der Männer in Grau. Man brauchte nicht besonders intelligent zu sein, um zu erkennen, dass dies hier nicht mit dem Haus zu vergleichen war, in dem sie vorher gelebt hatten. Steinwände, schwere Holztüren mit Füllungen und Rundstäben, bunte Glasfenster auf dem Treppenabsatz. Das war ein Haus. Gut, dieser Kasten hier hatte mehr Zimmer, aber sie waren winzig und die Decken und Türen so niedrig, dass Weird mit seinen einsneunzig das Gefühl hatte, sich ständig bücken zu müssen. Auch die Wände waren dünn wie Papier. Man konnte jemanden im nächsten Zimmer furzen hören. Was eigentlich ziemlich lustig war, wenn man es recht überlegte. Seine Eltern waren so gehemmt, sie würden eine Emotion nicht einmal als solche erkennen, wenn sie sie ins Bein beißen würde. Und doch hatten sie ein Vermögen für ein Haus ausgegeben, das allen die Privatsphäre nahm. Ein Zimmer mit Alex zu teilen schien ihm noch vorteilhafter, als bei seinen Eltern zu wohnen.
Warum hatten sie nie versucht, auch nur die Grundzüge seines Wesens zu verstehen? Er hatte das Gefühl, sein ganzes Leben

nur aufbegehrt zu haben. Nichts von dem, was er erreichte, hatte sie je beeindruckt, weil es nicht zu den engen Vorstellungen von dem passte, was sie anstrebten. Als er zum besten Schachspieler der Schule ernannt wurde, hatte sein Vater missbilligend geäußert, er wäre besser dem Bridgeteam beigetreten. Als er gefragt hatte, ob er ein Musikinstrument spielen dürfe, schlug es ihm sein Vater rundheraus ab und bot ihm stattdessen Golfschläger an. Als er in der High School jedes Jahr den Preis für die besten Leistungen in Mathematik bekam, war die Reaktion seines Vaters, dass er ihm Bücher über Buchführung kaufte. Er hatte einfach keine Ahnung. Mathematik hatte für Weird nichts mit dem Addieren von Zahlen zu tun, sondern für ihn war Mathematik die Schönheit der Kurve einer quadratischen Gleichung, die Eleganz der Infinitesimalrechnung, die geheimnisvolle Sprache der Algebra. Hätte er seine Freunde nicht gehabt, wäre er sich völlig wie ein Außenseiter vorgekommen. Sie hatten ihm eine Möglichkeit geboten, sozusagen gefahrlos Dampf abzulassen und seine Flugversuche zu machen, ohne gleich abzustürzen und zu verbrennen. Und als Dank dafür hatte er ihnen nur Kummer bereitet. Schuldgefühle kamen auf, wenn er an seinen neuesten verrückten Streich dachte. Diesmal war er zu weit gegangen. Es war zuerst nur ein Scherz gewesen, sich Henry Cavendishs Wagen zu schnappen. Er hatte keine Ahnung gehabt, wohin das führen würde. Keiner der anderen konnte ihn vor den Folgen retten, wenn es herauskam, das war ihm klar. Er hoffte nur, dass er sie nicht mit sich in den Abgrund reißen würde.
Weird schob seine neue Kassette von *Clash* in die Anlage und warf sich auf sein Bett. Er würde die erste Seite hören und sich dann zum Schlafengehen fertig machen. Um Alex und Mondo vor der Frühschicht im Supermarkt zu treffen, musste er um fünf aufstehen. Normalerweise hätte die Aussicht, so früh aufstehen zu müssen, ihn total deprimiert. Aber so wie die Dinge lagen, würde er froh sein, aus dem Haus zu kommen, und es wäre ein Segen, etwas zu haben, das ihm half, den ständig um

das Gleiche kreisenden Gedanken zu entkommen. Herrgott, er wünschte, er hätte einen Joint.

Wenigstens hatte die unsensible Brutalität seines Vaters die immer wieder aufkommenden Gedanken an Rosie Duff verdrängt. Als Joe Strummer »Julie's in the Drug Squad« sang, war Weird in einen tiefen, traumlosen Schlaf gefallen.

Karel Malkiewicz fuhr auch unter den günstigsten Umständen wie ein alter Mann. Zögernd, langsam und an den Kreuzungen vollkommen unberechenbar. Außerdem war er ein Sonntagsfahrer. Unter normalen Umständen bedeuteten die ersten Anzeichen von Nebel und Frost, dass er das Auto stehen ließ und den steilen Hügel der Massarene Road nach Bennochy zu Fuß hinunterging und einen Bus zur Factory Road nahm, wo er als Elektriker in einer Firma arbeitete, die Bodenbeläge herstellte. Schon lange war der Leinölgeruch verflogen, der der Stadt den Ruf eingebracht hatte, »komisch zu riechen«, aber obwohl Linoleum nicht mehr Mode war, bedeckten die Beläge aus Nairns Fabrik Millionen von Küchen-, Badezimmer- und Flurböden. Sie hatten Karel Malkiewicz ein gutes Auskommen ermöglicht, seit er nach dem Krieg aus der Royal Air Force ausgeschieden war, und dafür war er dankbar.

Das hieß aber nicht, dass er die Gründe vergessen hatte, aus denen er Krakau verlassen hatte. Niemand konnte diese vergiftete Atmosphäre von Misstrauen und Niedertracht ohne Verletzungen überleben, besonders ein polnischer Jude nicht, der das Glück gehabt hatte, vor dem Pogrom herauszukommen, dann aber ohne eine eigene Familie dastand.

Er musste sich ein neues Leben aufbauen, selbst eine neue Familie gründen. Seine alte Familie hatte sich nie besonders streng an äußere Formen gehalten, so dass ihm seine Religion nicht allzu sehr fehlte. Er erinnerte sich, dass ihm jemand ein paar Tage nach seiner Ankunft in der Stadt erklärt hatte, in Kirkcaldy gebe es keine Juden. Es war klar, wie das gemeint war: »Und so ist uns das auch recht.« Also hatte er sich integriert, war sogar so weit gegangen, seine Frau in einer katholischen Kirche zu heiraten. Er hatte gelernt, wie er auf dieser merkwürdigen Insel, die ihn aufgenommen hatte, dazugehören konnte. Als vor kurzem ein Pole Papst wurde, hatte es ihn selbst überrascht, wie ihn das mit Stolz erfüllt hatte, wo er sich doch dieser Tage nur so selten als Pole sah.

Er war fast vierzig gewesen, als der Sohn kam, von dem er schon immer geträumt hatte. Es war ein Grund zur Freude, aber dadurch lebte auch die Angst wieder auf. Jetzt hatte er so viel mehr zu verlieren. Dies hier war ein zivilisiertes Land. Die Faschisten konnten sich hier nie festsetzen. Das war jedenfalls die allgemein anerkannte Meinung. Aber Deutschland war auch ein zivilisiertes Land gewesen. Niemand konnte voraussagen, was in irgendeinem Land geschehen würde, wenn die Zahl der Besitzlosen ein gefährliches Niveau erreichte. Jeder, der Rettung versprach, würde Anhänger finden.

Und in letzter Zeit hatte es durchaus Anlass zu dieser Befürchtung gegeben. Die National Front suchte sich im politischen Dickicht einen Platz. Streiks und Arbeitskämpfe machten die Regierung unsicher. Die Bomben der IRA lieferten den Politikern jeden Vorwand, den sie brauchten, um repressive Maßnahmen durchzuführen. Und das kaltherzige Weib, das die Tory-Partei führte, sprach davon, dass Einwanderer die einheimische Kultur überschwemmten. Oh ja, die Saat war gelegt.

Als Alex Gilbey angerufen und ihm gesagt hatte, sein Sohn hätte eine Nacht auf der Polizeiwache verbracht, gab es für Karel Malkiewicz nur eins: Er wollte seinen Jungen unter seinem Dach haben, unter seinem Schutz. Niemand würde kommen und ihm mitten in der Nacht seinen Sohn wegnehmen. Er zog sich warm an und bat seine Frau, eine Thermosflasche mit heißer Suppe und ein paar belegte Brote einzupacken. Dann machte er sich auf den Weg durch Fife, um seinen Sohn nach Hause zu bringen.

In seinem alten Vauxhall brauchte er für die dreißig Meilen

fast zwei Stunden. Aber dann war er erleichtert, die Lichter in dem Haus zu sehen, das Sigmund mit seinen Freunden bewohnte. Er parkte den Wagen, nahm seine Vorräte und marschierte den Weg entlang.

Als er klopfte, kam zunächst niemand an die Tür. Er trat vorsichtig in den Schnee zurück und spähte in das hell erleuchtete Küchenfenster. Die Küche war leer. Er hämmerte ans Fenster und rief: »Sigmund! Mach auf, ich bin's, dein Vater.«

Da hörte er polternde Schritte auf der Treppe, dann ging die Tür auf, und sein gut aussehender Sohn hieß ihn breit grinsend und mit weit geöffneten Armen willkommen. »Dad«, sagte er und trat mit bloßen Füßen in den Schneematsch, um seinen Vater zu umarmen. »Ich hatte nicht erwartet, dich zu sehen.«

»Alex hat angerufen. Ich wollte nicht, dass du allein bist. Deshalb bin ich dich abholen gekommen.« Karel drückte seinen Sohn an sich, während die Angst wie ein Schmetterling in seiner Brust flatterte. Liebe ist doch etwas Schreckliches, dachte er.

Mondo saß im Schneidersitz auf seinem Bett, seinen Plattenspieler in Reichweite. Immer wieder hörte er seine persönliche Melodie »Shine on, You Crazy Diamond«. Die auf- und abschwebenden Tonfolgen der Gitarren, der tief empfundene Schmerz von Roger Waters' Stimme, die elegischen Töne des Synthesizers, das weiche Saxophon bildeten die perfekte Musik, der man sich schwelgend hingeben konnte.

Und schwelgen war genau das, was Mondo wollte. Er war seiner Mutter entkommen, die ihn mit ihrer Sorge fast erdrückte, sobald er erklärt hatte, was passiert war. Es war eine Weile ganz nett gewesen, sich in den gewohnten Kokon von Fürsorglichkeit einspinnen zu lassen. Aber allmählich erstickte er fast daran und hatte sich damit entschuldigt, allein sein zu müssen. Diese Greta-Garbo-Taktik des Rückzugs funktionierte bei seiner Mutter immer, die ihn für einen Intellektuellen hielt, weil er Bücher auf Französisch las. Es schien ihrer Aufmerksamkeit

entgangen zu sein, dass man das eben tun musste, wenn man Romanistik studierte und Examen machen wollte.
Aber eigentlich war es gut so. Er hätte die tobenden Emotionen, die ihn zu überfluten drohten, nicht annähernd erklären können. Gewalttätigkeit war ihm völlig fremd, wie eine Fremdsprache, deren Grammatik und Wortschatz er sich niemals angeeignet hatte. Nach seiner kürzlichen Erfahrung damit fühlte er sich unsicher und seltsam. Wenn er ehrlich war, konnte er nicht behaupten, es tue ihm leid, dass Rosie Duff tot war. Sie hatte ihn vor seinen Freunden mehr als einmal gedemütigt, wenn er sie mit den Sprüchen anzuquatschen versuchte, die bei den anderen Mädchen ankamen. Aber es tat ihm leid, dass ihr Tod ihn in diese schwierige Lage gebracht hatte, die er nicht verdiente.
Sex war das, was er jetzt wirklich brauchte. Das würde ihn von den Schrecken der letzten Nacht ablenken. Es wäre eine Art Therapie. So als wenn man sich wieder aufs Pferd setzt. Leider fehlte ihm die Annehmlichkeit einer Freundin in Kirkcaldy. Vielleicht sollte er ein paar Anrufe machen. Eine oder zwei seiner Ehemaligen würden ganz froh sein, ihre Beziehung wieder aufzufrischen. Sie würden ihm ein williges Ohr für seine Qualen leihen und ihm wenigstens über die Ferienzeit hinweghelfen. Judith vielleicht. Oder Liz. Ja, wahrscheinlich Liz. Die Rundlichen waren immer so rührend dankbar für ein Rendezvous, sie kamen immer völlig mühelos rüber. Schon bei dem Gedanken spürte er, wie er hart wurde.
Gerade als er vom Bett aufstehen und nach unten zum Telefon gehen wollte, klopfte es an die Tür. »Komm rein«, seufzte er müde und fragte sich, was seine Mutter jetzt wollte. Er setzte sich anders hin, um seine anstehende Erektion vor ihr zu verbergen.
Aber es war nicht seine Mutter, sondern seine fünfzehnjährige Schwester Lynn. »Mum dachte, du willst vielleicht eine Cola«, sagte sie und hielt ihm ein Glas hin.
»Ich wüsste Sachen, die ich lieber hätte«, sagte er.

»Du musst wirklich durcheinander sein«, sagte Lynn. »Ich kann mir nicht vorstellen, wie das gewesen sein muss.«

Da keine Freundin hier war, musste er sich damit begnügen, seine Schwester zu beeindrucken. »Es war ganz schön hart«, sagte er. »So etwas möchte ich nicht so bald wieder erleben, und die Bullen waren primitiv und dumm wie Neandertaler. Warum sie es für notwendig hielten, uns wie IRA-Terroristen zu verhören, werde ich nie begreifen. Man brauchte wirklich Courage, sich denen zu stellen, kann ich dir sagen.«

Aus unerfindlichen Gründen brachte ihm Lynn nicht die spontane Bewunderung und Unterstützung entgegen, die er verdient hatte. Sie lehnte mit einem Gesichtsausdruck an der Wand, als warte sie nur auf eine Unterbrechung seines Wortschwalls, damit sie zu dem kommen konnte, was ihr wirklich wichtig war. »Das muss es wohl«, sagte sie automatisch.

»Wir werden wahrscheinlich noch mehr Vernehmungen über uns ergehen lassen müssen«, fügte er hinzu.

»Es muss schrecklich gewesen sein für Alex. Wie geht's ihm?«

»Gilly? Na ja, er ist ja nicht gerade ein Sensibelchen. Er wird drüber wegkommen.«

»Alex ist viel sensibler, als du glaubst«, sagte Lynn heftig. »Nur weil er Rugby spielt, meinst du, er ist ein Muskelpaket ohne Herz. Er muss wirklich total fertig sein wegen der Sache, besonders weil er das Mädchen kannte.«

Mondo fluchte im Stillen vor sich hin. Er hatte ganz vergessen, dass seine Schwester in Alex verschossen war. Sie war nicht gekommen, um ihm eine Cola und ihr Mitgefühl anzubieten, sondern weil sie einen Vorwand suchte, über Alex sprechen zu können. »Es ist wahrscheinlich besser für ihn, dass er sie nicht so gut kannte, wie er es sich gewünscht hätte.«

»Was meinst du damit?«

»Er war unheimlich in sie verknallt. Er hat sie sogar gefragt, ob sie mit ihm ausgehen würde. Und wenn sie Ja gesagt hätte, kannst du jede Wette eingehen, dass Alex dann der Hauptverdächtige wäre.«

Lynn wurde rot. »Das hast du dir bloß ausgedacht. Alex würde doch keiner Bardame hinterherlaufen.«
Mondo warf ihr ein gemeines kurzes Lächeln zu. »Nicht? Ich glaube nicht, dass du deinen tollen Alex so gut kennst, wie du meinst.«
»Du bist ein Fiesling, weißt du das?«, sagte Lynn. »Warum sprichst du so gemein über Alex? Angeblich ist er doch einer deiner besten Freunde.«
Sie schlug die Tür hinter sich zu und ließ ihn mit ihrer Frage zurück. Warum war er so gemein zu Alex, wo er doch normalerweise kein einziges kritisches Wort gegen ihn zugelassen hätte?
Langsam ging ihm auf, dass er tief im Inneren Alex die Schuld für diesen ganzen Schlamassel gab. Wenn sie einfach den Weg geradeaus gegangen wären, hätte jemand anders Rosie Duff gefunden. Jemand anders hätte dagestanden und sich ihre letzten Atemzüge anhören müssen. Jemand anders litte unter der Nachwirkung der Stunden, die sie in einer Polizeizelle zugebracht hatten.
Dass er jetzt offenbar in den Ermittlungen zu einem Mordfall als Verdächtiger galt, war Alex' Schuld, daran führte kein Weg vorbei. Mondo war bei dem Gedanken unbehaglich. Er versuchte ihn zu verdrängen, wusste aber, er konnte Pandoras Büchse jetzt nicht mehr schließen. Wenn dieser Gedanke sich erst einmal festgesetzt hatte, konnte man ihn nicht mehr mit allen Wurzeln ausreißen, wegwerfen und vertrocknen lassen. Dies war nicht die rechte Zeit, auf Gedanken zu kommen, die einen Keil zwischen sie trieben. Sie brauchten einander jetzt wie nie zuvor. Aber es ließ sich nicht verleugnen. Wenn Alex nicht wäre, dann säße er nicht in dieser Klemme.
Und was war, wenn es noch schlimmer kam? Die Tatsache, dass Weird die halbe Nacht in diesem Landrover herumgefahren war, ließ sich nicht bestreiten. Er hatte kurze Runden mit verschiedenen Mädchen gedreht, die er zu beeindrucken versuchte. Er hatte ein Alibi, das nichts wert war, und Ziggy, der

sich davongeschlichen und den Landrover irgendwo abgestellt hatte, wo Weird ihn nicht finden konnte, genauso. Und auch Mondo selbst hatte kein richtiges Alibi. Was war nur in ihn gefahren, dass er sich den Landrover geborgt hatte, um das Mädchen nach Guardbridge zu bringen? Ein Quickie auf dem Rücksitz – das war doch wohl die Schwierigkeiten nicht wert gewesen, die auf ihn zukamen, wenn sich jemand erinnerte, dass sie auf der Party gewesen war. Wenn die Polizei anfing, Fragen nach den Partygästen zu stellen, würde jemand sie verpfeifen. Egal, wie heftig die Studenten behaupteten, die Autoritäten zu verachten, jemand würde sich den Schneid abkaufen lassen und alles ausplaudern. Und dann würde der Finger auf sie zeigen.

Plötzlich erschien ihm die Tatsache, dass er die Schuld auf Alex schieben wollte, als seine geringste Sorge. Als er die Ereignisse der letzten paar Tage noch einmal überdachte, erinnerte sich Mondo plötzlich an etwas, das er einmal spätabends gesehen hatte. Etwas, das ihm vielleicht tatsächlich aus der Klemme helfen würde. Etwas, das er vorerst für sich behalten wollte. Lassen wir doch alle für einen und einen für alle mal beiseite. Der wichtigste Mensch, dem gegenüber Mondo eine Sorgfaltspflicht hatte, war er selber. Sollten die anderen sich doch selbst um ihre Interessen kümmern.

8

Maclennan schloss die Tür hinter sich. Zusammen mit Constable Janice Hogg in diesem Zimmer unter dem niedrigen, schrägen Dach fühlte er sich beengt. Das ist das Kläglichste bei einem so plötzlichen Tod, dachte er. Niemand hat die Möglichkeit, noch aufzuräumen und der Welt das Bild von sich zu zeigen, das man ihr hinterlassen möchte. Man lässt alles so zurück, wie es war, als man zum letzten Mal die Tür hinter sich schloss. Er hatte in seinem Beruf schon traurige Dinge gesehen, aber nur wenige, die bitterer waren als das hier.

Jemand hatte sich Mühe gegeben, das Zimmer hell und freundlich erscheinen zu lassen, obwohl nur wenig Licht durch die schmalen Mansardenfenster hereinfiel, die auf die Dorfstraße hinausgingen. In der Ferne sah er St. Andrews, das unter der Schneedecke immer noch weiß aussah, obwohl er wusste, dass das in Wirklichkeit nicht stimmte. Die Gehwege waren schmutziger Schneematsch, die Straßen ein glitschiger Morast aus Kies und geschmolzenem Schnee. Außerhalb der Stadt ging das schmutzige Grau der See unmerklich in den Himmel über. An einem sonnigen Tag musste es eine schöne Aussicht sein, dachte er und wandte sich wieder der zartrosa gestrichenen Raufasertapete und der weißen Tagesdecke aus Frottee zu, auf der noch der Abdruck zu sehen war, wo Rosie zuletzt gesessen hatte. An der Wand hing ein einziges Poster mit einer Gruppe, die sich Blondie nannte. Die Sängerin hatte einen üppigen Busen, einen Schmollmund und einen unmöglich kurzen Rock. War es das, was Rosie angestrebt hatte, fragte er sich.

»Wo soll ich anfangen, Sir?«, fragte Janice und betrachtete den Kleiderschrank und die Frisierkommode aus den fünfziger Jahren, die weiß angestrichen waren, damit sie moderner wirkten. Am Bett stand ein niedriger Tisch mit einer Schublade. Sonst gab es nur noch einen kleinen Wäschekorb hinter der Tür und einen Papierkorb aus Metall unter der Frisierkommode, wo etwas versteckt sein konnte.

»Nehmen Sie sich die Frisierkommode vor«, sagte er. So musste er sich nicht mit dem Make-up befassen, das nie wieder benutzt werden würde, oder dem zweitbesten BH und den alten Höschen, die für eventuelle Notfälle, die nie eintraten, ganz hinten in der Wäscheschublade steckten. Maclennan kannte seine Schwachstellen und vermied lieber, daran zu rühren, wann immer er konnte.

Janice saß auf dem Bettende, wo Rosie gesessen haben musste, um in den Spiegel zu sehen und ihr Make-up aufzutragen. Maclennan wandte sich zur Frisierkommode und zog eine Schublade heraus. Sie enthielt ein dickes Buch, *Der Palast der Winde*, das Maclennan als die Art von Lesestoff erkannte, mit dem seine Exfrau ihn im Bett auf Distanz gehalten hatte. »Ich lese, Barney«, hatte sie oft mit geduldiger Leidensstimme gesagt und ihm einen Schmöker so dick und schwer wie ein Türstopper unter die Nase gehalten. Was hatten die Frauen nur mit ihren Büchern? Er zog das Buch heraus und vermied es, Janice beim systematischen Durchsuchen der Schubladen zuzusehen. Unten drin lag ein Notizbuch. Maclennan nahm es in die Hand, unterdrückte aber jede optimistische Erwartung.

Hätte er bekenntnisähnliche Aufzeichnungen zu finden gehofft, dann wäre er bitter enttäuscht worden. Rosie Duff war nicht der Typ Mädchen gewesen, das Tagebuch führt. Nur ihre Schichten in der Lammas Bar, Geburtstage von Familienmitgliedern und Freunden und Ereignisse wie »Bobs Party« oder »Julies Fest« waren darin eingetragen. Bei Verabredungen standen die Uhrzeit, der Treffpunkt und das Wort ER, gefolgt von einer Zahl. Es sah aus, als hätte sie im Lauf des letzten Jahres Nummer 14, 15 und 16 durchgemacht. Nr. 16 war offensichtlich der Letzte, der Anfang November zum ersten Mal auftauchte und bald zwei- oder dreimal die Woche zu einer regelmäßig wiederkehrenden Einrichtung wurde. Immer nach der Arbeit, dachte Maclennan. Er würde im Lammas noch einmal nachfragen müssen, ob jemand Rosie gesehen hatte, wenn sie nach Dienstschluss mit einem Mann wegging. Er fragte sich, warum sie sich zu dieser Zeit trafen, statt an Rosies freiem Abend oder tagsüber, wenn sie nicht arbeitete. Entweder sie oder er schien fest entschlossen, seine Identität geheim zu halten.

Er blickte zu Janice hinüber. »Was gefunden?«

»Nichts Unerwartetes. Alles Zeug, das Frauen sich selbst kaufen. Nichts Protziges, was Männer kaufen würden.«

»Männer kaufen protzige Sachen?«

»Leider ja, Sir. Spitze, die kratzt. Nylon, in dem man schwitzt. Das, was Männer an Frauen sehen wollen, nicht das, was sie für sich selbst aussuchen würden.«

»Das hab ich also all die Jahre falsch gemacht. Ich hätte eigentlich die großen Schlüpfer von Marks und Spencer kaufen sollen.«

Janice grinste. »Dankbarkeit kann ein gutes Stück weiterhelfen, Sir.«

»Irgendein Anzeichen, dass sie die Pille nahm?«

»Bis jetzt nicht. Vielleicht hatte Brian recht, als er sagte, sie sei ein anständiges Mädchen.«

»Nicht unbedingt. Nach Aussage des Pathologen war sie nicht mehr Jungfrau.«

»Es gibt mehr als eine Möglichkeit, seine Jungfräulichkeit zu verlieren, Sir«, betonte Janice, die nicht mutig genug war, einen Pathologen anzuschwärzen, von dem jeder wusste, dass er sich mehr auf seinen nächsten Drink und seinen Ruhestand konzentrierte als auf die Person, die auf seinem Tisch landete.

»Ja. Und die Pillen sind wahrscheinlich in ihrer Handtasche, die noch nicht gefunden wurde.« Maclennan seufzte und schloss die Schublade mit dem Roman und dem Notizbuch. »Ich seh mir mal den Kleiderschrank an.« Eine halbe Stunde später musste er zugeben, dass Rosie Duff kein Mensch war, der alles aufbewahrte. Ihr Kleiderschrank enthielt Kleider und Schuhe, alle modisch und aktuell. In einer Ecke waren Taschenbücher gestapelt, die sämtlich dick wie Backsteine waren und zu gleichen Teilen Schönheit, Reichtum und Liebe versprachen. »Wir verschwenden hier unsere Zeit«, sagte er.

»Ich hab nur noch eine Schublade zu durchsuchen. Wollen Sie sich nicht mal ihr Schmuckkästchen anschauen?« Janice gab ihm ein Kästchen, das wie eine Schatzkiste aussah und mit weißem Lederimitat bezogen war. Er ließ den dünnen Messingverschluss nach oben schnellen und öffnete den Deckel. Das obere Fach enthielt eine Auswahl von Ohrringen in verschiedenen Farben. Die meisten waren groß und auffällig, aber nicht teuer. Im unteren Fach waren eine Kinderuhr, eine Timex, zwei billige Silberkettchen und ein paar Modeschmuckbroschen. Eine sah aus wie ein Strickzeug, sogar mit winzigen Stricknadeln. Eine wie eine Fliege, ein Angelköder, und die dritte wie ein schillerndes Wesen aus Email, etwa eine Katze von einem anderen Planeten. Es war schwierig, daraus tiefsinnige Schlüsse zu ziehen. »Sie mochte Ohrringe«, sagte er und schloss das Kästchen. »Wer immer mit ihr ausging, war nicht der Typ, der teuren Schmuck verschenkt.«

Janice griff in der Schublade nach hinten und nahm einen Stoß Fotos heraus. Es sah aus, als hätte Rosie die Familienalben durchgesehen und sich ihre eigene Sammlung zusammengestellt. Es war eine typische Mischung von Familienfotos: das Hochzeitsfoto ihrer Eltern, Rosie und ihre Brüder, als sie größer wurden, verschiedene Gruppenbilder der Familie, aufgenommen im Lauf der letzten drei Jahrzehnte, ein paar Babybilder und einige Schnappschüsse von Rosie mit Freundinnen, die sich vor der Kamera in ihren Schuluniformen mit allerlei Fratzen präsentierten. Keine Automatenfotos von ihr mit irgendwelchen Freunden. Überhaupt keine Jungen, genauer gesagt. Maclennan blätterte sie durch und steckte sie wieder in die Tüte zurück. »Kommen Sie, Janice, lassen Sie uns zusehen, ob wir uns mit etwas Produktiverem beschäftigen können.« Er sah sich noch einmal in dem Zimmer um, das viel weniger über Rosie Duff preisgegeben hatte als erhofft. Ein Mädchen mit der Sehnsucht nach mehr Schönheit und Glanz in seinem Leben. Ein Mädchen, das die Zurückgezogenheit liebte. Ein Mädchen, das seine Geheimnisse mit ins Grab genommen hatte, und damit schützte es wahrscheinlich gleichzeitig den Mörder.

Als sie nach St. Andrews zurückfuhren, knackte es in Maclennans Funkgerät. Er drehte an den Knöpfen und versuchte, einen besseren Empfang zu bekommen. Sekunden später kam Burnsides Stimme laut und klar durch. Er klang aufgeregt. »Sir? Ich glaube, wir haben was.«

Alex, Mondo und Weird hatten ihre Schicht bei Safeway beendet, wo sie beim Einsortieren der Regale mit gesenkten Köpfen gehofft hatten, dass niemand sie von der Titelseite des *Daily Record* erkennen würde. Sie hatten einen Stoß Zeitungen gekauft und gingen die High Street entlang zu dem Café, wo sie als Teenager oft den frühen Abend verbracht hatten.

»Hast du gewusst, dass jeder zweite Erwachsene in Schottland den *Record* liest?«, sagte Alex düster.

»Die andere Hälfte kann nicht lesen«, fügte Weird hinzu und betrachtete den Schnappschuss der vier Typen auf der Schwelle des Hauses, in dem sie wohnten. »Mensch, guck uns mal an. Genauso gut könnte druntterstehen: ›Verschlagene Kerle, wegen Vergewaltigung und Mord verdächtigt.‹ Meinst du nicht, dass jeder, der das sieht, glauben wird, dass wir es waren?«

»Es ist nicht gerade die schmeichelhafteste Aufnahme, die je von mir gemacht worden ist«, sagte Alex.

»Für dich ist es ja nicht schlimm. Du stehst ja ganz hinten. Man kann dein Gesicht kaum erkennen. Und Ziggy dreht sich grade um. Aber ich und Weird, wir sind direkt von vorn zu sehen«, klagte Mondo. »Zeig mal, was die anderen haben.«

Ein ähnliches Bild war im *Scotsman*, im *Glasgow Herald* und im *Courier* erschienen, aber Gott sei Dank auf den Seiten weiter hinten. Mit Ausnahme des *Courier* gab es jedoch auf jeder Titelseite einen Bericht zum Mord. Im *Courier* konnte etwas so Unwichtiges wie ein Mord die Mastviehpreise und die Anzeigen nicht von der ersten Seite vertreiben.

Sie saßen schweigend über die Artikel gebeugt und nippten an ihrem heißen Kaffee. »Ich finde, es könnte schlimmer sein«, sagte Alex. Weird sah ihn ungläubig an. »Schlimmer, wieso denn?«

»Sie haben unsere Namen richtig geschrieben. Sogar Ziggys.«

»Na, tolle Sache. Okay, ich gebe zu, sie haben uns wenigstens nicht als Verdächtige bezeichnet. Aber das ist auch alles, was man zu unseren Gunsten sagen kann. Wir stehen schlecht da, Alex. Das weißt du genau.«

»Alle, die wir kennen, werden das gesehen haben«, sagte Mondo. »Alle werden uns dafür fertigmachen. Wenn das meine Viertelstunde Berühmtheit sein soll, dann kannst du mich mal!«

»Sie hätten es sowieso alle erfahren«, erklärte Alex. »Ihr wisst doch, wie diese Stadt ist. Es geht wie auf dem Dorf zu. Die Leute haben nichts anderes zu tun, als über ihre Nachbarn zu tratschen. Man braucht hier in der Gegend keine Zeitungen, um Neuigkeiten zu verbreiten. Das Positive ist, dass die halbe Uni in England ist, die werden nichts davon hören. Und bis wir nach Neujahr zurückkommen, wird das alles schon Geschichte sein.«

»Glaubst du?« Weird faltete den *Scotsman* mit einer endgültigen Geste zusammen. »Ich sag euch was. Wir sollten beten, dass Maclennan herausfindet, wer es getan hat, und denjenigen einsperrt.«

»Warum?«, fragte Mondo.

»Wenn er es nicht tut, werden wir den Rest unseres Lebens die Typen sein, die ungestraft einen Mord begangen haben.«

Mondo sah aus wie einer, dem gerade mitgeteilt wurde, er sei unheilbar an Krebs erkrankt.

»Meinst du das ernst?«

»Ich hab im Leben nie etwas so ernst gemeint«, sagte Weird. »Wenn sie niemanden als Rosies Mörder verhaften, werden sich alle nur daran erinnern, dass wir die vier sind, die eine Nacht lang auf der Polizeiwache gesessen haben. Es ist offensichtlich, Mann. Wir werden ohne Verhandlung als schuldig abgestempelt. ›Wir wissen alle, dass sie es waren, nur hat die Polizei es nicht beweisen können‹«, fügte er mit einer nachgemachten Frauenstimme hinzu. Er grinste böse und wusste, dass er seinen Freund an der Stelle getroffen hatte, wo es ihn am meisten schmerzte.

»Verpiss dich, Weird. Wenigstens habe ich schöne Erinnerungen«, sagte Mondo bissig.

Bevor irgendjemand noch etwas sagen konnte, wurden sie durch einen Neuankömmling unterbrochen. Ziggy kam herein und schüttelte sich den Regen aus den Haaren. »Ich dachte mir, dass ich euch hier finde«, sagte er.

»Ziggy, Weird sagt …«, fing Mondo an.

»Lass gut sein. Maclennan ist hier. Er will noch einmal mit uns sprechen.«

Alex zog die Brauen hoch. »Er will uns wieder nach St. Andrews schleifen?«

Ziggy schüttelte den Kopf. »Nein. Er ist hier in Kirkcaldy. Wir sollen zur Polizeiwache kommen.«

»Scheiße«, sagte Weird. »Mein Alter dreht durch. Ich habe Hausarrest. Er wird denken, ich mach mir einen Dreck draus.

Schließlich kann ich ihm nicht sagen, dass ich bei den Bullen war.«
»Dankt meinem Dad dafür, dass wir nicht nach St. Andrews müssen«, sagte Ziggy. »Er ist ausgeflippt, als Maclennan bei uns zu Hause aufgetaucht ist. Er hat ihm die Leviten gelesen, hat ihm vorgeworfen, uns wie Kriminelle zu behandeln, wo wir alles getan haben, was wir konnten, um Rosie zu retten. Ich dachte zwischendurch, jetzt haut er ihm gleich eine mit dem *Record* runter.« Er lächelte. »Ich sag euch, ich war stolz auf ihn.«
»Gut für ihn«, sagte Alex. »Also, wo ist denn Maclennan?«
»Draußen in seinem Wagen. Und das Auto von meinem Dad ist direkt dahinter geparkt.« Ziggys Schultern fingen vor Lachen an zu zucken. »Ich glaube, Maclennan ist noch nie auf so jemand wie meinen Alten gestoßen.«
»Wir müssen also jetzt zur Polizeiwache?«, fragte Alex.
Ziggy nickte. »Maclennan erwartet uns. Er sagte, mein Vater könne uns hinfahren, aber er sei nicht in der Stimmung, hier lange herumzuhängen.«

Zehn Minuten später saß Ziggy allein in einem Vernehmungsbüro. Als sie auf der Polizei ankamen, hatte man Alex, Weird und Mondo unter dem wachsamen Blick eines uniformierten Wachtmeisters in verschiedene Räume gebracht. Der besorgte Karel Malkiewicz wurde ohne weitere Umstände an der Rezeption zurückgelassen, nachdem Maclennan ihm barsch mitgeteilt hatte, er solle dort warten. Und Ziggy wurde weggeführt, von Maclennan und Burnside in die Mitte genommen, die ihn dann aber gleich wieder verließen, so dass er wartend vor sich hin schmorte.
Sie wussten genau, wie sie vorzugehen hatten, dachte er traurig. Ihn so allein zu lassen war ein gutes Rezept, ihn zu verunsichern. Und es funktionierte. Obwohl er äußerlich keine Anzeichen von Spannung zeigte, fühlte sich Ziggy innerlich so angespannt wie eine Klaviersaite und bebte vor schlimmen

Vorahnungen. Die längsten fünf Minuten seines Lebens waren zu Ende, als die beiden Kriminalbeamten zurückkehrten und sich ihm gegenübersetzten.

Maclennans Blick bohrte sich in seine Augen, sein schmales Gesicht war gespannt vor unterdrückter Erregung. »Die Polizei anzulügen ist eine ernste Sache«, sagte er ohne Einleitung mit schroffer, eisiger Stimme. »Es ist nicht nur strafbar, sondern wir fragen uns auch, was genau Sie zu verbergen haben. Sie haben eine Nacht Zeit gehabt, über die Dinge zu schlafen. Möchten Sie Ihre frühere Aussage revidieren?«

Ein kalter Schreck zuckte durch Ziggys Brust. Sie wussten etwas. Das war klar. Aber wie viel? Er sagte nichts, sondern wartete, bis Maclennan seinen nächsten Zug machte.

Der öffnete seine Akte und zog ein Blatt mit den Fingerabdrücken hervor, das Ziggy am Tag zuvor unterschrieben hatte. »Dies sind Ihre Fingerabdrücke?«

Ziggy nickte. Jetzt wusste er, was kommen würde.

»Können Sie erklären, wie sie auf das Steuerrad und den Schalthebel des Landrovers kamen, der auf einen Mr. Cavendish zugelassen ist und der heute früh auf dem Parkplatz eines Industriegebäudes an der Largo Road in St. Andrews gefunden wurde?«

Ziggy schloss kurz die Augen. »Ja, das kann ich.« Er hielt inne und versuchte seine Gedanken zu sammeln. Er hatte dieses Gespräch heute früh im Bett geübt, aber alle seine Sätze waren jetzt, wo er der zermürbenden Wirklichkeit gegenüberstand, vergessen.

»Ich warte, Mr. Malkiewicz«, sagte Maclennan.

»Der Landrover gehört einem der anderen Studenten, die bei uns im Haus wohnen. Wir haben ihn gestern Nacht geborgt, um zur Party zu fahren.«

»Sie haben ihn geborgt? Sie meinen, Mr. Cavendish hat Ihnen seine Erlaubnis gegeben, seinen Landrover zu fahren?«, sagte Maclennan sofort und gab Ziggy keine Zeit zum Überlegen.

»Nein, eigentlich nicht, nein.« Ziggy blickte zur Seite, er konnte Maclennans starrem Blick nicht standhalten. »Hören Sie, ich weiß, dass wir ihn nicht hätten nehmen sollen, aber es war eigentlich nichts dabei.« Sobald er die Worte gesagt hatte, wusste Ziggy, dass das ein Fehler war.

»Es ist eine Straftat. Und ich bin sicher, dass Sie das wussten. Also, Sie haben den Landrover gestohlen und zur Party mitgenommen. Das erklärt nicht, wieso er dort hinkam, wo er jetzt steht.«

Ziggys Atem stockte und flatterte wie eine gefangene Motte in seiner Brust. »Ich habe ihn aus Sicherheitsgründen weggebracht. Wir haben getrunken, und ich wollte nicht, dass irgendjemand von uns in Versuchung käme, ihn zu fahren, nachdem wir Alkohol getrunken hatten.«

»Wann genau haben Sie ihn weggebracht?«

»Ich weiß nicht genau. Wahrscheinlich zwischen ein und zwei Uhr morgens.«

»Da mussten Sie selbst auch schon eine Menge getrunken haben.« Maclennan hielt sich jetzt an seine Glückssträhne und saß vorgebeugt, die Schultern hochgezogen und ganz auf die Vernehmung konzentriert.

»Ich war wahrscheinlich über der Grenze, ja. Aber ...«

»Noch eine Straftat. Sie haben also gelogen, als Sie uns sagten, Sie hätten die Party nicht verlassen?« Maclennans Blick war scharf wie ein Skalpell.

»Ich war nur so lange weg, wie es dauerte, den Landrover wegzufahren und zu Fuß zurückzukommen. Vielleicht zwanzig Minuten.«

»Wir haben nur Ihre Aussage, keine Bestätigung dafür. Mit den anderen Partygästen haben wir gesprochen, und Sie sind dort nicht sehr viel gesehen worden. Ich glaube, Sie waren länger weg, sind auf Rosie Duff gestoßen und haben ihr angeboten, sie mitzunehmen.«

»Nein!«

Maclennan fuhr schonungslos fort. »Etwas ist passiert, das Sie wütend machte, und Sie haben sie vergewaltigt. Dann wurde Ihnen klar, dass sie Ihr ganzes Leben zerstören könnte, wenn sie zur Polizei ginge. Sie bekamen Panik und haben sie umgebracht. Sie wussten, dass Sie die Leiche wegbringen mussten, aber Sie hatten ja den Landrover, das war also kein großes Problem. Und dann haben Sie sich gesäubert und sind zur Party zurückgekehrt. Ist es nicht so gelaufen?«

Ziggy schüttelte den Kopf. »Nein. Sie sehen das alles falsch. Ich habe sie nicht gesehen, nicht angerührt. Ich habe nur den Landrover weggeschafft, bevor jemand einen Unfall damit baute.«

»Was mit Rosie Duff passiert ist, war kein Unfall. Und Sie waren derjenige, der es verursacht hat.«

Ziggy wurde rot vor Angst und fuhr sich durch die Haare. »Nein. Sie müssen mir glauben. Ich hatte nichts mit ihrem Tod zu tun.«

»Warum sollte ich Ihnen glauben?«

»Weil ich Ihnen die Wahrheit sage.«

»Nein. Was Sie mir sagen, ist eine neue Version der Ereignisse, die das abdeckt, was mir Ihrer Meinung nach bekannt ist. Ich glaube nicht, dass es auch nur annähernd die ganze Wahrheit ist.«

Ein langes Schweigen folgte.

Ziggy biss die Zähne zusammen und spürte, wie sich seine Wangenmuskeln anspannten.

Maclennan sprach weiter. Diesmal war sein Ton weniger hart. »Wir werden herausfinden, was geschehen ist. Das wissen Sie. Gegenwärtig untersucht eine Gruppe von Experten der Gerichtsmedizin jeden Zentimeter des Landrovers. Wenn wir einen Tropfen Blut finden, ein einziges Haar von Rosie Duff, eine Faser von ihren Kleidern, werden Sie lange Zeit nicht mehr in Ihrem eigenen Bett schlafen. Sie könnten sich und Ihrem Vater viel Kummer ersparen, wenn Sie uns jetzt einfach alles sagen würden.«

Ziggy musste fast lachen. Es war ein so durchsichtiger Trick,

er zeigte Maclennans Schwäche so klar. »Ich habe nichts weiter zu sagen.«
»Na schön, dann sollen Sie Ihren Willen haben. Ich verhafte Sie hiermit, weil Sie ein Fahrzeug entwendet haben und ohne Zustimmung des Besitzers damit weggefahren sind. Nach Zahlung einer Kaution können Sie gehen und müssen sich in einer Woche auf der Polizeiwache melden.« Maclennan strich sich das Haar zurück. »Ich schlage vor, dass Sie sich mit einem Anwalt in Verbindung setzen, Mr. Malkiewicz.«

Unvermeidlich kam Weird als Nächster dran. Es musste um den Landrover gehen, dachte er, als sie schweigend im Vernehmungsbüro saßen. Okay, sagte er sich. Er würde es zugeben, würde die Sache ausbaden und nicht den anderen die Schuld für seine Dummheit aufhalsen. Sie würden ihn nicht ins Gefängnis stecken, nicht für so etwas Triviales. Er würde ein Bußgeld auferlegt bekommen und irgendwie abbezahlen. Er konnte einen Teilzeitjob annehmen. Auch als Vorbestrafter konnte man Mathematiker werden.
Er lümmelte sich, eine Zigarette im Mundwinkel, gegenüber Maclennan und Burnside auf den Stuhl und versuchte gelassen auszusehen. »Wie kann ich Ihnen helfen?«, sagte er.
»Mit der Wahrheit, das wäre ganz gut für den Anfang«, sagte Maclennan. »Irgendwie ist es Ihnen wohl entfallen, dass Sie mit einem Landrover herumkutschiert sind, als Sie angeblich auf einer Party waren.«
Weird breitete die Arme aus. »Seien Sie doch fair. Nur jugendlicher Übermut, Herr Kommissar.«
Maclennan schlug auf den Tisch. »Es geht hier nicht um ein Spiel, junger Mann. Sondern um Mord, hören Sie also auf herumzualbern.«
»Aber mehr als das war es nicht, wirklich. Sehen Sie, das Wetter war beschissen. Die anderen sind schon vorgegangen zum Lammas, während ich noch das Geschirr spülte. Ich stand in der Küche, sah den Landrover draußen stehen und dachte,

warum nicht? Henry ist in England, und niemand wird es merken, wenn ich ihn mir für ein paar Stunden ausleihe. Also fuhr ich zum Pub hinunter. Die anderen drei waren ziemlich sauer auf mich, aber als sie sahen, wie heftig es schneite, fanden sie die Idee doch nicht so schlecht. Also haben wir ihn zur Party mitgenommen. Ziggy hat ihn später weggefahren, um mich davor zu bewahren, mich völlig unmöglich zu machen. Und das ist alles.« Er zuckte die Schultern. »Ehrlich. Wir haben es Ihnen vorher nicht gesagt, weil wir Ihre Zeit nicht mit Belanglosigkeiten verschwenden wollten.«

Maclennan starrte ihn an. »Jetzt verschwenden Sie meine Zeit.« Er schlug die Akte auf. »Wir haben eine Aussage von Helen Walker, dass Sie sie zu einer Fahrt im Landrover überredet haben. Sie sagte, dass Sie während der Fahrt versuchten, nach ihr zu grapschen. Ihr Fahrstil wurde so unberechenbar, dass der Landrover schleuderte und am Gehweg stehen blieb. Sie sprang heraus und rannte zur Party zurück. Sie sagte, und jetzt zitiere ich wörtlich: ›Er war außer Kontrolle.‹«

In Weirds Gesicht zuckte es, und von seiner Zigarette fiel Asche auf seinen Pullover. »Dummes kleines Mädchen«, sagte er, aber seine Stimme klang weniger selbstbewusst als seine Worte.

»Wie sehr waren Sie denn außer Kontrolle?«

Weird gelang ein unsicheres Lachen. »Wieder so eine von Ihren Fangfragen. Also, okay, ich hab mich ein bisschen hinreißen lassen. Aber es ist doch ein großer Unterschied, ob man ein bisschen Spaß in einem geborgten Wagen hat oder jemanden umlegt.«

Maclennan warf ihm einen verächtlichen Blick zu. »Das ist also Ihre Art und Weise, ein bisschen Spaß zu haben? Eine Frau zu belästigen und so zu erschrecken, dass sie mitten in der Nacht lieber durch den Schneesturm läuft, als mit Ihnen in einem Wagen zu sitzen?« Weird wandte den Blick ab und seufzte. »Sie müssen wütend gewesen sein. Sie kriegen es fertig, eine Frau in Ihren gestohlenen Landrover zu locken. Sie glauben, Sie würden bei ihr Eindruck schinden und sie würde Ihnen zu Willen sein, aber stattdessen läuft sie weg. Was geschieht also danach? Sie sehen Rosie Duff im Schnee und glauben, Sie könnten doch jetzt Ihren Charme an ihr auslassen. Aber sie will nichts von Ihnen wissen, sie stößt Sie zurück, da überrumpeln Sie sie. Und dann verlieren Sie die Beherrschung, weil Sie wissen, sie kann Ihr ganzes Leben zerstören.«

Weird sprang auf. »Ich brauche nicht hier zu sitzen und mir das anzuhören. Sie reden nur Unsinn, Sie haben nichts gegen mich in der Hand, und das wissen Sie auch.«

Auch Burnside war aufgesprungen und versperrte Weird den Weg zur Tür, während Maclennan sich auf dem Stuhl zurücklehnte. »Nicht so schnell, mein Sohn. Sie sind verhaftet.«

Mondo zog die Schultern bis zu den Ohren hoch, eine schwache Abwehr gegen das, was er auf sich zukommen sah. Maclennan warf ihm einen langen kühlen Blick zu. »Fingerabdrücke«, sagte er. »Ihre Fingerabdrücke sind auf dem Steuerrad eines gestohlenen Landrovers. Möchten Sie dazu etwas sagen?«

»Er war nicht gestohlen. Nur geliehen. Stehlen heißt, dass man nicht vorhat, etwas zurückzugeben, oder?« Mondo klang gereizt.

»Ich warte«, sagte Maclennan und ignorierte Mondos Antwort.

»Ich habe jemanden nach Hause gefahren, okay?«

Maclennan beugte sich vor, ein Jagdhund, der Beute gerochen hat. »Wen?«

»Ein Mädchen, das auf der Party war. Sie musste nach Hause zurück nach Guardbridge, also sagte ich, ich würde sie hinfahren.« Mondo holte ein Blatt Papier aus seiner Jackentasche. Während er wartete, hatte er alle Angaben zu dem Mädchen aufgeschrieben, denn genau diesen Moment hatte er vorausgesehen. Dass er ihren Namen nicht laut aussprach, machte sie irgendwie weniger real, weniger bedeutend. Außerdem hatte er ausgetüftelt, dass er sich als weniger belastet darstellen konnte, wenn er sich geschickt anstellte. War ja egal, dass er damit ein Mädchen bei seinen Eltern ganz erheblich in Schwierigkeiten brachte. »Hier. Sie können sie fragen, sie wird es bestätigen.«

»Um wie viel Uhr war das?«

Er zuckte die Achseln. »Ich weiß nicht. Gegen zwei vielleicht?«

Maclennan blickte auf den Namen und die Adresse. Beide waren ihm unbekannt. »Was ist vorgefallen?«

Mondo setzte ganz im Gefühl weltmännischer Komplizenschaft ein Grinsen auf. »Ich hab sie nach Hause gefahren. Wir hatten Sex. Wir sagten Gute Nacht. Sie sehen also, Inspector, ich hatte keinen Grund, an Rosie Duff interessiert zu sein, selbst wenn ich sie gesehen hätte. Was nicht der Fall war. Ich hatte gerade Verkehr gehabt und war ziemlich zufrieden.«

»Sie sagen, Sie hatten Sex. Wo genau?«

»Hinten im Landrover.«

»Haben Sie ein Kondom benutzt?«

»Ich glaube Frauen nie, wenn sie sagen, sie nehmen die Pille. Tun Sie das? Natürlich habe ich ein Kondom genommen.«

Jetzt war Mondo entspannt. Dies war ein Gebiet, auf dem er sich auskannte und auf dem Männer sich verstanden.

»Was haben Sie danach damit gemacht?«

»Ich hab's aus dem Fenster geworfen. Es im Landrover liegen zu lassen wäre für Henry ein bisschen zu offensichtlich gewesen, wissen Sie?« Er sah, dass Maclennan Mühe hatte, den Ansatzpunkt für seine nächste Frage zu finden. Er hatte recht gehabt. Dass er zugab, was geschehen war, hatte ihre Vernehmungsstrategie verpuffen lassen. Er war nicht frustriert und geil nach Sex im Schnee herumgekurvt. Welches Motiv hätte er also haben sollen, Rosie Duff zu vergewaltigen und zu töten?

Maclennan lächelte böse und schloss sich der von Mondo als selbstverständlich vorausgesetzten Kumpanei unter Männern nicht an. »Wir werden Ihre Geschichte überprüfen, Mr. Kerr. Lassen Sie uns mal sehen, ob die junge Frau das bestätigt. Wenn sie das nämlich nicht tut, ergibt das ein ganz anderes Bild, nicht wahr?«

9

Er hatte nicht das Gefühl, dass es Heiligabend war. Als er mittags zur Bäckerei ging, um sich eine Kleinigkeit zu essen zu holen, hatte er die Illusion, in ein anderes Universum eingetaucht zu sein. Die Schaufenster waren mit aufdringlichen Weihnachtsdekorationen geschmückt, kleine Lämpchen leuchteten im Dämmergrau, und die Straßen waren voll von Menschen, die unter der Last ihrer vollen Einkaufstüten zu schwanken schienen. Aber all das war ihm fremd. Ihre Sorgen waren nicht seine. Sie hatten noch etwas anderes, auf das sie sich freuen konnten, außer einem Weihnachtsessen mit dem traurigen Geschmack des Misserfolgs. Acht Tage seit Rosie Duffs Ermordung, und noch keine Aussicht auf eine Verhaftung.

Er war so zuversichtlich gewesen, dass die Entdeckung des Landrovers der Grundstein war, auf den sich die Anklage gegen einen oder mehrere der vier Studenten stützen könnte. Besonders nach den Vernehmungen in Kirkcaldy. Ihre Aussagen waren ziemlich plausibel, aber sie hatten ja auch anderthalb Tage Zeit gehabt, sie auszuarbeiten. Und er hatte immer noch das Gefühl, dass er nicht die ganze Wahrheit erfuhr, obwohl es schwierig war festzulegen, wo genau die Unwahrheit lag. Er hatte Tom Mackie kaum ein Wort geglaubt, aber Maclennan war ehrlich genug zuzugeben, dass es etwas mit der tiefen Antipathie zu tun haben konnte, die er gegenüber dem Mathematikstudenten empfand.

Ziggy Malkiewicz war tiefgründiger, das war sicher. Maclennan wusste, falls er der Mörder war, würde er nichts erreichen, bevor er klare Beweise hatte; dieser Mediziner würde nicht einknicken. Er dachte, er hätte Davey Kerrs Darstellung durchschaut, als das Mädchen in Guardbridge abstritt, Sex mit ihm gehabt zu haben. Aber Janice Hogg, die er aus Gründen der Schicklichkeit mitgenommen hatte, war überzeugt, dass sie gelogen hatte und dummerweise versuchte, ihren Ruf zu schützen. Und tatsächlich, als er Janice noch einmal hingeschickt hatte, um mit der jungen Frau allein zu sprechen, hatte diese zugegeben, dass sie sich doch von Kerr zum Sex hatte überreden lassen. Es klang nicht, als wäre diese Erfahrung eine Wiederholung wert gewesen. Was interessant war, dachte Maclennan. Vielleicht war Davey Kerr danach nicht ganz so zufrieden und froh gewesen, wie er vorgegeben hatte.

Alex Gilbey war ein möglicher Kandidat, wenn es auch keine Anzeichen gab, dass er den Landrover gefahren hatte. Seine Fingerabdrücke waren überall im Wageninneren, aber nirgends in der Nähe des Fahrersitzes. Doch damit war er nicht aus dem Schneider. Wenn Gilbey Rosie getötet hatte, hätte er wahrscheinlich die anderen um Hilfe gebeten, die sie ihm wohl auch gewährt hätten. Maclennan war sich durchaus im Klaren über die starken Bande, die die vier zusammenhielten. Und wenn Gilbey ein Rendezvous mit Rosie geplant hatte, das schrecklich danebenging, dann war Maclennan ziemlich sicher, dass Malkiewicz nicht gezögert hätte, alles zu tun, um seinen Freund zu schützen. Ob Gilbey es wusste oder nicht, Malkiewicz war in ihn verknallt, wovon Maclennan rein gefühlsmäßig überzeugt war.

Neben Maclennans Instinkt war allerdings noch etwas anderes im Spiel. Nach der frustrierenden Reihe von Vernehmungen wollte er sich gerade zurück nach St. Andrews aufmachen, als er eine vertraute Stimme hörte. »Hey, Barney, ich hab gehört, du seist in der Stadt«, klang es über den leeren Parkplatz.

Maclennan fuhr herum. »Robin? Bist du das?«
Eine schmale Gestalt in einer Constable-Uniform trat in einen Lichtkegel. Robin Maclennan war fünfzehn Jahre jünger als sein Bruder, aber die Ähnlichkeit war frappierend. »Hast du gedacht, du kannst dich davonmachen, ohne Guten Tag zu sagen?«
»Sie haben mir erzählt, du seist auf Streife.«
Robin hatte seinen Bruder jetzt erreicht und schüttelte ihm die Hand. »Bin gerade zurückgekommen, um etwas nachzuprüfen. Ich dachte doch, dass du es bist, als ich dich vorfahren sah. Komm und trink 'ne Tasse Kaffee mit mir, bevor du gehst.« Er grinste und knuffte Maclennan freundschaftlich gegen die Schulter. »Ich habe Informationen, die dir, glaube ich, gefallen werden.«
Maclennan runzelte hinter dem Rücken seines Bruders die Stirn. Robin, der mit all seinem Charme immer so sicher war, hatte eine Antwort gar nicht abgewartet, sondern sich schon zu dem Polizeigebäude und der Kantine aufgemacht. Maclennan holte ihn an der Tür ein. »Was meinst du mit Informationen?«, fragte er.
»Diese Studenten, die du wegen des Mordes an Rosie Duff im Visier hast. Ich hab mir gedacht, ich könnte mal 'n bisschen stöbern, was es so an Gerüchten gibt.«
»Du solltest dich da nicht reinhängen, Robin. Es ist nicht dein Fall«, wandte Maclennan ein, als er seinem Bruder den Korridor entlang folgte.
»Ein solcher Mord, das geht doch alle was an.«
»Trotzdem.« Wenn er in diesem Fall scheiterte, wollte er nicht, dass von dem Misserfolg etwas an seinem klugen, talentierten Bruder hängenblieb. Robin nahm alle für sich ein, er würde bei der Polizei weiter kommen als Maclennan, was er auch verdiente. »Sowieso ist keiner vorbestraft. Ich hab schon nachgesehen.«
Robin wandte sich um, als sie die Kantine betraten, und strahlte ihn wieder an. »Sieh mal, das hier ist doch mein Re-

vier. Ich kann von den Leuten allerhand erfahren, was sie dir nicht sagen würden.«

Neugierig gemacht, folgte Maclennan jetzt seinem Bruder zu einem Tisch in einer stillen Ecke und wartete geduldig, während Robin den Kaffee holte. »Also, was weißt du?«

»Deine Jungs sind nicht gerade tumbe Toren. Als sie dreizehn oder so waren, wurden sie beim Ladendiebstahl erwischt.«

Maclennan zuckte die Schultern. »Wer hat als Kind nicht schon mal was geklaut?«

»Da ging es aber nicht um ein paar Tafeln Schokolade oder Schachteln Zigaretten. Es war schon eher etwas, was man als Formel 1 des Ladendiebstahls bezeichnen könnte. Es scheint, dass sie sich gegenseitig herausforderten, Sachen zu klauen, die wirklich schwierig zu kriegen waren. Einfach so. Meistens klauten sie in kleinen Geschäften. Nichts, was sie sich besonders wünschten oder brauchten. Alles von der Gartenschere bis zum Parfüm. Kerr wurde mit einem Glas eingelegtem chinesischem Ingwer erwischt. Die anderen drei wurden draußen vor dem Laden geschnappt, wo sie auf ihn warteten. Sie haben alles zugegeben und uns zu dem Schuppen im Garten der Gilbeys geführt, wo sie die Beute versteckt hatten. Alles noch in der Originalverpackung.« Robin schüttelte verwundert den Kopf. »Der Kollege, der sie verhaftet hat, sagte, es sei wie Aladins Schatzhöhle gewesen.«

»Was ist dann geschehen?«

»Jemand hat seine Beziehungen spielen lassen. Gilbeys Vater ist Rektor. Mackies Dad spielt mit dem Polizeipräsidenten Golf. Sie sind mit einer Verwarnung und dem heiligen Schrecken davongekommen.«

»Interessant. Aber der legendäre Überfall auf den Postzug ist es nicht gerade.«

Robin stimmte ihm mit einem Nicken zu. »Das ist aber noch nicht alles. Zwei Jahre später gab es eine ganze Reihe von Beschädigungen an geparkten Autos. Die Besitzer kamen zu ihren Wagen zurück und fanden auf der Innenseite der Windschutzscheibe mit Lippenstift geschriebene Graffiti. Und die Autos waren alle fest verschlossen. Es endete genauso plötzlich, wie es angefangen hatte, etwa um die gleiche Zeit, als ein gestohlenes Fahrzeug ausbrannte. Es gab nie konkrete Hinweise darauf, dass sie es waren, aber unser Nachrichtenspezialist vor Ort meint, dass sie hinter der Sache steckten. Sie scheinen ein Talent dafür zu haben, Leute zu verarschen.«

Maclennan nickte. »Das könnte ich wohl kaum abstreiten.« Er war fasziniert von der Information über die Fahrzeuge. Vielleicht war der Landrover nicht das einzige Fahrzeug auf der Straße gewesen, hinter dessen Steuerrad in jener Nacht einer seiner Verdächtigen gesessen hatte.

Robin war darauf erpicht, mehr über die Einzelheiten der Ermittlungen zu erfahren, aber Maclennan wich ihm geschickt aus. Das Gespräch verlief bald in den gewohnten Bahnen – Familie, Fußball, was man den Eltern zu Weihnachten schenken wollte –, bevor Maclennan es endlich schaffte aufzubrechen. Robin hatte ihm nicht besonders viel Information geliefert, das stimmte, aber sie gab Maclennan doch das Gefühl, dass die Aktionen der Laddies fi' Kirkcaldy nach einem Muster verliefen und eine Vorliebe fürs Risiko zeigten. Es war eine Verhaltensweise, die leicht kippen und in etwas Gefährlicheres ausarten konnte.

Ein bestimmtes Gefühl zu haben war ja ganz gut, aber ohne klare Beweise brachte es nichts. Und klare Beweise fehlten leider völlig. Der Landrover hatte in eine forensische Sackgasse geführt. Sie hatten das Wageninnere praktisch komplett auseinander genommen, aber keinen Beweis dafür gefunden, dass Rosie Duff jemals in dem Wagen war. Als die Spurensicherung Blutspuren entdeckte, hatte das Team eine Erregung erfasst wie kurz vor einer Explosion, aber bei näherer Untersuchung hatte sich gezeigt, dass das Blut nicht nur keins von Rosie, sondern nicht einmal menschliches Blut war.

Die einzige schwache Hoffnung war erst einen Tag zuvor am Horizont aufgetaucht. Ein Mann am Trinity Place hatte seinen

Garten aufgeräumt und ein nasses Stoffbündel gefunden, das jemand in seine Hecke geworfen hatte. Mrs. Duff hatte es als Rosies Jacke erkannt. Jetzt war es zur Untersuchung ans Labor geschickt worden, aber Maclennan wusste, dass bis nach Neujahr nichts passieren würde, obwohl er den Auftrag als dringlich gekennzeichnet hatte. Das war nur ein weiteres Detail, das zu seiner Frustration beitrug.

Er konnte sich nicht einmal entscheiden, ob er gegen Mackie, Kerr und Malkiewicz eine Anklage wegen Diebstahls und Entwendung des Landrovers in die Wege leiten sollte. Sie hatten die geforderte Kaution gewissenhaft hinterlegt, und er war schon fast so weit gewesen, sie unter Anklage zu stellen, als er im Vereinslokal des Polizeiclubs zufällig eine Unterhaltung mitbekam. Wegen der Rückenlehne einer Polsterbank konnte er die Kollegen nicht sehen, erkannte aber Jimmy Lawsons und Iain Shaws Stimmen. Shaw hatte sich dafür ausgesprochen, alle nur möglichen Anklagepunkte gegen die Studenten vorzubringen. Aber zu Maclennans Überraschung war Lawson anderer Meinung. »Dann stehen wir doch total mies da«, hatte der Constable gesagt. »Wir sehen kleinlich und rachsüchtig aus. Es ist, als trügen wir ein Plakat mit dem Spruch: Wir können sie zwar nicht wegen der Mordsache kriegen, werden ihnen aber das Leben anderweitig zur Hölle machen.«

»Und was ist daran auszusetzen?«, hatte Shaw geantwortet. »Wenn sie schuldig sind, sollten sie dafür büßen.«

»Aber vielleicht sind sie nicht schuldig«, sagte Lawson eindringlich. »Wir sollen uns schließlich um die Gerechtigkeit kümmern, oder? Das heißt, wir schnappen uns nicht nur den Schuldigen, sondern schützen auch den Unschuldigen. Gut, sie haben Maclennan also wegen des Landrovers angelogen. Aber das macht sie noch nicht zu Mördern.«

»Wenn es keiner von ihnen war, wer denn dann?«, sagte Shaw herausfordernd.

»Ich glaube immer noch, dass es irgendetwas mit dem Hallow Hill zu tun hat. Irgendein heidnisches Ritual oder so was. Du weißt geradeso gut wie ich, dass wir jedes Jahr Berichte von Tensmuir Forest über Tiere bekommen, die anscheinend Opfer einer rituellen Schlachtung waren. Und uns berührt das kaum, weil es im größeren Zusammenhang nicht besonders wichtig ist. Aber was wäre, wenn ein komischer Kauz jahrelang auf so etwas hingearbeitet hätte? Es war schließlich ziemlich kurz vor den Saturnalien.«

»Saturnalien?«

»Die Römer haben die Sonnenwende am siebzehnten Dezember gefeiert. Aber es ist ein ziemlich bewegliches Fest.«

Shaw lachte ungläubig. »Menschenskind, Jimmy, da hast du aber gut recherchiert.«

»Ich hab in der Bibliothek nachgefragt. Du weißt ja, dass ich zur Kripo will, ich versuche nur, Initiative zu zeigen.«

»Du meinst also, dass irgend so ein satanischer Spinner Rosie umgelegt hat?«

»Ich weiß es nicht. Es ist nur eine Theorie. Aber wir werden ganz schön blöd dastehen, wenn wir diese vier Studenten beschuldigen und dann ein weiteres Menschenopfer in der Walpurgisnacht haben.«

»Walpurgisnacht?«, sagte Shaw schwach.

»Ende April, Anfang Mai. Großes heidnisches Fest. Deshalb glaube ich, wir sollten diese Jungs nicht allzu hart anfassen, bis wir mehr gegen sie in der Hand haben. Wenn sie nicht über Rosies Leiche gestolpert wären, hätte einer von ihnen den Landrover zurückgebracht, und niemand hätte etwas gemerkt, kein Schaden wäre entstanden. Sie hatten nur Pech.«

Dann hatten sie ausgetrunken und waren gegangen. Aber Lawsons Worte gingen Maclennan nicht mehr aus dem Kopf. Unvoreingenommenheit war ihm wichtig, und er konnte nicht umhin zuzugeben, dass der Constable nicht unrecht hatte. Wenn sie von Anfang an gewusst hätten, mit welchem mysteriösen Unbekannten Rosie ausging, hätten sie die vier aus Kirkcaldy wohl kaum unter die Lupe genommen. Vielleicht ging er nur so hart gegen die Studenten vor, weil er nichts anderes hatte, auf das er sein Augenmerk richten konnte. Obwohl es unangenehm war, von einem einfachen Polizisten an seine Pflicht erinnert zu werden, hatte Lawson Maclennan überzeugt, keine Anklage gegen Malkiewicz und Mackie zu erheben.

Zumindest fürs Erste.

In der Zwischenzeit würde er seine Fühler ausstrecken und zusehen, ob er nicht jemanden finden konnte, der etwas über satanische Rituale in der Gegend wusste. Das Problem war nur, er hatte keine Ahnung, wie er das angehen sollte. Vielleicht würde er Burnside losschicken, einmal mit einigen der Pfarrer in der Gegend zu reden. Er lächelte grimmig. Das würde ihre Gedanken vom Jesuskind ablenken, soviel war sicher.

Weird winkte Alex und Mondo am Ende der Schicht zum Abschied zu und machte sich auf den Weg zur Strandpromenade. Der Wind wehte kalt, er zog die Schultern hoch und schob das Kinn tief in seinen Schal. Er wollte seine letzten Weihnachtseinkäufe machen, aber bevor er sich dem erbarmungslos fröhlichen Festtagsrummel der High Street stellen konnte, brauchte er etwas Zeit und Ruhe.

Es war Ebbe, also ging er die schlüpfrigen Stufen von der Promenade zum Strand hinunter. Der nasse Sand hatte in dem schwachen grauen Nachmittagslicht eine Farbe wie Kitt und saugte sich beim Gehen unangenehm an seinen Schuhen fest. Das passte genau zu seiner Stimmung. Er konnte sich nicht erinnern, je im Leben so deprimiert gewesen zu sein.

Zu Hause war alles noch unerfreulicher als sonst. Er hatte seinem Vater von seiner Verhaftung erzählen müssen, und dieses Geständnis hatte einen Schwall von Kritik und bissigen Bemerkungen zur Folge, weil er nicht das erreiche, was man von einem guten Sohn erwarten dürfe. Er musste über jede Minute, die er nicht zu Hause verbrachte, Rechenschaft ablegen, als sei er plötzlich wieder zehn Jahre jünger. Das Schlimmste war, dass Weird es nicht einmal schaffte, sich moralisch überlegen zu fühlen. Denn er wusste, dass er im Unrecht war. Fast hatte er das Gefühl, die Verachtung seines Vaters verdient zu haben, und das deprimierte ihn am meisten. Immer hatte er sich damit trösten können, dass seine Art, die Dinge anzugehen, die bessere sei. Aber diesmal hatte er sich in eine Außenseiterposition gebracht.

Bei der Arbeit war es nicht besser, sondern langweilig, monoton und würdelos. Früher hätte er darüber seine Witze gemacht, hätte es als eine Gelegenheit für Chaos und Unfug genutzt. Aber der Junge, dem es Spaß gemacht hätte, seine Vorgesetzten zu ärgern und sich bei einer ganzen Reihe von Streichen von Alex und Mondo helfen zu lassen, kam Weird jetzt wie ein vollkommen Fremder vor. Die Sache mit Rosie Duff und dass er in den Fall hineingezogen worden war, hatte ihn zu dem Eingeständnis gezwungen, dass er tatsächlich der Tunichtgut war, den sein Vater immer in ihm gesehen hatte. Und das einzusehen war nicht angenehm.

Auch in der Freundschaft fand er keinen Trost. Diesmal gab das Zusammensein mit den anderen ihm nicht das Gefühl, von einem Netz gegenseitiger Unterstützung getragen zu werden, sondern machte ihm alle seine Fehler bewusst. Auch wenn sie ihm dafür nie die Schuld zu geben schienen, konnte er seiner Verantwortung ihnen gegenüber nicht entkommen, weil er sie in seine Dummheiten verwickelt hatte.

Er wusste nicht, wie er das neue Semester schaffen sollte. Platzender Blasentang rutschte unter seinen Schuhen weg, als er das Ende des Strands erreichte und die breiten Stufen zum Port Brae hinaufstieg. So wie der Seetang fühlte sich auch alles andere um ihn herum glitschig und unsicher an.

Als das Licht im Westen zu schwinden begann, ging Weird zurück zu den Läden. Es war Zeit, wieder so zu tun, als gehöre er in diese Welt.

10

Silvester 1978, Kirkcaldy, Schottland

Als sie fünfzehn und ihre Eltern der Meinung waren, man könne ihnen erlauben, zum ersten Mal allein loszuziehen, hatten sie einen Pakt geschlossen. Immer an Silvester wollten die vier Laddies fi' Kirkcaldy auf dem Marktplatz zusammen das neue Jahr begrüßen. Bis jetzt hatten sie ihr Wort jedes Jahr gehalten und standen eng aneinander gedrängt, während die Uhrzeiger am Rathaus sich langsam auf die Zwölf zubewegten. Ziggy hatte sein Transistorradio mitgebracht, damit sie die Glocken von Big Ben hören konnten, und sie ließen alles herumgehen, was immer sie zu trinken hatten ergattern können. Das erste Jahr hatten sie mit einer Flasche süßem Sherry und vier Dosen Carlsberg Special gefeiert. Neuerdings waren sie zu einer Flasche Famous Grouse aufgestiegen.

Es gab keine offizielle Feier auf dem Platz, aber im Lauf der letzten Jahre hatten immer mehr junge Leute angefangen, sich dort zu versammeln. Es war keine besonders schöne Umgebung, vor allem weil das Rathaus mit seiner mit Grünspan bedeckten Uhr wie eines der weniger attraktiven Gebäude der Sowjetarchitektur aussah. Aber es war der einzige offene, freie Platz in der Stadtmitte außer dem Busbahnhof, der noch reizloser war. Außerdem gab es dort auch einen Christbaum und

Weihnachtsbeleuchtung, die alles wenigstens etwas festlicher machten.

Dieses Jahr kamen Alex und Ziggy zusammen an. Ziggy hatte, bevor er Alex abholte, bei ihm angerufen und Mary Gilbey mit seinem Charme für jeden von ihnen einen Whisky gegen die Kälte abgeluchst. Die Taschen vollgestopft mit selbst gebackenem Gebäck, Früchtebrot, das allerdings niemand essen würde, und Rosinenkuchen, kamen sie am Bahnhof und der Bücherei, dann am Adam Smith Centre, wo Poster mit der Reklame für *Babes in the Wood* mit Russell Hunter und den Patton Brothers hingen, und schließlich an den Memorial Gardens vorbei. Bei ihrem Gespräch ging es zuerst um die Frage, ob Weirds Vater ihn wohl über Silvester von der Leine lassen würde.

»Er hat sich in letzter Zeit ziemlich komisch benommen«, sagte Alex.

»Gilly, er war doch schon immer merkwürdig. Deshalb nennen wir ihn ja Weird.«

»Ich weiß, aber er ist anders. Ich habe es jetzt bei der Arbeit direkt neben ihm bemerkt. Irgendwie ist er bedrückt. Er hat überhaupt kaum etwas gesagt.«

»Wahrscheinlich hat das was damit zu tun, dass er zur Zeit keinen Alkohol oder anderen Stoff kriegt«, sagte Ziggy sarkastisch.

»Aber er ist nicht einmal aufmüpfig. Das ist das Komische. Du kennst doch Weird. Sobald er meint, er kann jemanden verarschen, legt er los. Aber er lässt den Kopf hängen und gibt keine Widerworte, wenn die Chefs schimpfen. Er steht einfach da und steckt es weg und macht dann weiter mit dem, was er machen soll. Meinst du, es ist die Sache mit Rosie, die ihm zusetzt?«

Ziggy zuckte die Schultern. »Könnte sein. Damals hat er es ziemlich leicht genommen, aber da war er auch weggetreten. Ehrlich gesagt, ich hab kaum ein Wort mit ihm geredet seit dem Tag, als Maclennan vorbeikam.«

»Ich hab ihn nur bei der Arbeit gesehen. Sobald wir fertig sind, ist er weg. Er geht nicht mal mit mir und Mondo einen Kaffee trinken.«

Ziggy verzog das Gesicht. »Ich bin überrascht, dass Mondo Zeit zum Kaffeetrinken hat.«

»Sei nachsichtig mit ihm. Das ist eben seine Art, damit fertig zu werden. Wenn er bei irgendeinem Mädchen ankommt, muss er nicht mehr an den Mord denken. Genau deshalb versucht er jetzt, alle Rekorde zu brechen«, fügte Alex grinsend hinzu.

Sie überquerten die Straße und gingen Wemyssfield hinunter, die kurze Straße, die zum Marktplatz führte. Sie hatten den selbstbewussten Gang von Männern, die in ihrem Revier zu Hause sind, an einem Ort, der ihnen so vertraut war, dass sie sich schon fast wie Besitzer fühlten. Es war zehn vor zwölf, als sie die breiten, flachen Stufen zum gepflasterten Platz vor dem Rathaus hinuntergingen. Ein paar Gruppen standen schon herum und ließen Flaschen von Hand zu Hand gehen. Alex sah sich um, ob die anderen zu sehen waren.

»Da drüben, oben bei der Post«, sagte Ziggy. »Mondo hat seine neueste Eroberung mitgebracht. Oh, und Lynn ist auch dabei.« Er zeigte nach links, und sie gingen zu den anderen hinüber.

Nach dem Austausch von Begrüßungen und der allgemein geäußerten Vermutung, dass Weird nicht kommen würde, merkte Alex plötzlich, dass er neben Lynn stand. Sie wird groß, dachte er. Sie ist kein Kind mehr. Mit ihren elfenhaften Gesichtszügen und den dunklen Locken war sie eine weibliche Ausgabe von Mondo. Aber paradoxerweise bewirkten die Elemente, die ihn schwach erscheinen ließen, bei Lynn das Gegenteil. An ihr war nichts auch nur annähernd Zerbrechliches.

»Also, wie geht's denn so?«, fragte Alex. Es war nicht gerade originell, aber schließlich wollte er nicht den Eindruck erwecken, dass er eine Fünfzehnjährige anzumachen versuchte.

»Gut. Hast du schöne Weihnachten gehabt?«

»Nicht schlecht.« Er verzog das Gesicht. »Es war schwierig, nicht immer an … du weißt schon wen zu denken.«
»Ich weiß. Ich konnte sie auch einfach nicht vergessen. Ich habe mich gefragt, wie es für ihre Familie sein muss. Sie hatten wahrscheinlich schon ihre Weihnachtsgeschenke gekauft, als sie starb. Wie schrecklich, sie im Hause zu haben und immer daran erinnert zu werden.«
»Ich glaube, so gut wie alles muss einen an sie erinnern. Komm, lass uns über was anderes reden. Wie geht's dir in der Schule?«
Sie schien enttäuscht. Er begriff, dass sie nicht an den Altersunterschied zwischen ihnen erinnert werden wollte. »Alles klar. Ich hab dieses Jahr die Fächer mit Mittelstufenabschluss gemacht. Dann kommen die anderen mit den Abinoten. Ich kann es kaum erwarten, bis ich fertig bin, damit ich anfangen kann, richtig zu leben.«
»Weißt du schon, was du machen willst?«, fragte Alex.
»Edinburgh College of Art. Ich will Kunst studieren und dann an das Courtauld in London gehen und Gemälderestauratorin werden.«
Ihr Selbstbewusstsein war wunderbar, fand er. War er jemals so sicher gewesen? Mehr oder weniger war er in Richtung Kunstgeschichte gedriftet, weil er seinem praktischen Talent nie so recht getraut hatte. Er stieß einen leisen Pfiff aus. »Sieben Jahre Studium? Das ist ein ganz schönes Unternehmen.«
»Genau das will ich machen, und man braucht es dazu.«
»Wieso bist du darauf gekommen, dass du Bilder restaurieren willst?« Es interessierte ihn ehrlich.
»Ich finde es faszinierend. Zuerst die Recherche, die wissenschaftlichen Grundlagen, und dann der Sprung ins Ungewisse, wo man mit dem Künstler und dem, was er vermitteln wollte, auf eine Wellenlänge kommen muss. Es ist aufregend, Alex.«
Bevor er antworten konnte, stießen die anderen einen Schrei aus. »Er hat's geschafft!«
Alex drehte sich um und sah Weird vor den grauen Mauern

des schottischen Grafschaftsgerichts, wo er wie eine steife Vogelscheuche die Arme kreisen ließ. Im Laufen stieß er einen Juchzer aus. Alex schaute auf die Uhr. Nur noch eine Minute.
Dann war Weird bei ihnen und umarmte sie grinsend. »Ich hab einfach gedacht, das ist doch zu blöd. Ich bin ein erwachsener Mensch, und mein Vater versucht, mich an Silvester von meinen Freunden fern zu halten. Was soll das?« Er schüttelte den Kopf. »Wenn er mich rausschmeißt, kann ich doch bei dir kampieren, Alex?«
Alex klopfte ihm auf die Schulter. »Warum nicht? Dein furchtbares Schnarchen bin ich ja gewöhnt.«
»Seid mal ruhig«, rief Ziggy mitten in den Krach hinein. »Die Glocken.«
Sie wurden still und versuchten, die scheppernden Schläge von Big Ben aus Ziggys Transistorradio zu hören. Als die Glockenschläge begannen, sahen sich die Laddies fi' Kirkcaldy an. Sie hoben die Arme, als würden sie mit einem einzigen Faden hochgezogen, und legten beim letzten Schlag die Hände übereinander. »Frohes neues Jahr«, riefen sie im Chor. Alex sah, dass seinen Freunden genau wie ihm selbst die Rührung wie ein Kloß in der Kehle saß.
Dann lösten sie sich voneinander, und der Augenblick war vorbei. Er wandte sich zu Lynn um und küsste sie sittsam auf die Lippen. »Frohes neues Jahr«, sagte er.
»Ich glaube, das wird es vielleicht«, sagte sie mit leicht geröteten Wangen.
Ziggy machte die Flasche Grouse auf und ließ sie herumgehen. Die Gruppen auf dem Platz fingen schon an, sich aufzulösen, sie gingen aufeinander zu und wünschten mit nach Whisky riechendem Atem und herzlichen Umarmungen wildfremden Leuten ein gutes neues Jahr. Einige, die sie von der Schule her kannten, bedauerten sie wegen ihres Pechs, im Schnee auf das sterbende Mädchen gestoßen zu sein. In ihren Worten lag keine böse Absicht, aber Alex sah an den Blicken seiner Freunde, dass es ihnen genauso unerträglich war wie ihm. Eine Gruppe

von Mädchen improvisierte einen Volkstanz unter dem Weihnachtsbaum. Alex schaute sich um und konnte den Gefühlen, die ihn erfüllten, keinen Ausdruck verleihen.
Verstohlen nahm Lynn seine Hand. »Woran denkst du, Alex?«
Er schaute auf sie hinunter und zwang sich zu einem müden Lächeln. »Ich habe gerade gedacht, wie leicht alles wäre, wenn die Zeit jetzt stehen bliebe. Wenn ich St. Andrews nie wieder sehen müsste, solange ich lebe.«
»Es wird nicht so schlimm, wie du denkst. Du hast ja sowieso nur noch sechs Monate, und dann bist du frei.«
»Ich könnte an den Wochenenden kommen.« Die Worte waren heraus, bevor Alex wusste, dass er sie sagen wollte. Sie wussten beide, was er meinte.
»Das würde mir gefallen«, sagte sie. »Aber meinem grässlichen Bruder sagen wir es nicht.«
Wieder ein Jahresanfang und ein Neujahrspakt.

Im Polizeiclub in St. Andrews war schon eine Weile gebechert worden. Der Klang der Glocken verlor sich fast im Lärm der derben Silvestertänze. Das Ungestüm derjenigen, die sonst unter berufsbedingten Zwängen litten, wurde nur durch die Anwesenheit der Ehefrauen, Verlobten und anderer Frauen, die man im Interesse der Alleinstehenden zum Kommen hatte verleiten können, gedämpft.
Zum wilden Tanz des Dashing White Sergeant aufgestellt, stand Jimmy Lawson mit vor Anstrengung rotem Gesicht zwischen den beiden Frauen mittleren Alters aus der Telefonzentrale der Wache. Die hübsche Sprechstundenhilfe des Zahnarztes, mit der er gekommen war, hatte sich vor seiner offenbar grenzenlosen Begeisterung für schottische Volkstänze erschöpft auf die Toilette geflüchtet. Aber das war ihm egal. An Silvester gab es immer genug Frauen auf dem Tanzboden, und Lawson ließ gerne etwas Dampf ab. Das war ein Ausgleich für die Anspannung, die seine Arbeit mit sich brachte.
Barney Maclennan lehnte zwischen Iain Shaw und Allan

Burnside, die beide einen großen Whisky in der Hand hielten, an der Bar. »Oh Gott, schaut euch das an«, stöhnte er. »Wenn sie jetzt den Dashing White Sergeant spielen, kann da Strip the Willow weit sein?«

»Bei solchen Gelegenheiten ist es gut, keine Frau zu haben«, sagte Burnside. »Niemand zerrt dich von deinem Glas weg auf den Tanzboden.«

Maclennan sagte nichts. Er wusste nicht mehr, wie oft er schon versucht hatte, sich einzureden, dass er ohne Elaine besser dran war. Aber länger als ein paar Stunden hatte er es nie geschafft, daran zu glauben. Letztes Silvester waren sie noch zusammen gewesen, aber nur noch so gerade eben. Denn sie hatten weniger entschieden aneinander festgehalten als die auf der Tanzfläche herumwirbelnden Paare. Kaum waren ein paar Wochen des neuen Jahres um, da hatte sie ihm gesagt, sie ginge jetzt. Sie hätte es satt, dass sein Beruf ihm immer wichtiger sei als sie.

Plötzlich erinnerte er sich an eine ihrer wortreichen Beschwerden und erkannte die darin liegende Ironie. »Es würde mich ja nicht stören, wenn du wichtige Fälle wie Vergewaltigungen oder Morde zu lösen hättest. Aber du verbringst ja endlose Stunden mit lächerlichen Einbrüchen und gestohlenen Autos da draußen. Was meinst du, wie man sich fühlt, wenn man vom Austin Maxi eines alten Knackers auf den zweiten Platz verwiesen wird?« Na ja, ihr Wunsch war in Erfüllung gegangen. Jetzt, ein Jahr später, steckte er mitten im größten Fall seines Lebens. Und kam dabei keinen Schritt weiter.

Jede Ermittlungsrichtung, die sie verfolgten, hatte sich als Sackgasse erwiesen. Kein einziger Zeuge hatte Rosie später als Anfang November mit einem Mann gesehen. Der geheimnisvolle Fremde hatte Glück gehabt, dass es ein harter Winter war und die Leute sich mehr für das vor ihnen liegende Stück Weg interessierten als dafür, ob sich eine mit jemandem herumtrieb, von dem sie besser die Finger gelassen hätte. Er hatte Glück, die Polizei aber Pech. Man hatte ihre früheren Freunde ausfindig gemacht. Einer hatte sie wegen des Mädchens fallen lassen, mit dem er jetzt noch ging. Er hatte kein Motiv gehabt, etwas gegen seine Exfreundin zu unternehmen. Mit dem anderen hatte Rosie Anfang November Schluss gemacht, und zuerst schien er vielversprechend. Aber er hatte ein vollkommen sicheres Alibi für die Nacht, die in Frage kam. Er war bis nach Mitternacht auf der Party seiner Firma gewesen, dann mit der Sekretärin seines Chefs nach Hause gegangen und hatte den Rest der Nacht mit ihr verbracht. Er gab zu, dass er sich geärgert hatte, als Rosie ihre Beziehung damals beendete, aber, ehrlich gesagt, habe er viel mehr Spaß mit einer Frau, die mit ihrer Gunst ein bisschen großzügiger umgehe.

Als er von Maclennan bedrängt wurde, was er damit meine, besann er sich auf seinen männlichen Stolz und schwieg. Aber unter Druck gab er dann zu, dass sie nie wirklich Geschlechtsverkehr gehabt hatten. Sie hatten allerlei Spielchen getrieben, Rosie war nicht prüde. Aber den letzten Schritt wollte sie nicht tun. Er murmelte etwas von »einen blasen« und mit der Hand stimulieren, sagte aber, das wäre es dann auch gewesen.

Brian hatte also sozusagen recht gehabt, als er sagte, seine Schwester sei ein anständiges Mädchen. Maclennan begriff, dass Rosie in der Rangordnung dieser Dinge recht weit von einem leichten Mädchen entfernt war. Aber auch die genaue Kenntnis ihrer sexuellen Neigungen brachte ihn der Entdeckung des Mörders nicht näher. Tief im Inneren wusste er, dass aller Wahrscheinlichkeit nach der Mann, den sie an jenem Abend getroffen hatte, auch der war, der sich von ihr das nahm, was er wollte, und ihr dann schließlich auch noch das Leben genommen hatte. Es mochte Alex Gilbey oder einer seiner Freunde gewesen sein. Aber vielleicht auch nicht.

Seine Kollegen argumentierten, dass es einen guten Grund dafür geben könne, weshalb ihr Freund sich nicht gemeldet hatte. »Vielleicht ist er verheiratet«, hatte Burnside gesagt. »Vielleicht hat er Angst, dass wir ihm etwas anhängen«, hatte Shaw bissig hinzugefügt. Maclennan fand, dass dies alles vernünftige Erklärungen waren. Aber sie änderten seine persönliche Überzeugung nicht. Ganz abgesehen von Jimmy Lawsons Theorien über satanische Riten. Keinem der Pfarrer, mit denen Burnside gesprochen hatte, war so etwas in der Gegend auch nur andeutungsweise zu Ohren gekommen. Und Maclennan hielt sie für die beste Quelle, was solche Informationen anging. In gewisser Weise war er erleichtert, denn er konnte keine falschen Spuren brauchen. Er war sicher, dass Rosie ihren Mörder gekannt hatte und voller Vertrauen mit ihm in die Nacht hinausgegangen war.

Genau wie Tausende anderer Frauen überall im Land es heute Abend tun würden. Maclennan hoffte inständig, dass schließlich alle sicher wieder zu Hause ankämen.

Drei Meilen weiter in Strathkinness hatte das neue Jahr in einer ganz anderen Stimmung begonnen. Hier gab es keine Weihnachtsdekorationen. Ein Stapel Karten lag unbeachtet auf einem Regal. Der Fernseher, der sonst den ersten Januar willkommen hieß, stand still in der Ecke. Eileen und Archie Duff saßen zusammengekauert auf ihren Stühlen, die Gläser mit Whisky neben sich hatten sie nicht angerührt. Schwer lasteten in der drückenden Stille Trauer und Verzweiflung auf ihnen. Die Duffs wussten im Grunde ihres Herzens, dass sie nie wieder ein frohes Neujahr erleben würden. Für immer würden die Feiertage vom Tod ihrer Tochter gezeichnet sein. Andere mochten feiern, sie konnten nur trauern.

In der Küche saßen Brian und Colin zusammengesunken auf zwei mit Plastik überzogenen Küchenstühlen. Anders als ihre Eltern hatten sie kein Problem damit, das neue Jahr mit Trinken zu begrüßen. Seit Rosies Tod fiel es ihnen leicht, den Alkohol in sich hineinzuschütten, bis sie kaum noch ihren Mund fanden. Ihre Reaktion auf die Tragödie war nicht, sich zurückzuziehen, sondern sich noch offener auszuleben. Die Gastwirte von St. Andrews hatten sich mit den betrunkenen Eskapaden der Brüder Duff abgefunden. Sie hatten auch kaum eine

Wahl, es sei denn, sie setzten sich dem Zorn ihrer launischen Kundschaft aus, die fand, Colin und Brian verdienten alle Sympathie.

Heute Abend hatten sie die Flasche Bells schon mehr als zur Hälfte geleert. Colin sah auf seine Uhr. »Wir haben es verpasst«, sagte er.

Brian sah ihn müde an. »Warum sollte mich das interessieren? Rosie wird es jedes Jahr verpassen.«

»Ja. Aber irgendwo da draußen hebt jetzt wahrscheinlich einer, wer auch immer sie umgebracht hat, sein Glas darauf, dass er damit durchgekommen ist.«

»Sie waren es. Ich bin sicher, dass sie es waren. Siehst du das Bild? Hast du schon mal jemand gesehen, der nach einem schlechteren Gewissen aussah?«

Colin leerte sein Glas, griff nach der Flasche und nickte zustimmend. »Es war niemand anders da. Und sie sagten, sie hätte noch geatmet. Wenn sie es also nicht waren, wohin ist dann der Mörder verschwunden? Er hat sich doch nicht einfach in Luft aufgelöst.«

»Wir sollten uns zum neuen Jahr was vornehmen.«

»Was zum Beispiel? Du willst doch nicht wieder das Rauchen aufgeben, oder?«

»Ich meine es ernst. Wir sollten uns ein feierliches Versprechen geben. Es ist das Mindeste, was wir für Rosie tun können.«

»Was willst du damit sagen? Was für ein feierliches Versprechen?«

»Es ist doch ganz einfach, Col.« Brian füllte sein Glas und hielt es erwartungsvoll hoch. »Wenn die Bullen kein Geständnis erreichen, dann werden wir es tun.«

Colin überlegte einen Moment. Dann hob er sein Glas und stieß mit seinem Bruder an. »Wenn die Bullen kein Geständnis erreichen, dann schaffen wir's.«

11

Die wuchtigen Überreste von Ravenscraig Castle stehen auf einem felsigen Vorgebirge zwischen zwei sandigen Buchten und bieten einen eindrucksvollen Blick auf den Meeresarm des Forth und seine Umgebung. Gegen Osten hin gewährt eine lange Steinmauer Schutz gegen Freibeuter und das Meer. Sie verläuft bis zum Ankerplatz von Dysart, der jetzt weitgehend versandet ist, einst aber ein wohlhabender und blühender Hafen war. An der Spitze der Bucht, die einen Bogen von der Burg weg beschreibt, hinter dem Taubenschlag, in dem immer noch Tauben und Seevögel nisten, wo die Mauer wie ein V verläuft, gibt es noch einen kleinen Wachturm mit einem steilen geteerten Dach und schmalen Schlitzen in den Mauern.

Seit ihrer frühen Jugendzeit hatten die Laddies fi' Kirkcaldy dieses Gebiet als ihr persönliches Reich betrachtet. Eine der besten Möglichkeiten, sich der Überwachung durch Erwachsene zu entziehen, waren immer die Ausflüge gewesen. Sie galten als gesund und würden sie wohl kaum auf die schiefe Bahn führen, glaubte man. Wenn sie also sagten, sie wollten den ganzen Tag die Küste und die Wälder erkunden, wurden sie immer großzügig mit Picknickproviant ausgestattet.

Manchmal gingen sie in entgegengesetzter Richtung an Invertiel und der hässlichen Grube von Seafield vorbei in Richtung Kinghorn. Aber meistens kamen sie zur Burg Ravenscraig, nicht zuletzt weil sie nicht weit vom Eismann im nahen Park

entfernt war. An heißen Tagen lagen sie im Gras und gaben sich wilden Phantasien über ihr Leben in der näheren und auch der fernen Zukunft hin. Immer wieder erzählten sie sich die Abenteuer, die sie während des Schuljahres erlebt hatten, spannen sie weiter und schmückten sie mit diversen Ideen, wie alles hätte ausgehen können. Oder sie spielten endlose Partien von Siebzehnundvier, bei denen Streichhölzer zu gewinnen waren. Hier rauchten sie ihre ersten Zigaretten, wobei Ziggy grün im Gesicht wurde und sich blamierte, als er sich in einen Stechginsterbusch erbrach.
Manchmal kletterten sie auf die hohe Mauer und beobachteten im Meeresarm die Schiffe. Dabei umwehte sie der kühlende Wind und gab ihnen das Gefühl, am Bug eines Segelschiffs zu stehen, das unter ihren Füßen knarrte und schaukelte. Und wenn es regnete, suchten sie im Wachturm Unterschlupf. Ziggy hatte eine Plane, die sie über den feuchten Boden breiten konnten. Selbst jetzt, wo sie sich als Erwachsene betrachteten, stiegen sie noch gern die Steinstufen hinunter, die von der Burg zum Strand führten, und wanderten zwischen Kohlebrocken und Muschelschalen hin und her bis zum Turm.
Am Tag bevor sie nach St. Andrews zurückmussten, trafen sie sich zur Mittagszeit in der Harbour Bar auf ein Bier. Im stolzen Besitz des in den Weihnachtsferien verdienten Geldes wären Alex, Mondo und Weird gern lange sitzen geblieben. Aber Ziggy überredete sie, in den Tag hinauszuwandern. Es war frisch und klar, die Sonne stand wässrig am blassblauen Himmel. Sie gingen am Hafen zwischen den hohen Silos der Getreidemühle hindurch zum westlichen Teil der Küste. Weird blieb etwas hinter den anderen zurück und ließ den Blick zum fernen Horizont schweifen, als suche er eine Inspiration.
Als sie auf die Burg zugingen, löste sich Alex von ihnen und kletterte auf die Felsen, die bei Flut fast ganz unter Wasser sein würden. »Sag mir noch mal, wie viel hat er bekommen?«
Mondo brauchte keinen Moment innezuhalten. »Magister

David Boys, dem Steinmetzmeister, wurde auf Befehl der Königin Marie von Geldern, der Witwe von James II. von Schottland, die Summe von sechshundert schottischen Pfund für den Bau einer Burg bei Ravenscraig ausgezahlt. Allerdings musste er damit auch das Material bezahlen.«

»Und das war nicht billig. Im Jahr 1461 wurde das Holz für vierzehn Querbalken am Ufer des Allan gefällt und dann für sieben Shilling nach Stirling transportiert. Und ein gewisser Andrew Balfour bekam zwei Pfund und zehn Schilling für das Fällen, Glatthobeln und den Transport dieser Balken nach Ravenscraig«, zitierte Ziggy.

»Ich bin froh, dass ich den Job bei Safeway angenommen habe«, witzelte Alex. »Die bezahlen viel besser.« Er lehnte sich zurück und schaute an den Klippen vorbei zur Burg hinauf. »Ich glaube, die Sinclairs haben es viel schöner ausgebaut, als es geworden wäre, wenn die alte Queen Mary nicht ins Gras gebissen hätte, bevor es fertig war.«

»Burgen sind nicht zum Schönsein da«, sagte Weird und schloss sich ihnen an. »Sie sollen Zufluchtsort und Trutzburg sein.«

»Was für ein Zweckdenken«, klagte Alex und sprang in den Sand hinunter. Die anderen stapften durch das Treibgut am Strand hinter ihm her.

Als sie die halbe Strecke gegangen waren, sagte Weird in einem ernsteren Ton, als sie jemals von ihm gehört hatten: »Ich muss euch was sagen.«

Alex drehte sich zu ihm um und ging rückwärts weiter. Die anderen wandten sich zur Seite und sahen ihn an. »Das klingt ja ominös«, sagte Mondo.

»Ich weiß, es wird euch nicht gefallen, aber ich hoffe, ihr könnt es akzeptieren.«

Alex sah den Argwohn in Ziggys Blick. Aber er glaubte nicht, dass sein Freund sich zu sorgen brauchte. Was immer Weird ihnen sagen wollte, entsprang seiner Beschäftigung mit sich selbst, nicht dem Bedürfnis, einen anderen bloßzustellen.

»Also los, Weird. Sag schon«, versuchte Alex ihn zu ermutigen.
Weird steckte die Hände tief in die Taschen seiner Jeans. »Ich bin Christ geworden«, sagte er schroff. Alex starrte ihn mit offenem Mund an. Er glaubte, wenn Weird verkündet hätte, Rosie Duff umgebracht zu haben, wäre er vielleicht kaum weniger überrascht gewesen.
Ziggy brüllte vor Lachen. »Mein Gott, Weird, ich dachte, jetzt käme irgendeine schreckliche Offenbarung. Christ?«
Weird schob trotzig das Kinn vor. »Es war eine Offenbarung. Und ich habe Jesus als meinen Retter in mein Leben aufgenommen. Und ich wäre dankbar, wenn du dich nicht darüber lustig machen würdest.«
Ziggy bog sich vor Lachen und hielt sich den Bauch. »Das ist der beste Witz, den ich seit Jahren gehört habe. Oh Gott, ich glaube, ich mach mir gleich in die Hose.« Er hielt sich an Mondo fest, der breit grinste.
»Und ich wäre euch dankbar, wenn ihr den Namen des Herrn nicht unnütz im Mund führen würdet.«
Ziggy brach erneut in Gelächter aus. »Meine Güte. Wie heißt es doch gleich? Im Himmel ist die Freude über einen reuigen Sünder größer als über Gerechte? Ich sag euch, man wird im Paradies auf den Straßen tanzen, dass sie einen Sünder wie dich geangelt haben.«
Weird sah beleidigt aus. »Ich will nicht ableugnen, dass ich in der Vergangenheit Schlimmes getan habe. Aber das liegt jetzt hinter mir. Ich bin wiedergeboren, und das heißt, ich habe einen Schlussstrich gezogen.«
»Das muss aber eine gewaltige Abschlussbilanz gewesen sein. Wann ist das denn passiert?«, fragte Mondo.
»Ich bin an Heiligabend in den Spätgottesdienst gegangen«, antwortete Weird. »Und irgendwie hat's geklickt. Ich merkte, dass ich mit dem Blut des Lammes gewaschen werden wollte. Ich wollte gereinigt werden.«
»Toll«, sagte Mondo.

»Du hast Silvester gar nichts davon erzählt«, meinte Alex.
»Ich wollte, dass ihr nüchtern seid, wenn ich es euch sage. Es ist ein großer Schritt, Christus sein Leben zu schenken.«
»Es tut mir leid«, meinte Ziggy, der sich jetzt zusammennahm. »Aber du bist der letzte Mensch auf dem Planeten, von dem ich erwartet hätte, diese Worte zu hören.«
»Ich weiß«, antwortete Weird. »Aber ich meine es ernst.«
»Wir werden trotzdem noch deine Freunde sein«, sagte Ziggy und strengte sich an, das Grinsen zu unterdrücken.
»Solange du nur nicht versuchst, uns zu bekehren«, sagte Mondo. »Ich meine, ich hab dich gern wie einen Bruder, Weird, aber nicht so gern, dass ich dafür Sex und das Trinken aufgeben würde.«
»Darum geht es nicht bei der Liebe zu Jesus, Mondo.«
»Kommt«, unterbrach sie Ziggy. »Mir wird eiskalt, wenn wir hier herumstehen. Lasst uns zum Turm gehen.« Er zog los, Mondo neben ihm, Alex im Gleichschritt neben Weird. Er empfand ein merkwürdiges Mitgefühl für seinen Freund. Es musste schrecklich für ihn gewesen sein, eine so tiefe Einsamkeit zu verspüren, dass er bei den frommen Strahlemännern Trost gesucht hatte. *Ich hätte für ihn da sein sollen,* dachte Alex mit einem plötzlichen Schuldgefühl. Vielleicht war es noch nicht zu spät.
»Es muss ein ziemlich komisches Gefühl gewesen sein«, sagte er.
Weird schüttelte den Kopf. »Ganz im Gegenteil. Ich hatte das Gefühl, Frieden zu finden. Als ob ich endlich aufgehört hätte, ein viereckiger Stift in einem runden Loch zu sein, als ob ich den Ort gefunden hätte, an den ich schon immer gehörte. Besser kann ich es nicht beschreiben. Ich bin nur in den Gottesdienst gegangen, um meiner Mutter Gesellschaft zu leisten. Ich saß da in Abbotshall Kirk, und die Kerzen brannten überall, wie das bei der Christmette eben ist. Und Ruby Christie sang solo und ohne Instrumente »Stille Nacht«. Mir sträubten sich die Haare am ganzen Körper, und plötzlich machte das alles

Sinn. Ich begriff, dass Gott seinen einzigen Sohn für die Sünden der Welt geopfert hat. Und das hieß, er hatte ihn für mich geopfert. Es hieß, ich konnte erlöst werden.«

»Wahnsinn.« Diese offene Gefühlsäußerung machte Alex verlegen. In all den Jahren ihrer Freundschaft hatte er mit Weird nie ein solches Gespräch geführt. Ausgerechnet Weird, der bisher offenbar nur dem einzigen Glaubenssatz gefolgt war, so viele bewusstseinserweiternde Substanzen zu nehmen wie er konnte, ohne daran zu sterben. »Was hast du also gemacht?« Er sah Weird plötzlich vor sich, der in der Kirche zum Altar lief und um Vergebung seiner Sünden bat. Das wäre wirklich entsetzlich, dachte er. Nachdem man aus der Phase der Gottverherrlichung heraus und ins normale Leben zurückgekehrt war, ließ einen das ja in kalten Schweiß ausbrechen.

»Nichts. Ich blieb bis zum Ende des Gottesdiensts und ging dann nach Hause. Ich dachte, es wäre eine einmalige Sache, irgendein ausgefallenes mystisches Erlebnis, das vielleicht mit all dem zu tun hatte, was durch Rosies Tod aufgerührt wurde. Vielleicht sogar eine Art Flashback nach dem LSD. Aber als ich morgens aufwachte, fühlte ich mich noch genauso. Also habe ich in der Zeitung nachgesehen, wo am ersten Weihnachtsfeiertag Gottesdienst war, und landete schließlich bei einer Veranstaltung der wiedergeborenen Christen unten beim Golfclub.«

Aha. »Ich wette, am Weihnachtsmorgen, da hattest du alle Plätze für dich allein.«

Weird lachte. »Machst du Witze? Es war knallvoll. Und beeindruckend. Die Musik war toll, die Leute behandelten mich, als wären wir seit Jahren Freunde. Und nach dem Gottesdienst bin ich zum Pfarrer gegangen und habe mit ihm gesprochen.« Weird senkte den Kopf. »Es war eine ziemlich emotionale Begegnung. Jedenfalls war das Ergebnis, dass er mich letzte Woche getauft hat. Und er hat mir den Namen einer Schwestergemeinde in St. Andrews gegeben.« Er warf Alex ein glückseliges Lächeln zu. »Deshalb musste ich es euch heute sagen.

Weil ich nämlich gleich, wenn wir morgen nach Fife Park zurückkommen, in den Gottesdienst gehen werde.«

Die erste Gelegenheit für die anderen, über Weirds dramatische Bekehrung zu sprechen, war der folgende Abend, nachdem er seine elektrische Akustikgitarre in den Kasten gepackt und sich zu Fuß quer durch die Stadt zum Erweckungsgottesdienst unten beim Hafen aufgemacht hatte. Sie saßen in der Küche und sahen ihm nach, als er in die Nacht hinaus entschwand. »Na ja, das ist dann also das Ende der Band«, sagte Mondo mit Nachdruck. »Ich spiele keine beschissenen Spirituals und ›Jesus Loves Me‹-Songs.«
»Elvis hat jetzt das Gebäude verlassen«, sagte Ziggy. »Ich sage euch, jegliche Verbindung zur Realität, die er noch hatte, hat er verloren.«
»Er meint es wirklich ernst, Leute«, sagte Alex.
»Findest du, das macht es besser? Wir sehen schwierigen Zeiten entgegen, Jungs«, sagte Ziggy. »Er wird seine bärtigen, schrulligen Brüder in Jesu mitbringen. Und sie werden entschlossen sein, uns zu retten, ob wir wollen oder nicht. Eine Band zu verlieren ist unsere kleinste Sorge. Kein ›Alle für einen und einer für alle‹ mehr.«
»Ich habe ein schlechtes Gewissen«, sagte Alex.
»Warum?«, fragte Mondo. »Du hast ihn doch nicht weggeschleppt und gezwungen, sich Ruby Christie anzuhören.«
»Er hätte nicht so abgehoben, wenn er sich nicht wirklich beschissen gefühlt hätte. Ich weiß, er schien Rosies Ermordung am coolsten von uns allen wegzustecken, aber ich glaube, tief im Inneren muss es ihn schwer erschüttert haben. Und wir waren alle so mit unserer eigenen Reaktion beschäftigt, dass wir es nicht gemerkt haben.«
»Vielleicht steckt mehr dahinter«, sagte Mondo.
»Wie meinst du das?«, fragte Ziggy.
Mondo scharrte mit der Spitze seines Stiefels auf dem Boden. »Na hört mal, Leute. Wir wissen nicht, was Weird gemacht

hat, als er in der Nacht, in der Rosie starb, mit dem Landrover herumgefahren ist. Wir haben es nur von ihm gehört, dass er sie nicht gesehen hat.«

Alex schien der Boden unter den Füßen zu wanken. Seit er Ziggy gegenüber einmal auf einen solchen Verdacht angespielt hatte, hatte er solche verräterischen Gedanken mit Gewalt unterdrückt. Aber jetzt hatte Mondo das Unvorstellbare neu zum Ausdruck gebracht. »Es ist schrecklich, so was zu sagen«, erwiderte Alex.

»Aber ich wette, du hast auch daran gedacht«, erwiderte Mondo trotzig.

»Du kannst doch nicht glauben, dass Weird jemanden vergewaltigen oder gar umbringen würde«, widersprach Alex.

»Er war völlig daneben an dem Abend. Es ist schwer zu sagen, was er in diesem Zustand tun oder nicht tun konnte«, meinte Mondo.

»Genug.« Ziggys Stimme zerschnitt die Stimmung von Misstrauen und Unbehagen wie mit einer Klinge. »Wenn ihr damit anfangt, wo soll das hinführen? Ich war in der Nacht damals auch unterwegs. Alex hat Rosie tatsächlich zur Party eingeladen. Und wenn wir schon dabei sind, es hat ewig lange gedauert, als du das Mädchen nach Guardbridge gefahren hast. Wieso hast du so lange gebraucht, Mondo?« Er starrte seinen Freund an. »Willst du solch beschissenes Zeug hören, Mondo?«

»Über euch beide hab ich ja gar nichts gesagt. Es gibt keinen Grund, mich anzugreifen.«

»Aber du findest es in Ordnung, Weird anzugreifen, wenn er nicht da ist, um sich zu verteidigen? Bist ja 'n toller Freund.«

»Na ja, er hat ja jetzt einen Freund in Jesus«, feixte Mondo. »Was, wenn man es bedenkt, eine ziemlich extreme Reaktion ist. Scheint mir nach Schuldgefühlen auszusehen.«

»Schluss damit«, rief Alex. »Hört euch doch bloß mal selbst reden. Es wird genug andere geben, die bereit sind, Gift zu verspritzen, ohne dass wir uns gegeneinander wenden. Wir müssen zusammenhalten, oder wir sind verloren.«

»Alex hat recht«, sagte Ziggy müde. »Keine gegenseitigen Anklagen mehr, okay? Maclennan würde wahnsinnig gern einen Keil zwischen uns treiben. Es ist ihm egal, wen er für den Mord verantwortlich macht, wenn er nur jemanden hat. Wir müssen dafür sorgen, dass es keiner von uns ist. Mondo, du behältst deine bösen Gedanken in Zukunft für dich.« Ziggy stand auf. »Ich gehe zum Laden runter und kaufe Milch und Brot, damit wir alle eine Tasse Kaffee trinken können, bevor diese großspurigen Engländer mit ihrem aufgeblasenen Akzent wieder im ganzen Haus zu hören sind.«

»Ich komme mit, ich brauche Zigaretten«, sagte Alex.

Als sie eine halbe Stunde später wiederkamen, stand die Welt Kopf. Die Polizei war wieder in Aktion, und ihre beiden englischen Mitbewohner standen mit ihrem Gepäck auf der Schwelle, ihre Gesichter der Inbegriff der Verblüffung. »'n Abend, Harry, 'n Abend, Eddie«, sagte Ziggy umgänglich und spähte über ihre Schultern in den Flur, wo Mondo schmollend mit einer Polizistin stand. »Gut, dass ich auch noch zwei Bier geholt habe.«

»Was ist denn hier los, zum Teufel?«, verlangte Henry Cavendish zu wissen. »Sag bloß, Mackie, der Kretin, ist wegen Drogen geschnappt worden.«

»Nein, doch nichts so Langweiliges«, sagte Ziggy. »Ich nehme an, der Mord hat es nicht bis in so gepflegte Blätter wie den *Tatler* oder *Horse and Hounds* geschafft.«

Cavendish stöhnte. »Ach, sei doch in Gottes Namen nicht so pathetisch. Ich dachte, du seist aus dieser unsinnigen Rolle eines Helden der Arbeiterklasse herausgewachsen.«

»Sieh dich vor, was du sagst, wir haben jetzt einen Christen unter uns.«

»Wovon redest du eigentlich? Mord? Christen?«, sagte Edward Greenhalgh.

»Weird hat Gott gefunden«, sagte Alex lakonisch. »Nicht

euren von der anglikanischen Kirche, sondern den mit den Tamburinen und dem Gesang zum Lobpreis des Herrn. Weird wird in der Küche Gebetsversammlungen abhalten.« Alex fand, es gab keinen schöneren Sport, als die zu ärgern, die an ihre Privilegien glaubten. Und St. Andrews bot dazu jede Menge Gelegenheit.

»Was hat das mit der Tatsache zu tun, dass überall im Haus Polizisten sind?«, fragte Cavendish.

»Ich glaube, du wirst feststellen, dass das im Flur eine Frau ist«, sagte Ziggy. »Außer natürlich, wenn die Polizei von Fife angefangen hat, besonders attraktive Transvestiten einzustellen.«

Cavendish knirschte mit den Zähnen. Er hasste die Art und Weise, wie die Laddies fi' Kirkcaldy darauf bestanden, ihn wie eine Karikatur zu behandeln. Das war der Hauptgrund, warum er so wenig Zeit im Haus verbrachte. »Warum die Polizei?«, fragte er.

Ziggy lächelte Cavendish freundlich an. »Die Polizei ist hier, weil wir Verdächtige in einem Mordfall sind.«

»Was er sagen will«, fügte Alex hastig hinzu, »ist, dass wir Zeugen sind. Eine der Bedienungen von der Lammas Bar wurde kurz vor Weihnachten ermordet. Und wir haben zufällig die Leiche gefunden.«

»Das ist entsetzlich«, sagte Cavendish. »Ich hatte keine Ahnung. Ihre arme Familie. Auch für euch ziemlich scheußlich.«

»Es war nicht besonders lustig«, sagte Alex.

Cavendish spähte wieder ganz verwirrt ins Haus. »Pass auf, das ist jetzt keine gute Zeit für euch. Es wäre wahrscheinlich für alle besser, wenn wir erst mal woanders unterkommen würden. Komm, Ed. Wir können bei Tony und Simon übernachten. Morgen früh fragen wir nach, ob man uns ein anderes Quartier zuweisen kann.« Er drehte sich um, schaute aber dann stirnrunzelnd noch einmal zurück. »Wo ist eigentlich mein Landrover?«

»Ach ja«, sagte Ziggy. »Das ist ein bisschen kompliziert. Also, wir haben ihn uns ausgeliehen ...«

»Ihr habt ihn *ausgeliehen?*« Cavendish war empört.
»Tut mir leid. Aber das Wetter war so grässlich. Wir dachten, es würde dir nichts ausmachen.«
»Wo ist er also jetzt?«
Ziggy war verlegen. »Da wirst du die Polizei fragen müssen. Der Abend, an dem wir ihn uns geliehen haben, war die Mordnacht.«
Cavendishs Mitgefühl war jetzt erschöpft. »Ich fass es nicht, ihr Typen«, schnaubte er. »Mein Landrover ist also in die Ermittlungen zu einem Mordfall verwickelt?«
»Ich fürchte ja. Tut mir leid.«
Cavendish war wütend. »Wegen der Sache hört ihr noch von mir.«
Alex und Ziggy sahen in verbissenem Schweigen zu, wie die beiden anderen mit ihren Koffern den Weg entlangstolperten. Aber bevor sie noch etwas sagen konnten, mussten sie zur Seite treten, weil die Polizei dabei war, das Haus wieder zu verlassen. Es waren vier uniformierte Beamte und zwei in Zivil. Sie beachteten Alex und Ziggy nicht und gingen zu ihren Autos.
»Was war denn jetzt los?«, fragte Alex, als sie endlich im Haus waren.
Mondo zuckte die Schultern. »Sie haben nichts gesagt, haben nur Farbproben von den Wänden, den Decken und dem Holz genommen«, erklärte er. »Ich hörte einen von ihnen etwas über eine Strickjacke sagen, aber unsere Kleider haben sie anscheinend nicht untersucht. Sie haben überall herumgeschnüffelt und gefragt, ob wir in letzter Zeit gestrichen hätten.«
Ziggy lachte. »Als ob das überhaupt je vorkäme. Und sie fragen sich, warum sie Döskopfe geschimpft werden.«
»Das hört sich nicht gut an«, fand Alex. »Ich dachte, sie hätten den Verdacht gegen uns aufgegeben. Aber da sind sie wieder und stellen alles auf den Kopf. Sie müssen neues Beweismaterial haben.«

»Na ja, was immer es ist, wir brauchen uns deswegen nicht zu sorgen«, sagte Ziggy.

»Wenn du meinst«, erwiderte Mondo sarkastisch. »Ich für mein Teil halte mich lieber daran, mir Sorgen zu machen. Wie Alex sagt, sie haben uns in Ruhe gelassen, aber jetzt sind sie wieder aufgetaucht. Ich glaube nicht, dass wir das einfach so abtun sollten.«

»Mondo, denk daran, dass wir unschuldig sind. Das heißt, wir brauchen uns nicht zu sorgen.«

»Ja, gut. Was ist also mit Henry und Eddie?«, fragte Mondo.

»Sie wollen mit verrückten Axtmördern nicht unter einem Dach leben«, sagte Ziggy über die Schulter und ging in die Küche.

Alex folgte ihm mit den Worten: »Ich wollte, du hättest das nicht gesagt.«

»Was? Verrückte Axtmörder?«

»Nein, ich wünschte, du hättest zu Harry und Eddie nicht gesagt, wir seien Verdächtige in einem Mordfall.«

Ziggy zuckte die Schultern. »Es war doch nur ein Witz. Harry ist sein kostbarer Landrover wichtiger als alles, was wir vielleicht getan haben könnten. Außer wenn es ihm einen Vorwand liefert, hier ausziehen zu können, was er schon immer wollte. Außerdem bist du derjenige, der davon profitiert. Wenn wir zwei zusätzliche Zimmer haben, brauchst du nicht mehr mit Weird zu teilen.«

Alex nahm den Wasserkessel. »Trotzdem wünschte ich, du hättest diesen Samen nicht gesät. Ich habe eine schreckliche Vorahnung, dass das, was sich daraus entwickelt, uns noch allen zu schaffen machen wird.«

12

Alex' Voraussage erfüllte sich viel früher, als er erwartet hatte. Als er zwei Tage später die North Street hinunter zum Institut für Kunstgeschichte ging, sah er Henry Cavendish und einen Tross seiner Busenfreunde in ihren roten Flanellroben daherstolzieren, als gehöre die Straße ihnen allein. Er sah, dass Cavendish einen von ihnen anstieß und etwas zu ihm sagte. Als sie aneinander vorbeikamen, war Alex plötzlich von jungen Männern in der Standardkleidung, Tweedjacke und Köperhosen, umringt, die ihn boshaft angrinsten.

»Ich wundere mich, dass du die Stirn hast, dich hier zu zeigen, Gilbey«, spöttelte Cavendish.

»Ich glaube, ich habe eher das Recht, durch diese Straßen zu gehen als du und deine Freunde«, sagte Alex ruhig. »Das hier ist mein Land, nicht eures.«

»Tolles Land, wo die Leute ungestraft Autos klauen können. Ich verstehe nicht, dass ihr nicht vor Gericht steht für das, was ihr getan habt«, sagte Cavendish. »Wenn ihr meinen Landrover benutzt habt, um einen Mord zu verschleiern, solltet ihr euch wegen mehr als nur der Polizei Sorgen machen.«

Alex versuchte sich vorbeizudrücken, aber er war von allen Seiten umstellt, während ihn Ellbogen und Hände anstießen und herumschubsten. »Verpiss dich, Henry, okay? Wir hatten nichts mit dem Mord an Rosie Duff zu tun. Wir haben Hilfe gerufen und versucht, ihr das Leben zu retten.«

»Und die Polizei glaubt das wirklich?«, sagte Cavendish. »Die müssen ja dümmer sein, als ich dachte.« Eine Faust schnellte nach vorn und erwischte Alex mit einem kräftigen Schlag unterhalb der Rippen. »Meinen fahrbaren Untersatz klauen, das hattest du wohl vor?«

»Ich wusste gar nicht, dass du denken kannst«, keuchte Alex, der es nicht lassen konnte, seinen Peiniger zu verhöhnen.

»Es ist eine Schande, dass du noch an dieser Universität Student bist«, schrie ein anderer und stieß Alex mit seinem knochigen Finger vor die Brust. »Zumindest bist du ein beschissener, kümmerlicher Dieb.«

»Mein Gott, das muss man sich mal anhören. Ihr klingt wie 'n Text für 'nen schlechten Comedysketch«, sagte Alex plötzlich wütend.

Er senkte den Kopf und warf sich nach vorn, plötzlich waren ihm die zahllosen in seinem Kopf gespeicherten Balgereien auf dem Rubgyfeld gegenwärtig. »Aus dem Weg«, brüllte er, hatte schon keuchend eine Seite der Gruppe durchbrochen und wandte sich mit höhnischem Lächeln noch einmal um. »Ich muss zur Vorlesung.«

Sprachlos über seinen Wutausbruch ließen sie ihn gehen. Als er sich gemessenen Schritts entfernte, rief Cavendish ihm nach: »Ich hatte vermutet, dass du auf dem Weg zum Begräbnis und nicht zu einer Vorlesung bist. So etwas tun Mörder doch, oder?«

Alex drehte sich um. »Was?«

»Haben sie es euch nicht gesagt? Rosie Duff wird heute beerdigt.«

Alex stürmte zitternd vor Zorn die Straße entlang. Er hatte Angst gehabt, das musste er zugeben. Einen Augenblick hatte er Angst gehabt. Er konnte es gar nicht fassen, dass Cavendish ihn wegen Rosies Begräbnis verhöhnt hatte. Er konnte sich nicht erklären, wieso niemand ihnen Bescheid gesagt hatte, dass es heute stattfand. Nicht dass er hätte hingehen wollen. Aber es wäre schön gewesen, vorgewarnt zu sein.

Er fragte sich, wie es den anderen erging, und wünschte zum

wiederholten Mal, Ziggy hätte seinen vorlauten Mund gehalten.

Ziggy kam in eine Anatomievorlesung und wurde sofort mit dem Ruf »Hier kommt der Leichenräuber« begrüßt.
Er hob die ausgebreiteten Arme hoch und quittierte so den gutmütigen Spott seiner Kommilitonen. Wenn es irgendjemandem gelänge, Rosies Tod mit schwarzem Humor zu betrachten, dann wären sie es. »Was gefällt dir an den Leichen nicht, die sie uns zum Sezieren geben?«, rief einer quer durch den Raum.
»Zu alt und hässlich für Ziggy«, kam prompt die Antwort eines anderen. »Er musste losgehen und selbst Qualitätsware besorgen.«
»Also gut, lasst das jetzt«, sagte Ziggy. »Ihr seid ja nur neidisch, dass ich vor euch praktizieren durfte.«
Eine Handvoll seiner Genossen versammelte sich um ihn. »Wie war es, Ziggy? Wir haben gehört, sie hätte noch gelebt, als ihr sie gefunden habt. Hattest du Angst?«
»Ja, ich hatte Angst. Aber hauptsächlich war ich frustriert, dass ich sie nicht retten konnte.«
»Ach Mann, du hast doch dein Bestes getan«, beruhigte ihn einer.
»Es war ziemlich beschissen, dieses Beste. Wir verbringen Jahre damit, unsere Köpfe mit Wissen vollzustopfen, aber mit der tatsächlichen Situation konfrontiert, wusste ich nicht, was ich machen sollte. Jeder Fahrer eines Krankenwagens hätte eine bessere Chance gehabt, Rosies Leben zu retten, als ich.« Ziggy streifte seinen Mantel ab und ließ ihn auf einen Stuhl fallen. »Ich hatte das Gefühl, völlig unbrauchbar zu sein. Da hab ich gemerkt, dass man erst zum Arzt wird, wenn man da draußen lebende, atmende Patienten zu behandeln beginnt.«
Eine Stimme hinter ihm sagte: »Das ist eine sehr wertvolle Lehre, die Ihnen da erteilt wurde, Mr. Malkiewicz.« Während des Gesprächs war unbemerkt ihr Dozent hereingekommen. »Ich weiß, das ist kein Trost, aber der Polizeiarzt hat mir ge-

sagt, dass sie zu dem Zeitpunkt, als Sie sie fanden, nicht mehr zu retten war. Sie hatte schon viel zu viel Blut verloren.« Er klopfte Ziggy auf die Schulter. »Wir können keine Wunder tun, fürchte ich. Jetzt, meine Damen und Herren, beruhigen Sie sich bitte. Wir haben in diesem Semester wichtige Dinge zu behandeln.«

Ziggy ging an seinen Platz, aber mit den Gedanken war er ganz woanders. Er spürte das glitschige Blut, den schwachen, unregelmäßigen Herzschlag und die kalte Haut unter seinen Händen. Er hörte ihren röchelnden Atem und hatte den kupfrigen Geschmack auf seiner Zunge. Und er fragte sich, ob er jemals darüber wegkommen würde und ob er jemals Arzt werden konnte, jetzt wo er wusste, dass als Ergebnis seiner Maßnahmen immer Versagen möglich war.

Zwei Meilen weiter bereitete sich Rosies Familie darauf vor, ihre Tochter zur letzten Ruhe zu geleiten. Die Polizei hatte die Leiche endlich freigegeben, und die Duffs konnten den ersten amtlichen Schritt auf dem langen Weg der Trauer tun. Eileen rückte vor dem Spiegel ihren Hut zurecht, ohne das abgehärmte Aussehen ihres ungeschminkten Gesichts zu beachten. Dieser Tage machte sie sich nichts aus Make-up. Was sollte es bringen? Ihre Augen waren stumpf und die Lider schwer. Die Tabletten, die der Arzt ihr gegeben hatte, ließen den Schmerz nicht verschwinden. Sie drängten ihn lediglich in einen Bereich ab, wo er ihr nicht mehr unmittelbar zugänglich war, und machten aus ihrem Kummer etwas, über das sie nachsinnen, es aber nicht erleben konnte.

Archie stand am Fenster und wartete auf den Leichenwagen. Die Gemeindekirche von Strathkinness war nur zweihundert Meter entfernt. Sie hatten beschlossen, dass die Familie den Sarg zu Fuß auf Rosies letztem Weg begleiten würde. Archies breite Schultern hingen herab. Er war in den letzten paar Wochen ein alter Mann geworden, der den Willen, sich mit der Welt auseinander zu setzen, verloren hatte.

Brian und Colin, fein gemacht wie sie nie zuvor jemand gesehen hatte, waren in der Küche und stärkten sich mit einem Whisky. »Ich hoffe, die vier sind schlau genug, wegzubleiben«, sagte Colin.

»Lass sie nur kommen. Ich bin bereit«, sagte Brian, und sein attraktives Gesicht wurde kantig und trotzig.

»Heute nicht. Verdammt noch mal, Brian. Zeig doch ein bisschen Seelengröße, ja?« Colin leerte sein Glas und knallte es auf das Abtropfbrett.

»Sie sind da«, rief sein Vater.

Colin und Brian wechselten Blicke und versprachen einander damit, dass sie den Rest des Tages durchhalten würden, ohne Schande über sich oder das Andenken ihrer Schwester zu bringen. Sie strafften die Schultern und gingen hinaus.

Der Leichenwagen stand vor dem Haus. Die Duffs gingen mit gesenkten Köpfen den Weg hinunter, Eileen stützte sich schwer auf den Arm ihres Mannes. Sie nahmen ihre Plätze hinter dem Sarg ein. Hinter ihnen versammelten sich Freunde und Verwandte in trauernden Grüppchen. Als Letzte kamen die Polizisten. Maclennan führte den Trupp an, er war stolz, dass mehrere Mitglieder des Teams in ihrer Freizeit gekommen waren. Ausnahmsweise war die Presse rücksichtsvoll, man hatte sich verständigt, bei der Berichterstattung auf gemeinsames Material zurückzugreifen.

Dorfbewohner standen an der Straße zur Kirche, viele schlossen sich dem Zug an und bewegten sich mit ihm langsam auf das graue Steingebäude zu, das unerschütterlich auf dem Hügel stand und düster auf St. Andrews hinunterschaute. Als alle hineingegangen waren, war die kleine Kirche voll bis zum letzten Platz. Manche Trauergäste mussten in den Seitengängen und hinten stehen.

Es war ein kurzer, unpersönlicher Gottesdienst. Eileen hatte nicht an Einzelheiten denken können, und Archie hatte gebeten, ihn auf das Minimum zu beschränken. »Es ist etwas, das wir hinter uns bringen müssen«, hatte er dem Pfarrer erklärt.

»Damit werden unsere Erinnerungen an Rosie nicht verbunden sein.«
Maclennan fand die einfachen Worte des Trauergottesdienstes unerträglich bitter. Solche Worte hätte man für Menschen sprechen sollen, die ein erfülltes Leben hinter sich hatten, nicht für eine junge Frau, die kaum die ersten Schritte in dem gemacht hatte, was ihr Leben hätte sein können. Er senkte den Kopf zum Gebet und wusste, dass dieser Gottesdienst für alle, die Rosie gekannt hatten, nicht das Ende bedeuten würde. Niemand konnte Frieden finden, bevor er seine Aufgabe erledigt hatte.
Und es sah immer weniger danach aus, dass er dieser Pflicht gerecht werden konnte. Die Ermittlungen waren fast zum Stillstand gekommen. Die einzigen gerichtsmedizinischen Beweise waren kürzlich an der Strickjacke gefunden worden, aber es waren nur ein paar Farbspuren. Und keine einzige der Proben, die von der Wohnung der Studenten in Fife Park genommen wurden, hatte auch nur annähernd dazu gepasst. Das Präsidium hatte einen Hauptkommissar geschickt, um die Arbeit zu überprüfen, die er und seine Gruppe geleistet hatten, was ein Wink war, dass sie irgendwie gepfuscht haben könnten. Aber der Mann hatte zugeben müssen, dass Maclennan der Sache durchaus gewachsen war. Und er konnte keinen einzigen Vorschlag machen, der zu neuen Fortschritten hätte führen können.
Maclennan sah sich immer wieder auf die vier Studenten zurückverwiesen. Ihre Alibis waren so dürftig, dass man sie kaum so nennen konnte. Gilbey und Kerr waren in sie verknallt gewesen. Dorothy, eine der anderen Bedienungen, hatte das mehr als einmal in ihrer Aussage erwähnt. »Der Große, der ein bisschen wie ein Ryan O'Neal mit dunklen Haaren aussieht«, so hatte sie sich ausgedrückt. Er selbst hätte Gilbey nicht so beschrieben, aber er wusste, wen sie meinte. »Er war ganz schrecklich in sie verknallt«, hatte sie gesagt. »Und der Kleine, der wie der von T-Rex aussieht, der hat immer von

Rosie geträumt. Allerdings hat sie ihn kaum beachtet. Sie sagte, für ihren Geschmack nähme er sich selbst zu wichtig. Aber der andere, der Große ... sie sagte, wenn er fünf Jahre älter wäre, würde sie schon mal einen Abend mit ihm ausgehen.«

Hier lag also der Schatten eines Motivs. Und natürlich hatten sie das perfekte Fahrzeug zur Verfügung gehabt, um eine sterbende junge Frau zu transportieren. Nur weil sich keine Spuren finden ließen, hieß das noch lange nicht, dass sie den Landrover nicht benutzt hatten. Eine Wagendecke, eine Bodenplane, selbst eine starke Plastikhülle hätte das Blut auffangen können, und das Wageninnere wäre sauber geblieben. Es gab keinen Zweifel, dass wer immer Rosie ermordet hatte, ein Auto gehabt haben musste.

Entweder das, oder einer der ehrbaren Bürger, die am Trinity Place wohnten, war es gewesen. Das Problem war nur, dass der Aufenthaltsort aller männlichen Bewohner zwischen vierzehn und siebzig geklärt war. Entweder waren sie auswärts gewesen, oder sie lagen schlafend in ihren Betten und hatten alle unwiderlegbare Alibis. Zwei Jugendliche hatten sie sich genauer angesehen, aber keine Verbindung zwischen ihnen und Rosie oder dem Verbrechen gefunden.

Der andere Grund, weswegen Gilbey kaum als Verdächtiger in Frage kam, waren die forensischen Ergebnisse. Das Sperma, das sie an Rosies Kleidern gefunden hatten, stammte von einem Sekretor, also von jemandem, dessen Blutgruppe sich aus seinen anderen Körperflüssigkeiten feststellen ließ. Der Vergewaltiger und mutmaßliche Mörder hatte die Blutgruppe 0. Alex Gilbey hatte die Gruppe AB, und das bedeutete, dass er sie nicht vergewaltigt hatte, es sei denn, er hätte ein Kondom benutzt. Aber Malkiewicz, Kerr und Mackie hatten alle die Gruppe 0. Theoretisch hätte es also einer von ihnen sein können.

Er glaubte wirklich nicht, dass Kerr das Zeug dazu hatte. Mackie möglicherweise schon, das stand fest. Maclennan hatte von der plötzlichen Bekehrung des jungen Mannes gehört. Seiner Meinung nach sah das nach einer verzweifelten Reaktion auf Grund von Schuldgefühlen aus. Und bei Malkiewicz lag die Sache wieder ganz anders. Maclennan war zufällig auf das Thema seiner Sexualität zu sprechen gekommen, aber wenn er in Gilbey verliebt war, wollte er sich vielleicht Rosie vom Hals schaffen, weil er sie als Konkurrenz sah. Das war eventuell eine Möglichkeit.

Maclennan war so in seine Gedanken vertieft, dass ihn das Ende des Gottesdienstes, als die Trauergemeinde sich mit leisem Füßescharren erhob, überraschte. Der Sarg wurde durchs Kirchenschiff getragen, mit Colin und Brian Duff als ersten Trägern. Brians Gesicht war tränennass, und Colin sah aus, als müsse er alle Kraft aufbieten, um nicht zu weinen.

Maclennan sah sich um und nickte seiner Gruppe zu, sie könnten hinausgehen, während der Sarg verschwand. Die Familie würde zu einer Beisetzung im kleinen Kreis den Hügel hinunter zum Friedhof gefahren werden. Er schlüpfte hinaus, stand an der Tür und beobachtete, wie sich die Trauergäste zerstreuten. Er glaubte nicht, dass der Mörder darunter war. Das wäre eine zu simple Schlussfolgerung, um damit zufrieden sein zu können. Seine Leute sammelten sich hinter ihm und sprachen leise miteinander.

Hinter einer Ecke des Gebäudes zündete sich Janice Hogg eine Zigarette an. Schließlich hatte sie keinen Dienst und brauchte nach dieser Strapaze ein bisschen Nikotin zur Entspannung. Sie hatte erst zwei Züge getan, als Jimmy Lawson erschien. »Ich dachte doch, da riecht's nach Rauch«, sagte er. »Darf ich mich anschließen?«

Er zündete sich auch eine an, lehnte sich an die Wand, und sein Haar fiel ihm über die Stirn und die Augen. Sie meinte, er hätte in letzter Zeit abgenommen, und er sah gut aus, mit den schmaleren Wangen und dem kantigen Kinn. »Das möchte ich nicht so bald wieder mitmachen«, sagte er.

»Ich auch nicht. Ich hatte das Gefühl, alle Blicke waren auf uns gerichtet – in Erwartung einer Antwort, die wir nicht haben.«

»Und kein Anzeichen, dass wir eine finden. Die Kripo hat nicht mal einen anständigen Verdächtigen«, sagte Lawson, und seine Stimme klang so schneidend wie der Ostwind, der ihnen den Rauch von den Mündern wegblies.

»Es ist nicht wie bei *Starsky und Hutch*, was?«

»Gott sei Dank. Würdest du etwa gern diese schrecklichen Strickjacken tragen?«

Janice kicherte unwillkürlich. »Wenn man es so betrachtet ...«

Lawson inhalierte tief. »Janice ... würdest du gerne mal was trinken gehen?«

Janice betrachtete ihn erstaunt. Sie hatte keinen Moment gedacht, dass Jimmy Lawson überhaupt bemerkt hatte, dass sie eine Frau war, außer wenn es darum ging, Tee zu machen oder schlechte Nachrichten zu überbringen. »Fragst du mich, ob ich mit dir ausgehen will?«

»Sieht so aus. Was meinst du?«

»Ich weiß nicht, Jimmy, ich bin nicht sicher, ob es eine gute Idee ist, etwas mit einem Kollegen anzufangen.«

»Und wann kriegen wir die Chance, jemand anderen kennen zu lernen, außer wenn wir Leute verhaften? Komm, Janice, nur mal kurz was trinken gehen. Mal sehen, wie wir uns vertragen?« Sein Lächeln verlieh ihm einen Charme, den sie nie zuvor bemerkt hatte.

Sie betrachtete ihn nachdenklich. Er war nicht gerade ein Traummann, aber er sah nicht schlecht aus. Er hatte den Ruf, ein bisschen ein Frauentyp zu sein und einer, der gewöhnlich das bekam, was er wollte, ohne sich allzu sehr anstrengen zu müssen. Aber er war immer höflich zu ihr gewesen, anders als so viele ihrer Kollegen, die häufig eine verächtliche Haltung an den Tag legten. Und sie war schon so lange nicht mehr mit einem interessanten Mann ausgegangen, dass sie sich kaum daran erinnern konnte. »Okay«, sagte sie.

»Wenn wir heute Abend zurückkommen, werde ich auf die Dienstpläne schauen. Mal sehen, wann wir beide frei haben.« Er ließ seine Kippe fallen und trat sie mit der Schuhspitze aus. Als er um die Ecke der Kirche herum zu den anderen ging, sah sie ihm nach. Jetzt hatte sie also eine Verabredung. Es war das Allerletzte, was sie von Rosie Duffs Begräbnis erwartet hätte. Vielleicht hatte der Pfarrer recht gehabt. Dies sollte eine Gelegenheit sein, nicht nur zurück, sondern auch nach vorn zu blicken.

13

Keiner der drei Freunde hätte Weird je vernünftig genannt, auch nicht vor seiner Bekehrung. Er war stets eine labile Mischung aus Zynismus und Naivität gewesen. Leider hatte seine neu entdeckte Spiritualität nur den Zynismus vertrieben, ohne ihn dafür mit der entsprechenden Vernunft auszustatten. Als daher seine neuen Freunde in Jesu verkündeten, es gebe keine bessere Gelegenheit zu missionieren als den Abend von Rosie Duffs Beerdigung, hatte Weird sich der Idee angeschlossen. Die Leute würden über den Tod nachdenken, so argumentierte man. Das war der beste Zeitpunkt, um sie daran zu erinnern, dass Christus ihnen den direkten Weg zum himmlischen Königreich anbot. Vor ein paar Wochen noch hätte er sich vor Lachen auf dem Boden gewälzt bei dem Gedanken, seinen Glauben an Fremde weiterzugeben, aber jetzt schien es ihm das Natürlichste von der Welt.

Sie versammelten sich in der Wohnung ihres Pfarrers, einem eifrigen jungen Mann aus Wales, dessen Enthusiasmus fast pathologische Züge annahm. Selbst im ersten Hochgefühl nach seiner Bekehrung fand Weird ihn ziemlich überschwänglich. Lloyd glaubte wirklich, der einzige Grund, weshalb nicht alle in St. Andrews Christus in ihr Leben aufgenommen hatten, sei die unzulängliche Bekehrungsarbeit, die er und seine Schäfchen leisteten. Offensichtlich hatte er nach Weirds Ansicht Ziggy, den eingefleischtesten aller Atheisten, nie kennen gelernt. Seit sie zurückgekehrt waren, hatte es fast bei jedem

Essen, das er in Fife Park eingenommen hatte, leidenschaftliche Diskussionen über Glaube und Religion gegeben. Weird war es leid. Er war noch nicht genug bewandert, um allen Argumenten entgegenzutreten, und wusste instinktiv, dass es nicht reichte, immer nur zu antworten: »Das ist eben Glaubenssache.« Später würde das Studium der Bibel dieses Problem lösen. Bis zu diesem Zeitpunkt betete er, er möge zunächst die nötige Geduld und dann die richtigen Antworten parat haben.

Llyod drückte ihm Handzettel in die Hand und erklärte: »Das ist eine kurze Einführung in die Lehre des Herrn mit einer kurzen Auswahl von Bibelstellen. Versuche, die Leute in ein Gespräch zu ziehen, und frage sie dann, ob sie fünf Minuten Zeit für die Rettung vor dem Verderben haben. Dann gibst du ihnen das Blättchen und sagst ihnen, sie sollen es lesen. Erkläre ihnen, wenn sie dir Fragen dazu stellen möchten, können sie dies am Sonntag beim Gottesdienst tun.« Dann breitete Lloyd die Arme aus, um anzudeuten, damit sei auch schon alles gesagt.

»Gut«, antwortete Weird. Er sah sich in der kleinen Gruppe um. Sie bestand aus einem halben Dutzend Leuten, darunter außer Lloyd nur noch ein anderer Mann. Er hatte eine Gitarre und schien voller Tatendrang. Es war nur traurig, dass sein Talent nicht mit seiner Begeisterung mithalten konnte. Weird wusste, dass er sich kein Urteil bilden sollte, aber er fand, selbst an schlechten Tagen konnte er diesen Trottel unter den Tisch spielen. Allerdings kannte er die Lieder noch nicht und würde deshalb heute Abend nicht für den Herrn in die Saiten greifen.

»Wir stellen die Musik auf der North Street auf. Da kommen jede Menge Leute vorbei. Ihr andern macht die Runde zu den Pubs. Ihr braucht nicht reinzugehen. Fangt die Leute einfach ab, wenn sie reingehen oder rauskommen. Nun noch ein kurzes Gebet, bevor wir uns für Jesus an die Arbeit machen.« Sie fassten sich an den Händen und senkten die Köpfe. Als er sich

dem Erlöser anvertraute, fühlte Weird, wie ihn der seit kurzem so vertraute Friede erfüllte.
Es war erstaunlich, wie verändert alles war, dachte er später, als er von einem Pub zum nächsten schlenderte. Früher hätte er niemals auch nur daran gedacht, Fremde anzusprechen, außer um sie nach dem Weg zu fragen. Aber er tat es tatsächlich gern. Die meisten Leute wiesen ihn ab, aber ein paar hatten seine Blättchen genommen, und er war zuversichtlich, dass er einige von ihnen wiedersehen würde. Er war überzeugt, dass die Ruhe und stille Freude, die von ihm ausgingen, sie beeindrucken mussten.
Es war fast zehn Uhr, als er durch den steinernen Bogen des Westtors auf die Lammas Bar zuging. Jetzt fand er es schockierend, wie viel Zeit er im Laufe der Jahre dort verschwendet hatte. Er schämte sich seiner Vergangenheit nicht. Lloyd hatte ihm beigebracht, dass man das nicht so betrachten dürfe. Seine Vergangenheit diene zum Vergleichsmaßstab und zeige, wie wunderbar sein neues Leben sei. Aber er bedauerte, dass er seinen Frieden und sein Heil nicht früher gefunden hatte.
Er überquerte die Straße und stellte sich neben die Tür des Lammas. In den ersten zehn Minuten gab er nur einen einzigen Handzettel an einen der Stammgäste aus, der ihn neugierig anstarrte, als er hineinging. Sekunden später wurde die Tür heftig aufgestoßen, und Brian und Colin Duff polterten auf die Straße, gefolgt von zwei anderen jungen Männern. Alle mit roten Gesichtern und angetrunken.
»Was machst'n du hier, verdammt noch mal?«, grölte Brian, packte Weird vorn am Parka und stieß ihn grob gegen die Wand.
»Ich wollte nur …«
»Halt's Maul, du Scheißkerl«, schrie Colin. »Wir haben heute unsere Schwester beerdigt, das haben wir dir und deinen dreckigen Freunden zu verdanken. Und du wagst es, dich hierhin zu stellen und über Jesus zu predigen?«
»Du nennst dich einen verdammten Christen? Du hast meine

Schwester umgebracht, du Schwein.« Brian stieß dabei Weirds Kopf mehrmals gegen die Wand. Weird versuchte, sich aus seinen Händen zu befreien, aber der andere Mann war viel stärker.

»Ich hab sie nicht angerührt«, schrie Weird. »Wir waren es nicht.«

»Na, wer war's denn sonst, verdammt noch mal? Ihr wart doch die Einzigen vor Ort«, brüllte Brian wütend. Er ließ Weirds Parka los und hob die Faust. »Lass mal sehen, wie dir das gefällt, du Mistkerl.« Er landete einen rechten Haken auf Weirds Kinn und ließ einen linken auf sein Gesicht folgen. Weirds Knie gaben nach. Er hatte das Gefühl, die untere Hälfte seines Gesichts würde einfach abfallen und in seinen Händen liegen bleiben.

Aber das war nur der Anfang. Plötzlich flogen Füße und Fäuste und donnerten grausam auf ihn ein. Blut, Tränen und Schleim liefen ihm übers Gesicht. Die Zeit verging langsam wie in Zeitlupe, die Worte kamen verzerrt bei ihm an und machten jeden schmerzlichen Schlag noch schlimmer. Als Erwachsener war er nie in eine Schlägerei verwickelt gewesen, und diese nackte Brutalität erschreckte ihn. »Mein Gott, mein Gott«, schluchzte er.

»Jetzt wird er dir nicht helfen, du großes Stück Scheiße«, rief jemand.

Dann war es Gott sei Dank zu Ende. Als plötzlich keine Schläge mehr kamen, wurde es still. »Was ist hier los?«, hörte er die Stimme einer Frau sagen. Er hob den Kopf aus der zusammengekauerten Stellung, die er eingenommen hatte. Eine Polizistin stand neben ihm. Hinter ihr sah er den Polizisten, den Alex damals im Schneetreiben zu Hilfe geholt hatte. Die Angreifer standen verdrossen mit den Händen in den Taschen herum.

»Nur'n bisschen Spaß«, sagte Brian Duff.

»Scheint mir nicht sehr spaßig auszusehen, Brian. Er hatte Glück, dass der Wirt so vernünftig war, uns anzurufen«, sagte die Frau und beugte sich hinunter, um sich Weirds Gesicht anzusehen. Er setzte sich mühsam auf und hustete Schleim und Blut hoch. »Sie sind Tom Mackie, nicht wahr?«, sagte sie und begann zu begreifen.

»Ja«, krächzte er.

»Ich rufe einen Krankenwagen«, sagte sie.

»Nein«, wehrte Weird ab und kam, wenn auch schwankend, irgendwie auf die Beine. »Es geht schon, nur 'n bisschen Spaß.« Er merkte, wie ihn das Sprechen anstrengte. Es fühlte sich an, als hätte er nach einer Operation am Kinn noch nicht genug geübt.

»Ich glaube, Ihre Nase ist gebrochen, junger Mann«, sagte der Polizist. Wie hieß er noch mal? Morton? Lawton? Lawson, das war's.

»Geht schon in Ordnung. Ich wohne ja mit 'nem Arzt zusammen.«

»Er war Medizinstudent, letztes Mal, als ich von ihm gehört habe«, sagte Lawson.

»Wir bringen Sie im Streifenwagen nach Hause«, sagte die Frau. »Ich bin Constable Hogg, und das ist Constable Lawson. Jimmy, kümmere dich um ihn, ja? Ich muss mal kurz mit den Schwachköpfen hier reden. Colin, Brian? Kommt mal hier rüber. Ihr anderen – verschwindet.« Sie trat mit Colin und Brian zur Seite, achtete aber darauf, dass sie nahe genug bei Lawson blieb, dass er eingreifen konnte, sollte die Sache eskalieren.

»Was war da jetzt los, zum Teufel?«, fragte sie. »Seht mal an, wie der aussieht.«

Mit hängender Kinnlade, glasigen Augen und schwitzend vor Anstrengung sagte der benebelte Brian höhnisch: »Besser als er verdient hätte. Sie wissen, worum es da ging. Wir haben nur Ihre Arbeit erledigt, weil ihr nur ein Haufen Stümper seid, die sich nicht mal in 'ner Papiertüte zurechtfinden würden.«

»Halt die Fresse, Brian«, schimpfte Colin. Er war nur wenig nüchterner als sein Bruder, hatte aber immer schon einen

besseren Instinkt dafür gehabt, sich aus Problemen rauszuhalten. »Hören Sie, es tut uns leid, okay? Die Sache ist 'n bisschen außer Kontrolle geraten.«
»Allerdings. Ihr habt ihn halb totgeschlagen.«
»Ja, er und seine Freunde haben ja auch ganze Arbeit geleistet«, sagte Brian aufmüpfig. Plötzlich wurde sein Gesicht schlaff, und Tränen liefen ihm über die Wangen. »Meine kleine Schwester. Meine Rosie. Mit keinem Hund würde man so was machen, wie sie sie behandelt haben.«
»Sie haben das falsch verstanden, Brian. Sie sind Zeugen, sie werden nicht verdächtigt«, sagte Janice müde. »Ich hab es Ihnen doch an dem Morgen gesagt, nachdem es passiert ist.«
»Außer Ihnen glaubt das hier niemand«, sagte Brian.
»Bist du jetzt endlich still?«, sagte Colin. Er wandte sich an Janice. »Wollen Sie uns verhaften, oder was?«
Janice seufzte. »Ich weiß, dass heute Rosies Beerdigung war. Ich war auch dort und habe gesehen, wie es eure Eltern mitgenommen hat. Um ihretwillen drück ich ein Auge zu. Ich glaube nicht, dass Mr. Mackie Anzeige erstatten möchte.« Als Colin etwas sagen wollte, hob sie warnend den Finger. »Das wird aber nur gehen, wenn Sie und Cassius Clay hier Ihre Fäuste unter Kontrolle halten. Überlassen Sie das uns, Colin.«
Er nickte. »Okay, Janice.«
Brian war erstaunt. »Seit wann nennst du sie Janice? Sie ist nicht auf unserer Seite, das weißt du doch.«
»Halt deine verdammte Klappe, Brian«, sagte Colin und betonte dabei jede einzelne Silbe. »Sehen Sie es meinem Bruder nach, er hat ein bisschen zu viel getrunken.«
»Schon gut. Aber Sie sind ja nicht dumm, Colin. Sie wissen, dass ich das ernst meine, was ich gesagt habe. Ihr lasst die Finger von Mackie und seinen Freunden, ihr beiden. Ist das klar?«
Brian kicherte. »Ich glaube, sie hat was für dich übrig, Colin.«
Dieser Gedanke schmeichelte dem betrunkenen Colin offensichtlich. »Ja, wirklich? Na, was meinst du, Janice? Willst du

mich auf den Pfad der Tugend bringen? Würde es dir gefallen, mit mir auszugehen? Da amüsieren wir uns mal richtig.«
Janice nahm aus dem Augenwinkel eine Bewegung wahr und sah sich gerade noch rechtzeitig um, als Jimmy Lawson seinen Knüppel zog und auf Colin Duff zuging. Sie hob eine Hand, um ihn abzuwehren, aber die Drohung hatte schon genügt, Duff wich besorgt und mit aufgerissenen Augen zurück, rief aber störrisch: »He!«
»Halt dein vorlautes Mundwerk, du armseliger Schisser«, sagte Lawson. Sein Gesicht war starr und zornig. »Sprich nie wieder so mit jemandem von der Polizei. Jetzt geh mir aus den Augen, bevor ich Constable Hogg dazu überrede, dass sie es sich noch mal überlegt und euch beide für lange Zeit hinter Gitter bringt.« Er zischte die Worte wütend zwischen den Lippen hervor. Janice wurde ärgerlich. Sie konnte es nicht ausstehen, wenn ihre Kollegen meinten, sie müssten ihre Männlichkeit unter Beweis stellen, indem sie ihre Ehre verteidigten.
Colin packte Brian am Arm. »Komm. Wir haben drin ein Bier stehen.« Er führte seinen anzüglich grinsenden Bruder weg, bevor der noch mehr Ärger machen konnte.
Janice wandte sich an Lawson. »Dazu war keine Veranlassung, Jimmy.«
»Keine Veranlassung? Er hat dich dumm angemacht. Er ist es nicht wert, dir die Schuhe zu putzen.« Seine Stimme war belegt und voller Verachtung.
»Ich bin durchaus in der Lage, mich zu wehren, Jimmy. Ich habe schon mit schlimmeren Typen als mit Colin Duff zu tun gehabt, ohne dass du den weißen Ritter spielen musstest. Also, bringen wir den Jungen nach Hause.«
Zusammen halfen sie Weird in ihren Wagen und setzten ihn vorsichtig auf den Rücksitz. Als Lawson um den Wagen herum zum Fahrersitz ging, sagte Janice: »Und, Jimmy ... dass wir mal was trinken gehen? Ich lass es doch lieber.«
Lawson starrte sie lange und durchdringend an. »Bitte, wie du willst.«

Sie fuhren in eisigem Schweigen nach Fife Park, halfen Weird zur Haustür und gingen dann zum Wagen zurück. »Hör zu, Janice, es tut mir leid, du hast wohl gemeint, ich hätte es übertrieben. Aber was Duff da gebracht hat, war vollkommen daneben. So kann man nicht mit einer Polizeibeamtin sprechen«, sagte Lawson.

Janice stützte sich auf das Dach des Wagens. »Er hat sich danebenbenommen. Aber du hast nicht so reagiert, weil er die Polizeiuniform missachtet hat. Du hast deinen Knüppel gezogen, weil du irgendwo im Hinterkopf der Meinung warst, ich wäre dein Eigentum, nur weil ich eingewilligt habe, mit dir einen trinken zu gehen. Und da kam er dir ins Gehege. Tut mir leid, Jimmy, ich kann das in meinem Leben jetzt nicht brauchen.«

»So war es doch nicht, Janice«, wehrte Lawson ab.

»Lassen wir's, Jimmy. Nichts für ungut, ja?«

Er zuckte gereizt die Schultern. »Dein Problem! Ich hab schließlich keinen Mangel an weiblicher Gesellschaft.« Er setzte sich auf den Fahrersitz.

Janice schüttelte den Kopf und konnte ein Lächeln nicht unterdrücken. Es war so leicht vorauszusehen, wie Männer reagierten. Der leiseste Anflug von weiblichem Selbstbewusstsein, und sie machten sich schnurstracks davon.

Im Haus in Fife Park ließ sich Weird von Ziggy untersuchen. »Ich hab dir ja gesagt, dass es Tränen geben wird«, sagte er, während er vorsichtig die Schwellungen an Weirds Rippen und Bauch untersuchte. »Du gehst los, um ein bisschen zu missionieren, und kommst zurück, als seist du Statist in einem Antikriegsfilm gewesen. Vorwärts, Soldaten Christi.«

»Es hat nichts damit zu tun, dass ich Bekenntnis abgelegt habe«, sagte Weird und zuckte zusammen, weil schon allein das Reden so anstrengend war. »Es waren Rosies Brüder.«

Ziggy hielt inne. »Rosies Brüder haben das getan?«, fragte er mit besorgtem Stirnrunzeln.

»Ich stand vor dem Lammas. Jemand muss es ihnen gesagt haben. Sie kamen heraus und sind über mich hergefallen.«

»Scheiße.« Ziggy ging zur Tür. »Gilly«, rief er nach oben. Mondo war weg, wie an den meisten Abenden, seit sie wieder in Fife Park waren. Manchmal war er zum Frühstück zurück, aber meistens nicht.

Alex kam polternd die Treppe herunter und blieb abrupt stehen, als er Weirds zerschlagenes Gesicht sah. »Was ist dir denn passiert?«

»Rosies Brüder«, sagte Ziggy knapp. Er füllte eine Schüssel mit warmem Wasser und fing an, Weirds Gesicht behutsam mit Wattebäuschen zu reinigen.

»Sie haben dich zusammengeschlagen?« Alex konnte sich das nicht erklären.

»Sie meinen, dass wir es getan haben«, sagte Weird. »Autsch! Kannst du ein bisschen vorsichtiger sein?«

»Deine Nase ist gebrochen. Du solltest ins Krankenhaus gehen«, sagte Ziggy.

»Ich hasse Krankenhäuser. Mach du es.«

Ziggy zog die Augenbrauen hoch. »Ich weiß nicht, wie gut mir das gelingt. Du könntest am Ende aussehen wie ein schlechter Boxer.«

»Das Risiko gehe ich ein.«

»Wenigstens ist dein Kiefer nicht gebrochen«, sagte er, über Weirds Gesicht gebeugt. Er nahm dessen Nase in beide Hände, drehte sie und musste an sich halten, dass ihm beim Knirschen der Knorpel nicht schlecht wurde. Weird schrie auf, aber Ziggy machte weiter. Auf seiner Oberlippe hingen Schweißtropfen. »So«, sagte er. »Besser krieg ich es nicht hin.«

»Heute war Rosies Beerdigung«, sagte Alex.

»Niemand hat es uns gesagt«, seufzte Ziggy. »Deshalb waren ihre Gefühle so aufgewühlt.«

»Du meinst doch nicht, dass sie hierher kommen?«, fragte Alex.

»Die Bullen haben sie gewarnt«, sagte Weird. Wegen seines anschwellenden Kiefers wurde das Sprechen für ihn immer schwieriger.
Ziggy betrachtete seinen Patienten. »Also, Weird, wenn ich dich mir so ansehe, hoffe ich doch inständig, dass sie auf die Polizei hören.«

14

Die Zeitungsberichte über das Begräbnis machten alle ihre Hoffnung darauf, dass Rosies Tod nur als kurzlebige Sensationsgeschichte erscheinen werde, zunichte. Es war wieder überall auf den Titelseiten zu lesen, und wenn irgendjemand in der Stadt die ersten Meldungen verpasst hatte, wäre er kaum darum herumgekommen, sie in den wieder aufgenommenen Berichten zu entdecken.

Wieder war Alex das erste Opfer.

Als er zwei Tage danach vom Supermarkt nach Hause ging und eine Abkürzung am Botanischen Garten entlang nahm, kam Henry Cavendish mit seinen Kameraden daher, eine Gruppe von Rabauken in ihren Klamotten fürs Rugbytraining. Sobald sie Alex sahen, fingen sie an zu pfeifen, ihn zu umstellen, zu schubsen und anzustoßen. Sie bildeten einen losen Kreis um ihn, drängten ihn an den Grasrand und warfen ihn auf den matschigen Boden. Alex rollte im Schlamm hin und her und versuchte, sich ihren Stiefeltritten zu entziehen. Es bestand keine Gefahr eines wirklich brutalen Angriffs wie bei Weird, und er war eher wütend, als dass er Angst hatte. Da traf ein vereinzelter Tritt plötzlich seine Nase, und er spürte das Blut herausfließen. »Haut ab«, schrie er und wischte sich Matsch, Blut und Schmutz vom Gesicht. »Verpisst euch doch alle!«

»Du solltest dich verpissen, du Killer«, rief Cavendish. »Du bist hier nicht erwünscht.«

Da ertönte eine ruhige Stimme: »Und wieso meinen Sie, dass Sie das sind?«
Alex rieb sich die Augen und sah Jimmy Lawson am Rand der Gruppe stehen. Er brauchte einen Moment, bis er ihn ohne Uniform erkannte, aber dann tat sein Herz einen Sprung der Erleichterung.
»Verschwinden Sie«, sagte Edward Greenhalgh. »Das geht Sie nichts an.«
Lawson nahm seinen Ausweis aus der Innentasche seines Anoraks, schlug ihn lässig auf und sagte: »Ich glaube, Sie werden einsehen, dass es doch so ist, Sir. Also, wenn ich Ihre Namen haben könnte? Hier handelt es sich, glaube ich, um eine Angelegenheit für die Universitätsbehörde.«
Sofort waren sie wieder kleine Jungs, traten verlegen von einem Bein aufs andere, starrten zu Boden und murmelten die Angaben zu ihrer Person, die Lawson sich notierte. Alex, durchnässt und verdreckt, stand inzwischen auf und betrachtete die beschädigten Überreste seines Einkaufs. Der Inhalt einer Flasche Milch hatte sich über seine Hose ergossen, ein Plastikbecher mit Zitronenjoghurt war zerbrochen und hatte einen Ärmel seines Parkas beschmiert.
Lawson entließ seine Peiniger und betrachtete Alex lächelnd.
»Sie sehen schrecklich aus«, sagte er. »Sie hatten Glück, dass ich gerade vorbeigekommen bin.«
»Sie sind nicht im Dienst?«, fragte Alex.
»Nein, ich wohne hier um die Ecke. Kommen Sie mit zu mir, wir werden Sie ein bisschen saubermachen.«
»Sehr nett von Ihnen, aber das ist nicht nötig.«
Lawson grinste.
»Sie können doch so nicht in St. Andrews herumlaufen. Wahrscheinlich würden Sie verhaftet, weil Sie den Golfspielern einen Schrecken einjagen. Außerdem zittern Sie, Sie brauchen eine Tasse Tee.«
Dagegen hatte Alex nichts einzuwenden. Die Temperatur war am Fallen und bewegte sich auf den Nullpunkt zu, und er

hatte keine Lust, patschnass nach Hause zu gehen. »Danke«, sagte er.

Sie bogen in eine ganz neue Straße ein, in der noch nicht einmal Gehwege angelegt waren. Die ersten paar Grundstücke waren bebaut, aber danach kamen nur noch Baustellen. Lawson ging weiter, an den fertigen Häusern vorbei, und blieb vor einem Wohnwagen stehen, der auf einem zukünftigen Vorgartengelände stand. Dahinter versprachen vier Wände und ein Dachstuhl, der mit einer Plane bedeckt war, eine etwas luxuriösere Unterkunft als der Wohnwagen mit vier Schlafplätzen.

»Ich mache das im Eigenbau«, sagte er und schloss die Tür des Wohnwagens auf. »Die ganze Straße baut so. Wir helfen uns alle gegenseitig mit Arbeit und Fachkenntnissen aus. So bekomme ich das Haus eines Hauptkommissars für das Gehalt eines Wachtmeisters.« Er stieg die Stufen zum Wohnwagen hoch. »Aber im Moment wohne ich noch hier.«

Alex folgte ihm. Im Wohnwagen war es gemütlich warm, ein tragbarer Gasheizofen blies trockene Wärme in den kleinen Raum. Die Ordentlichkeit beeindruckte ihn. Die Wohnungen der meisten allein lebenden Männer, die er kannte, glichen einem Schweinestall, aber Lawsons Zuhause war tadellos in Ordnung. Alle Chromteile glänzten. Alles war sauber und frisch gestrichen. Die Vorhänge waren hell und ordentlich zur Seite gebunden. Nirgends stand unnötiges Zeug herum, alles war weggeräumt, Bücher standen auf den Regalen, Tassen hingen an den Haken, Kassetten lagen in einer Schachtel, und Architektenpläne hingen gerahmt an der Wand. Der anheimelnde Geruch von Linsensuppe stieg Alex in die Nase. »Sehr nett«, sagte er, während er alles betrachtete.

»Es ist wenig Platz, aber wenn man Ordnung hält, ist es nicht allzu eng. Ziehen Sie Ihre Jacke aus, wir hängen sie über den Heizofen. Sie werden sich Gesicht und Hände waschen müssen – da ist das Klo, gleich hier am Herd vorbei.«

Alex ging in die winzige Kabine. Er sah in den Spiegel über dem Waschbecken, das so klein war wie in einem Puppenhaus. Guter Gott, sah er aus. Getrocknetes Blut und Dreck überall. Und Zitronenjoghurt hing ihm in den Haaren. Kein Wunder, dass Lawson ihn mit nach Hause genommen hatte, damit er sich ein bisschen herrichten konnte. Er ließ Wasser laufen und wusch sich. Als er herauskam, stand Lawson an den Herd gelehnt.

»So ist es besser. Setzen Sie sich neben den Heizofen, dann sind Sie bald trocken. Also, eine Tasse Tee? Oder ich habe auch selbst gekochte Suppe, wenn Sie mögen.«

»Suppe wäre prima.« Alex setzte sich an den Ofen, und Lawson füllte für ihn einen Teller mit goldgelber Suppe und Eisbeinstücken, stellte ihn vor Alex hin und gab ihm einen Löffel.

»Ich will nicht unhöflich sein, aber warum sind Sie so nett zu mir?«, fragte er.

Lawson setzte sich ihm gegenüber und zündete sich eine Zigarette an. »Weil Sie und Ihre Freunde mir leid tun. Sie haben ja nur das getan, was verantwortungsbewusste Bürger tun sollten, aber dann hat man Sie als Übeltäter hingestellt. Und ich nehme an, ich fühle mich teilweise verantwortlich. Wenn ich Streife gefahren wäre, statt gemütlich in meinem Wagen zu sitzen, hätte ich den Typ vielleicht bei der Tat ertappt.« Er legte den Kopf zurück, seufzte und stieß eine Rauchwolke in die Luft. »Deshalb glaube ich, es war niemand von hier, der es getan hat. Jeder, der die Gegend kennt, würde wissen, dass dort oft ein Streifenwagen steht.« Lawson verzog das Gesicht. »Wir bekommen nicht genug Benzin bewilligt, dass wir die ganze Nacht herumfahren können, wir müssen also irgendwo parken.«

»Meint Maclennan immer noch, dass es einer von uns gewesen sein könnte?«, fragte Alex.

»Ich weiß nicht, was er denkt, mein Junge. Ich will ehrlich sein, wir stecken in einer Sackgasse. Und so seid ihr vier unter Beschuss geraten. Einerseits wollen die Duffs Ihnen an den Kragen, und nach dem, was ich gerade gesehen habe, haben sich auch Ihre eigenen Freunde gegen Sie gewandt.«

Alex schnaubte. »Sie sind nicht meine Freunde. Werden Sie sie wirklich melden?

»Möchten Sie das?«

»Eigentlich nicht. Sie würden nur Mittel und Wege finden, sich zu rächen. Ich glaube nicht, dass sie uns wieder belästigen werden, sie haben zu große Angst, dass Mummy und Daddy davon hören und ihnen ihr Taschengeld streichen könnten. Ich mache mir eher Sorgen wegen der Duffs.«

»Ich glaube, die werden Sie auch in Ruhe lassen. Meine Kollegin hat ihnen kräftig Bescheid gesagt. Ihr Freund Mackie hat sie an einer verwundbaren Stelle erwischt. Sie waren ziemlich am Boden nach der Beerdigung.«

»Das werfe ich ihnen nicht vor. Ich will nur keine Dresche kriegen, wie Weird sie bekommen hat.«

»Weird? Sie meinen Mr. Mackie?«, fragte Lawson.

»Ja. Es ist ein Spitzname von der Schule her. Aus einem Song von David Bowie.«

Lawson grinste. »Natürlich. *Ziggy Stardust and the Spiders from Mars*. Dann heißen Sie Gilly, stimmt's? Und Sigmund ist Ziggy.«

»Sehr gut.«

»Ich bin nicht viel älter als Sie. Und wie passt da Mr. Kerr dazu?«

»Er ist kein großer Fan von Bowie. Er steht auf Pink Floyd. Er heißt Mondo. Crazy diamond? Klar?«

Lawson nickte.

»Echt gute Suppe, übrigens.«

»Rezept von meiner Mutter. Sie kennen sich also schon sehr lange?«

»Wir haben uns am ersten Tag der High School kennen gelernt. Seit damals sind wir die besten Freunde.«

»Jeder braucht Freunde. Wie in diesem Beruf. Wenn man eine Zeit lang mit den gleichen Leuten zusammenarbeitet, werden sie wie Brüder. Man würde sein Leben für sie geben, wenn man müsste.«

Alex lächelte verständnisvoll. »Ich weiß, was Sie meinen. Für uns ist es genauso.« *Oder es war so,* dachte er mit Bedauern. In diesem Semester hatten die Dinge sich geändert. Weird war oft mit seiner Jesustruppe unterwegs. Und nur der liebe Gott wusste, wo sich Mondo die halbe Zeit herumtrieb. Die Duffs waren nicht die Einzigen, die mit schmerzlichen Gefühlen einen Preis für Rosies Tod zahlten, wurde ihm plötzlich klar.
»Sie würden also füreinander lügen, wenn Sie dächten, Sie müssten das tun?«
Alex hielt den Löffel auf halbem Weg zum Mund an. Darum ging es also. Er schob den Teller weg, stand auf und nahm seine Jacke. »Danke für die Suppe«, sagte er. »Es geht jetzt wieder.«

Ziggy fühlte sich selten einsam. Als Einzelkind war er daran gewöhnt, allein zu sein, und war nie um einen Zeitvertreib verlegen. Seine Mutter hatte andere Eltern immer verwundert angesehen, wenn sie sich über ihre Kinder beklagten, die sich in den Schulferien langweilten. Langeweile war nie ein Problem gewesen, mit dem sie sich befassen musste.
Aber heute Abend war die Einsamkeit in das kleine Haus in Fife Park gekrochen. Ziggy hatte genug Arbeit, die ihn hätte beschäftigen können, aber diesmal sehnte er sich ausnahmsweise nach Gesellschaft. Weird war mit seiner Gitarre unterwegs und lernte, den Herrn in drei Akkorden zu preisen. Alex war nach einer Schlägerei mit den Rechten und einem Treffen mit diesem Bullen Lawson, das sehr danebengegangen war, in miesester Laune nach Hause gekommen. Er hatte sich umgezogen und war zu einem Diavortrag über venezianische Maler gegangen. Und Mondo war irgendwo draußen, wahrscheinlich beim Bumsen.
Das war eigentlich eine gute Idee. Das letzte Mal, dass er Sex gehabt hatte, war eine ganze Weile vor der Nacht gewesen, als sie Rosie Duff fanden. Er war für einen Abend nach Edinburgh gefahren und in den einzigen schwulenfreundlichen Pub

gegangen, den er je besucht hatte. Er hatte mit seinem Bier an der Bar gestanden und verstohlene Blicke nach allen Seiten geworfen, sich aber vor direktem Augenkontakt gehütet. Nach einer halben Stunde oder so hatte sich ein Mann, der auf die dreißig zuging, zu ihm gesellt. Jeans, Hemd und Jeansjacke, gut aussehend, ein etwas rauer Bursche. Er fing eine Unterhaltung an, und sie hatten schließlich schnellen, aber befriedigenden Sex an der Toilettenwand gehabt. Alles war längst vor dem letzten Zug nach Hause vorbei.
Ziggy sehnte sich nach etwas, das weniger anonym war als die Treffen mit Fremden, die seine einzige sexuelle Erfahrung waren. Er wollte das, was seine heterosexuellen Freunde mit Leichtigkeit zu finden schienen. Er wünschte sich eine romantische Beziehung, in der man um den anderen warb. Er wollte jemanden, mit dem ihn eine tiefere Intimität verband als nur der Austausch von Körperflüssigkeiten. Er wollte einen Freund, einen Lover, einen Partner. Und er hatte keine Ahnung, wie er einen finden konnte.
Es gab eine Schwulengruppe an der Uni, das hatte er gehört. Aber soweit er wusste, bestand sie aus einem halben Dutzend Typen, die ihre Sonderrolle als Homosexuelle fast zu genießen schienen. Der politische Aspekt der Gay Liberation interessierte Ziggy schon, aber nach dem, wie er diese Typen sich auf dem Campus in Pose hatte werfen sehen, waren sie nicht ernsthaft politisch engagiert. Sie fielen nur gern auf. Ziggy schämte sich nicht dafür, dass er schwul war, aber er wollte nicht, dass es das Einzige war, was die Leute über ihn wussten. Außerdem wollte er Arzt werden und hatte den starken Verdacht, dass eine Karriere als Aktivist der Schwulenbewegung ihm nicht helfen würde, diesen Plan zu verwirklichen.
Deshalb war eine beiläufige Begegnung jetzt die einzige Möglichkeit, seinen Gefühlen Luft zu machen. Soweit er wusste, gab es in St. Andrews keine Pubs, wo er das finden würde, was er suchte. Aber es gab zwei Stellen, wo sich Männer aufhielten, die zu anonymem Sex mit Unbekannten bereit waren.

Nur waren beide Orte leider im Freien, und bei diesem Wetter würden nicht viele den Elementen trotzen. Aber schließlich konnte er nicht der einzige Typ in St. Andrews sein, der heute Abend Sex haben wollte.
Ziggy zog seine Schaffelljacke über, schnürte seine Stiefel und ging in die eiskalte Nacht hinaus. Nach einem raschen Fußmarsch von fünfzehn Minuten war er an der Rückseite der halb zerfallenen Kathedrale. Er überquerte The Scores und ging auf die Ruinen der Kirche St. Mary's zu. Im Schatten der bröckelnden Mauern standen oft Männer herum, die so taten, als machten sie einen abendlichen Spaziergang, bei dem sie gleich noch ein paar sehenswerte architektonische Überreste betrachteten. Ziggy straffte die Schultern und versuchte lässig auszusehen.

Unten beim Hafen war Brian Duff mit seinen Spezis auf Sauftour. Sie langweilten sich und waren gerade betrunken genug, dass sie fanden, sie sollten etwas dagegen unternehmen. »Das hier macht ja keinen Spaß, verdammt noch mal«, beklagte sich sein bester Kumpel Donny. »Und wir sind zu blank, um uns irgendwo 'n richtig netten Abend zu machen.«
Dieses Problem wurde eine Weile in der Gruppe diskutiert, bis Kenny eine geniale Idee hatte. »Ich weiß, was wir machen können. Spaß und Geld. Und keine Probleme.«
»Was wäre das?«, fragte Brian.
»Lasst uns einfach ein paar Muttersöhnchen ausnehmen.«
Sie sahen ihn an, als spräche er Suaheli. »Was?«, sagte Donny.
»Es wird ein richtiger Spaß. Und sie haben bestimmt Geld dabei. Sie werden sich nicht groß wehren, oder? Sind doch alles Schwächlinge.«
»Du meinst, wir sollen losgehen und Leute ausrauben?«, sagte Donny zweifelnd.
Kenny zuckte die Schultern. »Sind doch nur Schwule. Die zählen nicht. Und sie würden nicht zur Polizei rennen, oder? Sonst

müssten sie erklären, was sie vorhatten, als sie sich da im Dunkeln bei St. Mary's herumgetrieben haben.«

»Könnte schon Spaß machen«, nuschelte Brian. »Den Schwuchteln mal 'n ordentlichen Schrecken einjagen.« Er kicherte. »Ihnen 'nen Riesenschreck verpassen. Das könnte für irgendjemand Ärger geben.« Er trank sein Bier aus und stand auf. »Los, dann kommt. Worauf wartet ihr noch?«

Sie gingen in die Nacht hinaus, stießen sich dabei in die Rippen und lachten laut. Der Weg zu den Ruinen der Kirche hinauf war nicht weit. Der Halbmond lugte hinter den vorbeitreibenden Wolken hervor, warf sein silbriges Licht auf die See und leuchtete ihnen auf dem Weg. Als sie näher kamen, verstummten sie und gingen federnden Schritts weiter um eine Ecke des Gebäudes. Nichts. Sie schlichen an der Seite entlang und durch die Überreste eines Torbogens. Und da fanden sie in einer Nische, was sie suchten.

Ein Mann stand an die Wand gelehnt, den Kopf zurückgelegt und leise lustvolle Laute ausstoßend. Vor ihm kniete ein anderer, dessen Kopf auf und ab schnellte.

»Na, na, na«, stieß Donny undeutlich hervor. »Was haben wir denn da?«

Erschrocken riss Ziggy seinen Kopf zurück und starrte voll Entsetzen auf seinen schlimmsten Albtraum.

Brian Duff trat vor. »Das wird mir wirklich Spaß machen.«

15

Noch nie im Leben hatte Ziggy solche Angst gehabt. Taumelnd stand er auf und wich zurück. Aber Brian war schon bei ihm, packte ihn am Revers der Schaffelljacke und warf ihn gegen die Wand, dass ihm die Luft wegblieb. Donny und Kenny standen unsicher dabei, als der andere Mann seinen Reißverschluss am Hosenschlitz hochzog und sich davonmachte. »Brian, sollen wir dem anderen nachgehen?«, sagte Kenny.

»Nein, das ist bestens. Wisst ihr, wer dieser kriecherische kleine Homo ist?«

»Nee«, sagte Donny. »Wer denn?«

»Einer von diesen Dreckskerlen, die Rosie umgebracht haben.« Er ballte die Fäuste, sein Blick warnte Ziggy davor, einen Fluchtversuch zu wagen.

»Wir haben Rosie nicht umgebracht«, sagte Ziggy und konnte nicht verhindern, dass seiner zitternden Stimme die Angst anzuhören war. »Ich bin derjenige, der versucht hat, sie zu retten.«

»Ja, nachdem du sie vergewaltigt und erstochen hast. Hast du deinen Kumpels beweisen wollen, dass du ein ganzer Mann und keine Tunte bist?«, rief Brian. »Also, Kleiner, jetzt rück mal raus damit. Du sagst mir jetzt die Wahrheit, was mit meiner Schwester passiert ist.«

»Ich sag dir die Wahrheit. Wir haben ihr kein Haar gekrümmt.«

»Das glaub ich dir nicht. Und ich werd dich dazu bringen, dass du die Wahrheit sagst. Ich hab da genau die richtige Idee.« Ohne den Blick von Ziggy abzuwenden, sagte er: »Kenny, geh mal zum Hafen runter und hol mir ’n Strick. Aber schön lang.«

Ziggy hatte keine Ahnung, was ihm bevorstand, aber er wusste, dass es nicht angenehm sein würde. Seine einzige Chance war, sich durch Reden zu retten. »Das ist keine gute Idee«, sagte er. »Ich hab deine Schwester nicht ermordet. Und ich weiß, dass die Polizei dich schon gewarnt hat, du sollst uns in Ruhe lassen. Glaub nicht, dass ich dich nicht anzeigen werde.«

Brian lachte. »Hältst du mich für blöd? Du wirst bestimmt zur Polizei gehen und sagen: ›Bitte, Sir, ich hab grade einem Kerl den Schwanz gelutscht, und da ist Brian Duff gekommen und hat mir eine reingehauen‹? Du musst ja denken, ich bin ein Blödhammel. Du wirst niemand davon erzählen. Weil dann alle wüssten, dass du ein Arschficker bist.«

»Das ist mir egal«, sagte Ziggy. Denn jetzt erschien ihm dieses Schicksal weniger schrecklich als das, was der ungebremste Brian Duff mit ihm vorhatte. »Das Risiko gehe ich ein. Willst du wirklich, dass deine Mutter noch mehr Kummer hat?«

Sobald die Worte gesagt waren, wusste Ziggy, dass er sich verrechnet hatte. Brians Gesicht wurde starr und verschlossen. Er hob die Hand und schlug Ziggy so brutal, dass der seine Halswirbel knacken hörte. »Nimm den Namen meiner Mutter nicht in den Mund, du Schwanzlutscher. Sie hat gar nicht gewusst, was Kummer ist, bevor ihr Kerle meine Schwester umgebracht habt.« Er schlug noch einmal zu. »Gib’s zu. Früher oder später wirst du es büßen müssen, das weißt du doch.«

»Ich gebe nichts zu, was ich nicht getan habe«, sagte Ziggy mit erstickter Stimme. Er schmeckte Blut, seine Wange war innen von der scharfen Kante eines Zahns aufgerissen.

Brian zog die Hand zurück und schlug ihm mit seiner ganzen beachtlichen Kraft in den Magen. Ziggy krümmte sich schwankend. Heißes Erbrochenes ergoss sich auf den Boden und spritzte auf seine Schuhe. Nach Atem ringend fühlte er den rauen Stein im Rücken, das Einzige, was ihn aufrecht hielt.

»Sag's mir«, zischte Brian.

Ziggy machte die Augen zu. »Es gibt nichts zu sagen«, presste er heraus.

Bis Kenny wiederkam, hatte er noch ein paar Schläge abbekommen. Er hatte es nicht für möglich gehalten, dass man so viel Schmerz ertragen konnte, ohne davon ohnmächtig zu werden. Blut lief aus seiner aufgesprungenen Unterlippe, und von den Nieren aus fuhren scharfe Stiche durch seinen Körper.

»Was hat so lange gedauert?«, fragte Brian. Er riss Ziggys Hände nach vorn. »Binde das eine Ende um seine Handgelenke«, befahl er Kenny.

»Was macht ihr mit mir?«, murmelte Ziggy mit geschwollenen Lippen.

Brian grinste. »Dich zum Reden bringen, Scheißkerl.«

Als Kenny fertig war, nahm Brian den Strick, wand ihn Ziggy um den Leib und band ihn fest. Jetzt waren seine Hände eng am Körper fixiert. Brian zog an dem Strick. »Komm, wir haben noch was vor.« Ziggy versuchte sich zu weigern, aber Donny und Brian zerrten so heftig, dass sie ihn fast umwarfen.

»Kenny, sieh nach, ob die Luft rein ist.«

Kenny rannte voraus zu dem Torbogen. Er spähte die Straße hoch. Nichts regte sich. Es war zu kalt, um zum Vergnügen spazieren zu gehen, und zu früh für die Leute mit Hunden, die noch eine letzte Runde drehen wollten. »Niemand da, Bri«, rief er leise.

An dem Strick ziehend legten Brian und Donny los. »Schneller«, sagte Brian zu Donny. Sie trabten The Scores entlang, während Ziggy verzweifelt das Gleichgewicht zu halten versuchte und gleichzeitig mit den Händen am Strick zerrte, um sich zu befreien. Was wollten sie nur mit ihm machen, zum Teufel? Es war Flut. Sie würden ihn doch nicht ins Meer hinunterlassen? Menschen starben in der Nordsee innerhalb von ein paar Minuten. Was immer sie planten, er wusste instinktiv, dass es viel schlimmer sein würde als alles, was er sich vorstellen konnte.

Der Boden unter seinen Füßen fiel ohne Vorwarnung ab, und Ziggy stürzte zu Boden, rollte ein Stück und krachte dann gegen Brians und Donnys Beine. Ein Schwall von Flüchen ergoss sich über ihn, dann rissen sie ihn grob hoch und stellten ihn mit dem Gesicht gegen eine Mauer. Ziggy gewann langsam ein Bild davon, wo sie waren. Sie standen auf einem Weg, der um die Burgmauer herumführte. Es war kein mittelalterlicher Schutzwall, sondern nur eine moderne Sperrmauer, die Eindringlinge und Liebespärchen abhalten sollte. Wollten sie ihn nach drinnen bringen und an den Zinnen aufhängen?

»Was machen wir hier?«, fragte Donny argwöhnisch. Er war nicht sicher, dass ihm das passte, was Brian vorhatte.

»Kenny, über die Mauer«, sagte Brian.

An Brians Kommandos gewöhnt, tat Kenny, was ihm befohlen wurde, kletterte die zwei Meter hoch und verschwand auf der anderen Seite. »Ich werfe den Strick rüber, Kenny«, rief Brian. »Fang ihn auf.«

Er wandte sich an Donny. »Wir werden ihn rüberhieven müssen. Wie beim Baumstammwerfen, nur mit zwei Händen.«

»Ihr werdet mir den Hals brechen«, protestierte Ziggy.

»Wenn du aufpasst, nicht. Wir helfen dir rauf. Du kannst dich umdrehen, wenn du oben ankommst, und dich runterfallen lassen.«

»Ich kann das nicht.«

Brian zuckte die Achseln. »Du hast die Wahl. Du kannst mit dem Kopf oder mit den Füßen voran fallen, aber du wirst fallen. Außer wenn du bereit wärst, mir die Wahrheit zu sagen.«

»Ich hab dir die Wahrheit gesagt«, schrie Ziggy. »Du musst mir glauben.«

Brian schüttelte den Kopf. »Ich weiß, was die Wahrheit ist, wenn ich sie höre. Alles klar, Donny?«

Ziggy versuchte auszubrechen, aber sie hatten ihn sofort

wieder in ihrer Gewalt. Sie drehten ihn schnell mit dem Gesicht zur Mauer, nahmen dann jeder ein Bein und hoben ihn schwankend hoch. Er wagte nicht, sich zu wehren, denn er wusste, wie wenig geschützt das Rückenmark oben am Schädelansatz ist, und wollte nicht, dass es mit einer Querschnittslähmung endete. Schließlich hing er wie ein Kartoffelsack über der Mauer. Langsam und unendlich vorsichtig arbeitete er sich in eine Position, dass er zuerst ein Bein auf der anderen Seite hatte. Dann drehte er sich noch langsamer, bis das andere Bein oben war. Von seinen aufgeschürften Knöcheln schoss von neuem ein brennender Schmerz durch seine Arme. »Na los, du Dreckskerl«, rief Brian ungeduldig.
Er zog sich an der Mauer hoch, war innerhalb von Sekunden neben Ziggys Fuß und stieß ihn brutal zur Seite, so dass er das Gleichgewicht verlor. Ziggys Blase entleerte sich, als er rückwärts durch die Luft flog, und der Schreck ließ seinen Adrenalinpegel noch höher steigen. Er landete schwerfällig auf den Füßen, und seine Knie und Fußgelenke gaben unter der Belastung nach. Zusammengekauert lag er auf dem Boden, vor Scham und Schmerz brannten Tränen in seinen Augen. Brian sprang neben ihm herunter. »Gut gemacht, Kenny«, sagte er und nahm den Strick.
Donnys Gesicht erschien oben über der Mauer. »Sagst du mir vielleicht mal, was das werden soll?«, verlangte er zu wissen.
»Die Überraschung verderben? Kommt nicht in Frage.« Brian riss am Strick. »Komm, Dreckskerl. Wir machen 'nen Spaziergang.«
Sie kletterten den grasbewachsenen Hang hinauf zu den niedrigen Resten der Ostmauer der Burgruine. Ziggy stolperte und fiel ein paarmal, aber es waren immer Hände da, die ihn wieder hochzogen. Sie stiegen über die Mauer und waren im Burghof. Der Mond kam hinter einer Wolke hervor und umhüllte sie mit seinem schaurigen Glanz. »Mein Bruder und ich, wir sind als Kinder immer so gerne hierher gekommen«, sagte

Brian und ging langsamer. »Die Kirche hat diese Burg gebaut. Kein König. Hast du das gewusst, Dreckskerl?«
Ziggy schüttelte den Kopf. »Ich bin noch nie hier gewesen.«
»Hättest du aber sollen. Es ist toll. Eine Trutzburg und ihr Gegenstück. Zwei der größten Festungsbauten der Welt.« Sie wandten sich nach Norden, der Küchenturm stand rechts von ihnen und der Seeturm zur Linken. »Es war ein eindrucksvolles Gebäude. Ein Wohnsitz und eine Festung.« Er drehte sich zu Ziggy um und ging rückwärts weiter. »Und es war ein Gefängnis.«
»Warum sagst du mir das?«, fragte Ziggy.
»Weil es interessant ist. Sie haben hier auch einen Kardinal ermordet, haben ihn getötet und dann seine nackte Leiche an den Burgmauern aufgehängt. Ich wette, darauf wärst du nie gekommen, was, du Dreckskerl?«
»Ich hab deine Schwester nicht umgebracht«, wiederholte Ziggy.
Inzwischen waren sie am Eingang des Seeturms angekommen. »Es gibt hier im unteren Teil zwei Gewölbe«, sagte Brian beiläufig und führte sie nach drinnen. »Das im Osten ist fast so interessant wie die Burg und ihr Gegenstück. Und weißt du auch, warum?«
Ziggy stand schweigend da. Aber Kenny beantwortete die Frage für ihn. »Du willst ihn doch nicht in das Flaschenverlies bringen?«
Brian grinste. »Gut geraten, Kenny. Du wirst Klassenbester.« Er zog ein Feuerzeug aus seiner Tasche. »Donny, gib mir deine Zeitung.«
Donny hielt ihm einen *Evening Telegraph* hin, den er aus seiner Innentasche genommen hatte. Brian rollte ihn fest zusammen, zündete ein Ende an und ging in den östlichen Raum. Beim Schein der behelfsmäßigen Fackel sah Ziggy ein Loch im Boden, über dem ein schweres Eisengitter lag. »Sie haben eine Höhle in den Fels gebohrt. Sie hat die Form einer Flasche. Und sie ist tief.«

Donny und Kenny sahen sich an. Für ihren Geschmack wurde die Sache jetzt etwas zu ernst. »Warte, Brian«, widersprach Donny.
»Was? Ihr seid doch diejenigen, die gesagt haben, Schwule zählen nicht. Los, helft mir.« Er band das eine Ende von Ziggys Strick an das Gitter. »Wir werden zu dritt anpacken müssen, um das abzunehmen.«
Sie packten das Gitter und machten sich stöhnend und ächzend an die Arbeit. Eine lange hoffnungsvolle Minute dachte Ziggy, sie würden es nicht hochheben können. Aber schließlich bewegte es sich mit dem rauen Knirschen von Eisen auf Stein. Sie zogen es zur Seite und kamen wie ein Mann auf Ziggy zu.
»Hast du mir was zu sagen?«, fragte Brian Duff.
»Ich hab deine Schwester nicht umgebracht«, sagte Ziggy verzweifelt. »Meinst du wirklich, du kannst damit durchkommen, dass du mich in ein verdammtes Verlies schmeißt und mich dort sterben lässt?«
»Die Burg ist im Winter an den Wochenenden geöffnet. Bis dahin sind es nur zwei Tage. Du wirst nicht sterben. Na ja, jedenfalls wahrscheinlich nicht.« Er stieß Donny in die Rippen und lachte. »Okay, Jungs, los geht's.«
Sie nahmen Ziggy in die Mitte und beförderten ihn zu der schmalen Öffnung. Er trat wütend um sich und versuchte zu entkommen. Aber drei gegen einen, sechs Hände gegen keine, da hatte er keine Chance. Innerhalb von Sekunden saß er mit frei baumelnden Beinen am Rand des runden Lochs. »Tu das nicht«, sagte er. »Bitte, tu das nicht. Sie werden dich lange Zeit dafür einsperren. Tu's nicht, bitte.« Er schniefte und kämpfte gegen die ihn erstickenden Tränen der Angst an. »Ich flehe dich an.«
»Sag mir einfach die Wahrheit«, verlangte Brian. »Es ist deine letzte Chance.«
»Ich hab's doch nicht getan«, schluchzte Ziggy. »Ich war's nicht.«

Brian trat ihm ins Kreuz, und er fiel ein paar Meter tief, wobei seine Schultern schmerzhaft gegen die Steinmauern des engen Trichters schlugen. Dann gab es einen Ruck, der Strick zog sich fester zusammen und schnitt ihm qualvoll in den Bauch. Brians Gelächter hallte zu ihm herunter. »Hast du gedacht, wir würden dich ganz runterwerfen?«

»Bitte«, schluchzte Ziggy. »Ich hab sie nicht umgebracht. Ich weiß nicht, wer sie getötet hat. Bitte ...«

Jetzt war er wieder in Bewegung, der Strick wurde langsam ruckweise hinuntergelassen. Er meinte, er würde ihn in der Mitte zerschneiden. Über sich hörte er das schwere Atmen der Männer und hin und wieder einen Fluch, wenn bei einer unvorsichtigen Bewegung der Strick glühend heiß durch eine Hand rutschte. Er sank langsam tiefer in die Dunkelheit hinab, das schwache Flackern von oben verblasste in der dumpfigen, eiskalten Luft.

Es schien eine Ewigkeit zu dauern. Schließlich kam ihm die Luft anders vor, und er stieß nicht mehr an die Seitenwand. Die Flasche wurde nach unten bauchig. Sie taten es wirklich. Sie würden ihn wirklich hier zurücklassen. »Nein«, schrie er, so laut er konnte. »Nein.«

Seine Zehen berührten festen Boden, und endlich lockerte sich der Strick, der sich in seinen Bauch eingegraben hatte. Eine misstönende, geisterhafte Stimme schallte von oben herunter. »Letzte Chance, Mistkerl. Gib's zu, und wir ziehen dich hoch.«

Es wäre so leicht gewesen. Aber es wäre eine Lüge gewesen, die ihn in unmögliche Situationen gebracht hätte. Selbst um sich zu retten, konnte Ziggy sich nicht Mörder nennen. »Du irrst dich«, rief er mit der letzten Kraft seiner erschöpften Lunge.

Der Strick landete auf seinem Kopf, das zusammengerollte Knäuel war erstaunlich schwer. Er hörte ein letztes höhnisches Lachen, dann war es still. Absolute, überwältigende Stille. Das Fünkchen Licht am oberen Rand des Schachts war verschwunden. Er war in völliger Dunkelheit eingeschlossen. So-sehr er seine Augen auch anstrengte, er konnte überhaupt nichts sehen. Sie hatten ihn in die absolute Finsternis geworfen.

Ziggy tastete sich zu einer Seite. Er konnte nicht sagen, wie weit er von der Mauer entfernt war, und wollte mit seinem wunden Gesicht nicht an den Fels stoßen. Er erinnerte sich, dass er einmal etwas über weiße Krabben gelesen hatte, die sich in einer unterirdischen Höhle entwickelt hatten. Irgendwo auf den Kanarischen Inseln, meinte er. Generationen des Lebens in Dunkelheit hatten die Augen überflüssig gemacht. Das war er geworden, eine blinde weiße Krabbe, die sich in der Undurchdringlichkeit seitwärts bewegte.

Die Mauer war schneller erreicht, als er dachte. Er wandte sich um, tastete mit den Fingerspitzen den rauen Sandstein ab und kämpfte gegen die Panik an, indem er sich auf die physischen Verhältnisse seiner Umgebung konzentrierte. Er konnte sich nicht erlauben, darüber nachzudenken, wie lange er hier sein würde. Sonst würde er verrückt werden, zusammenbrechen, und wenn er über seine Chancen nachgrübelte, mit dem Kopf gegen den Stein schlagen. Sie würden ihn doch wohl nicht hier lassen, bis er starb? Brian Duff vielleicht schon, aber er glaubte nicht, dass seine Freunde dieses Risiko eingehen würden.

Ziggy drehte sich mit dem Rücken zur Wand und ließ sich langsam heruntergleiten, bis er auf dem kalten Boden saß. Der ganze Körper schmerzte. Er glaubte nicht, dass etwas gebrochen war, aber er wusste jetzt, dass nicht nur Knochenbrüche Schmerzen verursachten, gegen die man eigentlich starke Schmerzmittel brauchte.

Er wusste, er konnte es sich nicht leisten, untätig hier sitzen zu bleiben. Sein Körper würde steif werden, und seine Gelenke würden sich verkrampfen, wenn er sich nicht ständig bewegte. Wenn er den Kreislauf nicht in Gang hielt, würde er bei diesen Temperaturen an Unterkühlung sterben, und diese Genugtuung wollte er den barbarischen Dreckskerlen nicht gönnen.

Er musste die Hände freibekommen. Stöhnend vor Schmerzen von seinen angeschlagenen Rippen beugte Ziggy den Kopf so tief wie möglich nach vorn. Wenn er seine Hände so hochhob, wie der Strick es erlaubte, konnte er mit den Zähnen gerade das zusammengeknotete Ende erreichen.

Während er vor Schmerz und Selbstmitleid lautlose Tränen vergoss, die an seiner Nase heruntertropften, begann Ziggy den entscheidenden Kampf seines Lebens.

16

Alex war überrascht, alles verlassen vorzufinden, als er nach Hause kam. Ziggy hatte nichts davon gesagt, dass er ausgehen würde, und Alex hatte angenommen, dass er arbeiten wollte. Vielleicht war er bei einem seiner Mediziner-Kommilitonen. Oder vielleicht war Mondo heimgekommen, und sie waren etwas trinken gegangen. Er machte sich keine Sorgen. Nur weil ihn Cavendish und seine Bande belästigt hatten, gab es keinen Grund zu glauben, dass Ziggy etwas Schlimmes passiert war.

Alex machte sich eine Tasse Kaffee und ein paar Scheiben Toast und setzte sich mit seinen Notizen zu dem Vortrag an den Küchentisch. Er hatte immer Mühe gehabt, die venezianischen Maler klar auseinander zu halten, aber der Diavortrag von heute Abend hatte bestimmte Aspekte so deutlich herausgestellt, dass er sie auf jeden Fall festhalten wollte. Er kritzelte gerade Anmerkungen an den Rand, als Weird voll Enthusiasmus hereingestürmt kam. »Wow, war das ein Abend«, schwärmte er. »Lloyd hat eine absolut mitreißende Bibelstunde über die Briefe an die Epheser gehalten. Es ist eindrucksvoll, was er alles aus einem Text herausholen kann.«

»Schön, dass du so viel Spaß hattest«, sagte Alex geistesabwesend. Seit Weird sich mit den Christen zusammengetan hatte, waren seine Auftritte ebenso voraussehbar wie dramatisch. Alex hatte schon lange aufgehört, auf sie einzugehen.

»Wo ist Zig? Arbeitet er?«

»Er ist weg. Ich weiß nicht, wo. Wenn du Wasser aufsetzt, nehme ich noch einen Kaffee.«

Das Wasser kochte gerade, als sie die Haustür aufgehen hörten. Zu ihrer Überraschung war es Mondo, der hereinkam, nicht Ziggy. »Sieht man dich auch mal wieder«, sagte Alex. »Hat sie dich rausgeworfen?«

»Sie hat eine Krise, weil sie 'nen Essay schreiben muss«, sagte Mondo, nahm sich eine Tasse und schüttete Kaffeepulver hinein. »Wenn ich dableibe, lässt sie mich mit ihrem Gejammer darüber nicht schlafen. Da hab ich gedacht, ich würde euch mit meiner Gegenwart beglücken. Wo ist Ziggy?«

»Ich weiß nicht. Soll ich meines Bruders Hüter sein?«

»Erstes Buch Mose, Kapitel vier, Vers neun«, sagte Weird selbstgefällig.

»Herrgott noch mal, Weird«, sagte Mondo. »Bist du immer noch nicht drüber weg?«

»Über Jesus kommt man nie hinweg, Mondo. Aber ich erwarte nicht, dass ein so oberflächlicher Mensch wie du das begreift. Du betest falsche Götter an.«

Mondo grinste. »Vielleicht, aber sie ist toll im Bett.«

Alex stöhnte. »Ich kann mir das nicht länger anhören. Ich geh schlafen.« Er überließ sie ihren Streitereien und genoss die Ruhe, die ihm ein eigenes Zimmer jetzt wieder bot. Niemand war als Ersatz für Cavendish und Greenhalgh geschickt worden, also war er in Cavendishs Zimmer gezogen. Auf der Schwelle blieb er stehen und sah kurz in das Musikzimmer. Er konnte sich nicht daran erinnern, wann sie das letzte Mal zusammen gespielt hatten. Vor diesem Semester hatte es kaum einen Tag gegeben, an dem sie nicht eine halbe Stunde oder mehr improvisiert hätten. Aber das war genau wie ihre freundschaftliche Verbundenheit schon längst vorüber.

Vielleicht passierte das sowieso, wenn man erwachsen wurde. Aber Alex hatte den Verdacht, dass es mehr mit dem zu tun hatte, was Rosie Duffs Tod ihnen allen über sich selbst und die anderen gezeigt hatte. Bis jetzt war es nicht sehr erbaulich gewesen. Mondo hatte sich hinter Selbstsucht und Sex verschanzt; Weird war auf einem fernen Planeten gelandet, wo sogar die Sprache unverständlich war. Nur Ziggy war sein Vertrauter geblieben, aber selbst er schien jetzt spurlos verschwunden zu sein. Und unter allem verborgen bildeten als hässlicher Kontrapunkt zum alltäglichen Leben Argwohn und Zweifel einen Missklang, der sich immer weiterfraß. Mondo hatte die bösen Worte ausgesprochen, aber Alex selbst hatte dem Wurm des Misstrauens schon reichlich Nahrung geboten.

Einesteils hoffte er, dass alles sich beruhigen und zur Normalität zurückkehren würde. Aber andererseits wusste er, dass manche Dinge nicht wiederhergestellt werden können, wenn sie erst einmal zerbrochen sind. Als er an das Wiederherstellen dachte, fiel ihm Lynn ein, und er lächelte. Am Wochenende würde er nach Hause fahren. Sie würden in Edinburgh ins Kino gehen und sich *Der Himmel soll warten* mit Julie Christie und Warren Beatty ansehen. Eine romantische Komödie, das war doch ein guter Anfang. Sie hatten eine unausgesprochene Übereinkunft, in Kirkcaldy nicht auszugehen. Es gab da zu viele Zungen, vielleicht nicht einmal böse, die aber doch zu einem vorschnellen Urteil bereit sein würden.

Trotzdem dachte er daran, Ziggy davon zu erzählen. Eigentlich hatte er es ihm heute Abend sagen wollen. Aber wie der Himmel konnte auch das noch warten. Keiner von ihnen hatte ja vor zu verreisen.

Ziggy hätte alles, was er besaß, dafür gegeben, an irgendeinem anderen Ort zu sein. Es kam ihm vor, als sei er schon vor Stunden in das Verlies geworfen worden. Er war eiskalt bis auf die Knochen. Der feuchte Fleck, wo er sich nassgemacht hatte, fühlte sich lausig kalt an, Penis und Hoden waren auf Kindergröße zusammengeschrumpft. Und er hatte seine Hände noch immer nicht freibekommen. In Armen und Beinen hatte er

Krämpfe, deren quälender Schmerz ihn zum Weinen gebracht hatte. Aber endlich meinte er, dass der Knoten sich lockerte. Jetzt drückte er den Kiefer noch einmal fest auf den Nylonstrick und drehte den Kopf hin und her. Und siehe da, der Strick bewegte sich tatsächlich etwas mehr. Entweder stimmte es tatsächlich, oder er war so verzweifelt, dass er sich einen Fortschritt einbildete. Noch einmal ein Ruck nach links und wieder zurück, diese Bewegung wiederholte er mehrmals. Als das Ende des Stricks schließlich frei war, flog es ihm direkt ins Gesicht, und Ziggy brach in Tränen aus.
Nachdem dieser erste Knoten gelöst war, ließ sich der Rest leicht aufmachen. Plötzlich waren seine Hände frei. Taub und starr, aber frei. Seine Finger kamen ihm so dick und kalt wie Würstchen aus dem Supermarkt vor. Er steckte sie in seiner Jacke unter die Achselhöhlen. Axillae, dachte er und erinnerte sich, dass Kälte ein Feind des Denkens war, weil das Gehirn dann langsamer arbeitete. »Denke anatomisch«, sagte er laut vor sich hin und erinnerte sich daran, wie er mit einem anderen Studenten gekichert hatte, als sie lasen, wie eine ausgerenkte Schulter wieder gerichtet werden konnte. »Stecken Sie einen mit einem Strumpf bekleideten Fuß in die Achselhöhle«, hatte der Text gelautet. »Anleitung zum Transvestismus für Ärzte«, hatte sein Freund gesagt. »Ich darf die schwarzen Seidenstrümpfe im Notkoffer nicht vergessen, falls mir eine ausgerenkte Schulter unterkommen sollte.«
So musste man es machen, um am Leben zu bleiben, dachte er. Das Gedächtnis trainieren und sich Bewegung verschaffen. Jetzt wo ihm seine Arme zur Verfügung standen, konnte er umhergehen und auch auf der Stelle treten. Eine Minute joggen, dann zwei Minuten ausruhen. Was in Ordnung wäre, wenn er auf seine Uhr sehen könnte, war sein logischer, aber hier nicht gerade sinnvoller Gedankengang. Zum ersten Mal wäre er jetzt gern Raucher gewesen. Dann hätte er Streichhölzer oder ein Feuerzeug gehabt. Etwas, um diese entsetzliche, absolute Finsternis zu durchbrechen. »Verlust der Sinnes-

wahrnehmungen«, sagte er. »Du musst das Schweigen brechen, musst mit dir selbst sprechen. Oder singen.«
Die Taubheit in seinen Händen erschreckte ihn. Er nahm sie aus den Taschen, schüttelte sie kräftig und massierte dann unbeholfen mit der einen Hand jeweils die andere, bis nach und nach das Gefühl wiederkam. Er berührte die Wand und war froh, die körnige Unebenheit des Sandsteins spüren zu können. Denn er hatte schon befürchtet, durch den abgeschnürten Kreislauf permanent Schaden genommen zu haben. Seine Finger waren zwar immer noch geschwollen und steif, aber zumindest hatte er Gefühl darin.
Er richtete sich auf und begann, mit einem sanften Joggen die Füße zu regen, um seinen Puls zu beschleunigen, und stand dann still, bis er wieder normal war. All die Nachmittage kamen ihm in den Sinn, die er mit Wut im Bauch im Sportunterricht hatte verbringen müssen. Sadistische Sportlehrer ließen sie endlose Runden drehen, Geländelauf und Rugby. Bewegung und Gedächtnis.
Er würde es schaffen, lebend hier herauszukommen. Aber ganz bestimmt.

Der Morgen kam, und in der Küche war immer noch kein Ziggy. Jetzt doch besorgt, steckte Alex den Kopf in sein Zimmer. Kein Ziggy. Es war schwer zu sagen, ob in seinem Bett jemand geschlafen hatte, da Alex bezweifelte, dass er es seit Semesterbeginn überhaupt jemals gemacht hatte. Er ging in die Küche zurück, wo Mondo sich eine große Schale Coco Pops genehmigte. »Ich mache mir Sorgen wegen Ziggy. Ich glaube, er ist gestern Nacht nicht nach Hause gekommen.«
»Du bist wirklich eine Memme, Gilly. Hast du mal dran gedacht, dass er mit jemand gepennt haben könnte?«
»Ich glaube, die Möglichkeit hätte er erwähnt.«
Mondo lachte. »Ziggy doch nicht. Wenn du es nicht wissen solltest, hättest du es nie erfahren. Er ist nicht so offen wie du und ich.«

»Mondo, wie lange wohnen wir schon zusammen?«

»Dreieinhalb Jahre«, sagte Mondo und warf einen Blick zur Decke.

»Und wie viele Nächte ist Ziggy weggeblieben?«

»Ich weiß nicht, Gilly. Falls du es nicht bemerkt hast, ich selbst bin ziemlich oft nicht hier. Anders als bei dir spielt sich ein Teil meines Lebens außerhalb dieser vier Wände ab.«

»Ich bin nicht gerade ein Heiliger, Mondo. Aber soweit ich weiß, ist Ziggy nie die ganze Nacht weggeblieben, und es macht mir Sorgen, weil es noch nicht lange her ist, seit Weird von den Brüdern Duff zusammengeschlagen wurde. Und gestern hatte ich 'n Zusammenstoß mit Cavendish und seinen reaktionären Kumpanen. Vielleicht ist er in einen Streit geraten? Vielleicht ist er im Krankenhaus?«

»Und vielleicht hat er jemand zum Bumsen gefunden? Du solltest dich selbst mal hören, Gilly, du klingst wie meine Mutter.«

»Leck mich doch, Mondo.« Alex nahm im Flur seine Jacke und ging zur Haustür.

»Wo gehst du hin?«

»Ich gehe Maclennan anrufen. Wenn er mir sagt, ich klinge wie seine Mutter, dann bin ich still, okay?« Alex knallte die Tür hinter sich zu. Er hatte noch eine Befürchtung, die er Mondo gegenüber nicht erwähnt hatte. Was wäre, wenn Ziggy auf der Suche nach Sex unterwegs gewesen und verhaftet worden wäre? Diese Vorstellung war ein Albtraum.

Er ging zu den Telefonzellen im Verwaltungsgebäude hinüber und wählte die Nummer der Polizeiwache. Zu seiner Überraschung wurde er direkt zu Maclennan durchgestellt. »Hier ist Alex Gilbey, Inspector«, sagte er. »Ich weiß, es hört sich für Sie wahrscheinlich nach Zeitverschwendung an, aber ich mache mir Sorgen wegen Ziggy Malkiewicz. Er ist gestern Nacht nicht nach Hause gekommen, was er noch nie getan hat …«

»Und nach dem, was Mr. Mackie zugestoßen ist, sind Sie ein

bisschen beunruhigt?«, sprach Maclennan den Satz für ihn zu Ende.
»Das stimmt.«
»Sind Sie jetzt in Fife Park?«
»Ja.«
»Bleiben Sie dort. Ich komme vorbei.«
Alex wusste nicht, ob er erleichtert oder besorgt sein sollte, dass der Kripobeamte ihn ernst genommen hatte. Er trottete zum Haus zurück und sagte Mondo, er solle sich auf einen Besuch von der Polizei gefasst machen.
»Ziggy wird dir bestimmt sehr dankbar sein, wenn er mit einem Gerade-mal-wieder-gebumst-Gesicht zur Tür reinkommt«, sagte Mondo.
Als Maclennan kam, war Weird inzwischen zu ihnen gestoßen. Er rieb seine immer noch schmerzhafte, erst halb geheilte Nase und sagte: »In dieser Sache bin ich Gillys Meinung. Wenn Ziggy einen Zusammenstoß mit den beiden Duffs gehabt hat, könnte er jetzt auf der Intensivstation liegen.«
Maclennan ließ sich von Alex den Verlauf des vergangenen Abends schildern. »Und Sie haben keine Ahnung, wohin er gegangen sein könnte?«
Alex schüttelte den Kopf. »Er hat nicht gesagt, dass er ausgehen wollte.«
Maclennan warf Alex einen schlauen Blick zu. »Wissen Sie, ob er auf Klappentour geht?«
»Was ist eine Klappentour?«, fragte Weird.
Mondo beachtete ihn nicht und sah Maclennan scharf an. »Was wollen Sie damit sagen? Nennen Sie meinen Freund etwa schwul?«
Weird sah noch bestürzter aus. »Was ist das – Klappentour? Was meinst du mit schwul?«
Wütend fuhr Mondo Weird an. »Klappentouren sind das, was Homos machen. Sie suchen sich irgendjemand in 'ner Toilette und haben Sex mit ihm.« Er wies mit dem Daumen auf Mac-

lennan. »Irgendwie ist dieser blöde Kerl auf die Idee gekommen, dass Ziggy eine Schwuchtel ist.«

»Mondo, halt die Klappe«, sagt Alex. »Wir reden später darüber.«

Die anderen beiden waren vom Lauf der Ereignisse verwirrt und sprachlos, wie Alex sich plötzlich Autorität verschaffte. Alex wandte sich wieder an Maclennan.

»Er geht manchmal in eine Bar in Edinburgh. Von hier in St. Andrews war niemals die Rede. Meinen Sie, dass er verhaftet worden ist?«

»Ich habe in den Zellen nachgesehen, bevor ich hergekommen bin. Von uns ist er nicht aufgegriffen worden.« Sein Funkgerät knackte, und er ging in den Flur, um zu antworten. Seine Worte waren in der Küche zu hören. »Die Burg? Sie machen Witze ... Aber ich habe tatsächlich eine Idee, wer das sein könnte. Rufen Sie die Feuerwehr. Ich treffe Sie dort.«

Er kam herein und schien besorgt. »Ich glaube, vielleicht ist er aufgetaucht. Wir haben einen Bericht von einem der Burgwächter bekommen. Er macht dort jeden Morgen einen Rundgang und hat angerufen, um uns mitzuteilen, dass jemand im Flaschenverlies ist.«

»Flaschenverlies?«, fragten alle drei im Chor.

»Es ist ein Raum, der unter einem der Türme aus dem Felsen herausgehauen wurde. Er hat die Form einer Flasche. Wenn man erst mal drin ist, kommt man nicht mehr heraus. Ich muss rüberfahren und sehen, was da los ist. Ich werde jemanden beauftragen, Ihnen Bescheid zu geben, was sich tut.«

»Nein, wir kommen mit«, sagte Alex entschlossen. »Wenn er die ganze Nacht da dringesessen hat, hat er es verdient, ein freundliches Gesicht zu sehen.«

»Tut mir leid, Jungs. Ich kann Sie nicht mitnehmen. Wenn Sie selbst hingehen wollen, gebe ich Bescheid, dass man Sie reinlässt. Aber stören Sie die Rettungsaktion nicht.« Und weg war er.

Kaum war die Tür zu, als Mondo sich auch schon auf Alex

stürzte. »Was soll das, verdammt noch mal? Uns so über den Mund zu fahren? Klappentour?«

Alex wandte den Blick ab. »Ziggy ist schwul«, sagte er.

Weird schaute ungläubig. »Nein, ist er nicht. Wie kann er schwul sein? Wir sind seine besten Freunde, wir wüssten das doch.«

»Ich weiß es«, sagte Alex. »Er hat es mir vor zwei Jahren gesagt.«

»Super«, sagte Mondo. »Danke, dass du uns informiert hast, Gilly. Das war's wohl mit ›Alle für einen und einer für alle‹. Wir waren nicht gut genug, die Neuigkeit zu erfahren, hm? Für dich geht es in Ordnung, es zu wissen, aber wir haben nicht das Recht zu erfahren, dass unser sogenannter bester Freund 'ne Schwuchtel ist.«

Alex wies Mondo mit einem strengen Blick zurecht. »Na ja, bei deiner toleranten, gelassenen Reaktion würde ich sagen, Ziggy hat die richtige Entscheidung getroffen.«

»Du musst dich irren«, sagte Weird eigensinnig. »Ziggy ist nicht schwul. Er ist normal. Schwule sind krank. Sie sind ein Gräuel. Ziggy ist nicht so.«

Plötzlich reichte es Alex. Er verlor selten die Beherrschung, aber wenn er es tat, war es ein atemberaubendes Schauspiel. Sein Gesicht lief dunkelrot an, und er schlug mit der flachen Hand gegen die Wand. »Haltet die Fresse, ihr beiden. Ich schäme mich ja, euer Freund zu sein. Ich will keine beschränkten Sprüche mehr von euch hören. Ziggy kümmert sich seit fast zehn Jahren um uns drei. Er war unser Freund und immer für uns da, er hat uns nie im Stich gelassen. Was ist schon dabei, wenn er Männer lieber mag als Frauen? Mir ist das scheißegal. Es heißt nicht, dass er in mich oder euch verknallt ist, genauso wenig wie ich in jede Frau verliebt bin, die zwei Titten hat. Es heißt nicht, dass ich mich in der Dusche vorsehen muss, verflixt noch mal. Er ist immer noch derselbe Mensch. Ich hab ihn trotzdem gern wie einen Bruder. Ich würde ihm immer noch mein Leben anvertrauen, und das solltet

ihr auch. Und du …«, fügte er hinzu und stieß den ausgestreckten Finger auf Weirds Brust. »Du nennst dich christlich? Wie kannst du es wagen, einen Mann zu verurteilen, der mehr wert ist als ein Dutzend solcher Leute wie du und deine durchgeknallten Jubel-Jesusfreaks? Du verdienst einen Freund wie Ziggy gar nicht.« Er schnappte sich seinen Mantel. »Ich gehe zur Burg. Und ich will euch zwei nicht dort sehen, außer ihr seid zur Vernunft gekommen.«
Als diesmal die Tür zuschlug, klirrten sogar die Fenster.

Als Ziggy den schwachen Lichtschein sah, dachte er zuerst, er hätte wieder eine Halluzination. Er glitt manchmal in eine Art Delirium ab, unterbrochen von klaren Momenten, in denen er zu der Erkenntnis kam, dass er anfing, an Unterkühlung zu leiden. Trotz der größten Anstrengungen, sich in Bewegung zu halten, war die Lethargie sein größter Feind, der schwer zu besiegen war. Hin und wieder war er halb betäubt zu Boden gesunken, und seine Gedanken schweiften auf die merkwürdigsten Dinge ab. Einmal hatte er gedacht, sein Vater sei bei ihm und habe sich mit ihm über die Aufstiegschancen der Raith Rovers unterhalten. Das war wirklich absurd.
Er hatte keine Ahnung, wie lange er schon hier unten war. Aber als er den Lichtschimmer sah, wusste er, was er tun musste. Er sprang auf und ab und schrie, so laut er konnte: »Hilfe! Hilfe! Ich bin hier unten. Helft mir!«
Einen langen Moment geschah nichts. Dann wurde das Licht unangenehm grell. Ziggy hielt sich die Hand schützend vor die Augen. »Hallo?«, hallte das Echo eines Rufs durch den Schacht und erfüllte das ganze Verlies.
»Holen Sie mich raus«, schrie Ziggy. »Bitte, holen Sie mich raus.«
»Ich geh und rufe Hilfe«, sagte die Geisterstimme. »Wenn ich die Taschenlampe runterfallen lasse, können Sie sie auffangen?«
»Warten Sie«, rief Ziggy. Er traute seinen Händen nicht.

Außerdem würde die Taschenlampe durch den Schacht heruntergeschossen kommen wie eine Gewehrkugel. Er zog seine Jacke und seinen Pullover aus und legte sie zusammengefaltet mitten in den schwachen Lichtkegel. »Okay, jetzt«, rief er hinauf.

Der Lichtschein schwankte und zuckte während des Falls über die Wände und warf wilde Muster auf Ziggys irritierte Netzhaut. Er kam plötzlich in einer Spiralkurve durch den Schacht geschossen, und dann plumpste eine schwere Lampe mit Gummigriff direkt auf die weiche Schaffelljacke. Tränen brannten in Ziggys Augen, es war eine körperliche und zugleich seelische Reaktion. Er ergriff die Taschenlampe und drückte sie wie einen Talisman an die Brust. »Danke«, schluchzte er. »Danke, danke, danke.«

»Ich bin so schnell wieder da, wie ich kann«, rief die Stimme und verstummte, als der Sprecher sich entfernte.

Jetzt konnte er es ertragen, glaubte Ziggy. Er hatte ja Licht. Er ließ den Schein der Lampe über die Wände wandern. Der rote raue Sandstein war an manchen Stellen glatt gescheuert, voller schwarzer Ruß- und Wachsflecken. Die Gefangenen mussten sich hier unten wie im Vorhof der Hölle gefühlt haben. Er wusste ja wenigstens, dass er befreit würde, und das bald. Aber für sie musste Licht nur noch größere Verzweiflung und die Erkenntnis gebracht haben, dass jede Hoffnung auf Entkommen vergeblich war.

Als Alex auf der Burg ankam, standen zwei Polizeiwagen, ein Feuerwehrauto und ein Krankenwagen davor. Der Anblick des Krankenwagens ließ sein Herz heftiger klopfen. Was war mit Ziggy passiert? Er wurde ohne Probleme durchgelassen. Maclennan hatte sein Wort gehalten. Einer der Feuerwehrmänner wies ihm den Weg über den grasbewachsenen Burghof zum Seeturm, wo er sah, wie man mit ruhiger Professionalität vorging. Die Feuerwehrleute hatten einen mobilen Generator aufgestellt, mit dem sie Bogenlampen und eine

Winde betrieben. Ein Tau hing in das Loch im Boden hinab. Alex zitterte bei dem Anblick.
»Es ist tatsächlich Ziggy. Der Feuerwehrmann wurde gerade in einer Art Aufzug runtergelassen. Wie eine Hosenboje, wenn Sie eine Vorstellung haben, was das ist?«, sagte Maclennan.
»Ich glaube schon. Was ist passiert?«
Maclennan zuckte die Schultern. »Wir wissen es noch nicht.«
Während er sprach, drang eine leise Stimme nach oben. »Hochziehen.«
Der Feuerwehrmann an der Winde drückte auf einen Knopf, und das Gerät setzte sich dröhnend in Bewegung. Das Tau wickelte sich quälend langsam um eine Trommel, einen Zentimeter nach dem anderen. Es schien ewig zu dauern. Dann kam Ziggys Kopf in Sicht. Er sah verheerend aus. Sein Gesicht war mit Streifen von Blut und Schmutz verkrustet. Ein Auge war geschwollen und blau, seine Lippe aufgesprungen und blutverschmiert. Er blinzelte ins Licht, aber sobald er sehen konnte und sein Blick auf Alex fiel, schaffte er ein Lächeln. »Hey, Gilly«, sagte er. »Nett, dass du vorbeigekommen bist.«
Als er bis zur Brust aus dem Trichter ragte, zogen fürsorgliche Hände ihn heraus und halfen ihm aus der Segeltuchschlinge. Ziggy schwankte, verwirrt und erschöpft. Spontan rannte Alex hin und nahm seinen Freund in die Arme. Ein scharfer Geruch von Schweiß und Urin, vermischt mit dem von Erde, umfing ihn. »Alles klar«, sagte Alex und hielt ihn an sich gedrückt. »Jetzt ist alles in Ordnung.«
Ziggy klammerte sich an ihn, als hinge sein Leben davon ab. »Ich hatte Angst, da unten zu sterben«, flüsterte er. »Ich durfte gar nicht daran denken, aber ich hatte Angst, ich würde sterben.«

17

Maclennan stürmte aus dem Krankenhaus. Als er am Wagen ankam, schlug er mit den Händen auf das Dach. Dieser Fall war ein absoluter Albtraum. Seit der Nacht, als Rosie Duff starb, war alles schief gegangen. Und jetzt weigerte sich das Opfer einer Entführung, eines tätlichen Angriffs mit Freiheitsberaubung, eine Aussage über seine Peiniger zu machen. Laut Ziggy wurde er von drei Männern angegriffen. Es sei dunkel gewesen, er hätte nicht richtig sehen können. Er hätte ihre Stimmen nicht erkannt, sie hätten sich gegenseitig nicht beim Namen gerufen. Und ohne ersichtlichen Grund hätten sie ihn in das Flaschenverlies geworfen. Maclennan hatte ihm mit Verhaftung wegen Behinderung der Polizei gedroht, aber der blasse und müde Ziggy hatte ihm direkt in die Augen gesehen und gesagt: »Ich verlange doch nicht, dass Sie eine Ermittlung durchführen, wie kann ich Sie dann dabei behindern? Es war nur ein Streich, der ein bisschen zu weit gegangen ist, das ist alles.«

Er riss die Beifahrertür auf und warf sich auf den Sitz. Janice Hogg, die auf dem Fahrersitz saß, sah ihn fragend an.

»Er sagt, es war ein Streich, der zu weit ging. Er will keine Aussage machen, er weiß nicht, wer es getan hat.«

»Brian Duff«, sagte Janice entschieden.

»Was macht Sie so sicher?«

»Während Sie da drin waren und warteten, bis man Malkiewicz untersucht hatte, habe ich mich ein bisschen umgehört.

Duff und seine zwei Busenfreunde waren gestern Abend unten am Hafen in einer Kneipe. Ganz in der Nähe der Straße zur Burg. Sie sind etwa gegen halb zehn weggegangen. Der Wirt meint, sie hätten ausgesehen, als hätten sie noch etwas vor.«

»Gut gemacht, Janice. Ist aber doch etwas dünn.«

»Warum, meinen Sie, will Malkiewicz keine Aussage machen? Meinen Sie, er hat Angst, dass Sie ihn unter Druck setzen?«

Maclennan seufzte. »Nicht die Art von Druck, an die Sie denken. Ich glaube, er hat sich bei der Kirche unten einen Partner gesucht. Er hat Angst, wenn er Duff und seine Kumpel preisgibt, dass sie vor Gericht und aller Welt bezeugen werden, dass Ziggy Malkiewicz schwul ist. Der Junge will Arzt werden. Er wird kein Risiko eingehen. Herrgott, ich hasse diesen Fall. Wo ich hinsehe, führt es zu nichts.«

»Sie könnten Duff immerhin unter Druck setzen, Sir.«

»Und was soll ich da sagen?«

»Ich weiß nicht, Sir. Aber Sie würden sich vielleicht hinterher besser fühlen.«

Maclennan sah Janice überrascht an. Dann grinste er. »Sie haben recht, Janice. Malkiewicz mag ja wohl verdächtig sein, aber wenn ihn jemand zusammenschlägt, dann sollten wir das sein. Lassen Sie uns nach Guardbridge fahren. Ich bin schon lange nicht mehr in der Papierfabrik gewesen.«

Brian Duff kam so großspurig in das Büro des Chefs stolziert wie einer, der glaubt, er habe das große Los gezogen. Er lehnte sich an die Wand und streifte Maclennan mit einem arroganten Blick. »Ich mag es nicht, wenn man mich bei der Arbeit stört«, sagte er.

»Halten Sie die Klappe, Brian«, sagte Maclennan verächtlich.

»So redet man nicht mit einem Staatsbürger, Inspector.«

»Ich spreche nicht mit einem Staatsbürger, ich spreche mit einem Mistkerl. Ich weiß, was du und deine schwachsinnigen Kumpel letzte Nacht getrieben haben, Brian. Und ich weiß, dass du meinst, du kommst damit durch, weil du etwas über

Ziggy Malkiewicz weißt. Also, ich kann dir nur sagen, so läuft es nicht.« Er trat näher an Duff heran, nur ein paar Zentimeter von ihm entfernt. »Von jetzt an, Brian, seid ihr, du und dein Bruder, gebrandmarkt. Wenn du mit deinem Motorrad eine Meile schneller als die Geschwindigkeitsbegrenzung fährst, wirst du angehalten. Ein Glas zu viel, und wir lassen dich ins Röhrchen pusten. Wenn du einen von den vier Jungs auch nur schräg anguckst, bist du verhaftet. Bei deinem Strafregister heißt das, dass du wieder eingesperrt wirst. Und diesmal wird es wesentlich länger sein als drei Monate.« Maclennan hielt inne und holte Luft.

»Das ist Polizeischikane«, sagte Brian, seine Selbstgefälligkeit war nur leicht angeknackst.

»Nein, das ist es nicht. Polizeischikane ist es, wenn du auf dem Weg zur Zelle zufällig die Treppe runterfällst. Wenn du stolperst und dir die Nase brichst, weil du an die Wand gestoßen bist.« Mit einer unerwarteten, blitzschnellen Bewegung schoss Maclennans Hand nach vorn und packte Duff am Schritt. Er drückte so fest zu, wie er konnte, und drehte dann das Handgelenk scharf nach rechts.

Duff schrie auf und wurde blass. Maclennan ließ los und trat flink zurück. Duff bog sich vor Schmerz und fluchte. »*Das* sind Polizeischikanen, Brian. Gewöhn dich schon mal daran.« Maclennan riss die Tür auf. »Ach je. Brian hat sich wohl am Schreibtisch gestoßen und wehgetan«, sagte er zu der erschrockenen Sekretärin im Vorzimmer. Er lächelte, als er an ihr vorbei durch die Tür ging und in das kalte Sonnenlicht hinaustrat. Er stieg in den Wagen.

»Sie hatten recht, Janice. Ich fühle mich jetzt besser«, sagte er und lächelte breit.

An diesem Tag wurde in dem kleinen Haus in Fife Park nicht gearbeitet. Mondo und Weird hingen im Musikzimmer herum, aber Gitarre und Schlagzeug ergaben zusammen keine tolle Combo, und Alex wollte sich offenbar nicht zu ihnen gesellen. Er lag auf seinem Bett und versuchte, sich über seine Gefühle und über das klar zu werden, was mit ihnen allen geschehen war. Er hatte sich immer gefragt, warum Ziggy zögerte, sein Geheimnis den anderen beiden zu verraten. Tief im Innern glaubte Alex, dass sie es akzeptieren würden, weil sie Ziggy doch zu gut kannten, um das nicht zu tun. Aber er hatte die Macht ihrer primitiven Engstirnigkeit unterschätzt. Was diese Reaktion über seine Freunde aussagte, gefiel ihm nicht. Und es stellte auch sein eigenes Urteil in Frage. Warum hatte er so viel Zeit und Energie in Leute gesteckt, die im Grunde ein genauso engstirniges Pack waren wie Brian Duff? Auf dem Weg zum Krankenwagen hatte ihm Ziggy zugeflüstert, was geschehen war. Was Alex am meisten erschreckte, war, dass seine Freunde die gleichen Vorurteile hatten.

Nun gut, Weird und Mondo würden nicht losgehen und Schwule zusammenschlagen, weil sie abends nichts Besseres zu tun hatten. Aber in Berlin hatte sich auch nicht jeder an der Kristallnacht beteiligt. Und doch wusste man, wohin es geführt hatte. Indem man die gleiche intolerante Haltung einnahm, stützte man insgeheim die Extremisten. Damit das Böse Triumphe feiern kann, erinnerte sich Alex, brauchen nur anständige Menschen nichts zu tun.

Weirds Position konnte er fast verstehen. Er hatte sich mit einer Gruppe von Fundamentalisten eingelassen, die von ihm verlangten, die Doktrin als Ganzes zu schlucken. Man konnte keine Details aussortieren, die einem nicht zusagten.

Aber für Mondo gab es keine Entschuldigung. So wie ihm jetzt zumute war, wollte Alex nicht einmal mehr am gleichen Tisch mit ihm sitzen.

Alles fiel in sich zusammen, und er wusste nicht, wie er den Prozess stoppen konnte.

Er hörte, dass die Haustür aufging, und war in Sekunden aus dem Bett und die Treppe hinuntergelaufen. Ziggy stützte sich gegen die Wand, mit einem unsicheren Lächeln auf seinem Gesicht. »Solltest du nicht im Krankenhaus sein?«, fragte Alex.

»Sie wollten mich zur Beobachtung dabehalten. Aber das kann ich selbst machen. Es ist doch nicht nötig, dass ich ein Bett belege.«

Alex half ihm in die Küche und stellte Wasser auf. »Ich dachte, du hättest eine Unterkühlung?«

»Nur eine sehr leichte. Ich habe keine Erfrierungen oder so was. Sie haben meine Kerntemperatur wieder nach oben gebracht, das ist also in Ordnung. Ich habe keine Knochenbrüche, nur Prellungen. Und ich habe kein Blut im Urin, meine Nieren sind also in Ordnung. Ich würde lieber in meinem eigenen Bett leiden, als dass Ärzte und Schwestern am mir rumdoktern und Witze über Medizinstudenten reißen, die sich nicht selbst helfen können.«

Auf der Treppe hörte man Schritte, dann erschienen Mondo und Weird, die ziemlich belämmert aussahen, unter der Tür.

»Gut dich zu sehen, Mann«, sagte Weird.

»Ja«, stimmte Mondo zu. »Was ist denn überhaupt passiert?«

»Sie wissen es, Ziggy«, warf Alex ein.

»Du hast es ihnen gesagt?« Der Vorwurf klang eher müde als zornig.

»Maclennan hat es uns gesagt«, sagte Mondo spitz. »Alex hat es nur bestätigt.«

»Gut«, sagte Ziggy. »Ich glaube nicht, dass Duff und seine primitiven Kumpel nach mir persönlich gesucht haben. Ich meine, sie sind nur losgegangen, um ein paar Schwule zu klatschen, und fanden zufällig mich und diesen anderen Typ bei St. Mary's.«

»Ihr habt Sex in einer Kirche gehabt?« Weird klang entsetzt.

»Es ist eine Ruine«, sagte Alex. »Nicht gerade geweihter Boden.«

Weird sah aus, als wolle er noch etwas sagen, aber ein Blick von Alex ließ ihn innehalten.

»Du hast Sex gehabt mit einem dir völlig Fremden, draußen im Freien, in einer eiskalten Winternacht?« Mondo sprach mit einer Mischung aus Ekel und Verachtung.

Ziggy sah ihn lange nachdenklich an. »Wäre es dir lieber gewesen, ich hätte ihn mit hierher gebracht?« Mondo sagte nichts. »Nein, das dachte ich mir. Nicht so wie die fremden Frauen, die du uns ständig bescherst.«
»Das ist was anderes«, sagte Mondo und trat von einem Fuß auf den anderen.
»Warum?«
»Na ja, zunächst mal ist es nicht verboten«, sagte er.
»Danke für deine Unterstützung, Mondo.« Ziggy stand langsam und unsicher auf wie ein alter Mann. »Ich gehe zu Bett.«
»Du hast uns immer noch nicht erzählt, was passiert ist«, sagte Weird, sensibel wie immer.
»Als sie merkten, dass ich es war, wollte Duff, dass ich ein Geständnis ablege. Als ich nicht gestehen wollte, haben sie mich gefesselt und in das Flaschenverlies runtergelassen. Es war nicht gerade die beste Nacht meines Lebens. Also, wenn ihr mich entschuldigen würdet?«
Mondo und Weird traten zur Seite, um ihn vorbeizulassen. Die Treppe war zu eng für zwei, deshalb bot Alex ihm keine Hilfe an. Er glaubte, dass Ziggy jetzt sowieso keine Hilfe annehmen würde, nicht einmal von ihm. »Warum zieht ihr zwei nicht einfach zu Leuten, bei denen ihr euch wohl fühlt?«, sagte Alex und drängte sich an ihnen vorbei. Er nahm seine Büchertasche und seinen Mantel. »Ich gehe in die Bibliothek. Es wäre schön, wenn ihr beiden nicht mehr da wärt, wenn ich zurückkomme.«

Zwei Wochen vergingen in einer Atmosphäre, die einem unbehaglichen Waffenstillstand glich. Weird verbrachte die meiste Zeit mit Arbeit in der Bibliothek oder bei seinen frommen Freunden. Ziggy schien seine Gelassenheit wiederzugewinnen, als seine Wunden heilten, aber Alex bemerkte, dass er nicht gern allein draußen war, wenn es dunkel wurde. Alex vertiefte sich in seine Arbeit, achtete aber darauf, dass er da war, wenn Ziggy Gesellschaft brauchte. Ein Wochenende traf er Lynn in

Kirkcaldy, und sie fuhren nach Edinburgh. Sie aßen in einem kleinen italienischen Restaurant mit freundlicher Atmosphäre und gingen dann ins Kino. Den ganzen Weg vom Bahnhof zu ihrem Haus am anderen Ende der Stadt, drei Meilen, legten sie zu Fuß zurück. Als sie unter den Bäumen gingen, die das Dunnikier-Gelände von der Durchgangsstraße abschirmten, zog sie ihn in den Schatten und küsste ihn so innig, als hinge ihr Leben davon ab. Er war singend nach Hause gewandert.

Derjenige, der am meisten von den letzten Ereignissen berührt wurde, schien paradoxerweise Mondo zu sein. Die Geschichte von dem Überfall auf Ziggy verbreitete sich an der Universität wie ein Lauffeuer. Was davon bekannt wurde, sparte erfreulicherweise den ersten Teil der Geschichte aus, so dass Ziggys Intimsphäre gewahrt blieb. Aber die überwiegende Mehrheit sprach von den vieren, als seien sie die Verdächtigen und als gebe es eine Art Rechtfertigung für das, was Ziggy angetan worden war. Sie waren zu Außenseitern geworden.

Mondos Freundin ließ ihn ohne Umschweife fallen. Sie sorge sich um ihren Ruf, sagte sie. Eine neue zu finden stellte sich auch als schwierig heraus. Mädchen suchten mit ihm keinen Blickkontakt mehr. Sie schlichen sich davon, wenn er in Pubs oder Discos auf sie zuging und mit ihnen sprechen wollte.

Auch seine Mitstudenten im Romanischen Seminar ließen ihn merken, dass sie ihn nicht mehr in ihrer Nähe haben wollten. Er war auf eine Art und Weise isoliert, wie es bei keinem der anderen drei der Fall war. Weird hatte die Christen. Ziggys Kommilitonen von der medizinischen Fakultät hielten zu ihm. Alex scherte sich einen Dreck darum, was andere dachten, er hatte Ziggy, und obwohl Mondo es nicht wusste, hatte er Lynn.

Mondo hatte überlegt, ob er noch ein As aus dem Ärmel ziehen solle, wagte aber nicht, seine Karten offen zu legen, falls es sich als Niete entpuppen sollte. Es war nicht gerade leicht, der Person, mit der er sprechen musste, aufzulauern, und bisher waren seine Kontaktversuche kläglich gescheitert.

Er konnte nicht einmal eine Aktion arrangieren, bei der beide ihre Interessen verfolgen konnten. Denn darum ginge es, hatte er sich eingeredet. Nicht um Erpressung. Nur um eine kleine Aktion auf Gegenseitigkeit. Aber selbst das schaffte er jetzt nicht. Er war wirklich ein totaler Versager; alles, was er anfasste, ging schief.

Die ganze Welt hatte Mondo offen gestanden, und jetzt zeigte sie ihm nur noch ihre unangenehmen Seiten. Er war immer der psychisch Labilste des Quartetts und ohne dessen Rückhalt aufgeschmissen gewesen. Eine Depression legte sich wie eine schwere Decke über ihn und schottete ihn von der Außenwelt ab. Sogar sein Gang wirkte wie mit einer schweren Last beladen. Er konnte weder arbeiten noch schlafen, hörte auf, sich zu duschen und zu rasieren, und wechselte nur ab und zu die Kleidung. Endlose Stunden lag er im Bett, starrte an die Decke und hörte Pink Floyd. Er ging in Pubs, wo ihn niemand kannte, und trank verdrießlich sein Bier. Dann stolperte er in die Nacht hinaus und wanderte bis frühmorgens in der Stadt umher.

Ziggy versuchte, mit ihm zu reden, aber Mondo wollte das nicht. Irgendwie gab er im Grunde seines Herzens Ziggy, Weird und Alex die Schuld an dem, was mit ihm geschehen war, und lehnte alles ab, was er nur als ihr Mitleid ansah. Das wäre schließlich die allerletzte Kränkung. Er wollte richtige Freunde, die ihn schätzten, und nicht Leute, denen er leid tat. Er wollte Freunde, denen er vertrauen konnte, nicht solche, bei denen er sich sorgen musste, was wohl dabei herauskäme, wenn er sie richtig kennen lernte.

Eines Nachmittags führte ihn seine Pubtour in ein kleines Hotel in The Scores. Er latschte zur Bar und bestellte nuschelnd ein Bier. Der Barkellner sah ihn mit kaum verhohlener Verachtung an und sagte: »Tut mir leid, hier bekommen Sie nichts.«

»Was soll das heißen, ich bekomme nichts?«

»Wir sind hier ein anständiges Lokal, und Sie sehen wie ein

Obdachloser aus. Ich habe das Recht, Kunden abzuweisen. Ich will nicht, dass sich Trinker hier aufhalten.« Er zeigte mit dem gekrümmten Daumen auf einen Aushang, der seinen Worten Nachdruck verlieh. »Machen Sie, dass Sie rauskommen.«

Mondo starrte ihn ungläubig an, sah sich um und suchte Unterstützung bei den anderen Gästen. Alle wichen seinem Blick aus. »Scheiß drauf«, sagte er, fegte einen Aschenbecher zu Boden und stürmte davon.

In der kurzen Zeit, die er in dem Lokal gewesen war, begannen die Regenwolken, die den ganzen Tag schon dunkel in der Luft hingen, sich über die Stadt zu ergießen, und fegten, von einem starken Ostwind angetrieben, durch die Straßen. Sofort war er nass bis auf die Haut. Mondo wischte sich die Regentropfen vom Gesicht und merkte, dass er weinte. Er hatte genug, konnte keinen weiteren Tag in Elend und Sinnlosigkeit mehr ertragen. Er hatte keine Freunde, die Frauen verschmähten ihn, und er wusste genau, dass er seine Prüfungen nicht schaffen würde, weil er nicht gearbeitet hatte. Niemand machte sich etwas daraus, weil niemand es verstand.

Betrunken und deprimiert stolperte er The Scores entlang auf die Burg zu. Er hatte genug. Er würde es ihnen zeigen. Er würde ihnen seine Sicht der Dinge klar machen. Er kletterte über das Geländer des Fußwegs und stand schwankend auf dem Rand der Klippe. Unten donnerte die See mit spritzenden Gischtfontänen zornig gegen die Felsen. Mondo atmete die salzige Luft ein und hatte ein merkwürdig friedliches Gefühl, als er auf das tobende Wasser hinuntersah. Er breitete die Arme weit aus, hob das Gesicht dem Regen entgegen und schrie seine Qual zum Himmel hinauf.

18

Maclennan ging gerade am Funkraum vorbei, als die Meldung kam. Er entschlüsselte die Zahlen des Codes. Ein Selbstmörder auf den Klippen über den Castle Sands. Eigentlich nichts für die Kripo, er hatte sowieso frei und war nur gekommen, um etwas von seinem Papierkram zu erledigen. Er konnte weiter durch die Tür hinausgehen, und in zehn Minuten wäre er zu Hause, eine Dose Bier in der Hand und die Sportseiten auf dem Schoß. Wie an fast jedem anderen freien Tag, seit Elaine gegangen war.

Keine Frage, über die er lange nachdenken musste.

Er steckte den Kopf durch die Funkraumtür. »Geben Sie durch, ich sei schon unterwegs«, sagte er. »Und fordern Sie ein Rettungsboot aus Anstruther an.«

Der Kollege von der Hauszentrale sah ihn überrascht an, gab aber sein Okay-Zeichen mit dem Daumen. Maclennan ging über den Parkplatz. Herrgott, war das ein ungemütlicher Nachmittag. Das Dreckswetter allein konnte einen ja schon dazu bringen, dass man sich das Leben nehmen wollte. Er fuhr in Richtung der Burg, seine Scheibenwischer bekamen zwischen den Regenschwaden kaum die Scheibe frei.

Die Klippen waren ein bevorzugter Ort für Selbstmordversuche. Wenn es zum richtigen Zeitpunkt zwischen Ebbe und Flut versucht wurde, gelangen sie meistens. Es gab einen bösen Sog, der nichts Ahnende innerhalb von Minuten ins Meer hinauszog. Und im Winter überlebte in der Nordsee niemand lange. Es hatte auch ein paar sensationelle misslungene Versuche gegeben. Er erinnerte sich an den Hausmeister einer der städtischen Grundschulen, der sich total verrechnet hatte. Er flog an den Felsen vorbei und stürzte im sechzig Zentimeter hohen Wasser auf den Sand. Dabei brach er sich beide Fußgelenke und war durch seinen absurden Fehlschlag so niedergeschmettert, dass er am Tag seiner Entlassung aus dem Krankenhaus den Bus nach Leuchars nahm, an Krücken auf dem Eisenbahngleis entlangstolperte und sich vor den Aberdeen-Express warf.

Aber so etwas würde heute nicht geschehen. Maclennan war ziemlich sicher, dass Flut war und der Ostwind die See am Fuß der Klippen zu stampfenden Brechern machen würde. Er hoffte, dass sie noch rechtzeitig hinkommen würden.

Als er ankam, war schon ein Streifenwagen da. Janice Hogg und ein anderer Polizist in Uniform standen besorgt an dem niedrigen Geländer und beobachteten einen jungen Mann, der sich mit ausgebreiteten Armen wie Jesus am Kreuz in den Wind lehnte. »Steht nicht nur da«, sagte Maclennan und stellte seinen Kragen gegen den Regen hoch. »Da weiter vorn ist ein Rettungsring. Einer von denen mit einem Tau. Holen Sie ihn her.«

Der Polizist lief in die von Maclennan angezeigte Richtung. Der Kripobeamte stieg über das Geländer und machte zwei Schritte nach vorn. »Schon gut, mein Sohn«, sagte er sanft.

Der junge Mann wandte sich um, und Maclennan sah, dass es Davey Kerr war. Allerdings ein kaputter Davey Kerr, der völlig am Ende war. Aber es konnte kein Zweifel bestehen, es war dieses Elfengesicht mit den erschrockenen Bambiaugen.

»Sie kommen zu spät«, murmelte er und schwankte betrunken hin und her.

»Es ist nie zu spät«, sagte Maclennan. »Was immer schief gelaufen ist, wir können es wieder in Ordnung bringen.«

Mondo drehte sich um und stand Maclennan gegenüber. Er ließ die Arme sinken. »In Ordnung bringen?« Seine Augen blitzten. »Ihr seid es doch, die es überhaupt kaputtgemacht haben. Ich habe es euch zu verdanken, dass mich alle für einen Mörder halten. Ich habe keine Freunde und keine Zukunft mehr.«

»Natürlich haben Sie Freunde. Alex, Ziggy und Tom. Das sind doch Ihre Freunde.« Der Wind heulte, und der Regen peitschte ihm ins Gesicht, aber Maclennan kümmerte nichts außer dem angsterfüllten Gesicht vor ihm.

»Was sollen das für Freunde sein? Sie lehnen mich ab, weil ich die Wahrheit sage.« Mondo hob eine Hand zum Mund und kaute an einem Fingernagel. »Sie hassen mich.«

»Das glaube ich nicht.« Maclennan trat einen kleinen Schritt näher. Noch einen halben Meter weiter, und er wäre so nah, dass er ihn packen konnte.

»Kommen Sie nicht näher, bleiben Sie dort. Das ist meine Sache. Nicht Ihre.«

»Überlegen Sie doch, was Sie hier tun, Davey. Denken Sie an die Menschen, die Sie gern haben. Es wird Ihre Familie zerstören.«

Mondo schüttelte den Kopf. »Ich bin ihnen egal. Sie haben immer meine Schwester lieber gehabt als mich.«

»Sagen Sie mir doch, was Sie quält.« *Am Reden halten, ihn am Leben erhalten,* spornte Maclennan sich an. Es darf kein weiterer entsetzlicher Fehlschlag werden.

»Sind Sie taub, Mann? Ich habe es Ihnen doch schon gesagt!«, schrie Mondo mit schmerzverzerrtem Gesicht. »Sie haben mein Leben ruiniert.«

»Das ist nicht wahr. Sie haben eine großartige Zukunft.«

»Jetzt nicht mehr.« Er breitete die Arme wieder wie Flügel aus. »Niemand versteht, was ich durchmache.«

»Helfen Sie mir, es zu verstehen.« Maclennan trat ein wenig weiter vor. Mondo wollte seitwärts ausweichen, aber die unsicheren Füße des Betrunkenen rutschten auf dem dünnen, nassen Gras aus. Sein Gesicht wurde zu einer Maske des Entsetzens. Er schlug verzweifelt mit den Armen und versuchte gegen die Schwerkraft anzukämpfen. Ein paar Sekunden sah es so aus, als würde er es schaffen. Dann traten seine Füße ins Leere, und er verschwand schockierend schnell aus der Sicht. Maclennan warf sich nach vorn, aber es war viel zu spät. Er schwankte auf der Klippe, aber der Gegenwind war auf seiner Seite und hielt ihn, bis er das Gleichgewicht wiedergefunden hatte. Er sah nach unten und meinte ein Aufspritzen zu sehen. Dann erblickte er Mondos blasses Gesicht durch eine Lücke in der weißen Gischt. Er wirbelte herum, als Janice und der andere Polizist bei ihm anlangten. Ein zweiter Polizeiwagen fuhr vor, und Jimmy Lawson und noch zwei Polizisten in Uniform stiegen aus. »Den Rettungsring«, rief Maclennan. »Haltet das Tau fest.«

Schon riss er sich Mantel und Jackett vom Leib und zog die Schuhe aus. Maclennan griff nach dem Rettungsring und schaute wieder nach unten. Diesmal sah er einen Arm sich dunkel gegen den Schaum abheben. Er holte tief Luft und stürzte sich in die Tiefe.

Der Fall war so plötzlich, dass ihm fast das Herz stehen blieb. Vom Wind geschüttelt, fühlte Maclennan sich schwerelos und wie ein Nichts. Es war in Sekunden vorbei. Der Aufprall aufs Wasser war, als sei er auf festen Boden geknallt, und nahm ihm den Atem. Nach Luft schnappend und große Mengen eiskalten Salzwassers schluckend kämpfte Maclennan sich wieder zur Oberfläche hoch. Er sah nichts als Wellen, Sprühnebel und Schaum, trat Wasser und versuchte, sich zu orientieren.

In einem Wellental erblickte er Mondo. Der Junge war ein paar Meter weiter draußen, links von ihm. Maclennan schwamm, von dem Rettungsring an seinem Arm gehindert, zu ihm hin. Die See schleuderte ihn hoch und ließ ihn wieder herunterstürzen, spülte ihn aber genau in Mondos Richtung. Er packte ihn am Nacken.

Mondo schlug um sich. Zuerst dachte Maclennan, er versuche sich zu befreien, weil er ertrinken wollte. Aber dann begriff er, dass Mondo ihm den Rettungsring entreißen wollte. Maclennan wusste, dass er ihn nicht viel länger festhalten konnte, und ließ den Ring los, konnte sich aber dafür an Mondo klammern.

Der griff nach dem Ring, schob einen Arm hinein und versuchte, ihn sich über den Kopf zu ziehen. Aber Maclennan hielt sich noch immer an seinem Kragen fest, denn er wusste, dass sein Leben davon abhing. Da gab es nur eins. Mondo stieß seinen freien Ellbogen so fest er konnte nach hinten. Plötzlich war er frei.

Er schlüpfte in den Rettungsring und schnappte im feuchten Dunst verzweifelt nach Luft. Hinter ihm kämpfte Maclennan sich näher heran und schaffte es irgendwie, mit einer Hand das Tau zu packen, an dem der Rettungsring hing. Es kostete ihn fast übermenschliche Anstrengung, seine vom Wasser steifen Finger hinderten ihn. Maclennan war von der Kälte jetzt völlig durchdrungen, und seine Finger wurden taub. Mit einem Arm klammerte er sich an das Tau und gab mit dem anderen den Kollegen oben über ihren Köpfen das Zeichen, sie auf die Klippen hochzuziehen.

Er spürte, dass das Tau sich spannte. Würden fünf genug sein, um sie beide auf den Felsvorsprung zu hieven? Hatte jemand den Grips gehabt, ein Boot vom Hafen kommen zu lassen? Sie würden lange vor der Ankunft des Rettungsbootes aus Anstruther an Unterkühlung sterben.

Sie näherten sich den Klippen. Maclennan hatte gerade noch den Auftrieb durch das Wasser gespürt. Als er dann auftauchte, fühlte er nur noch den Sog nach unten und hielt sich mit aller Macht am Rettungsring und an Mondo fest. Er starrte nach oben und erkannte dankbar das blasse Gesicht mit den von Regen und Gischt verwischten Zügen des Mannes, der in vorderster Reihe stand.

Sie hingen schon zwei Meter hoch an der Klippenwand, als Mondo, der entsetzliche Angst hatte, Maclennan würde ihn in den Strudel zurückziehen, nach hinten austrat. Maclennans Finger gaben den Kampf auf. Hilflos fiel er ins Wasser zurück.

Wieder ging er unter und kämpfte sich noch einmal nach oben. Langsam sah er Mondo an der Klippenwand höhersteigen. Er konnte es nicht fassen. Der Dreckskerl hatte ihn getreten, um sich selbst zu retten. Er hatte überhaupt nicht versucht, sich umzubringen, sondern wollte sich nur in Pose setzen und auf sich aufmerksam machen.
Maclennan spie einen weiteren Mund voll Wasser aus. Er war jetzt entschlossen durchzuhalten, und sei es auch nur, damit Davey Kerr wünschte, er sei lieber doch ertrunken. Er brauchte nur den Kopf über Wasser zu halten. Sie würden ihm den Rettungsring wieder runterwerfen, ihm ein Boot schicken. Das würden sie doch tun?
Seine Kraft ließ aber schnell nach. Er konnte nicht gegen die Wellen ankämpfen, also ließ er sich tragen. Er würde sich darauf konzentrieren, das Gesicht über Wasser zu halten.
Das war leichter gesagt als getan. Der Sog riss ihn mit sich, die ansteigende Flut schleuderte ihm schwarze Wasserwände gegen Mund und Nase. Jetzt war ihm nicht mehr kalt, das war gut. Vage hörte er das Dröhnen eines Hubschraubers. Er trieb jetzt auf einen Ort zu, wo alles sehr still war. Rettungsflieger, das war das Geräusch, das er hörte. *Swing low, sweet chariot. Coming for to carry me home. Komische Sachen gingen einem durch den Kopf.* Er kicherte und schluckte noch einen Mund voll Wasser.
Jetzt fühlte er sich sehr leicht, die See war wie ein Bett, das ihn sanft in den Schlaf wiegte. Barney Maclennan, schlafend auf den Wogen des Ozeans.
Der Scheinwerfer des Hubschraubers suchte das Meer noch eine Stunde lang ab. Nichts. Rosie Duffs Mörder hatte sich sein zweites Opfer geholt.

Teil II

19

November 2003, Glenrothes, Schottland

Assistant Chief Constable Lawson fuhr seinen Wagen langsam und vorsichtig in die Lücke, die auf dem Parkplatz des Polizeipräsidiums für ihn reserviert war. Es verging kein Tag, an dem er sich nicht zu seinem Erfolg beglückwünschte. Wirklich nicht übel für den unehelichen Sohn eines Bergarbeiters, der in einer winzigen Sozialwohnung aufgewachsen war. Und das in einem in den fünfziger Jahren hochgezogenen Kaff, wo wohnungslose Arbeiter Unterschlupf fanden, für die das sich entwickelnde Kohleabbaugebiet in Fife die einzige Arbeitsmöglichkeit bot. Das war allerdings ein schlechter Witz gewesen! Innerhalb von fünfundzwanzig Jahren war die Kohleförderung auf ein Mindestmaß geschrumpft und hatte die ehemals dort Beschäftigen in hässlichen Oasen der Stagnation zurückgelassen. Alle seine Kumpel hatten ihn ausgelacht, als er der Kohlengrube den Rücken kehrte und sich auf die Seite der Bosse schlug, wie sie es sahen. *Wer war jetzt der, der zuletzt lachte?*, dachte Lawson, als er mit einem grimmigen kleinen Lächeln den Schlüssel aus dem Zündschloss seines Dienstwagens, eines Rover, zog. Thatcher hatte den Bergleuten den Laufpass gegeben und die Polizei zu ihrer persönlichen, vorbildlichen neuen Truppe gemacht. Die Linke war untergegangen, und der aus ihrer Asche aufgestiegene Phönix liebte das Schwingen mit dem großen Knüppel fast ebenso wie die Tories. Es war eine gute Zeit für eine Karriere bei der Polizei gewesen. Seine Pension würde das bezeugen.

Er nahm seine Aktentasche vom Beifahrersitz, senkte den Kopf im scharfen Ostwind, der noch am Vormittag von der Küste her eiskalte Regenschauer bringen würde, und ging schnell auf das Gebäude zu. Beim Hintereingang tippte er seinen Sicherheitscode ein und steuerte den Aufzug an. Aber statt direkt in sein Büro ging er zu dem Raum im vierten Stock, wo sich das Ermittlerteam eingerichtet hatte, das an den ungelösten Fällen arbeitete. Es gab in den Akten von Fife nicht viele ungelöste Morde, jeder Erfolg würde daher als Sensation angesehen werden. Lawson wusste, dass diese Aktion die Möglichkeit bot, seine Reputation zu verbessern, wenn er es geschickt anfing. Er war jedenfalls fest entschlossen, keine Flickschusterei zuzulassen. Keiner von ihnen konnte sich das leisten.

Der Raum, den er für die Kommission angefordert hatte, war recht groß. Er bot Platz für ein halbes Dutzend Computer, und da es kein Tageslicht gab, konnte man dafür überall an den Wänden große Korkbretter anbringen, auf denen sich jeder der behandelten Fälle dokumentieren ließ. Neben jedem Fall hing eine ausgedruckte Liste mit Maßnahmen, die abzuarbeiten waren. Wenn die Beamten diese Aufgaben erledigt hatten, konnten neue Aufträge handschriftlich ergänzt werden. Aktenkartons waren hüfthoch an zwei Wänden aufgestapelt. Lawson behielt gerne den Fortschritt der Arbeit genau im Auge. Denn obwohl es eine Operation mit hoher Priorität war, hieß das nicht, dass man sich der finanziellen Mittel beliebig bedienen konnte. Die meisten der neuen gerichtsmedizinischen Untersuchungen waren teuer, und er war fest entschlossen, seine Gruppe davon abzuhalten, von den wunderbaren Möglichkeiten der Technik verführt, alle finanziellen Mittel für Labortests zu verschwenden und nichts für Routinearbeiten übrig zu lassen, die eher eine Schinderei waren.

Lawson hatte mit einer Ausnahme sein Team, ein halbes Dutzend Beamte, selbst sorgfältig ausgewählt und nur die genommen, die für akribische Detailarbeit, aber zugleich auch für die intelligente Kombination unzusammenhängender Informationen bekannt waren. Die eine Ausnahme war ein Mitarbeiter, dessen Anwesenheit in diesem Raum Lawson Sorge bereitete. Nicht weil er ein schlechter Polizist war, sondern wegen seiner persönlichen Befangenheit. Detective Inspector Robin Maclennans Bruder Barney war im Lauf der Ermittlungen zu einem dieser alten Fälle umgekommen, und hätte es in Lawsons Macht gestanden, hätte er auf keinen Fall bei der Wiederaufnahme dabei sein sollen. Aber Maclennan hatte sich über seinen Kopf hinweg an den Polizeipräsidenten gewandt, der Lawson überstimmt hatte.

Wenigstens war es ihm gelungen, Maclennan von dem Fall Rosie Duff selbst fern zu halten. Nach Barneys Tod hatte Robin Fife verlassen und sich in den Süden versetzen lassen. Erst nach dem Tod seines Vaters ein Jahr zuvor war er zurückgekommen, weil er die letzte Zeit vor seiner Pensionierung in der Nähe seiner Mutter sein wollte. Zufällig hatte Maclennan eine lose Verbindung zu einem der anderen Fälle. Also hatte Lawson seinen Chef überredet, ihm zu erlauben, dass er Maclennan den Fall Lesley Cameron zuteilte, eine Studentin, die in St. Andrews vor achtzehn Jahren vergewaltigt und ermordet worden war. Damals hatte Robin Maclennan in der Nähe ihres Elternhauses gewohnt und den Auftrag als Verbindungsmann zu Lesleys Familie bekommen, vermutlich wegen seiner Kontakte zu der Polizei in Fife. Lawson glaubte, dass Maclennan wahrscheinlich dem Kollegen, der den Fall Rosie Duff übernommen hatte, sehr genau über die Schulter schauen würde. Aber jedenfalls durfte er sich mit seinen persönlichen Gefühlen nicht direkt in die Untersuchung einmischen.

An diesem Morgen im November waren nur zwei der Beamten an ihren Schreibtischen. Detective Constable Phil Parhatka hatte den wahrscheinlich heikelsten dieser Fälle, die noch einmal aufgerollt werden sollten. Sein Opfer war ein junger Mann, der ermordet zu Hause aufgefunden worden war. Sein bester Freund wurde des Mordes an ihm angeklagt und verurteilt, aber eine Reihe peinlicher Enthüllungen über die polizeilichen Ermittlungen hatte bei der Berufung zur Aufhebung des Urteils geführt. Die Nachwirkungen hatten mehrere Karrieren ruiniert, und jetzt stand man unter Druck, den wirklichen Mörder zu finden. Lawson hatte Parhatka unter anderem deshalb ausgewählt, weil er den Ruf besaß, über Einfühlungsvermögen und Diskretion zu verfügen. Aber Lawson hatte in dem jungen Kripobeamten auch den gleichen Hunger nach Erfolg erkannt, der ihn selbst im gleichen Alter angetrieben hatte. Parhatka wünschte sich ein Gelingen so sehr, dass Lawson förmlich sehen konnte, dass ihn dieser leidenschaftliche Wunsch wie ein Dunst umgab.

Als Lawson hereinkam, stand die andere Beamtin gerade auf. DC Karen Pirie nahm ihren altmodischen, aber praktischen Schaffellmantel von der Stuhllehne und zog ihn an. Sie schaute auf, als sie spürte, dass noch jemand im Raum war, und warf Lawson ein müdes Lächeln zu. »Es hilft nichts, ich werde mit den ursprünglichen Zeugen reden müssen.«

»Aber das hat keinen Zweck, bevor Sie sich nicht mit dem Beweismaterial befasst haben«, sagte Lawson.

»Aber, Sir ...«

»Sie werden sich dranmachen und alles selbst durchsuchen müssen.«

Karen sah ihn entsetzt an. »Das könnte ja Wochen dauern.«

»Ich weiß. Aber anders geht es nicht.«

»Aber, Sir ... und die Kosten?«

Lawson seufzte. »Lassen Sie das meine Sorge sein. Ich sehe keine Alternative. Wir brauchen diese Beweisstücke, um

Druck ausüben zu können. Sie sind nicht in dem Karton, wo sie sein sollten. Der einzige Hinweis, den die Kollegen von der Asservatenkammer geben konnten, ist, dass die Sachen beim Umzug in die neuen Räume irgendwie ›verlegt‹ worden sind. Sie haben nicht genug Leute, um die Suche durchzuführen, also werden Sie es tun müssen.«

Karen warf sich die Tasche über die Schulter. »In Ordnung, Sir.«

»Ich habe ja von Anfang an gesagt, wenn wir in dem Fall weiterkommen wollen, sind die Beweisstücke der Schlüssel. Wenn irgendjemand sie finden kann, sind Sie es. Tun Sie Ihr Bestes, Karen.« Er sah sie weggehen, wobei ihr Gang die Entschlossenheit erkennen ließ, die der Grund war, weshalb er Karen Pirie mit dem Fall der neunzehnjährigen Rosie Duff betraut hatte. Mit ein paar ermutigenden Worten an Parhatka machte sich Lawson zu seinem eigenen Büro im dritten Stock auf den Weg.

Er setzte sich hinter seinem imposanten Schreibtisch zurecht und spürte, dass ihn die Sorge nicht losließ, etwas bei der Wiederaufnahme der alten Fälle könne nicht so laufen, wie er es sich erhoffte. Es würde nicht genügen, einfach zu sagen, sie hätten ihr Bestes getan. Einen Fall mussten sie zumindest lösen. Er nippte an seinem süßen, starken Tee und griff nach dem Posteingangskorb. Er überflog zwei Rundschreiben, zeichnete sie oben auf der Seite ab und legte sie in die Ablage für die Hauspost.

Als Nächstes kam ein Brief von einem Bürger, der an ihn persönlich adressiert war. Das war an sich schon ungewöhnlich. Aber der Inhalt schreckte Lawson so auf, dass er jetzt höchst konzentriert auf seinem Stuhl saß.

Carlton Way 12
St. Monans
Fife

Assistant Chief Constable James Lawson
Fife Constabulary Headquarters
Detroit Road
Glenrothes
KY6 2RJ

8. November 2003

Sehr geehrter ACC Lawson,
mit Interesse habe ich gelesen, dass die Polizei von Fife eine Wiederaufnahme ungelöster Mordfälle angeregt hat. Ich nehme an, dass Sie sich auch mit der Ermordung von Rosemary Duff beschäftigen werden. Ich würde Sie gerne treffen und mit Ihnen über diesen Fall sprechen. Ich habe Informationen, die vielleicht zu Ihrem Verständnis der Hintergründe beitragen könnten, wenn sie auch nicht direkt relevant sein mögen.
Bitte tun Sie meinen Brief nicht als das Schreiben eines Wirrkopfs ab. Ich habe Grund zu glauben, dass die Polizei zur Zeit der ursprünglichen Ermittlungen diese Informationen nicht kannte.
Ich würde mich freuen, bald von Ihnen zu hören.

Mit freundlichen Grüßen

Graham Macfadyen

Graham Macfadyen war sorgfältig gekleidet, denn er wollte den richtigen Eindruck auf ACC Lawson machen. Er hatte befürchtet, dass der Polizeibeamte seinen Brief als das Werk eines Spinners abtun würde, der sich wichtig machen wollte. Aber zu seiner Überraschung hatte er postwendend eine Antwort erhalten. Was ihn noch mehr überraschte, war, dass Lawson ihm persönlich geschrieben hatte und ihn um einen Anruf bat, um einen Termin zu vereinbaren. Er hatte erwartet, dass ACC Lawson den Brief an irgendeinen seiner Untergebenen weitergeben würde, der sich mit dem Fall befasste. Es beeindruckte ihn, dass die Polizei die Sache offenbar so ernst nahm. Als er anrief, hatte Lawson vorgeschlagen, sie sollten sich bei ihm zu Hause in St. Monans treffen. »Es ist zwangloser als hier im Polizeipräsidium«, hatte er gesagt. Macfadyen hatte den Verdacht, dass Lawson ihn in seiner heimischen Umgebung sehen wollte, damit er sich ein besseres Bild von seiner Psyche machen konnte. Aber er nahm den Vorschlag gern an, nicht zuletzt deshalb, weil er es schon immer gehasst hatte, sich mit dem Labyrinth von Kreisverkehrsregelungen herumzuschlagen, aus denen Glenrothes zu bestehen schien.

Macfadyen hatte den Abend zuvor damit verbracht, sein Wohnzimmer aufzuräumen. Er hatte sich stets für einen relativ ordentlichen Mann gehalten, und es überraschte ihn immer wieder, dass es bei solchen Gelegenheiten, wenn eine andere Person in seine Wohnung kam, so viel aufzuräumen gab. Vielleicht kam es daher, dass er so selten die Gelegenheit nutzte, Gäste einzuladen. Er hatte nie einen Sinn darin gesehen, sich mit jemandem zu verabreden, und wenn er ehrlich war, störte es ihn nicht, dass es in seinem Leben keine Frau gab. Der Umgang mit seinen Kollegen brauchte all seine Energie auf, die er für soziale Kontakte zur Verfügung hatte, und außerhalb der Arbeitszeit kam er selten mit ihnen zusammen. Nur gerade so oft, dass er nicht auffiel. Er hatte schon als Kind gelernt, dass unsichtbar zu sein immer besser war als Aufmerksamkeit zu erregen. Und egal, wie viel Zeit er mit der Entwicklung von Software verbrachte, wurde er nie müde, an den Computern zu arbeiten. Ob er im Internet surfte, Informationen in Newsgroups austauschte oder Online-Spiele spielte, Macfadyen war am zufriedensten, wenn er von der Welt durch eine Silikonschranke getrennt war. Der Computer urteilte nie, fand nie, dass er die Erwartungen nicht erfüllte. Die Leute dachten, Computer seien kompliziert und schwer zu verstehen, aber da hatten sie unrecht. Computer waren berechenbar und sicher. Man wusste bei Computern genau, woran man war.

Er betrachtete sich eingehend im Spiegel. Er hatte gelernt, dass Anpassung der beste Weg war, wenn man unerwünschte Aufmerksamkeit zu vermeiden wünschte. Heute wollte er locker wie ein harmloser Durchschnittsmensch wirken. Nicht wie ein komischer Kauz. Er wusste, dass die meisten Leute dachten, wenn man im IT-Bereich arbeitete, sei man automatisch absonderlich, und er wollte nicht, dass Lawson die gleiche voreilige Schlussfolgerung zog. Er war nicht absonderlich. Nur anders. Aber das war genau das, was Lawson nicht merken sollte. Man musste unter den Radarstrahlen durchschlüpfen, so bekam man, was man wollte.

Er hatte sich für ein Paar Levi's und ein Polohemd von Guinness entschieden. Nichts, was einem einen Schreck einjagen könnte. Er fuhr sich mit dem Kamm durch das dicke dunkle Haar und schaute sein Spiegelbild kritisch an. Eine Frau hatte ihm einst gesagt, er sehe James Dean ähnlich, aber er hatte das als einen kläglichen Versuch abgetan, sein Interesse zu erregen. Er schlüpfte in ein paar schwarze Mokassins und schaute auf die Uhr. Noch zehn Minuten. Macfadyen ging in das Gästezimmer und setzte sich vor einen der drei Computer. Er musste eine Lüge rüberbringen, und wenn er das überzeugend tun wollte, musste er ruhig sein.

James Lawson fuhr langsam den Carlton Way entlang. Es war eine gewundene Straße in Hufeisenform mit kleinen Einfamilienhäusern aus den neunziger Jahren, die dem traditionellen Stil im East Neuk ähneln sollten. Die mit Sand verputzten Mauern, die steilen Ziegeldächer und die Stufengiebel – all das waren Kennzeichen der einheimischen Architektur. Und die Häuser waren individuell genug gestaltet, dass sie sich der Umgebung anpassten. Etwa eine halbe Meile von dem Fischerdorf St. Monans entfernt, waren diese Häuser ideal für junge Selbständige. Diese konnten sich die älteren Häuser nicht leisten, die die Zugezogenen sich geschnappt hatten, weil sie etwas Malerisches entweder als Alterssitz oder zur Vermietung an Feriengäste wollten.

Graham Macfadyens Haus gehörte zu den kleineren. Zwei Wohnzimmer, zwei Schlafzimmer, dachte Lawson. Keine Garage, aber genug Platz in der Einfahrt, um zwei kleine Autos abzustellen. Jetzt stand ein älterer silberfarbener Golf dort. Lawson parkte auf der Straße und ging den Gartenweg hinauf, die Hosenbeine seines Straßenanzugs flatterten in der steifen Brise vom Firth of Forth. Er klingelte und wartete ungeduldig. In dieser Einöde würde er nicht gern wohnen, dachte er. Im Sommer wäre es ja ganz hübsch, aber an kalten Abenden im November war es rau und trübselig.

Die Tür ging auf, und ein Mann, der auf die dreißig zuging, erschien. Mittelgroß, schlank, dachte Lawson automatisch. Ein Schopf dunkler gewellter Haare, die man kaum ordentlich kämmen konnte. Blaue, tiefliegende Augen, breite Backenknochen und ein voller, fast weiblich weicher Mund. Keine Vorstrafen, wie er von einer Überprüfung der Daten zu seiner Person wusste. Aber viel zu jung, um den Fall Rosie Duff aus eigener Erfahrung zu kennen. »Mr. Macfadyen?«, sagte Lawson.

Der Mann nickte. »Sie müssen Assistant Chief Constable Lawson sein. Soll ich Sie so nennen?«

Lawson lächelte beruhigend. »Der Dienstgrad ist überflüssig. Mr. Lawson genügt.«

Macfadyen trat zurück. »Kommen Sie herein.«

Lawson folgte ihm durch einen schmalen Flur in ein schön aufgeräumtes Wohnzimmer. Eine braune Ledergarnitur stand vor einem Fernseher und ein Videorekorder und ein DVD-Player daneben. Zu beiden Seiten waren Regale mit Videokassetten und DVDs angebracht. Das einzige andere Möbelstück im Zimmer war ein Schrank mit Gläsern und mehreren

Flaschen Malt Whisky. Aber das sah Lawson erst später. Was ihm sofort auffiel, war das einzige Bild, das an den Wänden hing. Ein stimmungsvolles Foto, das auf eine Größe von 50 mal 75 vergrößert war und auf dem jeder, der mit dem Fall Rosie Duff zu tun gehabt hatte, sofort erkennen konnte, worum es sich handelte. Bei niedrig stehender Sonne aufgenommen, zeigte es die Ausgrabungen der langen Steinkistengräber des piktischen Friedhofs auf dem Hallow Hill, wo man die Sterbende gefunden hatte. Lawson war wie erstarrt. Macfadyens Stimme holte ihn in die Gegenwart zurück.

»Darf ich Ihnen etwas zu trinken anbieten?«, fragte er. Reglos wie die vom Blick des Jägers gebannte Beute stand er in der Tür.

Lawson schüttelte den Kopf, um den Drink abzulehnen, aber auch um den Eindruck des Bildes abzuschütteln. »Nein, danke.« Er setzte sich mit der Selbstsicherheit, die er durch viele Dienstjahre als Polizist gewonnen hatte, ohne besondere Aufforderung.

Macfadyen trat in das Zimmer und setzte sich in einen Sessel ihm gegenüber. Lawson konnte seinem Gesicht nicht das Geringste entnehmen, was ihn etwas beunruhigte. »Sie schreiben in Ihrem Brief, dass Sie Informationen zum Fall Rosemary Duff hätten?«, begann er vorsichtig.

»Das stimmt.« Macfadyen beugte sich leicht vor. »Rosie Duff war meine Mutter.«

20

Dezember 2003

Die Zeitschaltuhr aus einem Videorekorder, eine Farbdose, ein Viertelliter Benzin, ein paar Teilstücke von Elektroleitungen. Nichts Bemerkenswertes, nichts, was nicht in jeder beliebigen Ansammlung von Haushaltskram im Keller oder im Geräteschuppen im Garten zu finden wäre. Eigentlich harmlos.

Außer wenn diese Dinge auf eine ganz bestimmte Art und Weise zusammengebastelt sind und zu etwas völlig anderem, Barbarischem werden.

Als die Schaltuhr den eingestellten Zeitpunkt erreichte, entzündete ein Funke zwischen zwei Drähten das Gemisch aus Benzin und Luft. Die Dose explodierte, der Deckel flog nach oben und verspritzte brennendes Benzin auf umherliegendes Altpapier und Holzstücke. Alles lief wie im Lehrbuch ab, perfekt und tödlich.

Die Flammen fanden neue Nahrung in Rollen alter Teppichböden, halb leeren Farbdosen, dem lackierten Holz eines Dingis, in Fiberglas und Treibstoff für den Außenbordmotor, Gartenmöbeln und Spraydosen, die zu Fackeln und Flammenwerfern wurden, als das Feuer stärker aufflammte. Asche flog hoch in die Luft, als hätte ein Geizhals ein hausgemachtes Feuerwerk gezündet.

Über allem sammelte sich dichter Rauch. Während das Feuer im Dunkeln weiter dröhnte, zogen die Rauchschwaden durchs Haus, zuerst träge und dann immer schneller. Als Vorreiter kamen unsichtbare, dünne Dunstschleier, die durch die Fußbodenritzen auf der heißen Luftströmung weiter nach oben zogen. Sie reichten aus, um bei dem schlafenden Mann einen unbehaglichen Hustenreiz hervorzurufen, waren aber nicht so beißend, dass er davon aufwachte. Als der Rauch folgte, war er als gespenstischer Nebelschleier im Mondlicht zu sehen, das durch die vorhanglosen Fenster kam. Auch am Geruch wurde er wahrnehmbar und wäre für jeden eine Warnung gewesen, der in der Lage war zu reagieren. Aber der Rauch hatte die Wahrnehmungskraft des schlafenden Mannes schon geschwächt. Hätte ihn jemand an der Schulter gerüttelt, wäre er vielleicht noch aufgewacht und zum Fenster getaumelt, das Rettung versprach. Aber er war nicht mehr in der Lage, sich selbst zu helfen. Im Schlaf sank er in tiefe Bewusstlosigkeit, und bald nach der Bewusstlosigkeit kam der Tod.

Das Feuer krachte, sprühte Funken und schickte rote und goldene Kometenschweife in den Himmel. Balken ächzten und fielen krachend zu Boden. Es war so spektakulär und schmerzlos, wie ein Mord nur sein kann.

Trotz der Heizungswärme in seinem Büro fröstelte Alex Gilbey. Grauer Himmel, graue Schieferziegel, grauer Stein. Der Raureif, der die Dächer auf der anderen Straßenseite überzogen hatte, war den ganzen Tag über kaum weniger geworden. Entweder hatten sie da drüben eine phantastische Isolierung, oder die Temperaturen waren seit der Morgendämmerung des späten Dezembertages nicht über den Gefrierpunkt gestiegen. Er schaute auf die Dundas Street hinunter. Wie Weihnachtsgespenster waberten die Autoabgase des Verkehrs vorbei, der die Straßen zur Stadtmitte noch mehr verstopfte als sonst. Besucher der Stadt, die ihre Weihnachtseinkäufe machen wollten, wussten nicht, dass es in den Wochen vor den Festtagen im Zentrum Edinburghs schwerer war, einen Parkplatz zu finden als ein perfektes Geschenk für ein wählerisches junges Mädchen.

Alex sah wieder zum Himmel hinauf. Bleierne, niedrige Wolken waren die Vorboten von Schnee, auf den sie so dezent hinwiesen wie ein schreiender Werbespot auf den Ausverkauf eines Möbelladens. Seine Laune wurde noch schlechter. Dieses Jahr war er bis jetzt ganz gut zurechtgekommen. Aber wenn es schneite, war es um seine Entschlusskraft geschehen, und er verfiel in seine übliche vorweihnachtliche Schwermut. Und ausgerechnet heute hätte er sich gewünscht, dass es nicht schneite.

Genau vor fünfundzwanzig Jahren war er über etwas gestolpert, das ihn seit damals jedes Jahr in der Weihnachtszeit in einen Strudel schlimmer Erinnerungen riss. Bei allem guten Willen der Menschen oder, in seinem Fall, der Frauen konnte niemand den Jahrestag von Rosie Duffs Tod aus Alex' innerem Kalender streichen.

Er musste wohl, dachte er, der einzige Hersteller von Glückwunschkarten sein, der diese lukrativste Zeit des Jahres hasste. In den Büros seiner Firma nahm das Team für den Versandhandel noch letzte Bestellungen von Großhändlern entgegen, die ihre Lager aufstockten und die Gelegenheit nutzten, um zusätzliche Valentinstags-, Muttertags- und Osterkarten zu bestellen. Im Warenlager würden die Mitarbeiter anfangen, sich zu entspannen, denn die schlimmste Hektik war vorbei, und ließen bei dieser Gelegenheit die Erfolge und Misserfolge der letzten Wochen Revue passieren. Und in der Buchhaltung konnte man endlich wieder lächeln. Die Verkaufszahlen dieses Jahres lagen fast acht Prozent höher als im letzten Jahr, zum Teil war das einer neuen Serie von Karten zu verdanken, die Alex selbst entworfen hatte. Obwohl Alex schon seit mehr als zehn Jahren seinen Lebensunterhalt nicht mehr mit Stiften und Tusche verdiente, steuerte er gelegentlich doch noch selbst etwas zur Produktpalette bei. Es gab nichts, was den Rest des Teams besser auf Draht hielt.

Aber diese Karten hatte er schon im April entworfen, als die Schatten der Vergangenheit ihn noch nicht beeinträchtigten. Es war seltsam, wie sehr dieses Unbehagen an die Jahreszeit gebunden war. Sobald der Dreikönigstag vorbei und die Dekorationen eingepackt waren, war Rosie Duffs Schatten verschwunden und sein Kopf wieder klar und nicht mehr von Erinnerungen vernebelt. Er würde wieder Freude am Leben haben können. Jetzt aber musste er es einfach durchstehen.

Im Lauf der Jahre hatte er verschiedene Methoden ausprobiert, um dies alles zu verdrängen. Am zweiten Jahrestag hatte er sich bis zur Besinnungslosigkeit betrunken. Bis heute wusste er weder, in welcher Bar er gelandet war, noch, wer ihn in seine Einzimmerwohnung in Glasgow zurückgebracht hatte. Aber damit hatte er nur erreicht, dass ihn in den schweißnassen, angstvollen Träumen dieser Nacht, aus denen er nicht erwachen konnte, ein verrücktes Kaleidoskop von Rosies ironischem Lächeln und ihrem sorglosen Lachen verfolgte.

Im darauffolgenden Jahr hatte er ihr Grab auf dem Westfriedhof am Stadtrand von St. Andrews besucht. Er hatte gewartet, bis es dämmerte, um zu vermeiden, dass irgendjemand sein Gesicht sah. Den unauffälligen klapprigen Ford Escort hatte er so nah wie möglich am Tor geparkt, zog seine Tweedmütze bis über die Augen, stellte den Kragen hoch und schlich im feuchten Halbdunkel umher. Das Problem war, dass er nicht genau wusste, wo Rosies Grab lag. Er hatte nur die Bilder vom Begräbnis gesehen, die die Lokalzeitung auf der Titelseite groß aufgemacht hatte, und daraus entnommen, dass es irgendwo im hinteren Teil des Friedhofs war.

Verstohlen und mit gesenktem Kopf ging er zwischen den Grabsteinen umher und fühlte sich wie ein Spinner. Er wünschte, er hätte eine Taschenlampe mitgebracht, aber dann fiel ihm ein, dass es keine bessere Methode gäbe, die Aufmerksamkeit auf sich zu ziehen. Als die Straßenlampen angingen, brachten sie gerade genug Licht, dass er die meisten Inschriften lesen konnte. Alex hatte schon aufgeben wollen, als er es endlich in einer abgelegenen Ecke direkt an der Mauer fand. Auf einem einfachen schwarzen Granitblock sahen die goldenen Buchstaben noch so frisch aus wie an dem Tag, an dem sie eingemeißelt wurden. Zuerst flüchtete sich Alex in seine Rolle als Künstler und befasste sich mit dem, was er vor sich sah, als einem ausschließlich ästhetischen Objekt. In dieser Hinsicht stellte es ihn zufrieden. Aber er konnte sich nicht lange vor der Bedeutung der Worte drücken, die er nur als Formen im Stein zu sehen versucht hatte. »Rosemary Margaret Duff, geboren 25. Mai 1959. Grausam aus unserer Mitte gerissen am 16. Dezember 1978. Unsere liebende Tochter und Schwester hat uns für immer verlassen. Sie ruhe in Frieden.« Alex erinnerte sich, dass die Polizei Geld gesammelt hatte, um den Grabstein zu bezahlen. Sie mussten einiges zusammenbekommen haben, dass sie sich einen so langen Text leisten konnten, dachte er und versuchte immer noch, sich nicht mit dem Sinn dieser Worte abzugeben.

Etwas anderes, was sich unmöglich übersehen ließ, waren die vielen Blumen, die am Fuß des Steines niedergelegt worden waren. Es mussten wohl ein Dutzend Sträuße und Buketts sein, einige davon in den niedrigen Vasen, die Blumenhändler zu diesem Zweck verkaufen. Andere lagen auf dem Gras und erinnerten eindringlich daran, in wie vielen Herzen Rosie Duff noch lebendig war.

Alex knöpfte seinen Mantel auf und nahm eine einzelne weiße Rose heraus, die er mitgebracht hatte. Er kniete sich hin, um sie unauffällig zwischen die anderen Blumen zu legen, als er sich vor Schreck fast in die Hose gemacht hätte, denn die Hand auf seiner Schulter kam aus dem Nichts. Das nasse Gras hatte die Schritte gedämpft, und er war zu sehr in seine eigenen Gedanken versunken, als dass sein natürlicher Instinkt ihn hätte warnen können.

Alex fuhr herum und wich vor der Hand zurück, rutschte auf

dem Gras aus und lag plötzlich ausgestreckt auf dem Rücken, eine Wiederholung der Szene vom Dezember vor drei Jahren, die ihm fast übel werden ließ. Er zuckte zusammen und erwartete einen Tritt oder Schlag, wenn der, der ihn gestört hatte – wer immer es sein mochte –, merkte, wer er war. Auf eine besorgte Frage und eine bekannte Stimme, die ihn bei seinem Spitznamen nannte, den sie immer nur in seiner Clique gebraucht hatten, war er total unvorbereitet.

»He, Gilly, alles okay?« Sigmund Malkiewicz streckte Alex die Hand entgegen, um ihm aufzuhelfen. »Ich wollte dich nicht erschrecken.«

»Herrgott noch mal, Ziggy, was soll denn das, dich auf einem dunklen Friedhof an mich heranzuschleichen?«, protestierte Alex und kam aus eigener Kraft wieder hoch.

»Tut mir leid.« Er zeigte mit einer Kopfbewegung auf die Rose. »Schöne Idee. Mir fiel nie etwas ein, das ich passend fand.«

»Bist du schon öfter hier gewesen?« Alex wischte seinen Mantel ab und wandte seinem ältesten Freund das Gesicht zu. Ziggy sah in dem matten Licht geisterhaft aus, seine blasse Haut schien von innen zu leuchten.

Er nickte. »Nur an den Jahrestagen. Hab dich aber sonst noch nie gesehen.«

Alex zuckte die Schultern. »Für mich ist es das erste Mal. Ich tu alles, damit es weggeht, weißt du?«

»Ich glaube, das werde ich nie schaffen.«

»Ich auch nicht.« Ohne ein weiteres Wort drehten sie sich um und gingen zum Eingang zurück, jeder in seine eigenen schlimmen Erinnerungen versunken. Es war eine unausgesprochene Übereinkunft gewesen, dass sie es nach Verlassen der Universität vermieden, über das Ereignis zu sprechen, das ihr Leben so drastisch verändert hatte. Der Schatten hing immer über ihnen, aber dieser Tage blieb er unerwähnt. Vielleicht hatte ihre Freundschaft gerade dadurch in solcher Intensität Bestand gehabt, dass sie, ohne ausdrücklich den Entschluss gefasst zu haben, solche Gespräche vermieden. Jetzt, wo Ziggy den hektischen Tagesablauf eines Assistenzarztes in Edinburgh hatte, schafften sie es nicht mehr, sich so oft zu sehen, aber wenn sie einmal abends zusammen weggingen, war die alte Vertrautheit immer noch genauso groß.

Am Tor blieb Ziggy stehen und sagte: »Lust auf 'n Bier?«

Alex schüttelte den Kopf. »Wenn ich anfange, werde ich nicht mehr aufhören wollen. Und das hier ist kein günstiger Ort, an dem du oder ich besoffen herumlaufen sollten. Es gibt immer noch zu viele Leute in der Gegend hier, die denken, wir sind damals gerade so vorbeigeschrammt. Nein, ich mach mich auf, zurück nach Glasgow.«

Ziggy zog ihn zu sich heran und drückte ihn an sich. »Wir sehen uns dann an Silvester, ja? Auf dem Marktplatz um Mitternacht?«

»Ja. Lynn und ich, wir werden kommen.«

Ziggy nickte und verstand alles, was in diesen paar Worten enthalten war. Er hob die Hand zu einem scherzhaften militärischen Gruß und ging in die dichter werdende Dunkelheit davon.

Seitdem war Alex nicht mehr am Grab gewesen. Es hatte ihm nicht geholfen, und so wollte er auch Ziggy nicht begegnen. Es war zu schmerzhaft, so viele Dinge kamen damit wieder hoch, die ihre Beziehung nicht stören sollten.

Wenigstens musste er nicht allein und im Geheimen leiden, so wie er glaubte, dass die anderen es wohl taten. Lynn hatte von Anfang an alles über Rosie Duffs Tod gewusst. Sie waren seit jenem Winter zusammen. Manchmal hatte er sich gefragt, ob die Tatsache, dass sie das Wissen über sein größtes Geheimnis teilte, ein Beweggrund für ihn war, sie zu lieben.

Es war schwierig, nicht zu glauben, dass die Umstände jener Nacht ihn nicht irgendwie einer anderen Zukunft beraubt hatten. Es war sein ganz persönlicher Mühlstein, den er mit sich herumschleppte, ein Fleck in seiner Erinnerung, der ihm das Gefühl gab, für immer gezeichnet zu sein. Niemand würde mit ihm befreundet sein wollen, wenn er wusste, was in seiner Vergangenheit vorgefallen war, welcher Verdacht in den Augen so vieler ihm immer noch anhing. Und doch wusste Lynn alles und liebte ihn trotzdem.

Im Lauf der Jahre hatte sie es auf so vielfältige Weise bewiesen. Und bald würde der schönste aller Beweise kommen. In zwei kurzen Monaten, gebe Gott, würde sie das Kind zur Welt bringen, das sie sich beide schon so lange wünschten. Eigentlich hatten sie mit der Gründung einer Familie nur warten wollen, bis sie sich häuslich niedergelassen hatten, aber dann fing es an so auszusehen, als hätten sie es zu lange aufgeschoben. Drei Jahre hatten sie es versucht und bereits einen Termin in der Reproduktionsklinik gemacht, als Lynn plötzlich schwanger wurde. Es war wie ein erster neuer Anfang nach fünfundzwanzig Jahren.

Alex wandte sich vom Fenster ab. Sein Leben würde sich ändern. Und wenn er eine bewusste Anstrengung machte, konnte er vielleicht den Würgegriff der Vergangenheit lockern. Heute Abend würde er anfangen. Er würde einen Tisch im Restaurant auf dem Dach des Museum of Scotland reservieren lassen und Lynn zu einem schönen Essen ausführen, statt zu Hause zu sitzen und zu grübeln.

Als er nach dem Telefon greifen wollte, klingelte es. Erschrocken starrte Alex es einen Moment blöde an, bevor er abnahm. »Hier Alex Gilbey.«

Es dauerte eine Weile, bis er die Stimme am anderen Ende einordnen konnte. Es war kein Fremder, nur jemand, von dem er nicht gerade jeden Nachmittag einen Anruf erwartet hätte, und schon gar nicht heute. »Alex, hier ist Paul. Paul Martin.« Wegen der hörbaren Aufregung des Sprechers war es noch schwerer, die Stimme zu erkennen.

Paul. Ziggys Paul. Ein Teilchenphysiker, was immer das sein mochte, der wie ein Fußballer gebaut war. Der Mann, der die letzten zehn Jahre ein Strahlen auf Ziggys Gesicht gezaubert hatte. »Hi, Paul. Das ist aber eine Überraschung.«

»Alex, ich weiß nicht, wie ich es sagen soll ...« Pauls Stimme stockte. »Ich habe schlechte Nachrichten.«

»Ziggy?«

»Er ist tot, Alex. Ziggy ist tot.«

Alex hätte fast den Hörer geschüttelt, als meine er, ein technischer Defekt habe dazu geführt, dass er Pauls Worte missverstand. »Nein«, sagte er. »Nein, das muss ein Irrtum sein.«

»Ich wünschte, es wäre so«, sagte Paul. »Es ist kein Irrtum, Alex. Das Haus, es ist in der Nacht abgebrannt. Völlig ausgebrannt. Mein Ziggy ... er ist tot.«

Alex starrte an die Wand und sah nichts. Ziggy spielte Gitarre, ein sinnloses Summen in seinem Kopf.

Aber jetzt spielte er nicht mehr.

21

Obwohl James Lawson schon Stunden damit verbracht hatte, Datum und Unterschrift mechanisch auf verschiedene Papiere zu setzen, war es ihm gelungen, die Bedeutung dieses Tages völlig zu verdrängen. Dann bekam er eine Anfrage von DC Parhatka in die Hand, der um die Genehmigung für einen DNA-Test bei einem Verdächtigen im Rahmen seiner Ermittlung bat. Erst das Datum kombiniert mit dem Team für ungelöste Fälle ließ es in seinem Kopf klicken. Jetzt konnte er das Wissen nicht mehr verdrängen, dass heute Rosie Duffs fünfundzwanzigster Todestag war.

Er fragte sich, wie Graham Macfadyen damit umging, und in Erinnerung an das peinliche Gespräch rutschte Lawson unbehaglich auf seinem Stuhl herum. Zuerst hatte er ihm nicht geglaubt. Während der Untersuchungen zu Rosies Tod war niemals ein Kind erwähnt worden. Weder Freunde noch die Familie hatten auch nur die leiseste Andeutung eines solchen Geheimnisses gemacht. Aber Macfadyen behauptete dies unbeirrt.

»Sie müssen doch gewusst haben, dass sie ein Kind hatte«, beharrte er. »Bestimmt hat doch der Pathologe dies bei der Obduktion festgestellt?«

Lawson stand sofort die schwankende Gestalt von Dr. Kenneth Fraser vor Augen. Er war zur Zeit des Mordes schon halb in Pension gewesen und roch im Allgemeinen eher nach Whisky als nach Formaldehyd. Die meiste Arbeit, die er im Lauf seines langen Arbeitslebens zu tun hatte, war nicht kompliziert gewesen. Er hatte wenig Erfahrung mit Tötungsdelikten, und Lawson erinnerte sich, dass Barney Maclennan sich gefragt hatte, ob sie jemanden damit befassen sollten, der mehr auf dem laufenden Stand der Wissenschaft war. »Es ist nie herausgekommen«, sagte er und vermied jeden weiteren Kommentar.

»Das ist ja unglaublich«, sagte Macfadyen.

»Vielleicht hat die Wunde die Beweislage erschwert.«

»Ich nehme an, das ist möglich«, sagte Macfadyen skeptisch. »Ich hatte angenommen, dass Sie über mich Bescheid wüssten, mich aber nie hatten finden können. Ich habe immer gewusst, dass ich ein Adoptivkind war«, sagte er. »Aber ich dachte, es wäre meinen Adoptiveltern gegenüber nur fair zu warten, bis sie beide gestorben sind, bevor ich Recherchen zu meiner leiblichen Mutter anstellte. Mein Vater ist vor drei Jahren gestorben. Und meine Mutter ... na ja, sie ist in einem Heim. Sie hat Alzheimer. Sie könnte genauso gut tot sein, für sie macht es keinen Unterschied. Also habe ich vor ein paar Monaten angefangen nachzuforschen.«

Er verließ den Raum und kam gleich darauf mit einem blauen Papphefter zurück. »Hier«, sagte er und reichte ihn Lawson.

Der Polizeibeamte fühlte sich, als sei ihm ein Glas mit Nitroglyzerin überreicht worden. Er verstand den leisen Widerwillen nicht recht, der in ihm aufkam, aber er ließ sich dadurch nicht abhalten, den Hefter zu öffnen. Die Papiere waren chronologisch geordnet. Zuerst kam Macfadyens Brief mit der Bitte um Auskunft. Lawson blätterte weiter und erfasste das Wesentliche des Schreibens. Er kam zu einer Geburtsurkunde und hielt inne. Da an der Stelle, der für den Namen der Mutter ausgespart war, fiel sein Blick auf bekannte Angaben. Rosemary Margaret Duff. Geburtsdatum 25. Mai 1959. Beschäftigung der Mutter: arbeitslos. Wo der Name des Vaters hätte eingesetzt werden sollen, stand das Wort ›unbekannt‹ wie der

kleine scharlachrote Buchstabe auf einem puritanischen Kleid. Aber die Adresse war ihm neu.
Lawson schaute auf. Macfadyen hielt die Lehnen seines Sessels fest umklammert, seine Knöchel sahen wie mit Latexfarbe gestrichene Kiesel aus. »Livingstone House, Saline?«, fragte Lawson.
»Das steht da alles drin. Ein Heim der schottischen Kirche, wo junge Frauen, die in Schwierigkeiten waren, hingeschickt wurden, um zu entbinden. Jetzt ist es ein Kinderheim, aber damals war es ein Ort, an den man Frauen schickte, um ihre Schande vor den Nachbarn geheim zu halten. Ich habe die Frau ausfindig machen können, die das Heim damals geleitet hat. Ina Dryburgh. Sie ist jetzt über siebzig, aber geistig noch ganz frisch. Ich war überrascht, wie bereitwillig sie mit mir sprach. Ich hatte es mir schwieriger vorgestellt. Aber sie sagte, es liege zu weit zurück, um jetzt noch jemandem zu schaden. Lass die Toten ihre Toten begraben, das scheint ihre Philosophie zu sein.«
»Was hat sie Ihnen erzählt?« Lawson beugte sich auf seinem Stuhl vor, er wollte, dass Macfadyen das Geheimnis preisgab, das wie durch ein Wunder alle Ermittlungen zu einem Mordfall überstanden hatte.
Der junge Mann entspannte sich leicht, jetzt schien es ihm, dass man ihn endlich ernst nahm. »Rosie ist schwanger geworden, als sie fünfzehn war. Sie fand erst im dritten Monat, aber bevor irgendjemand es erraten hatte, den Mut, es ihrer Mutter zu sagen. Ihre Mutter wurde schnell aktiv. Sie stattete dem Pfarrer einen Besuch ab, und er gab ihr die Adresse von Livingstone House. Mrs. Duff nahm am nächsten Morgen einen Bus und besuchte Mrs. Dryburgh. Diese erklärte sich bereit, Rosie aufzunehmen, und schlug vor, dass Mrs. Duff verbreiten solle, Rosie sei weggefahren, um bei einer Verwandten zu wohnen, die nach einer Operation Hilfe im Haushalt und mit den Kindern brauchte. Rosie verließ Strathkinness noch am gleichen Wochenende und ging nach Saline. Den Rest ihrer

Schwangerschaft verbrachte sie unter Mrs. Dryburghs Fittichen.« Macfadyen schluckte.

»Sie hat mich nie im Arm gehalten, mich nicht einmal gesehen. Ein Foto hatte sie, das war alles. Man hat die Dinge damals anders geregelt. Ich wurde weggebracht und am gleichen Tag meinen Eltern übergeben. Und am Ende der Woche war Rosie bereits wieder in Strathkinness, als sei nichts geschehen. Mrs. Dryburgh sagte, das nächste Mal, dass sie Rosies Namen hörte, sei in den Fernsehnachrichten gewesen.« Er stieß kurz und heftig den Atem aus.

»Und dann hat sie mir gesagt, dass meine Mutter seit fünfundzwanzig Jahren tot sei. Ermordet. Und niemand wurde jemals zur Rechenschaft gezogen. Ich wusste nicht, was tun. Ich wollte mit dem Rest meiner Familie Kontakt aufnehmen. Es gelang mir herauszufinden, dass meine beiden Großeltern tot sind. Aber ich habe offenbar zwei Onkel.«

»Sie haben sich nicht mit ihnen in Verbindung gesetzt?«

»Ich wusste nicht, ob ich das tun sollte. Und dann sah ich einen Artikel in der Zeitung über die Wiederaufnahme von alten Fällen und dachte, ich sollte zuerst mit Ihnen sprechen.«

Lawson sah zu Boden. »Außer wenn sie sich sehr geändert haben, seit der Zeit, als ich sie kannte, würde ich sagen, Sie sind besser dran, wenn Sie keine schlafenden Hunde wecken.« Er spürte Macfadyens Blick auf sich ruhen und hob den Kopf. »Brian und Colin haben Rosie immer sehr intensiv beschützt. Sie waren auch meistens schnell dabei, handgreiflich zu werden. Ich würde vermuten, dass sie das, was Sie zu sagen haben, als eine Verunglimpfung von Rosies Charakter sehen würden. Ich glaube nicht, dass es zu einem glücklichen Zusammentreffen der Familie führen würde.«

»Ich dachte, wissen Sie ... vielleicht würden sie mich als einen Teil von Rosie ansehen, in dem sie weiterlebt.«

»Darauf würde ich mich nicht verlassen«, sagte Lawson nachdrücklich.

Macfadyen sah eigensinnig und keineswegs überzeugt aus.

»Aber wenn diese Information Ihnen bei Ihrer neuen Untersuchung helfen könnte? Dann würden sie es vielleicht anders sehen, meinen Sie nicht? Sicher wollen sie doch, dass ihr Mörder endlich gefasst wird?«

Lawson zuckte die Achseln. »Ehrlich gesagt, ich weiß nicht, wie uns dies weiterbringen soll. Sie wurden fast vier Jahre vor dem Tod Ihrer Mutter geboren.«

»Aber was wäre, wenn sie immer noch mit meinem Vater ging? Und wenn das etwas mit dem Mord zu tun gehabt hätte?«

»Es gab keine Hinweise auf eine solche längere Beziehung in Rosies Vergangenheit. In dem Jahr, bevor sie starb, hatte sie mehrere Freunde, keine der Beziehungen war sehr ernst. Dadurch gab es aber keinen Spielraum für einen anderen Liebhaber.«

»Aber wenn er weggegangen und dann zurückgekommen wäre? Ich habe die Zeitungsberichte über ihre Ermordung gelesen, und da gab es einen Hinweis, dass sie mit jemandem ausging, aber niemand wusste, wer es war. Vielleicht ist mein Vater zurückgekommen, und sie wollte nicht, dass ihre Eltern erfuhren, dass sie mit dem Jungen ausging, von dem sie schwanger geworden war.« Macfadyens Stimme war eindringlich.

»Schön und gut, es ist eine Theorie. Aber wenn niemand wusste, wer der Vater des Kindes war, bringt es uns trotzdem nicht weiter.«

»Aber Sie wussten ja damals nicht, dass sie ein Kind hatte. Ich wette, Sie haben nie nachgefragt, mit wem sie vier Jahre vor dem Mord ausging. Vielleicht wussten ihre Brüder, wer mein Vater war.«

Lawson seufzte. »Ich will Ihnen keine falschen Hoffnungen machen, Mr. Macfadyen. Erstens, Brian und Colin Duff waren sehr daran interessiert, dass wir Rosies Mörder finden.« Er zählte die Argumente, die er vorbrachte, an den Fingern auf. »Wenn der Vater von Rosies Kind wieder aufgetaucht wäre, können Sie wetten, dass sie sich an uns gewendet und verlangt hätten, dass wir ihn festnehmen. Und wenn wir dem nicht nachgekommen wären, hätten sie ihm wahrscheinlich selbst die Beine gebrochen. Zumindest das.«

Macfadyen presste die Lippen zusammen. »Sie werden also diese Ermittlungsrichtung nicht verfolgen?«

»Wenn Sie erlauben, würde ich diesen Hefter mitnehmen und Kopien machen lassen und sie an die Beamtin weitergeben, die sich mit dem Fall Ihrer Mutter befasst. Es kann nicht schaden, dies in unsere Untersuchungen mit einzubeziehen, und vielleicht hilft es uns ja.«

In Macfadyens Augen leuchtete es triumphierend auf, als hätte er einen wichtigen Sieg errungen. »Sie akzeptieren also, was ich sage? Dass Rosie meine Mutter war?«

»Es sieht so aus. Obwohl wir natürlich selbst der Sache noch nachgehen müssen.«

»Sie werden also eine Blutprobe von mir haben wollen?«

Lawson runzelte die Stirn. »Eine Blutprobe?«

Macfadyen sprang auf, von einem plötzlichen Energieschub angetrieben. »Warten Sie mal«, sagte er und verließ das Zimmer. Als er zurückkam, hielt er ein dickes Taschenbuch mit einem rissigen Rücken in der Hand, das sich an einer Stelle von selbst öffnete. »Ich habe alles über den Mord an meiner Mutter gelesen, was ich finden konnte«, sagte er und streckte Lawson das Buch hin.

Lawson sah auf die Umschlagseite. *Davongekommen. Die größten ungelösten Fälle des zwanzigsten Jahrhunderts*. Rosie Duff waren fünf Seiten gewidmet. Lawson überflog den Artikel und war beeindruckt, dass die Autoren so wenige Fehler gemacht zu haben schienen. Plötzlich sah er in schmerzlicher Klarheit wieder den schrecklichen Moment vor sich, als er dagestanden und auf Rosie im Schnee hinuntergesehen hatte.

»Mir ist immer noch nicht klar, was Sie meinen«, sagte er.

»Da steht, dass an ihrem Körper und ihrer Kleidung Spuren von Sperma waren. Und dass trotz der damals noch ver-

gleichsweise einfachen Mittel durch gerichtsmedizinische Analysen festgestellt werden konnte, dass es möglicherweise von drei der Studenten hätte stammen können. Aber bei den Untersuchungen, die Ihnen heute zur Verfügung stehen, können Sie doch die DNA des Spermas mit meiner vergleichen. Wenn es von meinem Vater gewesen wäre, dann könnten Sie das feststellen.«
Lawson beschlich ein Gefühl, als wäre er durch einen Spiegel gefallen. Es war vollkommen verständlich, dass Macfadyen darauf aus war, alles über seinen Vater herauszufinden, was er konnte. Aber diese Besessenheit so weit zu treiben, dass er ihn lieber des Mordes überführen würde, als ihn überhaupt nicht zu finden, das war unnatürlich. »Falls wir überhaupt DNA-Vergleiche mit jemandem machen, dann nicht mit Ihnen«, sagte er so freundlich er konnte. »Sondern mit den vier jungen Männern, die in diesem Buch genannt werden, die Rosie gefunden haben.«
Macfadyen stürzte sich auf seine Aussage. »Sie sagten ›falls‹.«
»Falls?«
»Sie sagten, *falls* wir DNA-Vergleiche machen. Nicht *wenn* wir das tun.«
Er hatte sich im Buch geirrt. Er war nicht in *Alice hinter den Spiegeln*, sondern eindeutig in *Alice im Wunderland*. Lawson kam sich vor wie einer, der kopfüber in eine tiefe dunkle Höhle gestürzt ist, ohne festen Boden unter den Füßen zu haben. Der Schmerz im Kreuz meldete sich. Die Schmerzen und Wehwehchen mancher Leute reagieren aufs Wetter, aber Lawsons Ischiasnerv war ein genaues Stressbarometer. »Es ist sehr peinlich für uns, Mr. Macfadyen«, sagte er und zog sich hinter eine Fassade der Förmlichkeit zurück. »Irgendwann im Lauf der letzten fünfundzwanzig Jahre sind die Beweisstücke, die zum Mord Ihrer Mutter gehörten, verlegt worden.«
Auf Macfadyens Gesicht erschien ein Ausdruck zornigen Staunens. »Was meinen Sie damit, verlegt?«
»Genau das, was ich sage. Die Beweisstücke sind dreimal um-

gelagert worden. Einmal, als die Polizei in St. Andrews umzog. Dann wurde das Material ins Zentrallager im Präsidium geschickt. Und kürzlich sind wir in eine neue Abteilung für die Lagerung gezogen. Und irgendwann sind die Behälter, die die Kleider Ihrer Mutter enthielten, verlegt worden. Als wir nach ihnen gesucht haben, waren sie nicht in dem Karton, wo sie hätten sein sollen.«

Macfadyen sah aus, als hätte er am liebsten jemanden geohrfeigt. »Wie konnte das passieren?«

»Die einzige Erklärung, die ich habe, ist menschliches Versagen.« Lawson wand sich förmlich unter dem Blick wütender Verachtung, den der junge Mann ihm zuwarf. »Wir sind nicht unfehlbar.«

Macfadyen schüttelte den Kopf. »Es ist nicht die einzige Erklärung. Jemand hätte sie absichtlich entfernen können.«

»Warum sollte jemand das tun?«

»Na ja, das ist doch offensichtlich. Der Mörder würde nicht wollen, dass sie gefunden werden, oder? Jedermann weiß über DNA Bescheid. Sobald Sie angekündigt haben, dass der alte Fall wieder aufgerollt wird, muss er gewusst haben, dass seine Zeit ablief.«

»Das Beweismaterial war im Lager der Polizei hinter Schloss und Riegel. Und es sind uns keine Einbrüche gemeldet worden.«

Macfadyen lachte bitter. »Man müsste ja keinen Einbruch begehen. Man bräuchte nur der richtigen Person genug Geld unter die Nase zu halten. Jeder hat seinen Preis, selbst Polizeibeamte. Man kann ja kaum eine Zeitung aufschlagen oder den Fernseher anschalten, ohne von Hinweisen auf die Bestechlichkeit der Polizei zu hören. Vielleicht sollten Sie überprüfen, welcher Ihrer Untergebenen plötzlich in Geld schwimmt.«

Lawson wurde die ganze Sache unbehaglich. Hinter Macfadyens gesundem Menschenverstand waren Züge von Paranoia sichtbar geworden, die vorher verborgen geblieben waren. »Das ist ein sehr ernster Vorwurf«, sagte er. »Und es gibt keinerlei Grundlage dafür. Glauben Sie mir, was immer mit dem Beweismaterial zu diesem Fall passiert ist, es war menschliches Versagen.«

Macfadyen starrte ihn bockig an. »Das soll's dann also sein? Sie werden einfach dafür sorgen, dass es vertuscht wird?«

Lawson bemühte sich, versöhnlich auszusehen. »Es gibt nichts zu vertuschen, Mr. Macfadyen. Ich kann Ihnen versichern, dass die Beamtin, die den Fall bearbeitet, eine Suche im Lager durchführt. Es ist möglich, dass sie die Beweisstücke noch findet.«

»Aber nicht sehr wahrscheinlich«, sagte Macfadyen gewichtig.

»Nein«, stimmte ihm Lawson zu. »Nicht sehr wahrscheinlich.«

Ein paar Tage vergingen, bevor James Lawson die Gelegenheit hatte, wegen seines unangenehmen Gesprächs mit Rosie Duffs unehelichem Sohn etwas zu unternehmen. Er hatte kurz mit Karen Pirie gesprochen, aber sie war ziemlich pessimistisch, im Lager fündig zu werden. »Das ist ja wie 'ne Stecknadel im Heuhaufen«, hatte sie gesagt. »Wenn das in der Öffentlichkeit bekannt wäre ...«

»Dann müssen wir eben dafür sorgen, dass die Öffentlichkeit es nie erfährt«, hatte Lawson bärbeißig gesagt.

Karen war entsetzt. »Oh Gott, ja.«

Lawson hatte gehofft, dass die Scherereien mit dem Beweismaterial des Falles Duff vom Tisch sein würden. Aber diese Hoffnung schlug fehl, dank seiner eigenen Unvorsichtigkeit bei Macfadyen. Und jetzt würde er noch einmal mit allem herausrücken müssen. Wenn es jemals herauskam, dass er der Familie diese bestimmte Information vorenthalten hatte, würde sein Name überall in den Schlagzeilen stehen. Und es würde überhaupt niemandem etwas bringen.

Strathkinness hatte sich in den letzten fünfundzwanzig Jahren nicht sehr verändert, stellte Lawson fest, als er das Auto vor

Caberfeidh Cottage abstellte. Es gab einige neue Häuser, aber zum größten Teil war das Dorf trotz der Überredungskünste der Baufirmen unbeschadet geblieben. Eigentlich überraschend, dachte er. Die schöne Lage prädestinierte es geradezu für irgendein Hotel im Landhausstil, das die Golfspieler als Zielgruppe ansprach. Doch wie sehr sich die Bewohner auch geändert haben mochten, das Dorf wirkte immer noch wie ein Arbeiterort.

Er schob das Tor auf und bemerkte, dass der Vorgarten genauso gepflegt war wie damals, als Archie Duff noch lebte. Vielleicht strafte Brian die, die ihm ein Lotterleben vorausgesagt hatten, Lügen und war wie sein Vater geworden. Lawson läutete und blieb wartend stehen.

Der Mann, der die Tür öffnete, war gut in Form. Lawson wusste, dass er Mitte vierzig war, aber Brian Duff schien zehn Jahre jünger. Seine Haut sah gesund aus wie bei jemandem, der gern und viel im Freien ist, sein kurzes Haar war ziemlich voll, und unter seinem T-Shirt ahnte man eine breite Brust und kaum Fettansatz an seinem Waschbrettbauch. Im Vergleich zu ihm sah Lawson wie ein alter Mann aus. »Ach, Sie sind es«, sagte er.

»Beweise zurückzuhalten könnte als Behinderung der Polizeiarbeit angesehen werden. Und das ist strafbar.« Lawson wollte mit Brian Duff nicht lange fackeln.

»Ich weiß nicht, wovon Sie sprechen. Aber ich habe mir zwanzig Jahre lang nichts zuschulden kommen lassen. Es gibt keinen Grund, weshalb Sie hierher kommen und mit Anschuldigungen um sich werfen sollten.«

»Ich schaue weiter zurück als zwanzig Jahre, Brian. Ich spreche von der Ermordung Ihrer Schwester.«

Brian Duff zuckte nicht mit der Wimper. »Ich habe gehört, Sie wollten sich nach 'nem großen Auftritt zur Ruhe setzen und sammeln Ihr Fußvolk, um vorher noch Ihre alten Fehler auszubügeln.«

»Das war nicht mein Fehler. Ich war ja bloß ein Bobby auf

Streife damals. Lassen Sie mich reinkommen, oder sollen wir das hier abwickeln, wo alle es sehen?«

Duff zuckte die Schultern. »Ich hab nichts zu verbergen. Aber Sie können ruhig reinkommen.«

Innen war das kleine Haus umgebaut. Das Wohnzimmer war geräumig, hell gestrichen und offensichtlich von jemandem mit Sinn für geschmackvolle Innenausstattung eingerichtet.

»Ich habe Ihre Frau nie kennen gelernt«, sagte Lawson und folgte Duff in die moderne Küche, die durch einen wintergartenähnlichen Anbau doppelt so groß wie zuvor war.

»Das wird sich auch wahrscheinlich nicht ändern. Sie kommt erst in einer Stunde.« Duff öffnete den Kühlschrank und nahm eine Dose Bier heraus, zog den Verschluss hoch und lehnte sich an den Herd. »Wovon sprechen Sie also? Beweise zurückhalten?« Scheinbar war er ganz mit seiner Dose Bier beschäftigt, aber Lawson spürte, dass Duff so wachsam wie eine Katze in einem fremden Garten war.

»Keiner von euch hat je Rosies Sohn erwähnt«, sagte er.

Diese unverblümte Feststellung brachte keine sichtbare Reaktion. »Das war, weil es nichts mit dem Mord zu tun hatte«, sagte Duff, und seine Schultern spannten sich nervös.

»Meinen Sie nicht, die Entscheidung hätten Sie uns überlassen sollen?«

»Nein. Das war Privatsache. Es war Jahre zuvor passiert. Der Junge, mit dem sie ausging, wohnte nicht einmal mehr in der Gegend hier. Und niemand außerhalb der Familie wusste etwas von dem Kind. Wie hätte es etwas mit ihrem Tod zu tun haben können? Wir wollten nicht, dass ihr Name in den Schmutz gezogen wurde, denn das wäre passiert, wenn euer Verein es erfahren hätte. Ihr hättet sie als Schlampe hingestellt, die das bekam, was sie verdient hatte. Alles wäre euch recht gewesen, um die Aufmerksamkeit von der Tatsache abzulenken, dass ihr eure Aufgabe nicht lösen konntet.«

»Das stimmt nicht, Brian.«

»Doch. Ihr hättet es an die Zeitungen durchsickern lassen. Und sie hätten Rosie zum Flittchen des Orts abgestempelt. So war sie nicht, das wissen Sie ja wohl.«

Lawson verzog dazu nur leicht das Gesicht. »Ich weiß, dass sie das nicht war. Aber Sie hätten es uns sagen sollen. Es hätte vielleicht eine Auswirkung auf die Ermittlungen haben können.«

»Es hätte nichts gebracht.« Duff nahm einen langen Schluck aus seiner Bierdose. »Wie haben Sie das nach so langer Zeit herausgefunden?«

»Rosies Sohn hat im Gegensatz zu Ihnen ein soziales Gewissen gezeigt. Als er in den Zeitungen einen Artikel über die Wiederaufnahme ungelöster Fälle gesehen hat, ist er zu uns gekommen.«

Diesmal war eine Reaktion festzustellen. Duff erstarrte, als er seine Bierdose gerade halbwegs angesetzt hatte, und stellte sie unvermittelt auf die Arbeitsfläche. »Verdammt noch mal!«, fluchte er. »Was ist denn da gelaufen?«

»Er hat die damalige Leiterin des Heims gefunden, in dem Rosie entbunden hat. Sie hat ihm von dem Mord erzählt. Er will den Mörder seiner Mutter genauso dringend finden wie Sie.«

Duff schüttelte den Kopf. »Das kann ich kaum glauben. Weiß er, wo wir wohnen, ich und Colin?«

»Er weiß, dass Sie hier leben und dass Colin ein Haus in Kingbarns hat, obwohl er meistens draußen auf der Nordsee ist. Er sagt, er hätte Sie beide über das Zentralarchiv gefunden. Was wahrscheinlich stimmt. Es gibt keinen Grund, warum er lügen sollte. Ich habe ihm gesagt, ich meinte nicht, dass Sie sich besonders freuen würden, ihn kennen zu lernen.«

»Wenigstens damit haben Sie recht. Vielleicht wäre es anders gewesen, wenn Sie es geschafft hätten, ihren Mörder ins Gefängnis zu bringen. Aber ich will jedenfalls nicht an diesen Teil von Rosies Leben erinnert werden.« Er rieb sich mit dem

Handrücken das Auge. »Also, werden Sie jetzt endlich diese verfluchten Studenten festsetzen?«
Lawson trat von einem Fuß auf den anderen. »Wir wissen nicht, ob sie es waren, Brian. Ich habe immer geglaubt, dass es einer von außerhalb getan hat.«
»Ach, lassen Sie mich doch mit dem Mist in Ruhe. Sie wissen ganz genau, dass sie verdächtigt wurden. Sie müssen sie noch mal unter die Lupe nehmen.«
»Wir tun unser Bestes. Aber es sieht nicht gut aus.«
»Jetzt können Sie ja die DNA analysieren lassen. Das macht doch bestimmt einen Unterschied. Sie hatte Sperma an der Kleidung.«
Lawson wandte den Blick ab und bemerkte einen Magnethalter am Kühlschrank, der aus einem Foto gemacht war. Rosie Duff strahlte ihn nach all den Jahren an und löste Schuldgefühle aus, die ihn wie mit Nadeln stachen. »Es gibt da ein Problem«, sagte er und bangte schon vor dem, was als Nächstes kommen musste.
»Was für ein Problem?«
»Die Beweisstücke wurden verlegt.«
Duff richtete sich mit einem Ruck auf, gespannt bis in die Zehenspitzen. »Ihr habt die Beweisstücke verloren?« In seinen Augen blitzte die Wut auf, an die sich Lawson deutlich erinnerte, obwohl seither so viel Zeit vergangen war.
»Ich habe nicht gesagt verloren. Ich sagte verlegt. Sie sind nicht da, wo sie sein sollten. Wir ziehen alle Register, um sie zu finden, und ich bin zuversichtlich, dass wir sie finden werden. Aber im Moment sind wir aufgeschmissen.«
Duff ballte die Fäuste. »Diese vier Mistkerle sind also immer noch in Sicherheit?«

Während seines als Erholung geplanten Anglerurlaubs wirkte Duffs Wutausbruch noch einen Monat lang tief in Lawsons Brust nach. Seit damals hatte er nichts von Rosies Bruder gehört. Aber ihr Sohn hatte ihm regelmäßige Besuche abgestattet. Und das Wissen um den gerechten Zorn der Brüder machte Lawson doppelt bewusst, dass er in dem wieder aufgerollten Fall zu irgendeinem Ergebnis kommen musste. Der Jahrestag von Rosies Tod hatte ihn diese Notwendigkeit noch stärker spüren lassen. Mit einem Seufzer schob er seinen Stuhl zurück und ging in den Einsatzraum.

22

Alex starrte den Eingang zu seiner Einfahrt an, als hätte er sie nie zuvor gesehen. Er hatte keine Erinnerung an die Fahrt von Edinburgh über die Forth-Brücke nach North Queensferry hinunter. Ganz benommen fuhr er den Wagen hinein und stellte ihn hinten auf der gepflasterten Parkfläche ab, damit näher am Haus noch genug Platz für Lynns Auto blieb.

Das quadratische Steinhaus stand auf einer Klippe in der Nähe der schweren Pfeiler der Eisenbahnbrücke. Es war so nah am Meer, dass der Schnee sich in der salzigen Luft nicht lange hielt. Im Schneematsch ging es sich unsicher, und Alex verlor vom Wagen bis zur Haustür zweimal fast das Gleichgewicht. Nachdem er seine Schuhe abgetreten und dem miesen Wetter die Tür vor der Nase zugeschlagen hatte, rief er als Erstes Lynn auf ihrem Handy an und hinterließ die Nachricht, sie solle auf dem Heimweg vorsichtig fahren.

In der Diele warf er einen Blick auf die Standuhr und schaltete im Vorbeigehen das Licht an. Es kam nicht oft vor, dass er an einem Wochentag im Winter bei Tageslicht nach Hause kam, aber heute war es so bewölkt, dass er das Gefühl hatte, es sei später, als es wirklich war. Es würde mindestens noch eine Stunde dauern, bis Lynn kam. Er brauchte Gesellschaft, würde sich aber bis dahin mit dem Trost aus der Flasche begnügen müssen.

Im Esszimmer goss sich Alex einen Brandy ein. Keinen großen, ermahnte er sich selbst. Sich zu betrinken würde alles nur noch schlimmer, nicht besser machen. Er nahm sein Glas, ging in den großen Wintergarten, von dem man einen Rundblick auf den Firth of Forth hatte, und saß in der grauen Düsternis, ohne auf die Positionslampen der Schiffe zu achten, die auf dem Wasser funkelten. Er wusste nicht, wie er mit der Nachricht dieses Nachmittags umgehen sollte.

Niemand schafft es, sechsundvierzig zu werden, ohne einen Verlust zu erleiden. Aber Alex hatte mehr Glück gehabt als die meisten anderen. Gut, er hatte zwischen zwanzig und dreißig die Beerdigung aller vier Großeltern miterlebt. Aber das erwartete man von Leuten, die auf die achtzig oder neunzig zugingen, und auf die eine oder andere Weise waren alle vier Todesfälle das gewesen, was die Lebenden eine »willkommene Erlösung« nannten. Seine beiden Eltern und die Schwiegereltern lebten noch, und bis heute hatte das auch für alle seine guten Freunde gegolten. Am meisten hatte ihn die direkte Bekanntschaft mit dem Tod betroffen gemacht, als zwei Jahre zuvor sein leitender Drucker bei einem Unfall umgekommen war. Alex war zwar traurig gewesen, dass er den Mann verlor, den er gemocht und auf den er sich im Berufsleben hatte verlassen können, aber er wollte keine Trauer vorspielen, die er nicht empfand.

Bei dieser Sache war es anders. Ziggy war seit über dreißig Jahren Teil seines Lebens gewesen. Sie hatten jede Entwicklungsphase zusammen durchlebt und konnten sich in ihrer Erinnerung daran jeweils aufeinander berufen. Ohne Ziggy fühlte er sich wie von seiner eigenen Geschichte abgeschnitten. Alex dachte an ihr letztes Treffen zurück. Er und Lynn hatten im Spätsommer zwei Wochen in Kalifornien verbracht. Ziggy und Paul waren mit ihnen zusammen drei Tage im Yosemite Park gewandert. Vor dem strahlend blauen Himmel hoben sich im Sonnenlicht die erstaunlichen Bergformationen als klare Silhouette wie die mit Säure auf einer Kupferplatte eingeritzten deutlichen Details einer Radierung ab. An ihrem letzten gemeinsamen Abend waren sie über Land an die Küste gefahren und hatten in einem Hotel auf einer Klippe übernachtet, von dem man auf den Pazifik hinaussah. Nach dem Abendessen zogen sich Alex und Ziggy mit einem Sechserpack von einer kleinen Brauerei am Ort in den Whirlpool zurück und beglückwünschten sich, wie gut sie ihr Leben eingerichtet hatten. Sie sprachen über Lynns Schwangerschaft, und Alex freute sich, dass Ziggy offensichtlich so davon begeistert war.

»Darf ich Pate sein?«, hatte er gefragt und mit seiner bernsteinfarbenen Bierflasche mit Alex angestoßen.

»Ich glaube, wir werden keine Taufe feiern«, sagte Alex. »Aber wenn die Eltern uns dazu drängen, wüsste ich niemanden, den ich lieber wollte.«

»Du wirst es nicht bereuen«, sagte Ziggy.

Und Alex wusste, dass er es nie bereut hätte. Keine Sekunde. Aber das war etwas, was jetzt nie Wirklichkeit werden würde.

Am folgenden Morgen hatten Ziggy und Paul früh die lange Fahrt zurück nach Seattle angetreten. Im perlgrauen Licht der Morgendämmerung hatten sie auf der Veranda ihrer Hütte gestanden und sich zum Abschied umarmt. Auch das war etwas, was nie wieder geschehen würde.

Was hatte Ziggy zuletzt aus dem Fenster des Geländewagens gerufen, als sie den Pfad hinunterfuhren? Etwas darüber, dass Alex Lynn alle Wünsche erfüllen solle, um sich so schon mal an seine Vaterrolle zu gewöhnen. An die genauen Worte konnte er sich ebenso wenig wie an die Antwort erinnern, die er ihnen nachgerufen hatte.

Aber es war typisch für Ziggy, dass es bei seinen letzten Worten um die Sorge für einen anderen Menschen ging. Denn Ziggy war immer derjenige gewesen, der sich um die anderen kümmerte.

In jeder Gruppe gibt es einen Menschen, der als Fels in der Brandung den schwächeren Mitgliedern des Stammes Schutz gewährt, damit sie ihre eigene Stärke nach und nach entwickeln. Für die Laddies fi' Kirkcaldy war das immer Ziggy gewesen. Dabei war er nicht herrisch und darauf aus, alles zu dominieren. Sondern er hatte einfach eine natürliche Begabung für diese Rolle, und die anderen drei waren die Nutznießer von Ziggys Fähigkeit, für alles Lösungen zu finden. Selbst als sie schon erwachsen waren, war es immer Ziggy gewesen, an den sich Alex wandte, wenn er Verständnis brauchte. Als er den folgenschweren Schritt von der abhängigen Arbeit zum Wagnis der Gründung einer eigenen Firma überdachte, waren sie ein Wochenende in New York gewesen und hatten die Vor- und Nachteile gegeneinander abgewogen, und Alex musste ehrlich zugeben, dass Ziggys Glaube an seine Fähigkeiten eher als Lynns Überzeugung, dass er Erfolg haben würde, den Ausschlag gegeben hatte.

Auch das würde nie wieder so sein.

»Alex?« Die Stimme seiner Frau unterbrach seine gedankenverlorenen Grübeleien. Er war so vertieft gewesen, dass er weder ihren Wagen noch ihre Schritte gehört hatte. Er wandte sich halb um, wobei er den leichten Duft ihres Parfüms roch.

»Warum sitzt du im Dunkeln? Und warum bist du so früh zu Hause?« Es lag kein Vorwurf in ihrer Stimme, nur Sorge.

Alex schüttelte den Kopf. Er wollte ihr die schlimme Neuigkeit nicht mitteilen.

»Etwas stimmt doch nicht«, beharrte Lynn, ging dabei auf ihn zu und setzte sich auf den Sessel neben ihm. Sie legte eine Hand auf seinen Arm. »Alex? Was ist los?«

Als er hörte, wie besorgt sie war, ließ die betäubende Wirkung des Schocks plötzlich nach. Ein brennender Schmerz durchfuhr ihn und nahm ihm einen Moment den Atem. Er sah Lynns besorgten Blick und wand sich innerlich. Wortlos streckte er die Hand aus und legte sie auf ihren gewölbten Bauch.

Lynn legte ihre Hand darüber.

»Alex … sag mir, was passiert ist.«
Seine Stimme klang ihm selbst ganz fremd, kratzig und gebrochen, wie ein hohler Nachklang seiner sonstigen Sprechweise. »Ziggy«, brachte er heraus. »Ziggy ist tot.«
Lynn öffnete den Mund und runzelte ungläubig die Stirn. »Ziggy?«
Alex räusperte sich. »Es ist wahr«, sagte er. »Es hat gebrannt. Das Haus. Nachts.«
Lynn zitterte. »Nein. Nicht Ziggy. Das muss ein Irrtum sein.«
»Nein, es ist kein Irrtum. Paul hat es mir gesagt. Er hat angerufen, um es mir zu sagen.«
»Wie ist das möglich? Er und Ziggy, sie schliefen doch im gleichen Bett. Wie kann es Paul gut gehen, und Ziggy ist tot?« Lynns Stimme war laut, ihre Skepsis hallte im Wintergarten wider.
»Paul war nicht dort. Er hat einen Gastvortrag in Stanford gehalten.« Alex schloss die Augen bei dem Gedanken. »Er flog morgens zurück. Fuhr direkt vom Flughafen nach Hause. Und fand die Feuerwehrleute und die Polizisten, die in dem herumstocherten, was ihr Haus gewesen war.«
An Lynns Wimpern hingen stumme Tränen. »Das muss ja … oh, mein Gott. Ich kann es nicht fassen.«
Alex verschränkte die Arme vor der Brust. »Man glaubt nicht, dass die Menschen, die man liebt, so verletzlich sind. Gerade sind sie noch da und eine Minute später nicht mehr.«
»Haben sie irgendeine Ahnung, was passiert ist?«
»Sie haben Paul mitgeteilt, es sei noch zu früh, um es feststellen zu können. Aber er sagte, sie hätten ihm einige sehr gezielte Fragen gestellt. Er glaubt, es sieht vielleicht verdächtig aus, dass er gerade weg war, und sie denken, es passe ein bisschen zu gut.«
»Oh Gott, der arme Paul.« Lynn presste die Finger im Schoß aneinander. »Ziggy zu verlieren, das ist ja schon die Hölle.

Aber noch dazu die Polizei im Nacken zu haben ... Armer, armer Paul.«

»Er hat mich gebeten, es Weird und Mondo zu sagen.« Alex schüttelte den Kopf. »Ich hab's noch nicht tun können.«

»Ich rufe Mondo an«, sagte Lynn. »Aber später. Schließlich wird mir ja kein anderer zuvorkommen.«

»Nein, ich sollte ihn anrufen. Ich habe Paul gesagt ...«

»Er ist mein Bruder. Ich weiß, wie er ist. Aber du wirst dich mit Weird befassen müssen. Ich glaube, ich könnte es jetzt nicht ertragen, wenn er mir sagen würde, dass Jesus mich liebt.«

»Ich weiß. Aber irgendjemand sollte es ihm sagen.« Alex lächelte bitter. »Er wird wahrscheinlich beim Begräbnis die Predigt halten wollen.«

Lynn sah ihn entsetzt an. »Bloß nicht. Das darfst du nicht zulassen.«

»Ich weiß.« Alex beugte sich vor und hob sein Glas. Er trank die letzten Tropfen seines Brandys. »Weißt du, welcher Tag heute ist?«

Lynn erstarrte. »Oh, um Gottes willen.«

Reverend Tom Mackie legte den Hörer auf und fuhr über das vergoldete Silberkreuz auf seiner lila Seidensoutane. Seine amerikanische Gemeinde fand es toll, einen britischen Pfarrer zu haben, und da sie Schotten und Engländer sowieso immer durcheinanderwarfen, befriedigte er ihr Bedürfnis nach Prunk mit dem üppigsten Dekor der anglikanischen Kirche. Es war ein eitles Unterfangen, das gab er zu, aber im Grunde war es harmlos.

Da seine Sekretärin heute schon früher gegangen war, konnte er sich in der Einsamkeit des leeren Büros seiner verwirrten Reaktion auf Ziggy Malkiewicz' Tod stellen, ohne sich der Öffentlichkeit zeigen zu müssen. Zwar gebrach es Weird bei der Ausübung seines geistlichen Amtes nicht an zynischer Manipulation, aber seine Glaubenssätze, die seine seelsorgerische

Macht untermauerten, waren aufrichtig und von tiefer Frömmigkeit. Und er wusste im Grunde seines Herzens, dass Ziggy ein Sünder war, vom Makel der Homosexualität unwiderruflich befleckt. In Weirds fundamentalistischer Welt gab es keinen Zweifel daran. Die Bibel machte klare Aussagen zum Verbot dieser Sünde und dem Abscheu davor. Selbst wenn Ziggy ehrliche Reue gezeigt hätte, wäre Rettung nur schwerlich zu erreichen gewesen, aber soweit Weird wusste, war Ziggy so gestorben, wie er gelebt hatte, in der Hingabe an seine Sünde. Zweifellos entsprach die Art und Weise, wie er gestorben war, irgendwie den Ausschweifungen seines Lebens. Der Zusammenhang wäre besser zu erkennen gewesen, wenn der Herr ihm die Geißel Aids geschickt hätte. Aber Weird hatte im Stillen schon ein Szenario geschaffen, das Ziggy und seinen eigenen gefährlichen Entscheidungen die Schuld gab. Vielleicht hatte irgendeine Eroberung gewartet, bis Ziggy schlief, um ihn auszurauben, und hatte dann das Feuer gelegt, um das Verbrechen zu vertuschen. Vielleicht hatten sie Marihuana geraucht, und ein schwelender Joint war die Ursache des Brandes gewesen.

Wie immer es auch geschehen war, Ziggys Tod war jedenfalls eine Erinnerung für Weird, dass man die Sünde hassen und doch den Sünder lieben konnte. Dass ihre Freundschaft real gewesen war, ließ sich nicht leugnen. Sie hatte sie durch ihre Jugendjahre getragen, als er selbst mit seinem stürmischen Wesen für das Licht blind und wirklich noch »Weird« – also absonderlich – gewesen war. Ohne Ziggy hätte er es nie geschafft, als Jugendlicher nicht in ernsthafte Schwierigkeiten zu geraten. Oder es wäre noch Schlimmeres geschehen.

Ohne Stichwort spulte seine Erinnerung sofort eine ganze Sequenz im Rückblick ab. Winter 1972. Das Jahr, in dem sie die Prüfungen zum Abschluss der Mittelstufe machten. Alex hatte sein Talent zum Aufbrechen von Autos ohne Beschädigung des Schlosses entwickelt. Man brauchte dazu einen biegsamen

Metallstreifen und viel Geschicklichkeit. Es gab ihm die Möglichkeit zur Anarchie, ohne wirklich kriminelle Handlungen zu begehen. Der Ablauf war recht einfach. Zwei verbotene Carlsberg Special in der Harbour Bar, dann brachen sie auf zu einem Streifzug durch die Nacht. Sie brachen zwischen dem Pub und der Bushaltestelle wahllos ein halbes Dutzend Autos auf. Alex steckte sein Metallband in die Autotür und ließ das Schloss aufspringen. Dann stieg Ziggy oder Weird ein und kritzelte ihre Nachricht innen auf die Windschutzscheibe. Und zwar schrieben sie den Refrain aus Bowies »Laughing Gnome« mit rotem, zuvor im Drogeriemarkt geklautem Lippenstift, den zu entfernen nur mit höllischer Anstrengung gelang. Dies brachte die vier immer so zum Lachen, dass sie nicht mehr aufhören konnten.

Dann stolperten sie weiter, albern kichernd, aber darauf achtend, dass sie die Autotür hinter sich abschlossen. Es war ein Spiel, das zugleich dumm und gewieft war.

Eines Nachts hatte sich Weird hinter das Steuer eines Ford Escort gesetzt. Während Ziggy schrieb, hatte er den Aschenbecher herausgezogen und starrte mit Entzücken auf den Reserveschlüssel. Da er wusste, dass sie Diebstahl nicht im Programm hatten und dass Ziggy ihn aufhalten und ihm den Spaß verderben würde, hatte Weird gewartet, bis sein Freund ausgestiegen war, hatte dann den Schlüssel ins Zündschloss gesteckt und den Motor angelassen. Er knipste die Scheinwerfer an und sah den Schock auf den Gesichtern der anderen drei. Aber da er die Möglichkeit zum absoluten Chaos sah, ließ Weird sich hinreißen. Er war noch nie Auto gefahren, wusste aber theoretisch, wie es ging, und hatte seinem Vater so oft zugesehen, dass er überzeugt war, er könnte es schaffen. Knirschend legte er den Gang ein, lockerte die Handbremse und fuhr unter rüttelnden Stößen los.

In ruckweisen Sätzen schoss er wie ein Känguru über den Parkplatz auf den Ausgang zu, der ihn auf die Promenade führte, den zwei Meilen langen Streifen an der Kaimauer und der See entlang. Die Straßenbeleuchtung war ein orangefarbener Schleier, die roten Buchstaben der Schrift auf der Windschutzscheibe sahen schwarz aus, während er weiterfuhr und dabei krachend hochschaltete. Er konnte vor Lachen kaum geradeaus steuern.

Unglaublich schnell war er am Ende der Promenade angekommen, riss das Steuerrad nach rechts und schaffte es irgendwie, die Kontrolle zu behalten, als er abbog und um das Busdepot herumfuhr. Gott sei Dank waren wenige Autos auf der Straße, die meisten Leute hatten an diesem kalten und frostigen Abend im Februar beschlossen, zu Hause zu bleiben. Er drückte den Fuß auf das Gaspedal, schoss die Invertiel Road hinauf, unter der Eisenbahnbrücke durch und an der Jawbanes Road vorbei.

Das Tempo wurde ihm zum Verhängnis. Als die Straße anstieg und auf eine Linkskurve zulief, fing Weird plötzlich auf einer eisbedeckten Pfütze an zu schleudern. Die Zeit schien fast still zu stehen, und der Wagen drehte sich wie in einem langsamen Tanz um dreihundertsechzig Grad. Er riss am Steuerrad, aber das machte alles nur noch schlimmer. Vor der Windschutzscheibe erschien eine steile, grasbewachsene Böschung, dann lag das Auto plötzlich auf der Seite, und er wurde gegen die Tür geschleudert, wobei sich ihm der Griff, mit dem man das Fenster herunterdrehte, in die Rippen bohrte.

Er hatte keine Ahnung, wie lange er da lag, benommen und unter Schmerzen auf das Knacken des ausgegangenen Motors horchend, der in der Nachtluft abkühlte. Das Nächste, was er wahrnahm, war, dass die Tür über seinem Kopf verschwand und stattdessen Alex und Ziggy erschienen, die mit erschrockenen Gesichtern auf ihn herunterstarrten. »Du verflixter Idiot«, schrie Ziggy, sobald er merkte, dass Weird mehr oder weniger unversehrt war.

Irgendwie gelang es ihm, sich aufzurichten, während sie ihn herauszogen und er vor Schmerzen schrie, als sich die gebrochenen Rippen meldeten. Er lag keuchend auf dem raureifüberzogenen Gras, jeder Atemzug ein Messerstich. Es dauerte eine Minute oder so, bis er merkte, dass auf der Straße hinter dem beschädigten Escort, dessen Scheinwerferlicht durch die Dunkelheit drang und merkwürdige Schatten warf, ein Austin Allegro parkte.

Ziggy hatte Weird hochgezogen, bis er stand, und über den Grasstreifen hinuntergeschleppt. »Du verdammter Idiot«, sagte er immer wieder, während er ihn auf den Rücksitz des Allegro setzte. Von den Schmerzen völlig benommen hörte Weird der Diskussion zu.

»Was machen wir jetzt?«, fragte Mondo.

»Alex fährt euch alle zurück zur Promenade, und du stellst dieses Auto wieder dort ab, wo wir es gefunden haben. Dann geht ihr nach Hause. Okay?«

»Aber Weird ist doch verletzt«, protestierte Mondo. »Er muss ins Krankenhaus.«

»Ja, stimmt. Machen wir's doch überall bekannt, dass er einen Autounfall hatte.« Ziggy beugte sich in den Wagen und hielt eine Hand vor Weirds Gesicht. »Wie viele Finger, Döskopf?«

Halb weggetreten sah Weird hin. »Zwei«, krächzte er.

»Siehst du? Er hat nicht mal 'ne Gehirnerschütterung. Erstaunlich. Aber ich dachte ja schon immer, dass er nur Beton zwischen den Ohren hat. Es geht nur um seine Rippen, Mondo. Im Krankenhaus geben sie ihm auch nur Schmerztabletten.«

»Aber er hat doch furchtbare Schmerzen ... Was soll er sagen, wenn er nach Hause kommt?«

»Das ist sein Problem. Er kann ja sagen, er sei die Treppe runtergefallen. Irgendwas.« Er beugte sich wieder zu ihm hin. »Du wirst es einfach aushalten und gute Laune heucheln müssen, Döskopf.«

Weird drückte sich ächzend hoch. »Ich werd's schon schaffen.«

»Und was machst du?«, fragte Alex, während er sich ans Steuer des Allegro setzte.
»Ich geb euch fünf Minuten zu verschwinden. Dann brenne ich dieses Auto an.«
Nach dreißig Jahren konnte sich Weird noch an Alex' geschockten Blick erinnern. »Was?«
Ziggy fuhr sich mit der Hand übers Gesicht. »Da sind doch überall unsere Fingerabdrücke dran. Und unser Markenzeichen auf der Windschutzscheibe. Als wir nur auf die Scheiben gekritzelt haben, hat die Polizei uns nichts getan. Aber hier ist ein gestohlenes, kaputtes Auto. Meinst du, sie werden das als Witz betrachten? Wir müssen es ausbrennen lassen. Es ist sowieso ein Totalschaden.«
Es gab kein stichhaltiges Argument dagegen. Alex ließ ohne Schwierigkeiten den Motor an, fuhr los und suchte nach einer Seitenstraße, auf der er wenden konnte. Erst Tage später fiel es Weird ein, ihn zu fragen: »Wo hast du denn fahren gelernt?«
»Letzten Sommer. Am Strand in Barra. Mein Cousin hat es mir beigebracht.«
»Und wie hast du den Allegro ohne Schlüssel angelassen?«
»Hast du das Auto nicht wiedererkannt?«
Weird schüttelte den Kopf.
»Es gehört ›Sammy‹ Seale.«
»Dem Werklehrer?«
»Genau.«
Weird grinste. Das Erste, was sie bei ihm im Werkunterricht gemacht hatten, war ein magnetisiertes Kästchen, das man mit einem Reserveschlüssel am Fahrgestell eines Autos befestigen konnte. »Das war aber Glück.«
»Ja, für dich, du Hohlkopf. Ziggy hat's entdeckt.«
Wie anders das alles hätte sein können, überlegte Weird. Ohne Ziggy, der ihm zu Hilfe kam, wäre er in einer Zelle gelandet, wäre vorbestraft und sein Leben ruiniert gewesen. Statt ihn den Folgen seiner eigenen Dummheit zu überlassen, hatte

Ziggy Mittel und Wege gefunden, ihn zu retten. Und dabei hatte er sich selbst aus dem Fenster gelehnt. Ein Auto anzuzünden war schon eine große Sache für einen im Grunde gesetzestreuen, ehrgeizigen Jungen. Aber Ziggy hatte nicht gezögert.

Weird musste jetzt also diesen Gefallen und noch viele andere erwidern. Er würde bei Ziggys Begräbnis sprechen und über Reue und Vergebung predigen. Es war zu spät, um Ziggy zu retten, aber mit Gottes Gnade konnte er vielleicht einer anderen umnachteten Seele helfen.

23

Warten war eines der Dinge, die Graham Macfadyen am besten konnte. Sein Adoptivvater war ein leidenschaftlicher Hobby-Ornithologe gewesen. In seiner Jugend zwang er ihn, in den Pausen zwischen dem Erscheinen der Vögel, die interessant genug waren, dass sich ein Heben des Fernglases lohnte, viel Zeit mit Warten totzuschlagen. Er hatte früh gelernt, sich ruhig zu verhalten, denn er tat alles, um dem scharfen, bösen Sarkasmus seines Vaters auszuweichen. Die Wunden, die ihm der Tadel einbrachte, waren genauso tief wie handfeste Schläge, und Macfadyen tat alles in seiner begrenzten Macht, um ihm zu entgehen. Er hatte schon früh gelernt, dass er mit Hilfe des Tricks, sich dem Wetter entsprechend anzuziehen, besser klarkam. So fühlte er sich in seinem Daunenparka, seiner wasserdichten fleecegefütterten Hose und seinen schweren Wanderstiefeln immer noch wohl, obwohl er den größten Teil des Tages dem Schneegestöber und dem kalten Nordwind standhalten musste. Er war sehr dankbar für den Jagdstock, den er mitgebracht hatte, denn sein Aussichtsposten bot keine Gelegenheit zum Sitzen außer den Grabsteinen. Und sich darauf zu setzen schien ihm ungehörig.

Er hatte sich freigenommen. Das hieß, dass er lügen musste, aber das ließ sich nicht ändern. Er wusste, dass er die Kollegen hängen ließ und dass durch sein Fehlen vielleicht ein drängender Termin verpasst wurde. Aber manche Dinge waren eben wichtiger als der Zahlungstermin, der im Vertrag stand. Und niemand würde jemanden, der so gewissenhaft wie er war, eines falschen Vorwands verdächtigen. Lügen war, genauso wie die Fähigkeit, sich anzupassen und ruhig zu verhalten, etwas, was er gut konnte. Er glaubte nicht, dass Lawson es auch nur im Mindesten bezweifelte, als er behauptet hatte, seine Adoptiveltern gern gehabt zu haben. Und weiß Gott, er hatte ja auch versucht, sie zu lieben. Aber ihre Gefühlskälte, die Zermürbung durch die Enttäuschungen und ihre ständige Missbilligung hatten seine Gefühle aufgerieben, und er war am Ende nur noch betäubt und einsam gewesen. Er war sicher, dass es bei seiner richtigen Mutter ganz anders gewesen wäre. Aber die Chance, das herauszufinden, war ihm genommen worden, und jetzt blieb ihm nichts als die Wunschvorstellung, irgendwie dafür zu sorgen, dass jemand dafür büßen musste. Dem Gespräch mit Lawson hatte er mit solch großer Hoffnung entgegengesehen. Aber die Unfähigkeit der Polizei zog ihm geradezu den Boden unter den Füßen weg. Trotzdem hieß das nicht, dass er, nur weil der klar vor ihm liegende Weg blockiert war, sein Streben einstellen sollte. Schließlich hatte er beim jahrelangen Programmieren Ausdauer gelernt.

Er war nicht sicher, ob sich sein Wachestehen lohnen würde, aber er fühlte sich hierher gezogen. Wenn es nicht funktionierte, würde er eine andere Möglichkeit finden, das zu bekommen, was er wollte. Kurz nach sieben war er gekommen und zum Grab gegangen. Früher war er schon einmal da gewesen, wurde aber enttäuscht, da kein Gefühl der Nähe zu der Mutter in ihm aufkam, die er nie gekannt hatte. Dieses Mal legte er den diskreten Blumengruß vor dem Grabstein ab und ging dann zu dem bei seinem letzten Besuch ausgekundschafteten Aussichtspunkt. Er würde großenteils von der reich verzierten Grabstätte eines Stadtrats verdeckt sein und doch einen direkten Blick auf Rosies letzten Ruheplatz haben.

Jemand würde kommen. Er war ganz sicher. Aber jetzt, als die Zeiger seiner Uhr sich auf die Sieben zubewegten, begann er zu zweifeln. Es war ihm scheißegal, dass Lawson ihm gesagt hatte, er solle sich von seinen Onkeln fernhalten. Er würde den Kontakt herstellen, denn er war der Meinung, dass die Annäherung an einem so bedeutsamen Ort ihre feindlichen Gefühle verdrängen und sie ihn als jemanden sehen würden, der wie sie ein Recht darauf hatte, sich als zu Rosies Familie gehörig zu betrachten. Jetzt sah es allerdings so aus, als hätte er sich verrechnet. Der Gedanke machte ihn wütend.

Aber in dem Moment sah er einen dunkleren Schatten, der sich vor den Gräbern abhob. Es zeigte sich, dass es die Umrisse eines Mannes waren, der auf dem Weg schnell auf ihn zukam. Macfadyen zog scharf die Luft ein.

Den Kopf wegen des Wetters gesenkt, verließ der Mann den Weg und verfolgte ohne Zögern eine Route zwischen den Gräbern. Als er näher kam, sah Macfadyen, dass er ein kleines Blumensträußchen trug. Der Mann verlangsamte seine Schritte und blieb etwa anderthalb Meter vor Rosies Grabstein stehen. Als er sich bückte, um die Blumen hinzulegen, trat Macfadyen vor, wobei der Schnee seine Schritte dämpfte.

Der Mann richtete sich auf, trat einen Schritt zurück und rempelte dabei Macfadyen an. »Was zum …«, rief er aus und drehte sich auf dem Absatz um.

Macfadyen hielt die Hände mit einer beschwichtigenden Geste hoch. »Tut mir leid. Ich wollte Sie nicht erschrecken.« Er schob die Kapuze seines Parkas nach hinten, damit er weniger bedrohlich aussah.

Der Mann sah ihn finster an und starrte ihm, den Kopf zur Seite gelegt, eindringlich ins Gesicht. »Kenne ich Sie?«, sagte er, wobei seine Stimme genauso angriffslustig war wie seine Körperhaltung.

Macfadyen zögerte nicht. »Ich glaube, Sie sind mein Onkel«, sagte er.

Lynn ließ Alex allein, damit er seinen Anruf machen konnte. Der Kummer saß ihr wie ein drückender Stein in der Brust.

Zerstreut ging sie in die Küche und schnitt mechanisch Hähnchenfilets in Stücke, die sie mit grob gewürfelter Zwiebel und Paprika in eine gusseiserne Kasserolle gab. Sie goss ein Glas fertig gekaufte Soße darüber, gab einen Schuss Weißwein dazu und schob alles in den Ofen. Wie meistens hatte sie vergessen ihn vorzuwärmen. Mit einer Gabel stach sie zwei große Kartoffeln zum Backen an und legte sie auf den Rost über der Kasserolle. Alex hatte jetzt wahrscheinlich sein Gespräch mit Weird beendet, glaubte sie. Sie konnte das Gespräch mit ihrem Bruder nicht länger hinausschieben.

Jetzt, wo sie es überlegte, schien es ihr etwas merkwürdig, dass trotz ihrer Blutsverwandtschaft und trotz ihrer Geringschätzung hinsichtlich Weirds Variante von Hölle und Verdammnis Mondo das Mitglied der ursprünglichen Vierergruppe war, das sich am meisten von ihr gelöst hatte. Oft dachte sie, wenn sie nicht Geschwister wären, wäre er wahrscheinlich völlig aus Alex' Empfangsbereich verschwunden. Geographisch gesehen war er ihnen drüben in Glasgow zwar am nächsten. Aber am Ende ihrer Studienzeit hatte es ausgesehen, als wolle er alle Bindungen an seine Kindheit und Jugendzeit lösen.

Als Erster verließ er das Land und ging nach dem Abschlussexamen nach Frankreich, um eine akademische Laufbahn einzuschlagen. In den drei nächsten Jahren war er kaum jemals nach Schottland gekommen, nicht einmal zum Begräbnis seiner Großmutter. Sie bezweifelte, dass er sich herbeigelassen hätte, zu ihrer Hochzeit mit Alex zu erscheinen, wäre er nicht damals schon in England gewesen, wo er Dozent an der Universität Manchester war. Wann immer Lynn versucht hatte, den Grund seines Fernbleibens herauszufinden, hatte er das Thema gemieden. Ihr großer Bruder war schon immer sehr geschickt im Ausweichen gewesen.

Lynn, die fest verwurzelt blieb, konnte nicht begreifen, dass jemand sich von seiner persönlichen Geschichte so abkoppeln wollte. Und es war ja nicht so, als hätte Mondo eine beschissene Kindheit und eine schreckliche Jugend gehabt. Sicher, er war immer etwas weichlich gewesen, aber als er sich mit Alex, Weird und Ziggy zusammengetan hatte, wurden sie sein Bollwerk gegen die Schlägertypen. Sie erinnerte sich, wie sie die vier Jungs um ihre unerschütterliche Freundschaft und die lässige Art, wie sie immer zusammen Spaß hatten, um ihre grässliche Musik, ihre Aufmüpfigkeit und ihre völlige Gleichgültigkeit gegenüber der Meinung Gleichaltriger beneidet hatte. Es erschien ihr geradezu masochistisch, dass er ein solches System der Rückendeckung aufgegeben hatte.

Er war immer schwach gewesen, das wusste sie. Wenn es Schwierigkeiten gab, war Mondo immer sofort davongerannt. Aber das war in Lynns Augen nur ein weiterer Grund, weshalb er an den Freundschaften hätte festhalten sollen, die ihn durch so viele Schwierigkeiten getragen hatten. Sie hatte Alex gefragt, was er dazu meine, und er hatte die Schultern gezuckt. »Im letzten Jahr in St. Andrews, da war es nicht leicht. Vielleicht will er einfach nicht daran erinnert werden.«

Irgendwie klang das einleuchtend. Sie kannte Mondo gut genug, um zu verstehen, welche Scham und Schuldgefühle er wegen Barney Maclennans Tod empfunden hatte. In den Pubs hatte er die sarkastischen Sprüche der brutalen Kerle über sich ergehen lassen, die vorschlugen, er solle es doch das nächste Mal, wenn er sich umbringen wolle, richtig machen. Er hatte die Qual erlitten, sich dessen bewusst zu sein, dass seine ichbezogene Angeberei einem anderen Menschen das Leben gekostet hatte. Er hatte sich die therapeutische Beratung gefallen lassen müssen, die ihn hauptsächlich nur immer wieder an den schrecklichen Augenblick erinnerte, in dem sein Versuch, Aufmerksamkeit zu erregen, sich in den schlimmsten Albtraum verwandelt hatte. Sie nahm an, dass die Gegenwart der drei anderen nur der Auslöser für Erinnerungen war, die er auslöschen wollte. Sie wusste auch, dass Alex, obwohl er das nie aussprach, einen immer noch fortlebenden Verdacht nicht ganz abschütteln konnte, dass Mondo vielleicht mehr über

Rosie Duffs Tod wusste, als er gesagt hatte. Was wirklich Unsinn war. Wenn einer von ihnen in der Lage gewesen wäre, dieses bestimmte Verbrechen in dieser bestimmten Nacht zu begehen, dann wäre es Weird gewesen, der auf Grund der Mischung aus Alkohol und Drogen völlig durchgedreht und außerdem frustriert war, weil er mit seinen Streichen mit dem Landrover nicht so viel Eindruck bei den Mädchen machen konnte, wie er sich erhofft hatte. Seine plötzliche Wandlung vom Saulus zum Paulus war ihr schon immer komisch vorgekommen.

Aber was auch die tieferen Gründe waren, ihr Bruder hatte ihr in den letzten zwanzig Jahren oder mehr doch gefehlt. Als sie noch jünger war, hatte sie sich immer vorgestellt, dass er ein Mädchen heiraten würde, das dann ihre beste Freundin werden könnte. Dass sie sich dadurch, dass sie Kinder haben würden, noch näher kommen und sich zu einer dieser gemütlichen Großfamilien entwickeln würden, die dauernd zusammenstecken. Aber nichts davon traf ein. Nach einer Reihe von nicht ernst zu nehmenden Beziehungen hatte Mondo schließlich Hélène geheiratet, eine Romanistikstudentin, die zehn Jahre jünger war als er und sich kaum bemühte, ihre Verachtung zu verbergen, die sie für jeden empfand, der nicht mit der gleichen Leichtigkeit über Foucault oder die Haute Couture parlieren konnte wie sie. Ganz offen sah sie auf Alex hinab, weil er sich fürs Geschäftemachen statt für die Kunst entschieden hatte. Lynn behandelte sie wegen ihrer Karriere als Restauratorin mit gönnerhafter, lauwarmer Sympathie. Wie sie und Alex hatten sie bisher keine Kinder, aber Lynn hatte den Verdacht, dass es so gewollt war und auch so bleiben würde.

Sie nahm an, dass die Entfernung die Übermittlung der Nachricht irgendwie leichter machen würde. Aber trotzdem war es eines der schwersten Dinge, die sie je hatte tun müssen, den Hörer hochzunehmen. Beim zweiten Läuten war Hélène dran.

»Hallo, Lynn. Wie nett, von dir zu hören. Ich hole gleich David«, sagte sie, und ihr fast perfektes Englisch war schon in sich selbst ein Vorwurf. Bevor Lynn eine Warnung zum Grund ihres Anrufs anbringen konnte, war Hélène schon weg. Eine lange Minute verging, dann erklang die vertraute Stimme ihres Bruders an ihrem Ohr.

»Lynn«, sagte er. »Wie geht's?« Gerade so, als interessiere es ihn.

»Mondo, ich habe leider eine schlechte Nachricht.«

»Nicht die Eltern?«, warf er ein, bevor sie mehr sagen konnte.

»Nein, es geht ihnen gut. Ich habe gestern Abend mit Mum gesprochen. Die Sache wird ein Schock für dich sein. Alex hat heute Nachmittag einen Anruf aus Seattle bekommen.« Lynn spürte, wie sich ihr bei dem Gedanken die Kehle zuschnürte. »Ziggy ist tot.« Schweigen. Sie wusste nicht, ob es die Stille des Schocks oder die Verlegenheit um eine passende Reaktion war. »Es tut mir leid«, sagte sie.

»Ich wusste nicht, dass er krank war«, sagte Mondo endlich.

»Er war nicht krank. Das Haus ist in der Nacht abgebrannt. Ziggy lag im Bett und schlief. Er ist im Feuer umgekommen.«

»Das ist schrecklich. Mein Gott. Der arme Ziggy. Ich kann's nicht glauben. Er war doch immer so vorsichtig.« Er machte ein merkwürdiges Geräusch, fast wie ein leises schnaubendes Lachen. »Wenn einer von uns in Flammen aufgehen würde, hätte man doch gewettet, dass es Weird sein würde. Er war immer bedroht von Unfällen. Aber Ziggy?«

»Ich weiß, es ist nicht zu begreifen.«

»Mein Gott. Der arme Ziggy.«

»Ich weiß. Wir hatten so eine schöne Zeit mit ihm und Paul im September in Kalifornien. Es kommt einem unnatürlich vor.«

»Und Paul? Ist er auch umgekommen?«

»Nein. Er war über Nacht weg. Und er kam zurück, fand das abgebrannte Haus vor, und Ziggy war tot.«

»Mein Gott. Das wird ihn suspekt machen.«

»Ich bin sicher, dass das im Moment seine letzte Sorge ist«, sagte Lynn bissig.

»Nein, du verstehst mich falsch. Ich meine, das würde für ihn alles noch viel schlimmer machen. Herrgott, Lynn, ich weiß, wie es ist, wenn dich alle anschauen, als seist du ein Mörder«, erinnerte sich Mondo.

Eine kurze Stille trat ein, in der beide den gereizten Ton abzulegen versuchten. »Alex fliegt rüber zum Begräbnis«, sagte Lynn als Friedensangebot.

»Ach, ich glaube, das werde ich nicht schaffen«, erwiderte Mondo schnell. »Wir fahren in zwei Tagen nach Frankreich. Wir haben Flüge gebucht und alles. Außerdem bin ich Ziggy ja in letzter Zeit nicht so nah gewesen wie du und Alex.«

Lynn starrte ungläubig die Wand an. »Ihr vier wart doch wie Blutsbrüder. Wäre das nicht eine kleine Änderung deiner Reisepläne wert?«

Ein langes Schweigen folgte. Dann sagte Mondo: »Ich will nicht zu der Beerdigung, Lynn. Das heißt nicht, dass ich mir nichts aus Ziggy mache. Aber ich hasse Begräbnisse einfach. Ich werde Paul natürlich schreiben. Was soll es bringen, dass ich um die halbe Welt fliege zu einer Beerdigung, die mich nur aufwühlen wird? Es würde Ziggy nicht wieder lebendig machen.«

Plötzlich fühlte sich Lynn erschöpft und dankbar, dass sie Alex die Bürde dieses kränkenden Gesprächs erspart hatte. Das Schlimmste war, dass sie es immer noch schaffte, für ihren übersensiblen Bruder Mitgefühl aufzubringen. »Niemand von uns würde wollen, dass es dich aufwühlt«, seufzte sie. »Na ja, lassen wir das, Mondo.«

»Moment, Lynn«, sagte er. »Ist Ziggy heute gestorben?«

»In den frühen Morgenstunden, ja.«

Ein scharfer, kurzer Atemzug folgte. »Das ist ziemlich unheimlich. Du weißt, dass heute vor fünfundzwanzig Jahren Rosie Duff starb?«

»Wir hatten es nicht vergessen. Ich bin überrascht, dass du dran gedacht hast.«

Er stieß ein bitteres Lachen aus. »Meinst du, ich könnte den

Tag vergessen, an dem mein Leben zerstört wurde? Er ist in mein Herz eingegraben.«

»Ja, na ja, da wirst du dich wenigstens immer an Ziggys Todestag erinnern«, sagte Lynn, in der Gehässigkeit aufkam, als sie merkte, dass Mondo das Kaleidoskop wieder so drehte, dass es um ihn ging. Manchmal wünschte sie wirklich, man könnte Familienbande auflösen.

Nachdem er den Hörer aufgelegt hatte, starrte Lawson das Telefon an. Er hasste Politiker. Er hatte sich die Tiraden des Parlamentsabgeordneten anhören müssen, der Phil Parhatkas neuen Hauptverdächtigen vertrat. Zehn Minuten hatte er sich über die Menschenrechte des Gangsters ausgelassen. Lawson hätte am liebsten geschrien: »Und wie steht's mit den Menschenrechten des armen Kerls, den er umgebracht hat?«, aber er war viel zu vernünftig, um seinem Ärger auf diese Weise Luft zu machen. Stattdessen hatte er ihn beruhigt und sich vorgenommen, mit den Eltern des Toten zu sprechen, damit sie ihren Parlamentsabgeordneten daran erinnerten, sich für die Opfer und nicht die Täter einzusetzen. Trotzdem sollte er wohl Phil Parhatka warnen, damit er sich vorsah.

Er warf einen Blick auf seine Uhr und war überrascht, wie spät es schon war. Da konnte er wohl auf dem Weg nach draußen noch einmal schnell im Einsatzraum für die ungelösten Fälle nachsehen, ob Phil etwa zufällig noch an seinem Schreibtisch saß.

Aber Robin Maclennan war der Einzige, der zu so später Stunde noch da war. Mit gerunzelter Stirn saß er in eine Akte mit Zeugenaussagen vertieft. Im Lichtkegel seiner Schreibtischlampe war die Ähnlichkeit mit seinem Bruder unheimlich. Lawson schauderte unwillkürlich. Es war, als sähe man einen Geist, aber einen, der seit seinem letzten Aufenthalt auf der Erde ein Dutzend Jahre gealtert war.

Lawson räusperte sich, und Robin sah auf. Als seine eigenen

typischen Bewegungen die Ähnlichkeit mit dem Bruder verdeckten, verflog die Illusion. »Hallo, Sir«, sagte er.
»Sie sind noch spät bei der Arbeit«, erwiderte Lawson.
Robin zuckte die Schultern. »Diane ist mit den Kindern ins Kino gegangen. Ich dachte, da kann ich statt in einer leeren Wohnung genauso gut hier sitzen.«
»Ich weiß, was Sie meinen. Ich hab oft das gleiche Gefühl, seit Marian letztes Jahr gestorben ist.«
»Ist Ihr Junge nicht zu Hause?«
Lawson lachte. »Mein Junge ist jetzt zweiundzwanzig, Robin. Michael hat im Sommer sein Studium abgeschlossen. MA in BWL. Und jetzt arbeitet er als Motorradkurier in Sydney, Australien. Manchmal frage ich mich, wofür ich, verdammt noch mal, so hart gearbeitet habe. Haben Sie Lust auf 'n Bier?«
Robin schien etwas überrascht. »Ja, okay«, sagte er, schlug die Akte zu und stand auf.
Sie einigten sich auf einen kleinen Pub am Rand von Kirkcaldy, von wo beide danach nur eine kurze Fahrt nach Hause hatten. Es war voll, das laute Gemurmel der vielen Gespräche vermischte sich mit den Weihnachtshits, die zu dieser Jahreszeit unvermeidlich waren. Das Flaschenregal hinter der Bar war mit Lametta verziert, und ein protziger Weihnachtsbaum aus Kunststoff lehnte schief am einen Ende der Bar. Während Wizzard aus dem Lautsprecher den Wunsch äußerte, dass doch jeden Tag Weihnachten sein sollte, holte Lawson zwei Bier und Whiskys zum Nachkippen, während Robin einen relativ ruhigen Tisch in der äußersten Ecke des Raums fand. Robin sah leicht überrascht auf die beiden Gläser vor sich. »Danke, Sir«, sagte er vorsichtig.
»Vergessen Sie den Dienstgrad, Robin. Nur für heute Abend, ja?« Lawson nahm einen langen Schluck von seinem Bier. »Ehrlich gesagt, ich war froh, dass Sie noch dasaßen. Ich wollte heute Abend einen trinken gehen, aber nicht allein.« Er blickte Robin aufmerksam an. »Wissen Sie, was heute für ein Tag ist?«

Auf Robins Gesicht erschien plötzlich Argwohn. »Der sechzehnte Dezember.«
»Ich glaube, Sie können doch bestimmt besser raten.«
Robin nahm den Whisky und kippte ihn mit einem Zug. »Es ist fünfundzwanzig Jahre her, seit Rosie Duff ermordet wurde. Soll ich das antworten?«
»Ich dachte doch, dass Sie es wissen.« Keinem von beiden fiel etwas zu sagen ein, und sie tranken in unbehaglichem Schweigen ein paar Minuten weiter.
»Wie kommt Karen voran?«, fragte Robin.
»Ich dachte, Sie wüssten das besser als ich. Der Chef erfährt ja immer alles als Letzter, stimmt doch?«
Robin setzte ein ironisches Lächeln auf. »In diesem Fall nicht. Karen ist in letzter Zeit fast nie im Büro gewesen. Sie scheint alle Zeit unten in der Asservatenkammer zu verbringen. Und wenn sie an ihrem Schreibtisch ist, bin ich der letzte Kollege, mit dem sie sich unterhält. Wie alle findet sie es peinlich, über Barneys großen Fehlschlag zu reden.« Er trank den letzten Schluck Bier und stand auf. »Das Gleiche noch mal?«
Lawson nickte. Als Robin wiederkam, sagte er: »So sehen Sie es? Barneys großer Fehlschlag?«
Robin schüttelte ungeduldig den Kopf. »Barney sah es so. Ich erinnere mich an Weihnachten. Ich hatte ihn noch nie so gesehen. Er hat sich zermartert, denn er gab sich selbst die Schuld für die Tatsache, dass es zu keiner Verhaftung gekommen war. Er war überzeugt, dass er etwas Offensichtliches, etwas Wichtiges übersehen hatte. Es nagte ständig an ihm.«
»Ich erinnere mich, dass er es sehr persönlich nahm.«
»Das könnte man wohl sagen.« Robin starrte in seinen Whisky. »Ich wollte helfen. Ich bin überhaupt nur zur Polizei gegangen, weil Barney für mich ein Gott war. Ich wollte wie er sein. Ich bat um eine Versetzung nach St. Andrews, weil ich beim Ermittlerteam dabei sein wollte. Aber er hat es verhindert.« Er seufzte. »Ich denke immer, vielleicht, wenn ich da gewesen wäre ...«

»Sie hätten ihn nicht retten können, Robin«, sagte Lawson.
Robin kippte seinen zweiten Whisky. »Ich weiß. Aber trotzdem denke ich drüber nach.«
Lawson nickte. »Barney war ein prima Polizist. Es ist schwer, sein Nachfolger zu sein. Und dann ist er so gestorben, mir wird ganz schlecht davon. Ich war immer der Meinung, wir hätten Davey Kerr anklagen sollen.«
Robin schaute bestürzt auf. »Ihn anklagen? Weshalb denn? Ein Selbstmordversuch ist doch nicht strafbar.«
Lawson schien erschrocken. »Aber ... Ja, richtig, Robin. Was rede ich denn da?«, stammelte er. »Vergessen Sie, was ich gesagt habe.«
Robin beugte sich vor. »Erklären Sie, was Sie sagen wollten.«
»Nichts. Eigentlich nichts.« Lawson versuchte, seine Verwirrung zu verbergen, indem er einen weiteren Schluck nahm. Er verschluckte sich und hustete, und der Whisky lief ihm übers Kinn.
»Sie wollten etwas über die Art und Weise sagen, wie Barney umgekommen ist.« Robins Blick hielt Lawson auf seinem Stuhl fest.
Lawson wischte sich den Mund und seufzte. »Ich dachte, Sie wüssten das.«
»Was soll ich wissen?«
»Vorsätzliche Tötung, das hätte in der Anklageschrift gegen Davey Kerr stehen sollen.«
Robin runzelte die Stirn. »Das wäre vor Gericht nie stichhaltig gewesen. Kerr hatte nicht die Absicht zu springen, es war ein Unfall. Er wollte nur auf sich aufmerksam machen, er versuchte nicht, sich tatsächlich umzubringen.«
Lawson schaute verlegen drein. Er schob seinen Stuhl zurück und sagte: »Sie brauchen noch einen Whisky.« Diesmal kam er mit einem doppelten zurück. Er setzte sich und sah Robin an. »Herrgott«, sagte er leise, »ich weiß, wir wollten es diskret behandeln, aber ich war sicher, dass Sie trotzdem davon gehört hatten.«

»Ich weiß immer noch nicht, wovon Sie reden«, sagte Robin mit angespanntem Gesicht. »Aber ich glaube, ich habe eine Erklärung verdient.«
»Ich war der erste Mann vorne am Strick«, sagte Lawson. »Ich hab es mit eigenen Augen gesehen. Als wir sie die Klippe hochgezogen haben, bekam Kerr Panik und trat nach Barney.«
Auf Robins Gesicht erschien ein erstaunter Ausdruck. »Sie sagen also, Kerr hätte ihn ins Meer zurückgestoßen, um seine eigene Haut zu retten?« Robin klang ungläubig. »Wieso höre ich erst jetzt davon?«
Lawson zuckte die Schultern. »Ich weiß es nicht. Als ich dem Hauptkommissar erzählte, was ich gesehen hatte, war er schockiert. Aber er sagte, es hätte keinen Sinn, die Sache zu verfolgen. Das Büro der Staatsanwaltschaft würde deshalb nie eine Anklage einleiten. Die Verteidigung würde argumentieren, dass ich unter den Umständen nicht gesehen haben konnte, was ich sah. Dass wir uns rächen wollten, weil Barney bei dem Versuch, Kerr zu retten, starb. Und unsere Behauptung, Barney sei durch vorsätzliche Tötung umgekommen, sei Schikane, weil wir Kerr und seine Freunde in der Sache mit Rosie Duff nicht überführen konnten. Also haben sie beschlossen, alles geheim zu halten.«
Als Robin sein Glas nahm, zitterte seine Hand so, dass es gegen seine Zähne schlug. Alle Farbe war aus seinem Gesicht gewichen, es war grau, und der Schweiß stand ihm auf der Stirn. »Ich kann's nicht glauben.«
»Ich weiß, was ich gesehen habe, Robin. Es tut mir leid, ich nahm an, Sie wüssten es.«
»Das ist das erste Mal ...« Er sah sich um, als könne er nicht begreifen, wo er war und wie er da hingekommen war. »Es tut mir leid, ich muss hier raus.« Abrupt stand er auf und ging auf die Tür zu, ohne auf die Rufe der anderen Bargäste zu achten, die er beim Vorbeigehen anrempelte.
Lawson schloss die Augen und atmete tief durch. Fast dreißig

Jahre im Dienst, und er hatte sich immer noch nicht an das hohle Gefühl im Bauch beim Überbringen schlechter Nachrichten gewöhnt. Angst nagte in seinem Inneren. Was hatte er damit angerichtet, dass er Robin Maclennan nach all diesen Jahren über die Wahrheit aufgeklärt hatte?

24

Die Räder von Alex' Koffer rumpelten hinter ihm her, als er das Flughafengebäude von SeaTac Airport betrat. Es fiel Alex schwer, sich auf die Wartenden zu konzentrieren, die die Passagiere abholen wollten, und hätte Paul nicht gewinkt, hätte er ihn vielleicht übersehen. Alex eilte auf ihn zu, und die beiden Männer umarmten sich unbefangen. »Danke, dass du gekommen bist«, sagte Paul leise.

»Lynn lässt dich herzlich grüßen«, sagte Alex. »Sie wäre wirklich gern gekommen, aber ...«

»Ich weiß. Ihr wollt schon so lange ein Kind, und man kann kein Risiko eingehen.«

Paul nahm Alex' Koffer und ging auf den Ausgang des Terminals zu. »Wie war der Flug?«

»Ich habe den größten Teil der Zeit über dem Atlantik geschlafen. Aber beim zweiten Flug konnte ich irgendwie keine Ruhe finden. Ich musste immer an Ziggy denken und an das Feuer. Wie schrecklich, so zu sterben.«

Paul starrte geradeaus. »Ich denke immer, dass ich daran schuld war.«

»Wie wäre das möglich?«, fragte Alex und folgte ihm auf den Parkplatz hinaus.

»Du weißt ja, wir haben den ganzen Dachboden in ein großes Schlafzimmer und ein Bad für uns umgebaut. Wir hätten außen am Gebäude eine Feuerleiter anbringen sollen. Ich hatte schon lange vor, den Handwerker noch einmal kommen und eine installieren zu lassen, aber dann gab es immer Wichtigeres zu tun ...« Paul blieb bei seinem Geländewagen stehen und verstaute Alex' Gepäck, wobei sich seine dicke karierte Jacke über den breiten Schultern spannte.

»Das machen wir doch alle – Dinge aufschieben«, sagte Alex und legte Paul seine Hand auf den Rücken. »Du weißt ja, dafür würde Ziggy dich bestimmt nicht tadeln. Er war dafür genauso verantwortlich.«

Paul zuckte die Schultern und setzte sich ans Steuer. »Ungefähr zehn Minuten vom Haus gibt es ein annehmbares Hotel. Da wohne ich. Ich habe dich auch dort untergebracht, wenn das in Ordnung ist. Wenn du lieber in der Stadt wärst, können wir es ändern.«

»Nein. Ich wäre lieber bei dir.« Er warf Paul ein mattes Lächeln zu. »So können wir uns zusammen der Gefühlsduselei hingeben, ja?«

»Klar.«

Als Paul auf den Highway in Richtung Seattle hinausfuhr, schwiegen sie. Nach der Umgehungsstraße um die Stadt fuhren sie weiter in nördlicher Richtung. Ziggys und Pauls Haus lag außerhalb der Stadt, ein zweistöckiges Holzhaus auf einem Hang mit atemberaubender Aussicht auf den Puget Sound, den Possession Sound und den Mount Walker in der Ferne. Als sie zum ersten Mal zu Besuch waren, hatte Alex geglaubt, sie wären in einem Winkel des Paradieses gelandet. »Wartet mal, bis es anfängt zu regnen«, hatte Ziggy gesagt.

Heute war es bewölkt, mit dem klaren Licht, das solch hohe Wolken mit sich brachten. Alex wünschte sich Regen, der zu seiner Stimmung passen würde. Aber das Wetter schien seinem Wunsch nicht entsprechen zu wollen. Er starrte aus dem Fenster und erhaschte hin und wieder einen Blick auf die schneebedeckten Gipfel der Olympics und der Cascades. Am Straßenrand lag grauer Matsch, und Eiskristalle glitzerten hier und da, wenn das Licht auf sie fiel. Er war froh, dass er vorher jeweils nur im Sommer hier zu Besuch gewesen war. Die Aus-

sicht vom Fenster war so verändert, dass nicht allzu viele schmerzliche Erinnerungen hochkamen.
Paul bog zwei Meilen vor der Ausfahrt ab, die zu seinem früheren Haus führte. Die Straße ging an Kiefern vorbei zu einem Felsvorsprung, von wo man nach Whidbey Island hinübersehen konnte. Das Motel war im Blockhausstil erbaut, was, wie Alex fand, bei einem großen Gebäude wie diesem hier, das Rezeption, Bar und Restaurant beherbergte, lächerlich aussah. Aber die einzelnen kleinen Häuser, die in einer Reihe am Waldrand standen, waren nicht hässlich. Paul, dessen Hütte neben der von Alex lag, ließ ihn zum Auspacken allein. »Ich seh dich in einer halben Stunde in der Bar, okay?«
Alex hängte seinen dunklen Anzug und das Hemd fürs Begräbnis auf einen Bügel und ließ den Rest seiner Sachen im Koffer. Er hatte den größten Teil des inneramerikanischen Flugs damit verbracht, Skizzen zu zeichnen, und riss das eine Blatt, mit dem er zufrieden war, heraus und stellte es vor dem Spiegel auf. Ziggy sah ihn im Dreiviertelprofil an, und ein schiefes Lächeln betonte die Fältchen um seine Augen. Nicht schlecht getroffen dafür, dass es aus dem Gedächtnis gezeichnet war, dachte Alex traurig. Er sah auf seine Uhr. Fast Mitternacht zu Hause. Lynn würde es nichts ausmachen, dass es schon so spät war. Er wählte die Nummer. Ihre kurze Unterhaltung milderte den scharfen Schmerz etwas, der ihn plötzlich fast zu überwältigen drohte.
Alex ließ kaltes Wasser ins Waschbecken laufen und besprengte damit sein Gesicht. Jetzt fühlte er sich etwas wacher und trottete zur Bar hinüber, deren Weihnachtsdekoration so schlecht zu seiner Trauer passte. Johnny Mathis sülzte im Hintergrund, und Alex hätte am liebsten die Lautsprecher zugehängt, damit sie leise klangen, so wie man einst bei Leichenzügen die Hufeisen der Pferde umwickelt hatte. Er fand Paul in einer Nische, wo er eine Flasche Pyramid-Bier trank. Er machte dem Barkellner ein Zeichen, noch einmal das Gleiche zu bringen, und setzte sich Paul gegenüber. Jetzt da er die Ge-

legenheit hatte, ihn richtig zu betrachten, sah er die Zeichen von Anspannung und Kummer. Pauls hellbraunes Haar war zerzaust und strähnig, seine blauen Augen waren müde und rot unterlaufen. Eine Stelle mit Bartstoppeln unter dem linken Ohr verriet die ganz untypische Nachlässigkeit eines Mannes, der sonst immer gepflegt und ordentlich war.

»Ich habe Lynn angerufen«, sagte er. »Sie hat sich nach dir erkundigt.«

»Sie ist ein lieber Kerl«, sagte Paul. »Ich habe das Gefühl, sie dieses Jahr viel besser kennen gelernt zu haben. Schwanger zu sein hat sie anscheinend offener gemacht.«

»Ich weiß, was du meinst. Ich dachte, sie würde während der Schwangerschaft vor Angst wie gelähmt sein. Aber sie ist wirklich lockerer.« Alex' Bier kam.

Paul hob sein Glas. »Lass uns auf die Zukunft trinken«, sagte er. »Im Moment habe ich das Gefühl, sie hat nicht viel zu bieten, aber ich weiß, dass Ziggy mir den Kopf zurechtsetzen würde, wenn ich nur in der Vergangenheit leben würde.«

»Auf die Zukunft«, wiederholte Alex. Er nahm einen Schluck Bier und sagte: »Kommst du klar?«

Paul schüttelte den Kopf. »Ich glaube, es hat mich noch gar nicht richtig erreicht. Es gibt so viel zu tun. Die Leute benachrichtigen, alles fürs Begräbnis in die Wege leiten und so weiter. Das erinnert mich. Euer Freund Tom, der, den Ziggy Weird nannte? Er kommt morgen.«

Diese Nachricht rief bei Alex eine gemischte Reaktion hervor. Teils sehnte er sich nach der Verbindung zu seiner Vergangenheit, die Weird bringen würde. Aber er stellte auch das Unbehagen fest, das er immer noch in sich spürte, wenn er sich an die Nacht erinnerte, in der Rosie Duff starb. Und andererseits fürchtete er die Verschärfung der Situation, wenn Weird mit seinem fundamentalistischen Horror sich über Homosexuelle ausließ. »Er predigt doch nicht beim Begräbnis, oder?«, sagte er.

»Nein. Wir werden eine freie Trauerfeier haben. Aber Ziggys

Freunde werden die Gelegenheit haben, aufzustehen und über ihn zu sprechen. Wenn Tom dann etwas sagen möchte, kann er das gerne tun.«
Alex stöhnte. »Du weißt ja, dass er ein fundamentalistischer Fanatiker ist, der Hölle und Verdammnis predigt?«
Paul lächelte spöttisch. »Er sollte sich in Acht nehmen. Lynchjustiz gibt's nicht nur im Süden.«
»Ich werde vorher mit ihm reden.« Was so viel Wirkung haben würde, wie einen Zweig vor einem führerlosen Zug auf das Gleis zu werfen, dachte Alex.
Sie tranken weiter ihr Bier und schwiegen ein paar Minuten. Dann räusperte sich Paul und sagte: »Ich muss dir etwas sagen, Alex. Über das Feuer.«
Alex wusste nicht, was er meinte. »Das Feuer?«
Paul rieb sich den Nasenrücken. »Der Brand war kein Unfall, Alex. Er wurde gelegt. Absichtlich.«
»Sind sie sich da sicher?«
Paul seufzte. »Seit es genug abgekühlt ist, lassen sie alles von Spezialisten für Brandstiftung untersuchen.«
»Aber das ist ja furchtbar. Wer würde Ziggy so etwas antun?«
»Alex, die Polizei tippt zuerst auf mich.«
»Aber das ist doch verrückt. Du hast Ziggy doch geliebt.«
»Und genau deshalb bin ich der Hauptverdächtige. Sie sehen sich immer zuerst den Lebenspartner an, stimmt's?« Paul klang schroff.
Alex schüttelte den Kopf. »Niemand, der euch beide kannte, würde sich auch nur eine Minute mit einem solchen Gedanken befassen.«
»Aber die Ermittler kennen uns nicht. Und sosehr sie auch versuchen, das Gegenteil zu beweisen, die meisten Bullen mögen Schwule ungefähr so sehr wie euer Freund Tom.« Er nahm einen Schluck Bier, als wolle er das bittere Gefühl hinunterspülen. »Ich habe gestern den größten Teil des Tages auf der Polizeiwache zugebracht und Fragen beantwortet.«
»Das versteh ich nicht. Du warst doch Hunderte von Meilen

entfernt. Wie solltest du euer Haus abgebrannt haben, wenn du in Kalifornien warst?«

»Erinnerst du dich, wie das Haus geschnitten war?« Alex nickte, und Paul fuhr fort: »Sie meinen, das Feuer fing im Keller beim Heizöltank an. Ein Mann von der Feuerwehr sagte, es sieht aus, als hätte jemand Dosen mit Farbe und Benzin neben dem Tank aufgestellt und dann Papier und Holz drum herum aufgeschichtet. Was wir bestimmt nicht getan haben. Aber sie haben außerdem noch etwas gefunden, das wie die Überreste einer Feuerbombe aussah. Eine ziemlich einfache Konstruktion, sagten sie.«

»Ist sie nicht im Feuer zerstört worden?«

»Diese Typen können gut rekonstruieren, was bei einem Brand passiert. Aus kleinen Reststücken, die sie gefunden haben, lässt sich das so ableiten. Sie fanden die Überreste einer verschlossenen Farbdose. Innen am Deckel wurden Reste einer elektronischen Zeituhr gefunden. Sie glauben, der Brand wurde ausgelöst, weil in der Dose Benzin oder ein anderer Brandbeschleuniger war. Etwas, das Gase entwickelt. Die Dose war dann fast ganz mit den Gasen gefüllt. Als die Zeituhr losging, entzündete der Funke das Gasgemisch, die Dose explodierte und hat den brennenden Beschleuniger auf die anderen brennbaren Materialien geschleudert. Und weil das Haus aus Holz ist, brannte es ab wie eine Fackel.« Schon der bloße Bericht ließ Paul schaudern. »Ziggy hatte keine Chance.«

»Und sie glauben, dass du das getan hast?« Alex konnte es kaum glauben. Und zugleich fühlte er tiefes Mitleid mit Paul. Er kannte die Folgen haltloser Verdächtigungen und welchen Tribut sie forderten besser als jeder andere.

»Sie haben keine anderen Verdächtigen. Ziggy war nicht gerade ein Typ, der sich Feinde machte. Und ich bin der Hauptnutznießer seines Testaments. Dazu kommt noch, dass ich Physiker bin.«

»Und das heißt, dass du weißt, wie man eine Feuerbombe herstellt?«

»So scheinen sie zu denken. Es ist ziemlich schwer zu erklären, was ich bei meiner Arbeit tatsächlich tue. Aber sie scheinen von Folgendem auszugehen: ›He, dieser Typ ist Naturwissenschaftler, er muss wohl wissen, wie man Leute in die Luft jagt.‹ Wenn es nicht so verdammt tragisch wäre, müsste ich lachen.«

Alex machte dem Barmixer ein Zeichen, ihnen noch etwas zu trinken zu bringen. »Sie glauben also, dass du eine Feuerbombe gelegt hast und dann nach Kalifornien gefahren bist, um einen Vortrag zu halten?«

»So scheinen ihre Gehirne zu funktionieren. Ich dachte, die Tatsache, dass ich drei Nächte weg war, würde mich herausreißen, aber offenbar ist das nicht so. Der Spezialist für Brandstiftung sagte meinem Rechtsanwalt, dass die Zeituhr, die der Mörder benutzte, auf eine Zeit bis zu einer Woche im Voraus eingestellt worden sein könnte. Also sitze ich immer noch in der Klemme.«

»Wärst du da nicht ein verdammt hohes Risiko eingegangen? Was wäre gewesen, wenn Ziggy in den Keller gegangen wäre und es gesehen hätte?«

»Wir sind im Winter fast nie runtergegangen. Nur lauter Sachen für den Sommer waren da unten – die Dingis, die Surfbretter, die Gartenmöbel. Unsere Skier hatten wir in der Garage. Was auch gegen mich spricht. Woher sollte sonst jemand wissen, dass es nicht entdeckt werden würde?«

Alex ging über diesen Punkt mit einer Handbewegung hinweg. »Wie viele Leute gehen denn regelmäßig im Winter in ihren Keller? Eure Waschmaschine ist ja nicht dort unten. Wie schwer wäre es gewesen einzubrechen?«

»Nicht allzu schwierig«, sagte Paul. »Der Keller war nicht ans Alarmsystem angeschlossen, weil der Typ, der die Gartenarbeit macht, im Sommer dort ein und aus gehen muss. So brauchten wir ihm keine Einzelheiten über das Alarmsystem im Haus zu erklären. Ich nehme an, es wäre für jeden, der wirklich reinwollte, nicht sehr schwierig gewesen.«

»Und natürlich wären alle Beweise für einen Einbruch vom Feuer zerstört worden«, seufzte Alex.
»Du begreifst also, es sieht für mich ziemlich schlecht aus.«
»Das ist Irrsinn. Wie ich schon sagte, jeder, der dich kennt, hätte gewusst, dass du Ziggy nie hättest verletzen und schon gar nicht umbringen können.«
Pauls Lächeln ließ kaum seine Schnurrbarthaare zucken. »Ich bin dir dankbar für dein Vertrauen, Alex. Und ich werde ihre Anklagen nicht einmal einer Erwiderung würdigen. Aber ich wollte, dass du weißt, was bei dem Fall zur Debatte steht. Ich weiß, dass du verstehst, wie schrecklich es ist, einer Sache verdächtigt zu werden, mit der man nichts zu tun hat.«
Alex fröstelte trotz der gemütlichen Wärme in der Bar. »Ich würde es meinem schlimmsten Feind nicht wünschen und schon gar nicht meinem Freund. Es ist abscheulich. Mein Gott, Paul, ich hoffe, sie finden heraus, wer das getan hat, um deinetwillen. Was uns passiert ist, hat mein Leben vergiftet.«
»Ziggys auch. Er hat nie vergessen, wie schnell die menschliche Spezies zum Feind werden kann. Es hat ihn im Umgang mit Menschen sehr vorsichtig gemacht. Und deshalb ist die ganze Sache so verrückt. Er hat sich ganz besonders angestrengt, sich keine Feinde zu schaffen. Nicht dass er sich wie ein Trottel benommen hätte ...«
»Das hätte niemand je von ihm behaupten können«, stimmte Alex zu. »Aber du hast recht. Eine sanfte Antwort kann den Zorn ablenken. Das war sein Motto. Aber wie stand es mit seiner Arbeit? Ich meine, in Krankenhäusern läuft manchmal etwas falsch. Kinder sterben, oder sie werden wider Erwarten nicht geheilt. Eltern brauchen manchmal jemanden, dem sie die Schuld geben können.«
»Wir sind hier in Amerika, Alex«, sagte Paul sarkastisch. »Die Ärzte gehen keine unnötigen Risiken ein. Sie haben zu viel Angst, verklagt zu werden. Sicher, Ziggy hat hier und da Patienten verloren. Und manchmal lief etwas nicht so gut, wie er sich erhofft hatte. Aber unter anderem war er ein so

erfolgreicher Kinderarzt, weil er sich mit seinen Patienten und ihren Familien anfreundete. Sie vertrauten ihm, und damit hatten sie recht. Weil er ein guter Arzt war.«

»Das weiß ich. Aber wenn Kinder sterben, hat die Logik manchmal nichts mehr zu melden.«

»Es hat nichts Derartiges gegeben. Ich hätte davon erfahren, wenn so etwas vorgefallen wäre. Wir haben miteinander geredet, Alex. Selbst nach zehn Jahren haben wir über alles gesprochen.«

»Und Kollegen? Hat er irgendjemanden verärgert?«

Paul schüttelte den Kopf. »Ich glaube nicht. Er hatte hohe Ansprüche, und ich nehme an, dass nicht alle, mit denen er zusammenarbeitete, immer seinen Maßstäben genügen konnten. Aber er hat seine Mitarbeiter sehr sorgfältig ausgewählt. Am Krankenhaus herrscht ein sehr gutes Arbeitsklima. Ich glaube, es gibt da keine einzige Person, die ihn nicht respektierte. Mein Gott, diese Leute sind unsere Freunde. Sie kommen zu uns nach Hause zum Grillen, wir spielen den Babysitter für ihre Kinder. Ohne Ziggy, der das Krankenhaus führt, werden sie ihre Zukunft weniger zuversichtlich sehen.«

»Du schilderst ihn ja wie Mr. Perfect«, sagte Alex. »Und wir wissen beide, dass er das nicht war.«

Diesmal ließ Pauls Lächeln auch seine Augen aufleuchten. »Nein, er war nicht vollkommen. Ein Perfektionist vielleicht, ja. Das konnte einen verrückt machen. Als wir das letzte Mal Skifahren gingen, dachte ich, ich müsste ihn eigenhändig von der Piste schleppen. Es gab eine Kurve auf der Abfahrt, die er einfach nicht richtig packte. Jedes Mal machte er etwas falsch. Und das hieß, dass wir noch einmal hochgehen mussten. Aber man bringt doch nicht jemanden um, weil er manchmal etwas verbissen ist. Wenn ich mir gewünscht hätte, dass Ziggy aus meinem Leben verschwindet, hätte ich ihn einfach verlassen. Verstehst du? Ich hätte ihn doch nicht umgebracht.«

»Aber du wolltest gar nicht, dass er verschwindet, das ist es doch.«

Paul biss sich auf die Lippe und starrte auf die nassen Bierringe auf dem Tisch. »Ich würde alles tun, um ihn wiederzuhaben«, sagte er leise. Alex gab ihm einen Moment Zeit, um sich zu fassen.

»Sie werden herausfinden, wer das getan hat«, sagte er schließlich.

»Meinst du? Ich wünschte, ich könnte dir zustimmen. Es geht mir immer wieder durch den Kopf, was ihr vier damals durchgemacht habt, vor vielen Jahren. Sie haben nie herausgefunden, wer das Mädchen umgebracht hat. Und alle sahen euch wegen der Sache mit anderen Augen an.« Er schaute zu Alex auf. »Ich bin nicht so stark wie Ziggy. Ich weiß nicht, ob ich damit leben kann.«

25

Durch einen Tränenschleier versuchte Alex die Worte auf dem Handzettel für den Trauergottesdienst zu erkennen. Wenn man ihn gefragt hätte, welches Musikstück ihn bei Ziggys Begräbnis zu Tränen rühren würde, hätte er wahrscheinlich Bowies »Rock and Roll Suicide« mit seiner endgültigen, trotzigen Ablehnung der Einsamkeit genannt. Aber er hatte es ohne Tränen geschafft, denn die lebendigen Bilder des jungen Ziggy, die auf eine große Leinwand am Ende des Krematoriums projiziert wurden, hatten ihm Kraft gegeben, ja, ihn sogar fast in Hochstimmung versetzt. Aber als der Schwulenchor von San Francisco Brahms' Vertonung der Stelle aus dem Korintherbrief über Glaube, Liebe und Hoffnung sang, geschah es dann doch. *Wir sehen jetzt durch einen Spiegel in einem dunklen Worte.* Der Text schien auf schmerzliche Weise passend. Nichts, was er über Ziggys Tod gehört hatte, machte weder logisch noch auf metaphysischer Ebene Sinn.

Tränen rannen ihm über die Wangen, aber es kümmerte ihn nicht. Er war nicht der Einzige, der in dem überfüllten Krematorium weinte, und so weit weg von zu Hause schien er von seiner sonstigen Zurückhaltung in Gefühlsdingen befreit zu sein. Neben ihm stand Weird in einer tadellos geschneiderten Soutane, in der er eher pfauenhafter wirkte als irgendeiner der schwulen Männer, die Ziggy das letzte Geleit gaben. Natürlich weinte er nicht. Seine Lippen bewegten sich ständig.

Alex vermutete, dass dies ein Zeichen von Frömmigkeit sein sollte und keine psychische Störung war, denn Weird legte immer wieder die Hand auf das lächerlich prunkvolle, vergoldete Kreuz auf seiner Brust. Als er es auf dem SeaTac Airport zum ersten Mal sah, hätte Alex fast laut gelacht. Weird war selbstbewusst auf ihn zugegangen und hatte seine Multi-Funktions-Tasche abgestellt, um seinen alten Freund mit einer theatralischen Geste zu umarmen. Alex bemerkte seine glatte Haut und überlegte, ob er sich hatte liften lassen.

»Es ist schön von dir, dass du gekommen bist«, sagte Alex und führte ihn zu dem Mietwagen, den er am Morgen abgeholt hatte.

»Ziggy war mein ältester Freund. Zusammen mit dir und Mondo. Ich weiß, wir haben im Leben ganz verschiedene Wege eingeschlagen, aber das kann daran nichts ändern. Das Leben, das ich jetzt führe, schulde ich zum Teil unserer Freundschaft. Ich wäre ein sehr schlechter Christ, wenn ich mich von alldem abwenden würde.«

Alex war nicht recht klar, wieso alles, was Weird sagte, wie eine Erklärung für die Allgemeinheit klang. Wann immer er etwas äußerte, war es, als hinge eine unsichtbare Gemeinde bei jedem seiner Worte an seinen Lippen. Sie hatten sich in den letzten zwanzig Jahren nur ein paarmal gesehen, aber bei jeder dieser Gelegenheiten war es das Gleiche. »Der Jesusschleimer« hatte ihn Lynn getauft, als sie ihn zum ersten Mal in der kleinen Stadt in Georgia besuchten, wo er seine Gemeinde um sich geschart hatte. Der Spitzname passte noch genauso gut wie damals.

»Und wie geht es Lynn?«, fragte Weird, als er es sich auf dem Beifahrersitz bequem gemacht hatte und seinen würdevollen, perfekt geschnittenen Anzug zurechtzog.

»Sieben Monate schwanger und in voller Blüte«, antwortete Alex.

»Der Herr sei gepriesen! Ich weiß, wie sehr ihr beide euch danach gesehnt habt.« Weird strahlte, und sein Lächeln schien sogar echt. Aber er stand ja oft genug für die Fernsehmission eines Lokalsenders vor Kameras, da war es schwer, das Vorgetäuschte vom Echten zu unterscheiden. »Ich danke dem Herrn, dass er mich mit Kindern gesegnet hat. Die glücklichsten Erinnerungen, die ich habe, sind meine fünf. Die Liebe, die ein Mann für seine Kinder empfindet, ist tiefer und reiner als alles andere auf der Welt. Alex, ich weiß, du wirst große Freude haben an dieser Veränderung in deinem Leben.«

»Danke, Weird.«

Der Reverend zuckte etwas zusammen. »Lass mal«, sagte er, eine alte Redewendung aus ihrer Jugend hervorholend. »Ich glaube, das ist dieser Tage keine passende Anrede mehr.«

»Tut mir leid. Alte Gewohnheiten sind schwer loszuwerden. Du wirst für mich immer Weird sein.«

»Und wer genau nennt dich heutzutage Gilly?«

Alex schüttelte den Kopf. »Du hast recht. Ich werde versuchen, dran zu denken. Tom.«

»Ich danke dir, Alex. Und wenn ihr das Kind taufen wollt, würde ich sehr gerne die Taufe vornehmen.«

»Ich glaube, wir werden wohl nicht diesen Weg gehen. Der Sprössling kann selbst entscheiden, wenn er alt genug ist.«

Weird verzog die Lippen. »Die Entscheidung liegt natürlich bei euch.«

Die unterschwellige Aussage war völlig klar: *Verurteile doch dein Kind zu ewiger Verdammnis, wenn du unbedingt musst.* Er starrte aus dem Fenster auf die vorbeiziehende Landschaft. »Wohin fahren wir?«

»Paul hat dir eines der Häuschen bei dem Motel gebucht, wo wir auch wohnen.«

»Ist es in der Nähe der Stelle, wo es brannte?«

»Ungefähr zehn Minuten entfernt. Warum?«

»Ich würde gern zuerst dorthin fahren.«

»Warum?«

»Ich will ein Gebet sprechen.«

Alex schnaufte hörbar. »Gut. Hör zu, da ist etwas, was du wissen solltest. Die Polizei glaubt, dass es Brandstiftung war.«

Weird neigte gewichtig den Kopf. »Das hatte ich befürchtet.«

»Ja? wieso?«

»Ziggy hat einen gefährlichen Weg eingeschlagen. Wer weiß, was für Menschen er Zutritt in sein Heim gewährte. Wer weiß, welche gestörte Seele er zu verzweifelten Handlungen getrieben hat?«

Alex schlug mit der Faust auf das Steuerrad. »Verdammt noch mal, Weird. Ich dachte, in der Bibel steht: ›Richtet nicht, dann werdet ihr auch nicht gerichtet‹? Für wen hältst du dich eigentlich, zum Teufel, solchen Quatsch von dir zu geben? Welche Vorurteile du auch in Bezug auf Ziggys Leben haben magst, leg sie gefälligst sofort ab. Ziggy und Paul waren sich treu. Keiner hatte in den letzten zehn Jahren Sex mit irgendeinem anderen.«

Weird setzte ein leichtes, herablassendes Lächeln auf, so dass Alex ihm am liebsten eine runtergehauen hätte. »Du hast immer alles geglaubt, was Ziggy gesagt hat.«

Alex wollte keinen Streit. Er unterdrückte eine bissige Entgegnung und sagte: »Was ich sagen wollte, ist, dass man bei der Polizei die bekloppte Idee hat, Paul hätte das Feuer gelegt. Versuche also, in seiner Gegenwart ’n bisschen feinfühlig zu sein, ja?«

»Warum glaubst du, dass es eine bekloppte Idee ist? Ich weiß nicht viel darüber, wie die Polizei vorgeht, aber ich habe mir sagen lassen, dass die Mehrzahl der nicht von einer Bande begangenen Morde von Lebenspartnern verübt wird. Und da du mich gebeten hast, feinfühlig zu sein, nehme ich an, dass wir Paul als Ziggys Partner betrachten sollten. Wenn ich ein Polizeibeamter wäre, würde ich mich als pflichtvergessen betrachten, die Möglichkeit nicht in Betracht zu ziehen.«

»Gut. Das ist ihre Pflicht. Aber wir sind Ziggys Freunde. Lynn und ich haben im Lauf der Jahre viel Zeit mit den beiden verbracht. Und du kannst mir glauben, es war nie eine Beziehung, die auf einen Mord zusteuerte. Du solltest daran denken, wie es ist, wenn man einer Sache verdächtigt wird, die man nicht getan hat. Stell dir mal vor, wie viel schlimmer es sein muss, wenn der Ermordete der Mensch ist, den du geliebt hast. Das ist es nämlich, was Paul gerade durchmacht. Und er – nicht die Polizei – verdient es, von uns unterstützt zu werden.«

»Okay, okay«, murmelte Weird beklommen, dessen Fassade für einen Augenblick bröckelte, als die Erinnerung wach wurde und er an die tiefe Angst dachte, die ihn damals in die Arme der Kirche getrieben hatte. Den Rest der Fahrt über war er still, wandte den Kopf, um die Landschaft draußen zu betrachten und um Alex' gelegentlichen Blicken in seine Richtung auszuweichen.

Alex nahm die gewohnte Ausfahrt von der Schnellstraße und steuerte Ziggys und Pauls früheres Haus an. Sein Magen krampfte sich zusammen, als er die schmale Schotterstraße entlangfuhr, die sich durch die Bäume wand. In seiner Phantasie hatte er sich schon diverse Szenen vom Brand vorgestellt. Aber als er die letzte Kurve nahm und sah, was von dem Haus noch übrig war, wusste er, dass seine Vorstellungskraft jämmerlich weit hinter der Wirklichkeit zurückgeblieben war. Er hatte noch eine schwarze, entstellte Resthülle des Hauses erwartet. Aber hier war fast alles vollkommen zerstört.

Sprachlos brachte Alex den Wagen zum Stehen. Er stieg aus und ging langsam mit ein paar Schritten auf die Ruine zu. Zu seiner Überraschung hing der Brandgeruch noch in der Luft und reizte Rachen und Nase. Er starrte auf die verkohlten Überreste vor ihm und war kaum in der Lage, das Haus in seiner Erinnerung mit diesem Trümmerhaufen in Verbindung zu bringen. Ein paar dicke Balken ragten kreuz und quer in die Höhe, aber sonst war kaum noch etwas erkennbar. Das Haus

musste lichterloh wie eine Pechfackel gebrannt haben. Die Bäume direkt neben dem Haus waren auch vom Feuer verschlungen worden, und nur noch einige krumme, starre Äste hoben sich wie ein Gerippe gegen das Meer und die Inseln dahinter ab.
Er bekam kaum mit, dass Weird an ihm vorbeiging. Mit gesenktem Kopf blieb der Prediger vor den Absperrbändern stehen, die rings um die ausgebrannten Trümmer gespannt worden waren. Dann warf er den Kopf zurück, und seine dichte silbergraue Mähne schimmerte im Licht. »Oh Herr«, begann er mit seiner im Freien besonders klangvollen Stimme.
Alex kämpfte gegen das Kichern an, das in ihm hochstieg. Er wusste, es war zum Teil eine nervöse Reaktion auf die intensiven Gefühle, die der Anblick der Trümmer in ihm ausgelöst hatte. Aber er konnte es nicht ändern. Niemand, der Weird jemals völlig weggetreten im Drogenrausch oder nach Schließung der Kneipen in den Rinnstein kotzen gesehen hatte, konnte diesen Auftritt ernst nehmen. Er drehte sich auf dem Absatz um, ging zum Wagen zurück und warf die Tür zu, um sich von dem abzuschotten, was Weird da an wirren Phrasen gen Himmel schickte. Er war versucht, wegzufahren und den Prediger den Elementen zu überlassen. Aber Ziggy hatte Weird nie im Stich gelassen, genauso wenig wie einen der anderen. Und jetzt war das Beste, was Alex für Ziggy tun konnte, sein Wort zu halten. Also blieb er da.
Eine Reihe bewegter Bilder stand vor seinem inneren Auge. Ziggy schlafend im Bett, ein plötzlich aufloderndes Feuer, Flammen umzüngeln das Holz, Rauch zieht durch die vertrauten Zimmer, Ziggy bewegt sich leicht, als die tückischen Rauchgase in seine Atemwege dringen, der verschwommene, zitternde Umriss des Hauses hinter dem Schleier von Hitze und Rauch und Ziggy bewusstlos mitten in dieser lodernden Glut. Es war fast unerträglich, und Alex versuchte verzweifelt, diese Bilder in seinem Kopf loszuwerden. Als er sich Lynn

vorstellte, konnte er daran nicht festhalten. Er wollte einfach nur dieser Situation entfliehen und irgendwo sein, wo er sich auf etwas anderes konzentrieren konnte.

Nach etwa zehn Minuten kam Weird zum Wagen zurück und brachte einen Schwall kühler Luft mit. »Brr«, sagte er, »ich war noch nie so recht überzeugt davon, dass es in der Hölle heiß ist. Wenn ich etwas zu sagen hätte, würde ich sie kälter als einen Kühlraum im Schlachthaus machen.«

»Sicher könntest du mal mit Gott ein Wörtchen darüber reden, wenn du in den Himmel kommst. Okay, sollen wir jetzt zum Motel fahren?«

Die Fahrt schien Weird genug Zeit mit Alex gegeben zu haben. Nach der Anmeldung im Motel teilte er ihm mit, er hätte ein Taxi bestellt, das ihn nach Seattle fahren würde. »Ich habe da einen Kollegen, den ich besuchen will.« Er vereinbarte mit Alex, der ihn zur Beerdigung mitnehmen würde, ihn am nächsten Morgen wieder zu treffen, und schien jetzt merkwürdig still. Trotzdem graute Alex davor, was Weird wohl auf der Beerdigung von sich geben würde.

Der Chorgesang von Brahms verklang, und Paul trat ans Pult. »Wir sind hier versammelt, weil Ziggy uns allen viel bedeutet hat«, sagte er und musste sich offensichtlich anstrengen, dass seine Stimme nicht versagte. »Wenn ich den ganzen Tag reden würde, könnte ich doch nicht einmal die Hälfte dessen ausdrücken, was er mir bedeutete. Deshalb werde ich es erst gar nicht versuchen. Aber wenn jemand unter euch ist, der Erinnerungen an Ziggy mit uns teilen möchte, bin ich sicher, dass wir das alle gerne hören würden.«

Fast bevor er aufgehört hatte zu sprechen, stand ein älterer Mann in der ersten Reihe auf und ging steif zum Podest. Als er sich umdrehte und ihnen gegenüberstand, wurde Alex klar, was einem Menschen abverlangt wird, der sein Kind begraben muss. Karel Malkiewicz schien kleiner geworden zu sein, die breiten Schultern waren nach vorn gebeugt, und seine dunklen

Augen lagen tief in ihren Höhlen. Alex hatte Ziggys verwitweten Vater schon seit zwei Jahren nicht mehr gesehen, aber die Veränderung war deprimierend. »Ich vermisse meinen Sohn«, sagte er, und sein polnischer Akzent war unter dem schottischen Tonfall noch deutlich hörbar. »Er hat mich mein ganzes Leben lang stolz gemacht. Schon als Kind kümmerte er sich um seine Mitmenschen. Er war immer ehrgeizig, aber nicht um der persönlichen Anerkennung willen. Er wollte immer die beste Leistung bringen, weil er so das Beste für andere Menschen tun konnte. Ziggy hat sich nie viel daraus gemacht, was andere von ihm hielten. Er sagte immer, es sei ihm wichtiger, nach dem beurteilt zu werden, was er tat, als nach der Meinung anderer Leute. Ich bin froh, heute so viele von Ihnen hier zu sehen, weil mir das zeigt, dass Sie diese Seite an ihm verstehen.« Der alte Mann nahm einen Schluck Wasser aus dem Glas auf dem Pult. »Ich hatte meinen Sohn sehr gern. Vielleicht habe ich ihm das nicht oft genug gesagt. Aber ich hoffe, er ist in diesem Wissen gestorben.« Er senkte den Kopf und ging zu seinem Platz zurück.

Alex presste Daumen und Zeigefinger an seine Nasenwurzel und versuchte die Tränen zu unterdrücken. Ziggys Freunde und Kollegen kamen einer nach dem anderen nach vorn. Manche sagten kaum mehr, als dass sie ihn sehr gern gehabt hatten und wie sehr er ihnen fehlen würde. Andere erzählten kleine Geschichten über ihre Beziehung zu ihm, viele davon warmherzig und humorvoll. Alex wäre gern aufgestanden, um etwas zu sagen, aber er konnte sich nicht auf seine Stimme verlassen. Dann der Augenblick, vor dem ihm bang war. Er spürte, dass Weird sich auf seinem Platz rührte und aufstand. Alex stöhnte innerlich.

Als er ihn zum Podest schreiten sah, fragte sich Alex, wie Weird es geschafft hatte, sich im Lauf der Jahre dieses Auftreten anzueignen. Ziggy hatte immer schon ein gewisses Charisma gehabt, aber Weird war unbeholfen und schlaksig gewesen, und man konnte sich darauf verlassen, dass er das Falsche

sagte, eine falsche Bewegung machte, den falschen Ton anschlug. Aber er hatte wohl viel gelernt. Eine zu Boden fallende Stecknadel hätte wie die Posaune des Jüngsten Gerichts geklungen, als Weird sich sammelte, um zu sprechen.
»Ziggy war mein ältester Freund«, begann er. »Ich dachte, der Weg, den er einschlug, sei ein Fehler. Er hielt mich für einen Schwachkopf, vielleicht sogar einen Scharlatan. Aber das spielte nie eine Rolle. Das Band, das uns zusammenhielt, war stark genug, diese Schwierigkeit zu überstehen. Denn die Zeit, in der wir immer zusammensteckten, war der Lebensabschnitt, der im Leben jedes Mannes die schwierigsten Jahre umfasst, in denen er der Kindheit entwächst und zum Mann wird. Wir alle kämpfen uns durch diese Jahre hindurch und versuchen herauszufinden, wer wir sind und was wir der Welt zu bieten haben. Manche von uns haben das Glück, einen Freund wie Ziggy zu haben, der uns wieder aufhilft, wenn wir einen Fehler gemacht haben.«
Alex sah ihn ungläubig an. Er traute seinen Ohren kaum. Er hatte erwartet, dass er von Verdammnis und Fegefeuer sprechen würde, aber stattdessen ging es bei dem, was er da hörte, unverkennbar um tiefe Zuneigung. Er lächelte plötzlich, trotz allem.
»Wir waren zu viert«, fuhr Weird fort. »Die Laddies fi' Kirkcaldy. Wir lernten uns am ersten Tag in der High School kennen, und etwas Wunderbares geschah. Wir schlossen uns zusammen. Wir teilten unsere tiefsten Ängste und unsere größten Triumphe. Jahrelang waren wir die schlechteste Band der Welt, aber das war uns egal. In jeder Gruppe fällt jedem Einzelnen eine Rolle zu. Ich war der Trottel. Der Narr. Derjenige, der es immer zu weit trieb.« Er zuckte mit einer selbstkritischen Geste leicht die Schultern. »Manche sagen vielleicht, es ist immer noch so. Ziggy hat mich vor mir selbst gerettet. Er hat mich vor den schlimmsten Auswüchsen meines Charakters geschützt, bis ich einen größeren Erlöser fand. Aber selbst dann ließ mich Ziggy nicht los.

Wir haben uns in den letzten Jahren nicht viel gesehen. Unser Leben war zu angefüllt mit dem, was in der Gegenwart geschah. Aber das hieß nicht, dass wir die Vergangenheit verwarfen. Ziggy blieb in vielerlei Hinsicht ein Prüfstein für mich. Ich will nicht so tun, als hätte ich alle seine Entscheidungen gebilligt. Ich würde als Heuchler dastehen, wenn ich das täte. Aber hier und heute spielt all das keine Rolle. Es zählt nur, dass mein Freund tot ist und mit seinem Tod ein Licht aus meinem Leben gewichen ist. Für jeden von uns wäre es ein großer Verlust, das Licht zu verlieren. Und deshalb betrauere ich heute, dass ein Mann von uns gegangen ist, der mir den Weg zur Erlösung so viel leichter gemacht hat. Für Ziggys Andenken kann ich nur versuchen, das Gleiche für jeden anderen zu tun, der in Not ist und meinen Weg kreuzt. Wenn ich heute irgendjemandem hier helfen kann, dann kommen Sie ohne Zögern zu mir und sprechen Sie mich an. Um Ziggys willen.« Weird sah sich mit einem seligen Lächeln im Raum um. »Ich danke dem Herrn für das Geschenk von Sigmund Malkiewicz. Amen.«

Okay, dachte Alex. Am Ende ist er doch wieder zu seinem Muster zurückgekehrt. Aber Weird hatte Ziggy auf seine Art und Weise große Ehre erwiesen. Als sich sein Freund wieder setzte, drückte Alex ihm die Hand, und Weird hielt sie fest.

Danach gingen sie hintereinander hinaus und blieben kurz stehen, um Paul und Karel Malkiewicz die Hand zu schütteln. Sie traten in das schwache Sonnenlicht hinaus und ließen sich von der Menge an den Blumen und Kränzen vorbeischieben. Obwohl Paul gebeten hatte, dass nur die Familie Blumen schicken solle, waren zwei Dutzend Bukette und Kränze da. »Er hatte so eine Art, uns das Gefühl zu geben, dass wir alle zur Familie gehörten«, sagte Alex vor sich hin.

»Wir waren Blutsbrüder«, sagte Weird leise.

»Das war gut, was du da drin gesagt hast.«

Weird lächelte. »Nicht, was du erwartet hattest, was? Ich habe es deinem Gesicht angesehen.«
Alex schwieg. Er bückte sich und las eine Karte. *Lieber Ziggy, die Welt ist zu groß ohne dich. Mit herzlicher Zuneigung von allen deinen Freunden am Krankenhaus*. Dieses Gefühl kannte er. Nachdem er die anderen Karten gelesen hatte, blieb er beim letzten Kranz stehen. Er war kleiner und sehr schlicht, ein Reif aus weißen Rosen und Rosmarin. Alex las die Karte und runzelte die Stirn. *Rosemary zum Gedächtnis*.
»Siehst du das?«, fragte er Weird.
»Geschmackvoll«, sagte Weird bestätigend.
»Meinst du nicht, es ist ein bisschen ... Ich weiß nicht. Ein bisschen zu anspielungsreich als Beileidsbezeugung?«
Weird runzelte die Stirn. »Ich glaube, du siehst Gespenster, wo es keine gibt. Es ist eine vollkommen passende Achtungsbezeigung.«
»Weird, er ist an Rosie Duffs fünfundzwanzigstem Todestag gestorben. Diese Karte ist nicht unterschrieben. Meinst du nicht, das ist recht vielsagend?«
»Alex, das ist doch Vergangenheit.« Weird breitete die Hände mit einer Geste aus, die alle Trauergäste umfasste. »Meinst du wirklich, dass es außer uns überhaupt jemanden gibt, der auch nur Rosie Duffs Namen kennt? Es ist eine leicht theatralische Geste, und das sollte kaum überraschen bei der Art von Menschen, die sich hier versammelt haben.«
»Sie haben den Fall wieder aufgerollt, weißt du das?« Alex konnte genauso eigensinnig sein wie Ziggy, wenn er dazu in der Stimmung war.
Weird war überrascht. »Nein, das wusste ich nicht.«
»Ich habe es in der Zeitung gelesen. Sie führen eine Überprüfung ungelöster Mordfälle mit Hilfe der neuen technischen Fortschritte durch. DNA und so weiter.«
Weirds Hand umfasste sein Kreuz. »Dem Herrn sei gedankt.«
Verwirrt sagte Alex: »Du machst dir keine Sorgen, dass all die alten Lügen wieder an die Öffentlichkeit kommen?«

»Warum? Wir haben nichts zu befürchten. Endlich werden unsere Namen vom Verdacht gereinigt.«
Alex sah bekümmert aus. »Ich wünschte, ich könnte glauben, dass es so einfach ist.«

Dr. David Kerr schob seinen Laptop mit einem heftigen Seufzer des Missfallens von sich. Er hatte eine Stunde lang versucht, den Entwurf eines Artikels über zeitgenössische französische Lyrik auszuarbeiten, aber je länger er auf den Bildschirm starrte, desto weniger ergaben die Worte einen klaren Zusammenhang. Er nahm die Brille ab, rieb sich die Augen und versuchte sich einzureden, dass ihn nur die Erschöpfung am Ende des Semesters nervte. Aber er wusste, dass er sich etwas vormachte.

Wie sehr er ihn auch aus seinem Bewusstsein verdrängen wollte, wurde er den Gedanken nicht los, dass Ziggys Freunde und seine Familie ihm auf der anderen Seite des Erdballs das letzte Geleit gaben, während er hier saß und an einem Text herumfeilte. Er bereute nicht, dass er nicht geflogen war. Ziggy stand für einen Teil seiner Vergangenheit, die so weit zurücklag, dass sie ihm wie eine Erfahrung aus einem früheren Leben vorkam. Und er glaubte, seinem alten Freund nicht so viel schuldig zu sein, dass es die Umstände und die Aufregung einer Reise nach Seattle zum Begräbnis gerechtfertigt hätte. Aber die Nachricht von seinem Tod hatte in David Kerr doch Erinnerungen geweckt, die er mit großer Anstrengung so weit verdrängt hatte, dass sie nur selten an die Oberfläche kamen und ihn belästigten. Es waren keine angenehmen Erinnerungen.

Trotzdem nahm er ohne das Gefühl einer schlimmen Vorahnung ab, als das Telefon klingelte. »Dr. Kerr?« Die Stimme war nicht vertraut.

»Ja. Wer ist da?«

»Detective Inspector Robin Maclennan von der Polizei in Fife.« Er sprach langsam und deutlich, wie jemand, der weiß, dass er mehr getrunken hat, als er sollte.

David fröstelte unwillkürlich, ihm war plötzlich so kalt, als wäre er wieder in die Nordsee untergetaucht. »Und warum rufen Sie mich an?«, fragte er und verschanzte sich hinter einem streitlustigen Ton.

»Ich arbeite in einem Team mit, das sich mit der Wiederaufnahme eines alten Falles befasst. Vielleicht haben Sie es in der Zeitung gelesen?«

»Das ist keine Antwort auf meine Frage«, sagte David kurz angebunden.

»Ich wollte mit Ihnen wegen der Umstände beim Tod meines Bruders sprechen. Das war Barney Maclennan.«

David war bestürzt, es machte ihn sprachlos, wie direkt Maclennan die Sache anging. Er hatte einer Gelegenheit wie dieser immer mit Besorgnis entgegengesehen, aber nach fast fünfundzwanzig Jahren hatte er sich eingeredet, sie würde nie kommen.

»Sind Sie noch dran?«, fragte Robin. »Ich sagte, ich wollte mit Ihnen über ...«

»Ich habe es gehört«, sagte David schroff. »Ich habe Ihnen nichts zu sagen, nicht jetzt und überhaupt nie. Nicht einmal, wenn Sie mich verhaften. Ihr habt mein Leben einmal zerstört. Ich werde euch nicht die Gelegenheit geben, es noch einmal zu tun.« Er knallte den Hörer auf, sein Atem kam in kurzen Stößen, seine Hände zitterten. Er verschränkte die Arme vor der Brust und umfasste die Oberarme. Was war da los? Er hatte keine Ahnung gehabt, dass Barney Maclennan einen Bruder hatte. Warum hatte er so lange gewartet, bis er David wegen dieses schrecklichen Nachmittags herausforderte? Und warum brachte er das jetzt zur Sprache? Als er die Wiederaufnahme des ungelösten Falles erwähnt hatte, war David sicher gewesen, dass Maclennan über Rosie Duff sprechen wollte, was empörend genug gewesen wäre. Aber Barney Maclennan? Die Polizei von Fife wollte es doch wohl nach fünfundzwanzig Jahren nicht doch noch als Mord bezeichnen?

Er fröstelte wieder und starrte in die Nacht hinaus. Die blinkenden Lichter an den Weihnachtsbäumen in den Häusern an der Straße sahen wie tausend Augen aus, die ihn anstarrten. Er sprang auf und zog mit einem heftigen Ruck die Gardinen im Arbeitszimmer zu. Dann lehnte er sich mit geschlossenen Augen und pochendem Herzen gegen die Wand. David Kerr hatte sein Bestes getan, die Vergangenheit zu vergessen. Er hatte alles versucht, was ihm möglich war, um sie fern zu halten. Aber offenbar war das nicht genug gewesen. Es gab also nur noch eine Möglichkeit. Die Frage war nur, ob er wagen würde, sie zu nutzen?

26

Das Licht im Arbeitszimmer war plötzlich hinter den schweren Übergardinen verschwunden. Der Beobachter runzelte die Stirn. Das wich vom gewohnten Muster ab und missfiel ihm. Er überlegte, was diese Abweichung verursacht haben könnte. Aber sonst lief alles wie immer ab. Die Lichter im unteren Stockwerk gingen aus. Die Reihenfolge kannte er schon. Eine Lampe wurde im vorderen großen Schlafzimmer der Villa in Bearsden gelöscht, dann erschien die Gestalt von David Kerrs Frau am Fenster. Sie zog die schweren Vorhänge vor, die selbst den schwächsten Lichtschimmer nach draußen abhielten. Fast gleichzeitig fiel dann ein ovaler Lichtkegel vom Badezimmer, vermutete er, auf das Garagendach. David Kerr beim Waschen vor dem Zubettgehen. Aber wie Lady Macbeth würde er seine Hände nie reinwaschen können. Etwa zwanzig Minuten später würde das Licht im Schlafzimmer ausgehen. Heute Abend würde nichts mehr geschehen.

Graham Macfadyen drehte den Schlüssel im Zündschloss und fuhr in die Nacht hinaus. Er bekam langsam ein Gespür für David Kerrs Leben, wollte aber noch viel mehr wissen. Warum war er zum Beispiel nicht wie Alex Gilbey nach Seattle geflogen? Das war herzlos. Wie konnte man jemandem die letzte Ehre verweigern, der nicht nur einer seiner ältesten Freunde, sondern auch ein Mittäter war?

Es sei denn, es hätte irgendein Zerwürfnis gegeben. Man hörte oft davon, dass Diebe sich überwarfen. Und für Mörder wäre das noch viel typischer. Durch den zeitlichen Abstand und die räumliche Entfernung war es wohl zu einem solchen Bruch gekommen. Unmittelbar nach ihrer Tat hatte es nichts dergleichen gegeben. Er wusste das jetzt durch seinen Onkel Brian.

Die Erinnerung an dieses Gespräch lief die meiste Zeit, solange er wach war, im Hintergrund seines Kopfes wie die Perlenreihe an einer Kette ab, die er ständig durch die Finger gleiten ließ, um sich damit seine Entschlossenheit zu bestätigen. Er hatte ja nur seine Eltern finden wollen und hätte nie erwartet, dass er sich bei dieser Suche nach einer höheren Wahrheit förmlich verzehren würde. Aber er verzehrte sich wirklich. Andere mochten dies als Besessenheit abtun, aber das war eben typisch für Leute, die weder die Bedeutung einer Bindung noch das tiefe Verlangen nach Gerechtigkeit begriffen. Er war überzeugt, dass der ruhelose Schatten seiner Mutter ihn beobachtete und ihn anspornte, das zu tun, was getan werden musste. Es war der letzte Gedanke, bevor der Schlaf ihn übermannte, und der erste, wenn er erwachte. Jemand musste dafür büßen.

Sein Onkel war nicht gerade begeistert gewesen von ihrer Begegnung auf dem Friedhof. Zuerst hatte Macfadyen gedacht, der ältere Mann würde handgreiflich werden. Er ballte die Fäuste und senkte den Kopf wie ein Stier vor dem Angriff.

Macfadyen ließ sich aber nicht einschüchtern. »Ich will nur über meine Mutter sprechen«, sagte er.

»Ich habe Ihnen nichts mitzuteilen«, knurrte Brian Duff.

»Ich will nur wissen, wie sie war.«

»Ich dachte, Jimmy Lawson hätte Ihnen gesagt, Sie sollten wegbleiben?«

»Lawson ist zu Ihnen gekommen, um über mich zu sprechen?«

»Bilden Sie sich nur nichts ein. Er ist zu mir gekommen, um über die neue Ermittlung zur Ermordung meiner Schwester zu sprechen.«

Macfadyen nickte, er habe verstanden. »Er hat Ihnen also von den fehlenden Beweisstücken erzählt?«
Duff nickte. »Ja.« Er senkte die Hände und wandte den Blick ab. »Die Versager.«
»Wenn Sie nicht über meine Mutter sprechen wollen, können Sie mir dann wenigstens sagen, wie es war, als sie umgebracht wurde? Ich muss wissen, was passiert ist. Und Sie waren dort.«
Duff erkannte, dass er es hier mit Hartnäckigkeit zu tun hatte. Das war schließlich ein Charakterzug, den dieser Fremde mit ihm und seinem Bruder gemeinsam hatte. »Sie lassen sich wohl nicht abweisen, was?«, sagte er übel gelaunt.
»Ja, das stimmt. Hören Sie, ich habe nie erwartet, dass man mich in der Familie meiner Blutsverwandten mit offenen Armen empfangen würde. Aber ich habe ein Recht zu wissen, woher ich gekommen bin und was mit meiner Mutter geschehen ist.«
»Wenn ich mit Ihnen rede, werden Sie dann gehen und uns in Ruhe lassen?«
Macfadyen überlegte einen Augenblick. Es war besser als nichts. Und vielleicht würde er eine Möglichkeit finden, Brian Duffs Abwehrhaltung zu überwinden und sich für die Zukunft eine Tür offen zu halten. »Okay«, sagte er.
»Kennen Sie die Lammas Bar?«
»Ich bin ein paarmal dort gewesen.«
Duffs Augenbrauen hoben sich. »Ich treffe Sie dort in einer halben Stunde.« Er drehte sich auf dem Absatz um und stolzierte davon. Als sein Onkel in der Dunkelheit verschwunden war, spürte Macfadyen die Erregung wie Galle in seiner Kehle hochsteigen. Er hatte so lange nach Antworten gesucht, und die Aussicht, sie endlich zu finden, überwältigte ihn fast.
Er eilte zu seinem Wagen zurück, fuhr direkt zur Lammas Bar und suchte sich einen Tisch in einer stillen Ecke, wo sie in Ruhe reden konnten. Er ließ den Blick umherschweifen und fragte sich, wie viel sich wohl verändert hatte, seit Rosie hinter

der Bar gearbeitet hatte. Es sah aus, als sei das Lokal in den neunziger Jahren renoviert worden, aber die abgestoßene Farbe und der allgemein eher deprimierende Eindruck ließen darauf schließen, dass es den Aufschwung zu einer Szene-Kneipe wohl nie geschafft hatte.

Macfadyen hatte sein Bier halb ausgetrunken, als Brian Duff die Tür aufstieß und zum Tresen ging. Er war hier offenbar allseits bekannt, das Mädchen hinter der Bar griff schon nach einem Glas, bevor er etwas bestellte. Mit einem Eighty-Shilling-Bier bewaffnet, setzte er sich zu Macfadyen an den Tisch. »Also gut«, sagte er, »wieviel wissen Sie?«

»Ich habe in den Zeitungsarchiven nachgesehen und fand noch etwas über diese Sache in einem Buch über authentische Fälle. Aber daraus konnte ich nur die reinen Fakten entnehmen.«

Duff nahm einen großen Schluck Bier und hielt dabei den Blick auf Macfadyen gerichtet. »Fakten, vielleicht. Die Wahrheit? Auf keinen Fall. Weil man Leute nicht Mörder nennen darf, bevor die Geschworenen das festgestellt haben.«

Macfadyens Puls beschleunigte sich. Es klang, als sei der Verdacht, den er hatte, in die richtige Richtung gegangen. »Was meinen Sie damit?«, sagte er.

Duff holte tief Luft und atmete langsam wieder aus. Es war offensichtlich, dass er dieses Gespräch eigentlich nicht führen wollte. »Lassen Sie es mich erzählen. An dem Abend, als Rosie starb, arbeitete sie hier an der Bar. Manchmal nahm ich sie im Auto mit nach Hause, aber an dem Abend nicht. Sie sagte, sie würde zu einer Party gehen, aber in Wirklichkeit traf sie sich nach der Arbeit mit jemandem. Wir wussten alle, dass sie mit jemand ging, aber sie verriet nicht, wer es war. Sie mochte Geheimnisse, unsere Rosie. Aber ich und Colin, wir haben vermutet, dass sie nichts von ihrem Freund erzählte, weil sie dachte, wir hätten etwas gegen ihn.« Duff kratzte sich am Kinn. »Wir waren ein bisschen plump, wenn es darum ging, Rosie zu beschützen. Aber nachdem sie schwanger geworden war ... na ja, sagen wir mal, wir wollten nicht, dass sie sich noch einmal mit einem Versager einließ.

Jedenfalls ging sie weg, nachdem geschlossen wurde, und niemand sah, mit wem sie sich traf. Es war, als wäre sie für vier Stunden einfach vom Erdboden verschwunden.« Er packte sein Glas, und seine Knöchel wurden weiß. »Ungefähr um vier Uhr morgens torkelten vier betrunkene Studenten von einer Party nach Hause und fanden sie im Schnee auf dem Hallow Hill. Die offizielle Version war, dass sie einfach zufällig auf sie trafen.« Er schüttelte den Kopf. »Aber da, wo sie war, hätte man sie nicht einfach zufällig gefunden. Das ist das Erste, was Sie sich merken müssen.

Sie hatte eine Stichwunde im Bauch. Aber es war eine verdammt große Wunde. Tief und lang.« Duff zog die Schultern hoch, als wolle er sich schützen. »Sie ist verblutet. Wer immer sie umbrachte, hat sie im Schnee da hinaufgebracht und wie einen Sack voll Dreck abgeladen. Das ist das Zweite, was Sie nicht vergessen sollten.« Seine Worte waren kurz und knapp, nach fünfundzwanzig Jahren tobten in ihm noch immer die Gefühle.

»Sie sagten, sie sei wahrscheinlich vergewaltigt worden. Sie wollten es erst als ziemlich heftigen Sex hinstellen, aber ich hab das nie geglaubt. Rosie hatte ihre Lektion gelernt. Sie schlief nicht mit den Typen, mit denen sie ausging. Die Bullen haben behauptet, sie hätte mir und Colin da was vorgemacht. Aber wir haben uns mit zwei von denen unterhalten, und sie haben geschworen, sie hätten nie Sex mit ihr gehabt. Und ich glaube ihnen, weil wir sie nicht mit Samthandschuhen angefasst haben. Sicher, sie haben sich vergnügt, sie hat ihnen mal einen geblasen oder mit der Hand einen runtergeholt. Aber sie hatte keinen Sex. Also muss sie vergewaltigt worden sein. An ihren Kleidern war Sperma.« Zornig stieß er ein kurzes zweifelndes Lachen aus. »Ich kann's nicht fassen, diese dummen Trottel haben die Beweisstücke verloren. Und das war alles, was sie brauchten, die DNA-Tests hätten den Rest erledigt.«

Er trank wieder. Macfadyen wartete, gespannt wie ein Jagdhund, der seine Beute beobachtet. Er wollte nichts sagen und dadurch die Stimmung zerstören.

»Das ist also mit meiner Schwester passiert. Und wir wollten wissen, wer ihr das angetan hat. Die Polizei hatte keine verdammte Ahnung. Sie haben sich die vier Studenten angesehen, die sie gefunden hatten, aber die wurden nie richtig in die Mangel genommen. Sehen Sie sich die Stadt hier an! Niemand will sich's mit der Universität verderben. Und damals war das noch schlimmer.

Merken Sie sich diese Namen: Alex Gilbey, Sigmund Malkiewicz, Davey Kerr, Tom Mackie. Das sind die vier, die sie gefunden haben. Die vier, die mit ihrem Blut beschmiert waren, aber aus einem so genannten legitimen Grund. Und wo waren sie in den vier fehlenden Stunden? Auf einer Party. Eine Party von besoffenen Studenten, wo niemand auf den anderen achtet. Sie hätten weggehen können, ohne dass es jemand gemerkt hätte. Wer kann sagen, dass sie überhaupt länger als eine halbe Stunde am Anfang und vielleicht eine Stunde am Ende dort waren? Und außerdem hatten sie einen Landrover zur Verfügung.«

Macfadyen sah bestürzt drein. »Das hab ich nirgends gelesen.«

»Nein, das hätten Sie auch nicht lesen können. Sie haben einen Landrover gestohlen, der einem ihrer Kameraden gehört hat. Sie sind damals in der Nacht damit rumgefahren.«

»Warum wurde es ihnen nicht zur Last gelegt?«, fragte Macfadyen.

»Gute Frage. Und eine, auf die wir nie eine Antwort bekommen haben. Wahrscheinlich ist es, wie ich schon gesagt habe. Niemand will die Universität verärgern. Vielleicht wollten die Bullen sich nicht mit harmloseren Anklagen begnügen, wenn sie die Tat selbst nicht beweisen konnten. Da hätten sie ziemlich erbärmlich dagestanden.«

Er ließ sein Glas los und zählte an den Fingerspitzen ab: »Sie hatten also kein richtiges Alibi. Sie hatten das perfekte Fahrzeug, um mit einer Leiche in einem Schneesturm herumzufahren. Sie waren oft hier in diesem Lokal. Sie kannten Rosie. Ich und Colin, wir hielten Studenten für Flegel, die Mädchen wie Rosie ausnutzten und dann sitzen ließen, wenn die kamen, die das Zeug zu Ehefrauen hatten, und sie wusste das, sie hätte es also nie eingestanden, wenn sie mit einem Studenten ausgegangen wäre. Einer von denen hat tatsächlich zugegeben, dass er Rosie eingeladen hatte, mit zu der Party zu kommen. Und nach dem, was man mir gesagt hat, hätte das Sperma von Sigmund Malkiewicz, Davey Kerr oder Tom Mackie sein können.« Von seinem intensiven Monolog ermüdet, lehnte er sich zurück.

»Gab es keine anderen Verdächtigen?«

Duff zuckte die Schultern. »Es gab einen mysteriösen Freund. Aber wie ich schon sagte, das hätte leicht einer dieser vier sein können. Jimmy Lawson hatte irgend so eine bescheuerte Idee, dass sie von einem Spinner zu einem satanischen Ritual mitgenommen wurde. Deshalb wäre sie dorthin gebracht worden, wo sie war. Aber es gab nie irgendeinen Beweis dafür. Außerdem, wie hätte der sie finden sollen? Bei dem Wetter wäre sie doch nicht auf der Straße unterwegs gewesen.«

»Was ist Ihrer Meinung nach in der Nacht damals wirklich passiert?« Macfadyen konnte diese Frage nicht unterdrücken.

»Ich glaube, sie ist mit einem von ihnen ausgegangen. Ich glaube, er hatte es satt, dass er seinen Willen nicht kriegte. Ich glaube, er hat sie vergewaltigt. Herrgott noch mal, vielleicht haben sie das alle getan, ich weiß es nicht. Als ihnen klar wurde, was sie getan hatten, wussten sie, es wäre aus mit ihnen, wenn sie sie laufen ließen und sie es erzählen konnte. Das wäre das Ende ihrer Titel, das Ende ihrer fabelhaften Zukunft gewesen. Also brachten sie sie um.« Ein langes Schweigen folgte. Macfadyen ergriff als Erster das Wort. »Ich habe nicht gewusst, auf welche drei das Sperma hinwies.«

»Es ist nie allgemein bekannt geworden. Aber es stimmt trotzdem. Einer meiner Freunde ist mit einem Mädchen ausgegangen, das für die Polizei gearbeitet hat. Sie war nicht direkt im Polizeidienst, aber sie wusste, was da lief. Mit allem, was die Polizei gegen die vier in der Hand hatte, war das kriminell, wie sie sie einfach davonkommen ließen.«

»Sie wurden nie verhaftet?«

Duff schüttelte den Kopf »Sie wurden befragt. Aber dabei kam nichts heraus. Nein, sie sind immer noch frei. So frei wie die Vögel.« Er trank sein Bier aus. »Jetzt wissen Sie also, was passiert ist.« Er schob seinen Stuhl zurück, als wolle er gehen.

»Warten Sie«, sagte Macfadyen eindringlich.

Duff hielt inne, er schien ungeduldig.

»Wieso haben Sie nie etwas unternommen?«

Duff wich zurück, als hätte er ihm einen Schlag versetzt. »Wer sagt, dass wir nichts unternommen haben?«

»Na ja, Sie haben doch gerade gesagt, dass sie frei sind, so frei wie die Vögel.«

Duff stieß einen so tiefen Seufzer aus, dass der schale Biergeruch bis zu Macfadyen drang. »Es blieb uns nicht viel zu tun übrig. Wir haben zwei von ihnen in die Mangel genommen, aber wir wurden gewarnt. Die Polizei hat uns ziemlich deutlich gesagt, wenn einem der vier etwas passieren würde, müssten wir damit rechnen, hinter Gittern zu landen. Wenn es nur um Colin und mich gegangen wäre, hätten wir das nicht weiter beachtet. Aber wir konnten das unserer Mutter nicht antun. Nach allem, was sie schon durchgemacht hatte. Also haben wir uns zurückgehalten.« Er biss sich auf die Lippe. »Jimmy Lawson hat immer gesagt, sie würden den Fall nie ruhen lassen. Eines Tages, meinte er, würde der, der Rosie umgebracht hat, das bekommen, was er verdient hat. Und ich hab wirklich geglaubt, dass mit dieser neuen Ermittlung die Zeit dafür gekommen wäre.« Er schüttelte den Kopf. »Ich Hohlkopf.« Diesmal stand er tatsächlich auf. »Ich habe mein Versprechen gehalten. Jetzt tun Sie's auch. Bleiben Sie weg von mir und meiner Familie.«

»Nur noch eins. Bitte!«

»Mein Vater. Wer ist mein Vater?«

»Sie sind besser dran, wenn Sie es nicht wissen. Er taugte nichts.«

»Aber trotzdem. Die Hälfte meiner Gene stammt von ihm.«

Macfadyen sah die Unsicherheit in Duffs Augen. Er ließ nicht locker. »Sagen Sie mir, wer mein Vater war, und Sie sehen mich nie wieder.«

Duff zuckte die Achseln. »Sein Name ist John Stobie. Er zog drei Jahre vor Rosies Tod nach England.« Er drehte sich auf dem Absatz um und ging.

Macfadyen saß eine Weile da und starrte in die Luft, ohne sein Bier weiterzutrinken. Ein Name. Etwas, womit er eine Suche starten konnte. Endlich hatte er einen Namen. Aber noch mehr als das. Er hatte auch eine Rechtfertigung für die Entscheidung, die er getroffen hatte, nachdem James Lawson zugegeben hatte, wie unfähig er war. Die Namen der Studenten waren ihm nicht neu gewesen. Sie waren in den Zeitungsartikeln über den Mord vorgekommen. Er kannte sie schon seit Monaten. Alles, was er las, hatte ihn in dem verzweifelten Bedürfnis bestärkt, jemanden zu finden, der die Schuld für das trug, was seiner Mutter zugestoßen war. Als er die Suche danach begonnen hatte, wo die vier Männer sich aufhielten, die – so hatte er sich eingeredet – ihm jede Möglichkeit genommen hatten, seine leibliche Mutter zu finden, hatte er mit Enttäuschung festgestellt, dass alle vier ein Leben als erfolgreiche, ehrbare und angesehene Leute führten. Das war doch keine Gerechtigkeit.

Er startete sofort eine Internetsuche nach jeder möglichen Information über die vier. Und als Lawson mit seiner Erklärung herausrückte, hatte Macfadyen das nur in seiner Entschlossenheit bestärkt, sie nicht ungeschoren davonkommen zu lassen. Wenn die Polizei von Fife sie nicht für das, was sie getan hatten, zur Rechenschaft ziehen konnte, dann musste eben ein anderer Weg gefunden werden, um sie büßen zu lassen.

Am Morgen nach dem Treffen mit seinem Onkel wachte Macfadyen früh auf. Schon seit einer Woche war er jetzt nicht mehr zur Arbeit gegangen. Er war ausgezeichnet im Schreiben von Programmen, und dies war immer die einzige Tätigkeit gewesen, bei der er sich entspannt fühlte. Aber dieser Tage machte ihn der Gedanke, vor einem Bildschirm zu sitzen und die komplexen Strukturen seines gegenwärtigen Projekts durchzuarbeiten, nur ungeduldig. Im Vergleich zu den anderen Dingen, die in seinem Gehirn tobten, schien alles Sonstige unbedeutend, irrelevant und sinnlos. Nichts in seinem Leben hatte ihn auf diese Nachforschungen vorbereitet, und ihm war klar geworden, dass er sich mit seiner ganzen Person dafür einsetzen musste, nicht nur mit der Energie, die er nach einem Tag im Computerlabor noch übrig hatte. Er war zum Arzt gegangen und hatte behauptet, er leide an Stress. Das war eigentlich keine Lüge, und er war so überzeugend, dass er bis nach Neujahr krankgeschrieben wurde.

Er kroch aus dem Bett, stolperte ins Bad und fühlte sich, als hätte er nur Minuten statt Stunden geschlafen. Beim flüchtigen Blick in den Spiegel nahm er die Schatten unter den Augen und seine eingefallenen Wangen nicht wahr. Er hatte zu tun. Die Mörder seiner Mutter kennen zu lernen war wichtiger, als an regelmäßiges Essen zu denken.

Ohne sich Zeit zum Anziehen zu nehmen oder auch nur Kaffee zu machen, ging er sofort in sein Arbeitszimmer und schaltete einen seiner Rechner ein. Eine Botschaft blinkte in der Ecke des Bildschirms auf: »Sie haben Post.« Er öffnete sein Postfach. Zwei Nachrichten. Die erste war ein Artikel von David Kerr in einer der neuesten Ausgaben einer akademischen Fachzeitschrift. Irgendein Quatsch über einen französischen Schriftsteller, von dem Macfadyen noch nie gehört hatte. Das interessierte ihn überhaupt nicht. Aber trotzdem zeigte es, dass er bei seiner Internetsuche von den richtigen Kriterien ausgegangen war. David Kerr war nicht gerade ein seltener Name, und bis er die Suche eingrenzen konnte, hatte er jeden

Tag Dutzende von Ergebnissen bekommen. Was wirklich lästig war.

Die nächste Nachricht war viel interessanter. Sie wies ihn auf die Website des *Seattle Post Intelligencer* hin. Als er den Artikel las, trat langsam ein Lächeln auf sein Gesicht.

BEKANNTER KINDERARZT
STIRBT BEI VERDÄCHTIGEM BRAND

Der Gründer der renommierten Fife-Klinik ist in seinem Haus in King County bei einem Feuer umgekommen, dessen Ursache mutmaßlich Brandstiftung war.

Dr. Sigmund Malkiewicz, bei Patienten und Kollegen als Doctor Ziggy bekannt, starb bei einem Brand, der gestern in den frühen Morgenstunden sein einsam gelegenes Haus zerstörte.

Drei Löschzüge waren im Einsatz, aber die Flammen hatten schon den größten Teil der Holzkonstruktion des Hauses erfasst. Branddirektor Jonathan Ardiles sagte: »Das Haus stand schon völlig in Flammen, als wir von Dr. Malkiewicz' nächstem Nachbarn gerufen wurden. Wir konnten sehr wenig tun, außer dass wir zu verhindern versuchten, dass sich das Feuer auf die umliegenden Wälder ausbreitete.«

Detective Aaron Bronstein gab heute bekannt, die Polizei habe den Verdacht, dass das Feuer gelegt wurde. Er sagte: »Spezialisten für Brandstiftung führen vor Ort Untersuchungen durch. Zu diesem Zeitpunkt können wir noch nicht mehr sagen.«

Dr. Malkiewicz, 45, geboren und aufgewachsen in Schottland, hatte über fünfzehn Jahre in der Umgebung von Seattle gearbeitet. Er war als Kinderarzt am Kreiskrankenhaus von King County, bevor er vor neun Jahren seine eigene Klinik gründete. Er hatte sich in der Krebsbehandlung von Kindern einen Ruf erworben und spezialisierte sich auf die Behandlung von Leukämie.

Dr. Angela Redmond, die in der Klinik mit Dr. Malkiewicz zusammenarbeitete, sagte: »Dieser tragische Vorfall hat uns alle erschüttert. Doctor Ziggy war ein hilfsbereiter und aufopfernder Kollege, der alles für seine Patienten tat. Alle, die ihn kennen, werden von dieser Nachricht bestürzt sein.«

Die Worte tanzten ihm vor den Augen und hinterließen eine merkwürdige Mischung aus Hochstimmung und Frustration. Nach dem, was er jetzt über das Sperma wusste, schien es ihm angebracht, dass Malkiewicz als Erster starb. Macfadyen war jedoch enttäuscht, dass der Journalist nicht clever genug gewesen war, die schäbigen Details aus Malkiewicz' Leben auszugraben. Der Artikel hörte sich an, als sei Malkiewicz eine Art Mutter Teresa gewesen, wo Macfadyen doch wusste, dass die Wahrheit ganz anders war. Vielleicht sollte er dem Journalisten eine E-Mail schicken und ihn über einige Punkte aufklären.

Aber andererseits war das vielleicht keine kluge Idee. Wenn die Mörder dachten, dass sich jemand für das interessierte, was vor fünfundzwanzig Jahren mit Rosie Duff geschehen war, würde es dadurch schwieriger werden, sie weiter zu beobachten. Nein, im Moment war es besser, seine Meinung für sich zu behalten. Trotzdem konnte er sich nach dem Begräbnis erkundigen und dort einen kleinen Akzent setzen, wenn sie Augen hatten zu sehen. Es würde nicht schaden, den Samen des Argwohns in ihren Herzen zu säen, damit sie anfingen, ein bisschen zu leiden. Sie hatten schließlich im Lauf der Jahre genug Leid verursacht.

Er sah auf seinem Computer nach, wie spät es war. Wenn er jetzt losfuhr, würde er es rechtzeitig nach North Queensferry schaffen, um Alex Gilbey auf dem Weg zur Arbeit zu folgen. Ein Morgen in Edinburgh, dann würde er nach Glasgow fahren und sehen, was David Kerr so trieb. Aber davor wäre noch Zeit, die Suche nach John Stobie zu beginnen.

Zwei Tage später folgte er Alex zum Flughafen und sah ihn zum Flug nach Seattle einchecken. Fünfundzwanzig Jahre waren vergangen, und immer noch verband sie der Mord. Er hatte eigentlich erwartet, dass David Kerr sich dort mit Gilbey treffen würde. Aber keine Spur von ihm. Und als er nach Glasgow fuhr, um zu sehen, ob er seine Beute dort etwa verpasst hatte, fand er Kerr in einem Hörsaal, wo er die angekündigte Vorlesung hielt.
Das war wirklich herzlos.

27

Alex war noch nie so froh gewesen, die Lichtsignale zur Landung auf dem Flughafen in Edinburgh zu sehen. Regen peitschte gegen die Fenster des Fliegers, aber das kümmerte ihn nicht. Er wollte nur wieder zu Hause sein, ruhig bei Lynn sitzen und mit seiner Hand auf ihrem Bauch das Leben in ihr spüren. Die Zukunft. Wie alles andere, was ihm durch den Sinn ging, ließ ihn auch dies gleich wieder an Ziggys Tod denken. Ein Kind, das sein bester Freund nie sehen, nie auf dem Arm halten würde.

Lynn wartete auf ihn in der Ankunftshalle. Sie sieht müde aus, dachte er. Er wünschte, sie würde aufhören zu arbeiten. Sie brauchten das Geld ja nicht. Aber sie bestand hartnäckig darauf, bis zum letzten Monat zu arbeiten. »Ich will in meinem Mutterschaftsurlaub Zeit mit dem Kind verbringen, nicht herumsitzen und darauf warten, dass es kommt«, hatte sie gesagt. Sie war immer noch fest entschlossen, nach sechs Monaten wieder zur Arbeit zu gehen, aber Alex fragte sich, ob sich das nicht ändern würde.

Er winkte, als er auf sie zueilte. Dann lagen sie sich in den Armen und hingen aneinander, als seien sie Wochen statt nur Tage getrennt gewesen. »Du hast mir gefehlt«, murmelte er in ihr Haar.

»Du mir auch.« Sie lösten sich voneinander, gingen zum Parkplatz, und Lynn hakte sich bei ihm ein. »Geht's dir gut?«

Alex schüttelte den Kopf. »Eigentlich nicht. Ich bin fix und fertig, wortwörtlich. Als wäre mein Inneres ganz leer. Ich weiß nicht, wie Paul die Tage übersteht.«
»Wie geht es ihm?«
»Es ist, als treibe er auf hoher See. Dass er das Begräbnis organisieren musste, gab ihm etwas, worauf er sich konzentrieren konnte und was ihn von seinem Verlust ablenkte. Aber gestern Abend, nachdem alle nach Hause gegangen waren, war er wie eine verlorene Seele. Ich weiß nicht, wie er damit fertig werden wird.«
»Hat er viel Unterstützung?«
»Sie haben eine Menge Freunde. Er wird nicht einsam sein. Aber wenn es ernst wird, ist man doch allein, oder?« Er seufzte. »Es hat mir gezeigt, welches Glück ich habe. Dass ich dich habe und bald auch das Baby. Ich weiß nicht, was ich täte, wenn dir etwas zustoßen würde, Lynn.«
Sie drückte seinen Arm. »Das ist natürlich, dass du so etwas denkst. Ein Tod wie der von Ziggy lässt uns alle fühlen, wie verletzlich wir sind. Aber mir wird nichts passieren.«
Sie erreichten das Auto, und Alex setzte sich ans Steuer. »Also, nach Hause«, sagte er. »Ich kann gar nicht glauben, dass morgen schon Weihnachten ist. Ich sehne mich nach einem ruhigen Abend daheim, nur wir beide.«
»Mhm«, sagte Lynn und zog den Sicherheitsgurt über ihrem Bauch zurecht.
»Oh nein. Nicht deine Mutter. Doch nicht heute Abend.«
Lynn grinste. »Nein, nicht meine Mutter. Aber fast genauso schlimm. Mondo ist hier.«
Alex runzelte die Stirn. »Mondo? Ich dachte, er sollte in Frankreich sein?«
»Hat seine Pläne geändert. Sie sollten ein paar Tage bei Hélènes Bruder in Paris verbringen, aber dessen Frau hat Grippe bekommen. Also haben sie umgebucht.«
»Und was soll das, dass er uns besucht?«
»Er sagt, er hatte geschäftlich in Fife zu tun, aber ich glaube, er

hat Schuldgefühle, dass er nicht mit dir nach Seattle geflogen ist.«

Alex schnaubte. »Ja, das war schon immer eine seiner Stärken, nach vollendeten Tatsachen die Schuldgefühle herauszuhängen. Aber es hat ihn nicht davon abgehalten, das zu tun, was ihm Schuldgefühle verursachte.«

Lynn legte ihre Hand auf seinen Oberschenkel. Es war nichts Erotisches in dieser Geste. »Du hast ihm nie wirklich vergeben, oder?«

»Ich glaube nicht. Meistens ist es einfach vergessen. Aber wenn so viele Dinge zusammenkommen, wie es letzte Woche war … Nein, ich glaube, ich habe ihm nie vergeben. Zum Teil, weil er mich damals vor all den Jahren in diese schreckliche Situation gebracht hat, nur damit er selbst bei der Polizei aus dem Schneider war. Wenn er Maclennan nicht gesagt hätte, dass ich in Rosie verknallt war, glaube ich nicht, dass wir so ernsthaft als Verdächtige betrachtet worden wären. Aber vor allem kann ich ihm diesen albernen Auftritt nicht vergeben, der Maclennan das Leben kostete.«

»Meinst du nicht, dass Mondo sich selbst deswegen Vorwürfe macht?«

»Das sollte er jedenfalls. Aber wenn er nicht wesentlich dazu beigetragen hätte, dass wir überhaupt ins Visier genommen wurden, dann hätte er nie das Gefühl gehabt, sich so lächerlich aufführen zu müssen. Und ich hätte mich in meiner restlichen Zeit an der Uni nicht mit anderen Leuten herumstreiten müssen, die überall, wo ich hinkam, mit dem Finger auf mich zeigten. Ich kann nicht anders, als Mondo dafür verantwortlich zu machen.«

Lynn öffnete ihre Tasche und holte Kleingeld für die Brückenmaut heraus. »Ich glaube, er hat das immer gewusst.«

»Und vielleicht hat er sich deshalb so bemüht, sich möglichst fern zu halten.« Alex seufzte. »Es tut mir leid, das heißt, dass du das Nachsehen hattest.«

»Ach, sei doch nicht albern«, sagte sie und reichte ihm die

Münzen, während sie die Zufahrtsstraße zur Forth Road Bridge entlangfuhren, deren majestätischer Bogen die beste Sicht auf die drei rautenförmigen Stahlträgerkonstruktionen der Eisenbahnbrücke über den Mündungstrichter bot. »Da ist ihm selbst etwas abgegangen, Alex. Ich wusste, als ich dich heiratete, dass es Mondo nie wirklich recht sein würde. Aber ich glaube immer noch, dass ich das beste Los gezogen habe. Mir ist es auf jeden Fall lieber, dass du der Mittelpunkt meines Lebens bist statt mein neurotischer großer Bruder.«

»Es tut mir leid, wie die Dinge gelaufen sind, Lynn. Ich mag ihn trotzdem immer noch, weißt du. Ich habe eine Menge guter Erinnerungen, zu denen er dazugehört.«

»Ich weiß. Also, dann versuch, daran zu denken, wenn du ihn heute Abend am liebsten erwürgen würdest.«

Alex drehte das Fenster herunter und fröstelte, als der Regen an sein Gesicht spritzte. Er zahlte die Maut und fuhr zügig weiter. Wie immer, wenn er sich Fife näherte, spürte er, wie es ihn nach Hause zog. Er warf einen Blick auf die Uhr am Armaturenbrett. »Wann kommt er?«

»Er ist schon da.«

Alex verzog das Gesicht. Keine Chance, Atem zu holen, keine Gelegenheit, sich zu verstecken.

Detective Constable Karen Pirie flitzte unter den schützenden Eingang des Pubs und stieß erleichtert die Tür auf. Ein Schwall warmer, verbrauchter Luft, die nach altem Bier und Rauch roch, kam ihr entgegen. Dieser Mief war für sie wie eine Erlösung. Im Hintergrund erkannte sie die Melodie von St. Germains *Tourist*. Das war nett. Sie reckte den Hals und betrachtete die Gäste an diesem frühen Abend, um zu sehen, wer da war. Drüben an der Bar sah sie Phil Parhatka mit hochgezogenen Schultern vor einem Bier und einer Tüte Chips stehen. Sie drängte sich durch die Menge und zog einen Barhocker heran.

»Ich nehme 'n Bacardi Breezer«, sagte sie und stieß ihn in die Rippen.

Phil raffte sich auf, machte den geplagten Barkeeper auf sich aufmerksam und bestellte, dann lehnte er sich gegen die Theke. Phil war immer besser drauf, wenn er in Gesellschaft war statt allein, dachte Karen. Niemand entsprach weniger als er dem Fernseh-Klischee des einzelgängerischen, einsamen Polizisten, der allein die Probleme der Welt löst. Er war nicht das, was man eine Stimmungskanone nennt, sondern er war einfach gern mit anderen zusammen. Und es machte ihr nichts aus, ihm diese Menge zu ersetzen. Wenn sie sich so gegenüberstanden, würde er vielleicht sogar bemerken, dass sie eine Frau war. Karen ergriff ihr Glas, sobald es kam, und nahm einen kräftigen Schluck. »Das ist schon besser«, keuchte sie. »Das hab ich wirklich gebraucht.«

»Arbeit, die durstig macht, all die Kartons mit Beweisstücken durchsuchen. Ich hatte nicht erwartet, dich heute Abend hier zu sehen, ich dachte, du würdest direkt nach Hause gehen.«

»Nein, ich musste noch mal ins Büro und ein paar Sachen auf dem Computer überprüfen. Das iss 'n Elend, aber so geht's eben.«

Sie trank noch einmal und lehnte sich verschwörerisch zu ihrem Kollegen hinüber. »Und du wirst nie erraten, wen ich beim Herumschnüffeln in meinen Akten erwischt hab.«

»Lawson«, sagte Phil, ohne auch nur so zu tun, als habe er es erraten müssen.

Karen setzte sich abrupt zurück, etwas verärgert. »Wieso wusstest du das?«

»Wer sonst macht sich 'n Dreck draus, was wir tun? Außerdem hat er dich, seit diese Wiederaufnahme läuft, viel mehr gedrängelt als sonst jemanden. Er scheint es persönlich zu nehmen.«

»Na ja, er war der erste Polizist am Fundort.«

»Ja, aber er war ja nur bei der Streife damals. War ja nicht sein Fall oder so was.« Er schob die Chips in Karens Richtung und trank sein erstes Bier aus.

»Ich weiß. Aber ich nehme an, er hat das Gefühl, mit diesem Fall mehr verbunden zu sein als mit den anderen. Trotzdem war es komisch, reinzukommen und ihn über meinen Akten sitzen zu sehen. Gewöhnlich ist er um diese Zeit schon lange weg. Ich dachte, er würde vor Schreck umfallen, als ich ihn ansprach. Er war so vertieft, als ich reinkam, dass er mich nicht hörte.«

Phil holte sich noch ein Bier und nahm einen Schluck. »Er ist vor kurzem bei ihrem Bruder gewesen, oder? Hat ihm doch von dem Malheur mit den Beweisstücken erzählt?«

Karen schüttelte ihre Finger, womit sie ausdrückte, dass sie um eine unangenehme Pflicht herumgekommen war. »Ich kann dir sagen, mir war es mehr als recht, dass er das übernommen hat. Das wäre kein Gespräch gewesen, das ich gern geführt hätte. ›Hallo, Sir. Leider haben wir die Beweisstücke verloren, die endlich den Mörder Ihrer Schwester hätten überführen können. Na ja, so was passiert eben mal.‹« Sie zog eine Grimasse. »Also, wie kommst du voran?«

Phil zuckte die Schultern. »Ich weiß nicht. Ich dachte, ich hätte was, aber jetzt sieht es auch wieder wie eine Sackgasse aus. Außerdem quatscht mir jetzt noch der hiesige Parlamentsabgeordnete von wegen Menschenrechten dazwischen. Es ist einfach eine Schinderei, diese Arbeit.«

»Hast du einen Verdächtigen?«

»Drei. Aber keinen richtigen Beweis. Ich warte immer noch auf die DNA-Ergebnisse vom Labor. Das ist meine einzige wirkliche Chance, weiterzukommen. Und du? Wer, glaubst du, hat Rosie Duff umgebracht?«

Karen breitete die Hände aus. »Ich würde auf einen der vier tippen.«

»Du glaubst also wirklich, dass es einer der Studenten war, die sie gefunden haben?«

Karen nickte. »Alle Indizien weisen darauf hin. Und außerdem gibt es da noch etwas.« Sie hielt inne und wartete auf ein Stichwort.

»Also gut, Sherlock. Lass hören. Was denn noch?«
»Die Psychologie. Egal, ob es sich um einen Ritual- oder einen Sexualmord handelt, die Psychologen sagen, dass solche Morde nicht als Einzelfall begangen werden. Man müsste davon ausgehen, dass es vorher schon ein paar Versuche gab.«
»Wie bei Peter Sutcliffe?«
»Genau. Er ist nicht über Nacht zum Yorkshire Ripper geworden. Und das bringt mich gleich zum nächsten Punkt. Sexualverbrecher sind ein bisschen wie meine Oma. Sie wiederholen sich.«
Phil stöhnte. »Ach, sehr gut.«
»Du brauchst nicht zu klatschen, wirf mir einfach Geld zu. Sie wiederholen sich, weil sie auf Mord abfahren wie normale Leute auf Porno. Jedenfalls, mein Argument ist, dass wir nirgendwo in Schottland je eine weitere Spur von diesem Mörder gesehen haben.«
»Vielleicht ist er weggezogen.«
»Vielleicht. Aber vielleicht wurde das, was man uns da geboten hat, auch arrangiert. Vielleicht war es überhaupt nicht dieser Typ von Mörder. Vielleicht hat einer unserer Jungs oder haben sogar alle Rosie vergewaltigt und dann Panik bekommen. Sie wollen keine lebende Zeugin. Und deshalb töten sie sie. Aber sie lassen es wie die Tat einer sexbesessenen Bestie aussehen. Sie haben den Mord überhaupt nicht genossen, deshalb kam eine Wiederholung nie in Frage.«
»Meinst du, vier grüne Jungs würden es mit einem toten Mädchen auf dem Hals schaffen, so cool zu bleiben?«
Karen schlug die Beine übereinander und glättete ihren Rock. Sie bemerkte, dass er es wahrnahm, und spürte eine Wärme, die nichts mit weißem Rum zu tun hatte. »Das ist die Frage, oder?«
»Und was ist die Antwort?«
»Wenn man die Aussagen liest, ist eine davon auffällig. Die des Medizinstudenten Malkiewicz. Er hat am Fundort die Ruhe behalten, und seine Aussage liest sich ziemlich medizi-

nisch und nüchtern. Die Untersuchung der Fingerabdrücke ließ vermuten, dass er als Letzter den Landrover gefahren hat. Und er war einer der drei, die Blutgruppe 0 hatten. Es hätte sein Sperma sein können.«

»Na, das ist ja eine nette Theorie.«

»Da müssen wir noch einen drauf trinken, meine ich.« Diesmal holte Karen die Getränke. »Das Problem mit der Theorie ist nur«, fuhr sie fort, als ihr Glas wieder voll war, »dass wir Beweise dafür brauchen. Beweise, die ich nicht habe.«

»Was ist mit dem unehelichen Sohn? Hat er nicht irgendwo einen Vater? Und wenn er es gewesen wäre?«

»Wir wissen nicht, wer das war. Brian Duff macht den Mund nicht auf zu diesem Thema. Mit Colin habe ich noch nicht reden können. Aber Lawson hat mir den Wink gegeben, dass es wahrscheinlich ein Typ war, der John Stobie hieß. Er hat etwa um die richtige Zeit herum die Stadt verlassen.«

»Er könnte zurückgekommen sein.«

»Danach hat Lawson in den Akten gesucht. Um zu sehen, ob ich in dieser Hinsicht etwas erreicht hätte.« Karen zuckte die Achseln. »Aber selbst wenn er zurückgekommen wäre, warum hätte er Rosie umbringen sollen?«

»Vielleicht hat er sie noch verehrt, aber sie wollte nichts von ihm wissen.«

»Ich glaube nicht. Es geht da schließlich um einen Jungen, der die Stadt verließ, weil Brian und Colin ihn verprügelt hatten. Er kommt mir nicht wie einer vor, der heldenhaft wiederkommen und seine verlorene Liebe zurückfordern würde. Ich habe eine Anfrage an unsere Brüder in Uniform da unten an seinem jetzigen Wohnort geschickt. Sie werden sich mal mit ihm unterhalten.«

»Ja, klar. Er wird sich natürlich erinnern, wo er an einem Dezemberabend vor fünfundzwanzig Jahren war.«

Karen seufzte. »Ich weiß. Aber wenigstens werden die Kollegen, die mit ihm reden, einen Hinweis bekommen, ob er ein wahrscheinlicher Kandidat ist. Ich tippe immer noch auf Malkiewicz allein oder zusammen mit seinen Kameraden. Jedenfalls haben wir jetzt genug gefachsimpelt. Willst du noch mal Curry essen gehen, bevor die Feiertage mit dem Festtagsschmaus über uns hereinbrechen?«

Mondo sprang auf, sobald Alex in den Wintergarten trat, und warf dabei fast sein Glas Rotwein um. »Alex«, sagte er mit einem Anflug von Nervosität in der Stimme.

Wie unvermittelt wir in die Vergangenheit zurückfallen, wenn wir aus dem alltäglichen Leben in die Gesellschaft derer versetzt werden, mit denen wir die Zeit damals verbracht haben, dachte Alex, von dieser Einsicht überrascht. Er war sicher, dass Mondo im Berufsleben selbstsicher und kompetent war. Er hatte eine kultivierte und anspruchsvolle Frau und tat mit ihr kultivierte und anspruchsvolle Dinge, über die Alex nur Vermutungen anstellen konnte. Aber mit dem Vertrauten seiner Jugendzeit konfrontiert, war Mondo wieder der unsichere Teenager, der Verletzlichkeit und Abhängigkeit ausstrahlte.

»Hi, Mondo«, sagte Alex müde, ließ sich in den Sessel ihm gegenüber plumpsen und beugte sich vor, um sich ein Glas Wein einzugießen.

»Guten Flug gehabt?« Mondos Lächeln war fast schon flehentlich.

»Überhaupt nicht. Ich bin unverletzt nach Hause gekommen, das ist das Beste, was man allgemein über Flüge sagen kann. Lynn macht das Abendessen, sie wird gleich hier sein.«

»Tut mir leid, dass ich euch heute Abend überfallen habe, aber ich musste durch Fife fahren, um jemanden zu besuchen, und dann fliegen wir morgen nach Frankreich, das war also die einzige Möglichkeit ...«

Es tut dir kein bisschen leid, dachte Alex. *Du willst nur auf meine Kosten dein Gewissen beruhigen.* »Schade, dass du nicht etwas früher von der Grippe deiner Schwägerin erfahren hast, dann hättest du mit mir nach Seattle fliegen können. Weird war da.«

Alex' Stimme war nüchtern, aber er wollte Mondo mit seinen Worten treffen.
Mondo richtete sich auf, weigerte sich aber, Alex in die Augen zu sehen. »Ich weiß, dass du meinst, ich hätte auch dabei sein sollen.«
»Ja, das tue ich. Ziggy war einer deiner besten Freunde, fast zehn Jahre lang. Er hat dir Beistand geleistet. Ja, eigentlich hat er uns allen zur Seite gestanden. Ich wollte ihm dafür meine Anerkennung zeigen, und ich glaube, du hättest das auch tun sollen.«
Mondo fuhr sich mit einer Hand durchs Haar. Es war immer noch üppig und wellig, aber jetzt mit Silberfäden durchzogen. Es gab ihm ein exotisches Aussehen im Vergleich zur gewöhnlichen schottischen Männerwelt. »Na ja, ich bin in solchen Dingen einfach nicht gut.«
»Du warst immer derjenige von uns, der so sensibel war.«
Mondo warf ihm einen ärgerlichen Blick zu. »Zufällig halte ich Sensibilität für eine Tugend, nicht für ein Laster. Und ich werde mich nicht dafür entschuldigen.«
»Dann solltest du auch sensibel sein in Bezug auf all die Gründe, warum ich stocksauer auf dich bin. Gut, ich kann gerade noch begreifen, warum du uns allen aus dem Weg gehst, als hätten wir eine ansteckende Krankheit. Du wolltest so weit wie möglich von allem und allen weg sein, die dich an Rosie Duffs Ermordung und Barney Maclennans Tod erinnerten. Aber du hättest dort sein sollen, Mondo. Wirklich.«
Mondo nahm sein Glas und umklammerte es, als könne es ihn vor dieser peinlichen Situation retten. »Du hast wahrscheinlich recht, Alex.«
»Also, warum bist du jetzt gekommen?«
Mondo wandte den Blick ab. »Ich nehme an, diese Wiederaufnahme, die die Polizei von Fife durchführt, hat vieles an die Oberfläche gebracht. Mir wurde klar, dass ich das nicht einfach ignorieren kann. Ich musste mit jemandem reden, der die Zeit damals versteht. Und was Ziggy für uns alle bedeutet

hat.« Zu Alex' Erstaunen waren Mondos Augen plötzlich feucht. Er blinzelte hektisch, aber die Tränen rannen herunter. Er stellte sein Glas ab und schlug die Hände vors Gesicht.

Dann merkte Alex, dass es auch ihn nicht unberührt ließ, in die Zeit damals zurückversetzt zu sein. Am liebsten wäre er aufgesprungen und hätte die Arme um Mondo geschlungen. Sein Freund zitterte, so sehr strengte er sich an, sich trotz seines Kummers zu fassen. Aber Alex hielt sich zurück, das alte Misstrauen regte sich.

»Es tut mir leid, Alex«, schluchzte Mondo. »Es tut mir so leid.«

»Was tut dir leid?«, fragte Alex leise.

Mondo schaute auf, seine Augen waren trüb von den Tränen. »Alles. Alles, was ich getan habe, das falsch oder dumm war.«

»Das grenzt es nicht sehr ein«, sagte Alex, aber seine Stimme war sanfter als die ironischen Worte.

Mondo zuckte mit gekränktem Gesichtsausdruck zusammen. Schließlich hatte er sich daran gewöhnt, dass seine Fehler kommentarlos und ohne Kritik hingenommen wurden. »Vor allem tut es mir leid wegen Barney Maclennan. Wusstest du, dass sein Bruder an der Wiederaufnahme ungelöster Fälle mitarbeitet?«

Alex schüttelte den Kopf. »Wieso sollte ich das wissen? Und überhaupt, woher weißt du es?«

»Er hat mich angerufen. Wollte über Barney sprechen. Ich hab aufgehängt.« Mondo stieß einen tiefen Seufzer aus. »Es ist doch Geschichte, weißt du? Also gut, ich habe was Dummes gemacht, aber ich war doch praktisch noch ein Kind. Herrgott, wenn ich wegen Mordes eingesperrt worden wäre, wäre ich jetzt wieder draußen. Warum kann man uns einfach nicht in Ruhe lassen?«

»Was meinst du damit, wenn du wegen Mordes eingesperrt worden wärst?«, fragte Alex.

Mondo rutschte auf seinem Stuhl hin und her. »Eine Redensart. Sonst nichts.« Er leerte sein Glas. »Hör zu, ich sollte wohl besser gehen«, sagte er und stand auf. »Ich sage auf dem Weg nach draußen tschüs zu Lynn.« Er drückte sich an Alex vorbei, der verwirrt hinter ihm herstarrte. Weshalb Mondo auch gekommen sein mochte, es sah nicht so aus, als hätte er es gefunden.

28

Es war nicht leicht gewesen, eine Stelle zu finden, von der aus man eine gute Sicht auf Alex Gilbeys Haus hatte. Aber Macfadyen hatte nicht aufgegeben, war über Felsen geklettert und zwischen zerzausten Grasbüscheln unter den schweren Eisenpfeilern der Eisenbahnbrücke herumgekrochen. Und endlich hatte er die perfekte Stelle entdeckt, zumindest zum Beobachten während der Nacht. Bei Tageslicht wäre er schrecklich exponiert gewesen, aber am Tag war Gilbey nie da. Nach Einbruch der Dunkelheit verschwand Macfadyen im tiefen schwarzen Schatten unter der Brücke und schaute direkt auf den Wintergarten, in dem Gilbey und seine Frau abends immer saßen, um die wunderbare Aussicht zu genießen.

Es war ungerecht. Hätte Gilbey den Preis für seine Taten gezahlt, würde er entweder noch hinter Gittern schmachten oder ein so beschissenes Leben führen wie die meisten Gefangenen, die nach langer Zeit im Knast in einer miesen Sozialwohnung landen, von Junkies und Schmalspurgangstern umgeben, wo das Treppenhaus nach Urin und Erbrochenem riecht, das hätte er verdient. Nicht dieses teure Anwesen mit der spektakulären Aussicht und den Lärmschutzfenstern gegen den Krach der Züge, die den ganzen Tag und den größten Teil der Nacht über die Brücke ratterten. All dies wollte Macfadyen ihm nehmen, um ihm klar zu machen, was er gestohlen hatte, als er sich am Mord an Rosie Duff beteiligte.

Aber das hob er sich für einen anderen Tag auf. Heute Abend wollte er Wache halten. Er war in Glasgow gewesen und hatte geduldig gewartet, bis jemand die Parklücke freimachte, von der er, so hatte die Erfahrung ihn gelehrt, die beste Sicht auf Kerrs Parkbucht auf dem Universitätsparkplatz hatte. Als sein Opfer kurz nach vier herauskam, war Macfadyen überrascht, dass er nicht nach Bearsden fuhr. Stattdessen ging es zur Stadtautobahn, die sich mitten durch Glasgow schlängelt, bevor sie über Land nach Edinburgh führt. Als Kerr zur Brücke über den Forth of Firth abgebogen war, hatte Macfadyen ahnungsvoll gelächelt. Es sah so aus, als würden sich die Verschwörer jetzt doch treffen.

Seine Ahnung erwies sich als zutreffend. Aber nicht sofort. Kerr verließ auf der Nordseite der Förde die Autobahn, und statt nach North Queensferry hinunter fuhr er zu einem modernen Hotel, das von einer Sandsteinklippe über der Bucht eine erstklassige Aussicht bot. Er stellte das Auto ab und eilte hinein. Als Macfadyen nur eine Minute nach ihm das Hotel betrat, war keine Spur von seinem Opfer zu sehen. Er war weder in der Bar noch im Restaurant. Macfadyen lief im Gästebereich hin und her, und seine besorgte Hast zog neugierige Blicke von Personal und Gästen auf sich. Aber Kerr war nirgends zu sehen. Wütend, dass er ihn verloren hatte, stürmte Macfadyen wieder hinaus und schlug mit der flachen Hand auf das Dach seines Wagens. Herrgott noch mal, so sollte es nicht laufen. Was hatte Kerr vor? Hatte er gemerkt, dass ihm jemand folgte, und absichtlich seinen Verfolger abgeschüttelt? Macfadyen fuhr herum. Nein, Kerrs Auto war noch da, wo es sein sollte.

Was war hier los? Offensichtlich traf sich Kerr mit jemandem und wollte nicht, dass sie dabei gesehen wurden. Aber wer konnte das sein? War es möglich, dass Alex Gilbey aus den Staaten zurückgekehrt war und seinen Komplizen auf neutralem Gebiet treffen wollte, damit seine Frau nichts davon erfuhr? Es gab keine einfache Methode, das herauszufinden.

Leise fluchend setzte er sich wieder in seinen Wagen und behielt den Hoteleingang im Auge.
Es dauerte nicht lange. Ungefähr zehn Minuten nachdem Kerr das Hotel betreten hatte, kam er zu seinem Auto zurück. Diesmal fuhr er nach North Queensferry hinunter. Das war die Antwort auf die *eine* Frage. Wen immer er getroffen hatte, es war jedenfalls nicht Gilbey gewesen. Macfadyen zögerte an der Straßenecke, bis Kerr seinen Wagen in Gilbeys Einfahrt lenkte. Innerhalb von zehn Minuten hatte er seine Stellung unter der Brücke eingenommen, dankbar, dass der Regen nachgelassen hatte. Er hob das starke Fernglas an die Augen und richtete es auf das Haus unter ihm. Ein matter Schimmer drang von drinnen in den Wintergarten, aber sonst konnte er nichts sehen. Er fuhr mit dem Okular an der Mauer entlang bis zu dem ovalen Lichtkegel aus der Küche.
Er sah Lynn Gilbey mit einer Flasche Rotwein in der Hand vorbeikommen. Zwei lange Minuten geschah nichts, dann gingen die hellen Lampen im Wintergarten an. David Kerr folgte der Frau und setzte sich, während sie den Wein öffnete und zwei Gläser einschenkte. Sie waren Geschwister, das wusste er. Gilbey hatte sie sechs Jahre nach Rosies Tod geheiratet, als er siebenundzwanzig und sie zweiundzwanzig war. Er fragte sich, ob sie die Wahrheit über die Dinge wusste, in die ihr Bruder und ihr Mann verstrickt gewesen waren. Eigentlich bezweifelte er es. Sie hatten bestimmt ein ganzes Lügengewebe vor ihr ausgebreitet, und es passte ihr ganz gut, alles zu glauben. Genauso wie es der Polizei gepasst hatte. Sie waren damals alle ganz froh gewesen, dass sie so billig davonkamen. Schön, er würde das kein zweites Mal geschehen lassen.
Und jetzt war sie schwanger. Gilbey wurde Vater. Es machte ihn wütend, dass ihr Kind das Vorrecht hatte, seine Eltern zu kennen, erwünscht und geliebt zu sein, statt mit Schuld und Vorwürfen beladen. Kerr und seine Freunde hatten ihm vor vielen Jahren diese Möglichkeit genommen.

Da unten kam es zu keiner lebhaften Unterhaltung. Was eines von zwei Dingen bedeuten konnte. Entweder waren sie einander so vertraut, dass sie nicht zu plaudern brauchten, um die Stille zu durchbrechen. Oder es gab eine Distanz zwischen ihnen, die Plaudern nicht überbrücken würde. Er fragte sich, welches von beidem zutraf. Es war unmöglich, das von ferne zu beurteilen. Nach etwa zehn Minuten sah die Frau auf die Uhr und stand auf, eine Hand auf ihrem Kreuz, die andere auf ihren Bauch gelegt. Sie verließ den Wintergarten.

Als sie nach zehn Minuten nicht wieder erschienen war, begann er zu überlegen, ob sie das Haus verlassen hatte. Natürlich, das machte Sinn. Gilbey würde vom Begräbnis nach Hause kommen und sich mit Kerr zu einer Besprechung treffen. Sie würden die Fragen erörtern, die sich aus Malkiewicz' geheimnisvollem Tod ergaben. Die Mörder kamen wieder zusammen.

Er kauerte sich hin und nahm eine Thermosflasche mit starkem, süßem Kaffee aus seinem Rucksack, der ihn wachhalten und ihm Energie geben würde. Nicht, dass er das gebraucht hätte. Seit er begonnen hatte, die Männer zu verfolgen, die er für den Tod seiner Mutter verantwortlich machte, schien er von Tatendrang erfüllt. Und wenn er abends ins Bett fiel, schlief er besser, als er jemals seit seiner Kindheit geschlafen hatte. Eine weitere Bestätigung dafür, hätte es denn einer solchen überhaupt bedurft, dass der Pfad, den er gewählt hatte, der richtige war.

Mehr als eine Stunde verging. Kerr sprang immer wieder auf, schritt auf und ab, ging gelegentlich in den anderen Raum und kam fast sofort wieder zurück. Er fühlte sich nicht wohl, das stand fest. Dann kam plötzlich Gilbey herein. Sie schüttelten sich nicht die Hände, und Macfadyen merkte bald, dass dies kein leichtes, entspanntes Treffen war. Selbst durch den Feldstecher sah er, dass das Gespräch nicht so lief, wie beide Männer es sich gewünscht hätten.

Trotzdem hatte er nicht erwartet, dass Kerr so die Fassung verlieren würde, wie er es tat. Gerade noch war alles in Ordnung, dann brach er in Tränen aus. Der nachfolgende Dialog schien sehr lebhaft, dauerte aber nicht lange. Kerr stand unvermittelt auf und drängte an Gilbey vorbei. Was immer zwischen ihnen geschehen war, es hatte keinen von ihnen erfreut.

Macfadyen zögerte einen Moment. Sollte er hier weiter Wache halten? Oder sollte er Kerr folgen? Er setzte sich bereits in Bewegung, bevor er sich über seine Entscheidung richtig im Klaren war. Gilbey würde bestimmt nirgends hingehen. Aber David Kerr war einmal von seinem Muster abgewichen. Er würde es vielleicht wieder tun.

Er rannte zu seinem Wagen zurück und kam gerade um die Ecke, als Kerr aus der stillen Seitenstraße hinausfuhr. Fluchend warf sich Macfadyen hinter das Steuerrad, gab Vollgas und fuhr mit quietschenden Reifen hinterher. Aber er hätte sich nicht zu sorgen brauchen. Kerrs silberner Audi stand noch vor der Kreuzung der Hauptstraße und wartete, bis er rechts abbiegen konnte. Statt zur Brücke und nach Hause zu fahren, nahm er die M90 nach Norden. Es war nicht viel Verkehr, und Macfadyen konnte ihn leicht im Blick behalten. Innerhalb von zwanzig Minuten wurde ihm ziemlich klar, wohin sein Opfer unterwegs war. An Kirkcaldy und dem Haus seiner Eltern vorbei fuhr er die Standing Stone Road nach Osten. Sein Ziel musste St. Andrews sein.

Als sie die Randbezirke der Stadt erreichten, fuhr Macfadyen vorsichtig näher heran. Er wollte Kerr jetzt nicht verlieren. Der Audi hatte den Winker nach links gesetzt und fuhr auf den Botanischen Garten zu. »Du kannst doch einfach nicht wegbleiben oder?«, murmelte Macfadyen. »Kannst sie nicht in Frieden lassen.«

Wie er erwartet hatte, bog der Audi in den Trinity Place ein. Macfadyen parkte auf der Hauptstraße und eilte die ruhige Vorortstraße entlang. Hinter den Fensterscheiben war Licht, aber es zeigte sich kein anderes Lebenszeichen. Der Audi war am Ende der Sackgasse abgestellt, die Seitenlichter brannten noch. Macfadyen ging vorbei und bemerkte den leeren Fahrersitz. Er nahm den Weg, der am Fuß des Hügels entlanglief, und fragte sich, wie oft diese vier Studenten vor jener Nacht, in der sie ihre verhängnisvolle Entscheidung trafen, dieselbe Erde zertrampelt hatten. Er blickte nach links hoch und sah, was er erwartet hatte. Mit gesenktem Kopf stand Kerr am Berghang und zeichnete sich vor dem Nachthimmel ab. Macfadyen verlangsamte seine Schritte. Es war merkwürdig, dass alles so zusammentraf und seine Überzeugung bestärkte, dass die vier Männer, die die Leiche seiner Mutter gefunden hatten, viel mehr über ihren Tod wussten, als man sie je zuzugeben gezwungen hatte. Es war kaum zu begreifen, wie die Polizei damals so versagt haben konnte. Etwas so Einfaches zu verpfuschen, es war kaum zu glauben. Er hatte in ein paar Monaten mehr für die Gerechtigkeit getan, als sie mit all ihren Mitteln und dem Personal, das ihnen zur Verfügung stand, in fünfundzwanzig Jahren erreicht hatten. Gut, dass er sich nicht auf Lawson und seine trainierten Affen verlassen hatte, um seine Mutter zu rächen.

Vielleicht hatte sein Onkel recht gehabt, und sie waren damals Sklaven der Universität gewesen. Oder vielleicht war er selbst der Sache näher gekommen, als er die Polizei der Korruption bezichtigt hatte. Was immer die Wahrheit sein mochte, die Welt hatte sich geändert. Die alte Unterwürfigkeit gab es nicht mehr. Niemand hatte mehr Angst vor der Universität. Und die Leute wussten jetzt, dass ein Polizist ebenso bestechlich sein konnte wie jeder andere Mensch. Deshalb war man noch angewiesen auf Individualisten wie ihn, um sicherzustellen, dass Gerechtigkeit geschah.

Er sah zu, wie Kerr sich aufrichtete und zu seinem Wagen zurückging. Ein weiterer Eintrag in das Buch der Schuld, dachte Macfadyen. Und ein weiterer Baustein in der Mauer.

Alex drehte sich auf die Seite und sah nach, wie spät es war. Zehn vor drei. Fünf Minuten, seit er zuletzt auf den Wecker gesehen hatte. Es brachte nichts. Sein Körper war durch den Flug und die Zeitumstellung ganz durcheinander. Wenn er weiter zu schlafen versuchte, würde er dabei nur Lynn aufwecken. Und ihre Schlafgewohnheiten waren durch die Schwangerschaft so gestört, dass er das nicht riskieren wollte. Alex schlüpfte unter der Decke hervor und fröstelte in der kalten Luft an seiner Haut. Auf dem Weg aus dem Zimmer nahm er seinen Morgenmantel und schloss leise die Tür hinter sich.

War das ein Tag gewesen! Als er sich von Paul verabschiedete, hatte er das Gefühl gehabt, ihn im Stich zu lassen, und sein natürlicher Wunsch, zu Hause bei Lynn zu sein, schien egoistisch. Beim ersten Flug saß er eingeklemmt auf einem Platz ohne Fenster neben einer Frau, die so dick war, dass er glaubte, sie würde beim Aufstehen die ganze Sitzreihe mitnehmen. Auf der zweiten Strecke hatte er es etwas besser getroffen, war aber dann schon zu müde, um schlafen zu können. Gedanken an Ziggy hatten ihn gequält und mit Bedauern darüber erfüllt, dass sie in den letzten zwanzig Jahren so viele Gelegenheiten ungenutzt hatten verstreichen lassen. Und statt eines erholsamen Abends mit Lynn hatte er sich mit Mondos Gefühlsausbruch befassen müssen. Am Morgen würde er ins Büro gehen, wusste aber schon jetzt, dass es nichts bringen würde. Seufzend betrat er die Küche und stellte Wasser auf. Vielleicht würde eine Tasse Tee ihn beruhigen und wieder schläfrig machen.

Mit der Tasse in der Hand wanderte er durchs Haus und berührte vertraute Gegenstände wie Talismane, die ihn hier sicher verankern könnten. Plötzlich stand er im Kinderzimmer und lehnte sich an das Bettchen. Dies war die Zukunft, sagte er sich. Eine Zukunft, für die es sich zu arbeiten lohnte und die ihm die Gelegenheit bot, etwas aus seinem Leben zu machen, bei dem es um mehr als Geld verdienen und ausgeben ging.

Die Tür öffnete sich, und im warmen Licht vom Flur erschien Lynns Gestalt. »Ich hab dich doch nicht aufgeweckt, oder?«, fragte er.
»Nein, das hab ich ganz allein geschafft. Probleme mit der Zeitumstellung?« Sie kam herein und legte einen Arm um seine Taille.
»Wahrscheinlich.«
»Und Mondo hat auch nicht gerade geholfen, oder?«
Alex nickte. »Das hätte nicht unbedingt sein müssen.«
»Ich nehme an, er hat sich das keinen Augenblick überlegt. Mein egoistischer Bruder meint, wir sind alle zu seiner Bequemlichkeit auf dem Planeten. Ich habe versucht, ihn davon abzubringen.«
»Das bezweifle ich nicht. Er hat immer schon den Dreh rausgehabt, dass er nicht hört, was er nicht hören will. Aber er ist kein schlechter Mensch, Lynn. Schwach und egozentrisch, sicher. Aber nicht bösartig.«
Sie rieb ihren Kopf an seiner Schulter. »Es kommt davon, dass er so gut aussieht. Er war so ein schönes Kind, dass alle nachsichtig mit ihm waren, wo immer er hinkam. Früher hasste ich ihn deswegen. Er wurde bewundert, ein kleiner Engel von Donatello. Die Leute waren hingerissen von ihm. Und dann schauten sie mich an, und man sah ihnen an, dass sie verblüfft waren. Wie konnte ein so hübscher Junge eine so hässliche Schwester haben?«
Alex lachte leise in sich hinein. »Und dann ist das hässliche Entlein selbst ein schöner Schwan geworden.«
Lynn stieß ihn in die Rippen. »Was ich immer an dir gemocht habe, war deine Fähigkeit, in Bezug auf die wirklich unwichtigen Dinge überzeugend zu lügen.«
»Ich lüge nicht. Irgendwann um die Zeit herum, als du vierzehn wurdest, warst du plötzlich nicht mehr unscheinbar und fingst an toll auszusehen. Vertrau mir, ich bin doch Maler.«
»Eher ein Schönmaler. Nein, was das Aussehen betrifft, hat

mich Mondo immer ausgestochen. In letzter Zeit habe ich darüber nachgedacht und über die Dinge, die meine Eltern getan haben und die ich nicht wiederholen will. Wenn unser Baby eine Schönheit wird, will ich nie großes Aufhebens darum machen. Ich will, dass unser Kind Selbstvertrauen entwickelt, aber nicht dieses Gefühl, das Mondo verdorben hat, dass ihm alles selbstverständlich zusteht.«

»Dagegen werde ich bestimmt nichts haben.« Er legte eine Hand auf ihren runden Bauch. »Hörst du das, Junior? Keine Flausen, alles klar?« Er beugte sich hinunter und küsste Lynn auf den Scheitel. »Ziggys Tod hat mich ängstlich gemacht. Ich will einfach nur, dass ich mein Kind neben mir aufwachsen sehen darf. Aber alles ist so ungewiss. Eine Minute ist jemand noch da, und in der nächsten ist er verschwunden. Ziggy hat so vieles ungetan zurücklassen müssen, und jetzt werden diese Dinge nie getan werden. Ich will nicht, dass mir das passiert.«

Lynn nahm ihm vorsichtig seinen Tee ab und stellte ihn auf den Wickeltisch. Sie zog ihn in ihre Arme. »Hab keine Angst«, sagte sie. »Alles wird gut werden.«

Er hätte ihr gern geglaubt. Aber er war noch zu sehr mit den Gedanken bei der Vergänglichkeit, um ganz überzeugt zu sein.

Karen Pirie riss den Mund weit auf und gähnte, während sie auf das Summen des Türöffners wartete. Als es kam, stieß sie die Tür auf, ging langsam durch den Korridor und nickte im Vorbeigehen dem Wachmann in seinem Büro zu. Oh Gott, wie sie diese Asservatenkammer hasste. Es war Weihnachten, alle anderen bereiteten sich auf die festliche Zeit vor, und wo war sie? Sie hatte das Gefühl, als beschränke sich ihr ganzes Leben nur noch auf diese langen Gänge des Archivs mit Kartons, deren Inhalt miese Geschichten über die Verbrechen von Dummköpfen, Versagern und Neidern erzählte.

Dies war nicht die einzige Ermittlungsrichtung, die sie ein-

schlagen konnte. Sie wusste, dass sie irgendwann anfangen musste, die Zeugen noch einmal zu vernehmen. Aber ihr war auch klar, dass in alten ungelösten Fällen wie diesem das Beweismaterial der Schlüssel zu allem war. Mit den modernen technischen Mitteln der Gerichtsmedizin konnten die Beweisstücke stichhaltige Ergebnisse liefern, die die Zeugenaussagen weitgehend überflüssig machten.
Alles gut und schön, dachte sie. Aber es gab Hunderte von Kartons im Lager. Und sie musste jeden einzelnen durchsuchen. Bis jetzt hatte sie ein Viertel der Behälter gesichtet, schätzte sie. Das einzige positive Ergebnis war, dass ihre Armmuskulatur trainiert wurde, wenn sie die Kartons die Leitern herunter- und hinaufschleppte. Wenigstens hatte sie ab morgen zehn wunderbare Tage Urlaub, und die einzigen Kartons, die sie dann noch auspacken würde, würden nettere Dinge enthalten als die Überbleibsel von Verbrechen.
Sie tauschte einen Gruß mit dem Kollegen vom Dienst und wartete, bis er die Tür zum Drahtverschlag geöffnet hatte, der die Regale mit den Kartons enthielt. Die Sicherheitsvorschriften waren das Schlimmste an der ganzen Sache. Bei jedem Karton musste man immer wieder die gleiche Prozedur vornehmen. Sie musste ihn vom Regal holen und zu dem Tisch bringen, wo der Dienst habende Kollege sie beobachten konnte. Sie musste die Fallnummer in ein Hauptbuch, dann ihren Namen, die Nummer und das Datum auf einem Blatt Papier eintragen, das am Deckel befestigt war. Erst dann konnte sie den Karton öffnen und den Inhalt durchsuchen. Wenn sie sich vergewissert hatte, dass er das nicht enthielt, was sie suchte, musste sie ihn zurückbringen und die ganze geisttötende Prozedur noch einmal durchmachen. Die einzige Unterbrechung dieser eintönigen Arbeit gab es, wenn ein weiterer Beamter kam, der ebenfalls etwas in einem dieser Kartons suchte. Aber das war gewöhnlich nur ein kurzes Zwischenspiel, weil sie immer das Glück hatten, dass sie wussten, wo das Gesuchte war.

Es gab keine einfache Methode, dies abzukürzen. Zuerst hatte Karen gemeint, die einfachste Art und Weise, die Suche durchzuführen, wäre, alles anzusehen, was ursprünglich aus St. Andrews kam. Die Kartons waren in chronologischer Reihenfolge mit den Fallnummern beschriftet. Aber als man die Beweismaterial-Archive aus allen Polizeiwachen der Region zusammengelegt hatte, waren die Kartons aus St. Andrews auf die ganze Sammlung verteilt worden. Diese Möglichkeit war also ausgeschlossen.

Zuerst hatte sie alles aus dem Jahr 1978 überprüft. Aber das hatte nichts von Interesse gebracht außer einem Schweizer Messer, das zu einem Fall von 1987 gehörte. Dann hatte sie die Jahre davor und danach in Angriff genommen. Diesmal war ein Paar Kinderturnschuhe falsch einsortiert, ein Überbleibsel von einem ungelösten Fall des Jahres 1969, als ein zehnjähriger Junge verschwunden war. Sie gelangte schnell an den Punkt, wo sie gerade das gesuchte Stück leicht übersehen konnte, weil ihr Gehirn von der Prozedur schon ganz abgestumpft war.

Sie öffnete eine Dose Irn-Bru Light, nahm einen erfrischenden Schluck und begann mit 1980. Drittes Regal. Müde schleppte sie sich zur Trittleiter, die noch da stand, wo sie am Tag zuvor zu arbeiten aufgehört hatte. Sie kletterte hinauf, zog den Karton, den sie brauchte, heraus und stieg vorsichtig die Aluminiumstufen wieder herunter.

Wieder am Tisch, füllte sie den Zettel aus und hob dann den Deckel. Prima. Es sah aus wie ein Haufen Sachen, die bei der Kleidersammlung aussortiert worden waren. Gewissenhaft nahm sie jeden Beutel heraus, um zu sehen, ob Rosie Duffs Fallnummer auf dem aufgeklebten Etikett stand. Eine Jeans, ein schmutziges T-Shirt, ein Damenschlüpfer, Strumpfhosen, ein BH, ein kariertes Hemd. Nichts hatte etwas mit ihr zu tun. Das letzte Stück sah nach einer Damenstrickjacke aus. Karen nahm den Beutel heraus und erwartete sich nichts Besonderes davon.

Nach einem flüchtigen Blick auf das Etikett blinzelte sie, denn sie traute kaum ihren Augen. Sie überprüfte noch einmal die Nummer. Weil sie an sich selbst zweifelte, holte sie ihr Notizbuch aus der Tasche und verglich die Fallnummer auf dem Umschlag mit der auf dem Beutel, den sie fest in der Hand hielt.

Es war kein Irrtum. Karen hatte ein erstes Weihnachtsgeschenk gefunden.

29

Januar 2004, Schottland

Er hatte recht gehabt. Es gab ein bestimmtes Muster. Durch die Feiertage war es unterbrochen worden, was ihn geärgert hatte. Aber jetzt war Neujahr vorbei, und die alte Routine hatte sich wieder eingestellt. Er beobachtete sie, wie sie, vom Lichtschein umgeben, aus der Haustür der Villa in Bearsden trat. Augenblicke später gingen die Scheinwerfer ihres Wagens an. Er wusste nicht, wo sie hinfuhr, und es war ihm auch egal. Das einzig Wichtige war, dass sie sich voraussehbar verhalten und ihren Mann allein im Haus zurückgelassen hatte.

Er schätzte, dass er gut vier Stunden Zeit haben würde, um seinen Plan durchzuführen. Aber er zwang sich zur Geduld. Es war unvernünftig, jetzt Risiken einzugehen. Am besten war es wohl zu warten, bis die Leute es sich für den Abend gemütlich gemacht hatten und vor dem Fernseher saßen. Aber zu lange sollte er auch nicht zögern. Er wollte nicht, dass ihn jemand beim letzten Gassigehen mit seinem Modehund traf, wenn er sich gerade aus dem Staube machen wollte. In der Vorstadt war alles so vorhersehbar, man hätte die Uhr danach stellen können. Er versuchte sich selbst zu beruhigen und seine pulsierende Angst zu unterdrücken.

Wegen der Kälte stellte er den Kragen seiner Jacke hoch und

mahnte sich zur Geduld, während sein Herz voller Erwartung flatterte. Was vor ihm lag, war kein Vergnügen, sondern eine Notwendigkeit. Er war ja schließlich kein kranker Killer, der um des Nervenkitzels willen tötete. Nur ein Mann, der tat, was er tun musste.

David Kerr legte eine andere DVD ein und ging zu seinem Sessel zurück. Immer an Donnerstagabenden ergab er sich einem mehr oder weniger geheimen Laster. Wenn Hélène mit ihren Kolleginnen weg war, fläzte er sich in einem Sessel und blieb wie gebannt vor dem Bildschirm sitzen, auf dem Serien aus den USA liefen, die sie als Schund abtat. An diesem Abend hatte er schon zwei Episoden von *Six Feet Under* gesehen und schaltete jetzt auf eine seiner Lieblingsepisoden von *The West Wing* um.
Er hatte gerade noch die imposante Erkennungsmelodie mitgesummt, als er von unten das Splittern von Glas gehört zu haben glaubte. Ohne weiter nachzudenken, registrierte er nur, dass das Geräusch aus dem hinteren Teil des Hauses kam. Wahrscheinlich von der Küche.
Er richtete sich auf und stellte den Ton ab. Wieder klirrte Glas, und er sprang auf. Was zum Teufel war das? Hatte die Katze in der Küche etwas umgeworfen? Oder gab es eine schlimmere Erklärung dafür?
David sah sich vorsichtig nach etwas um, das er eventuell als Waffe benutzen konnte. Es gab nicht viel Auswahl, da Hélène, was Inneneinrichtung betraf, einen minimalistischen Geschmack hatte. Er schnappte sich eine schwere Kristallvase, deren Hals dünn genug war, dass sie gut mit einer Hand zu umfassen war. Mit klopfendem Herzen und angestrengt lauschend schlich er auf Zehenspitzen durch den Raum. Er glaubte, ein Knirschen zu hören, als wäre jemand auf Glas getreten. Neben Angst erfüllte ihn jetzt auch Zorn. Irgendein Alkie oder Junkie war dabei, wegen einer Flasche Schnaps oder einem Päckchen Junk in sein Haus einzubrechen. Sein erster Ge-

danke war, die Polizei zu rufen und abzuwarten. Aber er befürchtete, es würde zu lange dauern, bis sie kamen. Kein Einbrecher mit Berufsehre würde sich mit dem zufrieden geben, was er in der Küche vorfand, sondern nach besserer Beute suchen und David zur Konfrontation mit dem Eindringling zwingen. Außerdem wusste er aus Erfahrung, dass der Apparat in der Küche klicken würde, wenn er von hier anrief, und damit wäre klar, was er vorhatte. Das würde vielleicht denjenigen, der sein Haus ausrauben wollte, richtig wütend machen. Es wäre besser, ihn direkt zu stellen. Er hatte irgendwo gelesen, die meisten Einbrecher seien Feiglinge. Na ja, vielleicht würde ein Feigling den anderen vertreiben.
David holte tief Atem, um seine Erregung zu mäßigen, und öffnete langsam die Wohnzimmertür. Er spähte in den Flur hinunter, doch die Küchentür war geschlossen, und es gab keinen Hinweis darauf, was dahinter los war. Aber jetzt konnte er unmissverständlich die Geräusche von jemandem hören, der sich dort zu schaffen machte. Das Klirren von Besteck, als eine Schublade geöffnet wurde, das Zuklappen einer Schranktür.
Zum Teufel damit. Er würde doch nicht tatenlos hier herumstehen, während jemand sein Heim zerstörte. Beherzt ging er die Treppe hinunter und stieß die Küchentür auf. »Was ist hier los, verdammt noch mal?«, rief er in die Dunkelheit hinein. Er hob die Hand zum Lichtschalter, aber als er ihn umlegte, geschah nichts. Im schwachen Licht von draußen bemerkte er, dass bei der Hintertür Glasscherben auf dem Boden glänzten. Aber er sah niemanden. War er schon weg? Vor Angst sträubten sich ihm die Haare im Nacken und an den nackten Armen. Unsicher machte er einen Schritt ins Halbdunkel hinein.
Hinter der Tür nahm er eine vage Bewegung wahr. David fuhr herum, als sein Angreifer auch schon gegen ihn prallte. Er hatte den Eindruck, es sei eine Gestalt mittlerer Größe und von durchschnittlichem Körperbau, das Gesicht war von einer

Skimaske verdeckt. Er spürte einen Schlag in den Magen, nicht so stark, dass er vornüber fiel, eher ein Stich statt ein Stoß. Der Einbrecher wich einen Schritt zurück und atmete schwer. Zugleich erkannte David, dass der Mann ein Messer mit einer langen Klinge hielt, und spürte einen scharfen Schmerz im Bauch. Er legte eine Hand auf den Magen und fragte sich mit einfältiger Verwunderung, wieso sie sich warm und nass anfühlte. Er schaute hinunter und sah einen dunklen Fleck sich ausbreiten, der das Weiß seines T-Shirts langsam verschwinden ließ. »Sie haben mich erstochen«, sagte er, fassungslos.

Der Einbrecher schwieg. Er zog den Arm zurück und stach noch einmal zu. Diesmal spürte David das Messer tief eindringen. Seine Beine gaben nach, er hustete und fiel vornüber. Das Letzte, was er sah, war ein Paar abgenutzter Wanderstiefel. Aus der Ferne hörte er eine Stimme, konnte aber die Laute, die sie machte, in seinem Kopf nicht mehr zu einem Ganzen ordnen. Es war nur ein sinnloses Durcheinander von Silben. Als er das Bewusstsein verlor, kam er von dem Gedanken nicht los, wie schade es sei.

Als zwanzig Minuten nach Mitternacht das Telefon klingelte, hatte Lynn Alex' Stimme erwartet, der sich entschuldigte, dass es so spät geworden sei, und sagte, er gehe jetzt gerade aus dem Restaurant weg, wo er mit einem potenziellen Kunden aus Göteborg gegessen hatte. Sie war nicht auf das Wehgeschrei gefasst, das ertönte, sobald sie den Hörer des Apparats am Bett abhob. Eine Frauenstimme, unzusammenhängend, aber offensichtlich schmerzverzerrt. Das war alles, was sie anfangs begriff.

Beim ersten Luftholen der Anruferin fragte Lynn schnell voller Besorgnis und Angst: »Wer ist da?«

Wieder panisches Schluchzen. Dann endlich ein vertrauter Klang. »Ich bin's, Hélène. Gott steh mir bei, Lynn, es ist schrecklich, ganz entsetzlich.« Ihre Stimme versagte, und

Lynn hörte sie unverständlich etwas auf Französisch murmeln.

»Hélène, was ist los? Was ist passiert?« Lynn schrie jetzt fast, weil sie das wirre Gefasel übertönen wollte. Sie hörte, wie Hélène tief einatmete.

»David. Ich glaube, er ist tot.«

Lynn verstand die Worte, konnte aber den Sinn nicht erfassen. »Wovon redest du? Was ist passiert?«

»Ich bin nach Hause gekommen, er liegt in der Küche auf dem Boden, überall ist Blut, und er atmet nicht. Lynn, was soll ich tun? Ich glaube, er ist tot.«

»Hast du den Krankenwagen angerufen? Die Polizei?« Es war unwirklich, einfach surreal. Dass sie in so einem Moment eines solchen Gedankens fähig war, dachte Lynn verwirrt.

»Ich hab sie angerufen. Sie sind unterwegs. Aber ich musste mit jemandem reden. Ich hab Angst, Lynn, ich hab solche Angst. Ich begreife das nicht. Es ist schrecklich, ich werde verrückt. Er ist tot, mein David ist tot.«

Diesmal kam der Sinn der Worte rüber. Eine eiskalte Hand schien sich Lynn auf die Brust zu legen und nahm ihr den Atem. So sollten die Dinge doch nicht laufen. Sie sollte doch nicht den Hörer abnehmen und, wenn sie erwartete, dass ihr Mann sich meldete, hören, der Bruder sei tot. »Das weißt du ja nicht sicher«, sagte sie hilflos.

»Er atmet nicht. Ich kann keinen Puls finden. Und da ist so viel Blut. Er ist tot, Lynn, ich weiß es. Was soll ich nur ohne ihn machen?«

»Das Blut – hat ihn jemand angegriffen?«

»Was sonst sollte passiert sein?«

Angst kam über Lynn wie ein kalter Schauer. »Verlass das Haus, Hélène. Warte draußen auf die Polizei. Er könnte noch im Haus sein.«

Hélène schrie auf. »Oh mein Gott. Meinst du, das kann sein?«

»Geh einfach raus. Ruf mich später an, wenn die Polizei da ist.« Es wurde aufgelegt. Lynn lag starr da, sie konnte gar nichts anfangen mit dem, was sie gerade erlebt hatte. Alex. Sie musste Alex rufen. Aber Hélène brauchte ihn nötiger als sie. Benommen wählte sie die eingespeicherte Nummer auf ihrem Handy. Als er antwortete, kamen die lauten Hintergrundgeräusche eines Restaurants Lynn unpassend und bizarr vor.

»Alex«, sagte sie. Einen Augenblick brachte sie nichts weiter heraus.

»Lynn? Bist du das? Ist alles okay?« Seine Angst war offenkundig.

»Mir geht es gut. Aber ich habe gerade ein schreckliches Gespräch mit Hélène geführt. Alex, sie hat gesagt, Mondo ist tot.«

»Warte mal, ich kann dich nicht verstehen.«

Sie hörte, wie ein Stuhl zurückgeschoben wurde, und ein paar Sekunden später ließen die lauten Hintergrundgeräusche nach. »Ich hab nicht mitgekriegt, was du gesagt hast. Was ist los?«

Lynn merkte, wie sie langsam die Beherrschung verlor. »Alex, du musst sofort zu Mondos Haus fahren. Hélène hat gerade angerufen. Etwas Furchtbares ist passiert. Sie sagt, Mondo ist tot.«

»Was?«

»Ich weiß, es ist unglaublich. Sie sagt, er liegt auf dem Küchenboden, und überall ist Blut. Bitte, du musst unbedingt hinfahren und nachsehen, was da los ist.« Jetzt liefen ihr Tränen über die Wangen.

»Hélène ist dort, im Haus? Und sie sagt, Mondo ist tot? Um Gottes willen.«

Lynn schluchzte heftig. »Ich kann es auch nicht begreifen. Bitte, Alex, fahr einfach und stell fest, was passiert ist.«

»Okay, okay. Ich fahr sofort los. Hör zu, vielleicht ist er nur verletzt. Vielleicht sieht sie das falsch.«

»Sie hat nicht geklungen, als hätte sie irgendwelche Zweifel.«

»Nun ja, Hélène ist keine Ärztin, oder? Also, wart's ab. Ich ruf dich an, sobald ich dort bin.«

»Ich kann das nicht glauben.« Jetzt erstickte sie fast an den zurückgehaltenen Tränen und verschluckte die Worte.
»Lynn, du musst versuchen ruhig zu bleiben. Bitte.«
»Ruhig? Wie kann ich ruhig sein? Mein Bruder ist tot.«
»Wir wissen das nicht genau. Lynn, das Baby. Du musst auf dich Acht geben. Sich so aufzuregen kann Mondo nicht helfen, was immer ihm passiert ist.«
»Sieh einfach zu, dass du hinkommst, Alex«, rief Lynn.
»Ich bin schon auf dem Weg.« Sie hörte Alex' Schritte, dann legte er auf. Noch nie hatte sie ihn nötiger gebraucht. Und sie wollte auch in Glasgow an der Seite ihres Bruders sein. Es spielte keine Rolle, was zwischen ihnen vorgefallen war, er war doch ihr eigenes Fleisch und Blut. Alex hätte sie nicht zu erinnern brauchen, dass sie fast im achten Monat schwanger war. Sie würde nichts tun, was ihr Baby in Gefahr brachte. Stöhnend wischte sich Lynn die Tränen ab und versuchte sich bequem hinzusetzen. Bitte, lieber Gott, mach, dass Hélène sich irrt.

Alex konnte sich nicht erinnern, je so schnell gefahren zu sein. Es war ein Wunder, dass er Bearsden erreichte, ohne Blaulicht im Rückspiegel blinken zu sehen. Auf dem ganzen Weg sagte er sich, es müsse ein Irrtum vorliegen. Die Möglichkeit, dass Mondo tot war, konnte er einfach nicht in Erwägung ziehen. Nicht so bald nach Ziggys Tod. Sicher, schreckliche Zufälle gibt es. Davon lebten die makabren Boulevardblätter und die Nachmittagsshows im Fernsehen. Aber diese Dinge passierten doch anderen Leuten. Zumindest bis jetzt war es so gewesen. Seine inständige Hoffnung fiel in sich zusammen, als er in die ruhige Straße einbog, wo Mondo und Hélène wohnten. Vor dem Haus waren drei Streifenwagen am Gehwegrand geparkt. Ein Krankenwagen stand in der Einfahrt. Kein gutes Zeichen. Wenn Mondo noch lebte, wäre er längst weg, der Krankenwagen wäre mit Blaulicht und Sirene zum nächsten Krankenhaus gerast.

Alex ließ sein Auto hinter dem ersten Polizeiwagen stehen und rannte auf das Haus zu. Ein stämmiger Constable in Uniform und einer fluoreszierend gelben Jacke stellte sich ihm am Ende der Einfahrt in den Weg. »Kann ich Ihnen helfen, Sir?«, fragte er.
»Mein Schwager«, sagte Alex und versuchte sich an ihm vorbeizudrängen. Der Beamte fasste ihn am Arm und hinderte ihn am Weitergehen. »Bitte, lassen Sie mich durch. David Kerr, ich bin mit seiner Schwester verheiratet.«
»Tut mir leid, Sir, im Moment darf niemand rein. Dies hier ist ein Tatort.«
»Was ist mit Hélène? Seine Frau – wo ist sie? Sie hat meine Frau angerufen.«
»Mrs. Kerr ist drin. Sie ist in Sicherheit, Sir.«
Alex entspannte sich etwas. Der Constable ließ ihn los. »Hören Sie, ich weiß nicht, was hier abläuft, aber ich bin auf jeden Fall sicher, dass Hélène Hilfe braucht. Können Sie nicht Ihrem Chef durchgeben, dass er mich reinlassen soll?«
Der Constable sah skeptisch drein. »Wie ich schon sagte, Sir, dies hier ist ein Tatort.«
Frust kam in Alex auf. »Und so behandeln Sie also die Opfer eines Verbrechens? Sie halten sie von ihren Familien fern?«
Der Polizist hob resignierend das Funkgerät an den Mund. Er wandte sich halb ab, vergewisserte sich aber dabei, dass er weiter den Zugang zum Haus blockierte, und murmelte etwas in das Gerät. Ein Knacken war die Antwort. Nach einem kurzen, halblauten Gespräch drehte er sich zu Alex um und fragte: »Kann ich Ihren Ausweis sehen, Sir?«
Ungeduldig zog Alex seine Brieftasche heraus und entnahm ihr seinen Führerschein. Er war froh, dass er sich für einen neuen mit dem Passfoto entschieden hatte, und hielt ihn dem Beamten hin. Der Polizist sah ihn sich an und gab ihn mit einem höflichen Nicken zurück. »Wenn Sie ins Haus gehen möchten, Sir, einer meiner Kollegen von der Kripo wird an die Tür kommen.«

Alex schlüpfte an ihm vorbei. Seine Beine fühlten sich merkwürdig an, als gehörten die Knie einem anderen, der nicht richtig wusste, wie man sie bewegte.
Als er zur Tür kam, ging sie auf, und eine Frau in den Dreißigern musterte ihn mit müdem, zynischem Blick, als wolle sie sich alle Einzelheiten merken. »Mr. Gilbey?«, sagte sie und machte einen Schritt zurück, damit er in die Diele treten konnte.
»Stimmt. Was ist passiert? Hélène hat meine Frau angerufen, sie glaubte, Mondo sei tot?«
»Mondo?«
Alex seufzte, ungeduldig wegen seiner eigenen Zerstreutheit. »Sein Spitzname. Wir sind schon seit der Schulzeit miteinander befreundet. David, David Kerr. Seine Frau sagte, er sei tot.«
Die Frau nickte. »Es tut mir leid, Ihnen mitteilen zu müssen, dass Mr. Kerr für tot erklärt wurde.«
Mein Gott, dachte er, wie kann man das so sagen. »Was ist geschehen?«
»Es ist noch zu früh, um es genau zu wissen«, sagte sie. »Es scheint, dass er erstochen wurde. Es gibt Anzeichen eines Einbruchs an der Hintertür. Aber Sie werden verstehen, dass wir zu diesem Zeitpunkt nicht viel sagen können.«
Alex rieb sich mit der Hand übers Gesicht. »Das ist furchtbar. Mein Gott, der arme Mondo. Dass so etwas passieren musste.« Er schüttelte den Kopf, benommen und verwirrt. »Es kommt einem total unwirklich vor. Mein Gott.« Er holte tief Luft. Später würde er noch Zeit haben, sich mit seinen Gefühlen zu beschäftigen. Dazu hatte Lynn ihn nicht gebeten herzufahren. »Wo ist Hélène?«
Die Frau öffnete die Tür nach drinnen. »Sie ist im Wohnzimmer. Möchten Sie hier durchkommen?« Sie wich zur Seite und sah, wie Alex an ihr vorbei und direkt auf das Zimmer zum Vorgarten zuging. Hélène hatte es immer den Salon genannt, und er verspürte kurz ein Schuldgefühl, dass er und Lynn sich

wegen ihrer Vornehmtuerei über sie lustig gemacht hatten. Er stieß die Tür auf und trat ein.

In sich zusammengesunken wie eine alte Frau saß Hélène am Ende einer der riesigen cremefarbenen Couchen. Als er hereinkam, blickte sie auf, die Augen verquollen und tränennass. Ihr langes schwarzes Haar hing ihr wirr ums Gesicht, ein paar Strähnen klebten im Mundwinkel. Ihre Kleider waren zerknittert, wie ein Hohn auf ihren Pariser Chic, den man sonst an ihr gewohnt war. Sie hielt ihm flehend die Hände entgegen. »Alex«, sagte sie, und ihre Stimme klang heiser und gepresst.

Er ging zu ihr hin, setzte sich neben sie und nahm sie in die Arme. Er konnte sich nicht erinnern, Hélène je so nah an sich gedrückt zu haben. Normalerweise bestanden ihre Begrüßungen darin, dass man eine Hand leicht auf einen Arm legte und auf beide Wangen Küsschen gab. Er war überrascht, wie muskulös ihr Körper sich anfühlte, und noch überraschter, dass er das bemerkte. Der Schock machte ihn sich selbst fremd, langsam begann er das zu begreifen. »Es tut mir so leid«, sagte er und wusste, wie sinnlos die Worte waren, konnte sie aber trotzdem nicht unterdrücken.

Hélène lehnte sich an ihn, sie war vom Kummer völlig erschöpft. Alex wurde sich plötzlich bewusst, dass eine uniformierte Beamtin diskret in der Ecke saß. Sie musste einen Stuhl vom Esszimmer hereingebracht haben, dachte er, ein völlig unnötiger Gedanke. Es gab also keine Intimsphäre für Hélène, obwohl sie diesen entsetzlichen Verlust erlitten hatte. Man konnte sich leicht zusammenreimen, dass sie denselben misstrauischen Blicken ausgesetzt sein würde, die sich nach Ziggys Tod auf Paul geheftet hatten, obwohl es klang, als sei es ein Einbruch gewesen, der furchtbar schief ging.

»Ich habe das Gefühl, in einem schrecklichen Traum zu sein. Und ich will einfach nur aufwachen«, sagte Hélène müde.

»Du stehst noch unter Schock.«

»Ich weiß nicht, was mit mir ist. Oder wo ich bin. Nichts scheint wirklich zu sein.«

»Ich kann es auch nicht glauben.«

»Er lag einfach da«, sagte Hélène leise. »Überall Blut. Ich habe seinen Hals berührt, um zu sehen, ob ein Puls da ist. Aber, weißt du, ich war so vorsichtig, dass ich mich nicht blutig machte. Ist das nicht schrecklich? Er lag da und war tot, und ich konnte bloß daran denken, wie sie euch vier zu Verdächtigen gemacht haben, nur weil ihr versucht habt, einem sterbenden Mädchen zu helfen. Deshalb wollte ich nicht Davids Blut an mir haben.« Ihre Finger zerfetzten krampfhaft ein Papiertaschentuch. »Es ist schrecklich. Ich konnte es nicht über mich bringen, ihn zu halten, weil ich an mich dachte.«

Alex hatte die Hand auf ihrer Schulter und drückte sie leicht. »Es ist verständlich. Wenn man weiß, was wir wissen. Aber niemand könnte denken, dass dies etwas mit dir zu tun hatte.«

Hélène räusperte sich und sah zu der Polizeibeamtin hinüber. *»On parle français, oui?«*

Was hatte das zu bedeuten? »*Ça va*«, antwortete Alex und fragte sich, ob er mit seinem bisschen Urlaubsfranzösisch dem gewachsen sein würde, was Hélène ihm sagen wollte. »*Mais lentement.*«

»Ich drücke mich einfach aus«, sagte sie auf Französisch. »Ich brauche deinen Rat. Verstehst du?«

Hélène zitterte. »Ich kann es kaum glauben, dass ich jetzt so etwas auch nur denke. Aber ich will nicht, dass man mir die Schuld daran gibt.« Sie umklammerte seine Hand. »Ich habe Angst, Alex. Ich bin die Frau aus der Fremde. Ich bin verdächtig.«

»Ich glaube nicht.« Er versuchte beruhigend zu klingen, aber seine Worte schienen ohne Wirkung an Hélène abzuprallen.

Sie nickte. »Alex, da ist etwas, was nicht gut aussehen wird. Ich werde sehr schlecht dastehen. Ich bin einmal jede Woche allein ausgegangen. David dachte, ich träfe französische Freunde.« Hélène knüllte das Taschentuch zu einem festen

Ball zusammen. »Ich habe ihn belogen, Alex. Ich habe ein Verhältnis.«

»Ah«, sagte Alex. Eigentlich war es zu viel, zu allem anderen, was er an diesem Abend schon erfahren hatte. Und er wollte nicht Hélènes Vertrauter sein. Er hatte sie noch nie gemocht und glaubte nicht, dass sie ihm ihre Geheimnisse anvertrauen sollte.

»David hatte keine Ahnung. Gott helfe mir, ich wünschte jetzt, ich hätte das nie getan. Ich habe ihn geliebt, weißt du? Aber er brauchte mich so. Und es war schwer. Dann habe ich vor einer Weile eine Frau kennen gelernt, sie war in allem ganz verschieden von David. Ich wollte nicht, dass es sich so entwickeln würde, aber wir wurden ein Liebespaar.«

»Ah«, sagte Alex wieder. Sein Französisch war nicht gut genug, dass er sie fragen konnte, wie sie, verdammt noch mal, Mondo das antun konnte, wie sie behaupten konnte, einen Mann zu lieben, den sie ständig betrog. Außerdem war es nicht gerade klug, vor einer Polizistin einen Streit anzufangen. Man brauchte keine Fremdsprache zu beherrschen, um Klang der Stimme und Körpersprache zu verstehen. Nicht nur Hélène hatte das Gefühl, in einem Albtraum zu sein. Einer seiner ältesten Freunde war ermordet worden, und seine Witwe gestand, dass sie eine Affäre mit einer Lesbe hatte? Er konnte es nicht fassen. Solche Dinge passierten doch Leuten wie ihm nicht.

»Ich war heute Abend bei ihr. Wenn die Polizei das herausfindet, werden sie denken, aha, sie hat eine Geliebte, sie müssen also unter einer Decke stecken. Aber das stimmt nicht. Jackie war keine Bedrohung für meine Ehe. Ich hatte nicht aufgehört, David zu lieben, nur weil ich mit jemand anderem schlief. Soll ich also die Wahrheit sagen? Oder soll ich nichts sagen und hoffen, dass sie es nicht merken?« Sie wich etwas zurück, so dass sie Alex mit furchtsamem Blick in die Augen sehen konnte. »Ich weiß nicht, was ich tun soll, und ich hab wirklich Angst.«

Alex spürte, wie ihm die Wirklichkeit entglitt. Was wollte sie eigentlich? War das ein groteskes doppeltes Täuschungsmanöver von ihr, mit dem sie versuchte, ihn auf ihre Seite zu ziehen? War sie wirklich so unschuldig, wie er angenommen hatte? Er bemühte sich, die französischen Vokabeln zu finden, um das auszudrücken, was er sagen musste. »Ich weiß nicht, Hélène, ich glaube, ich bin nicht derjenige, den du fragen solltest.«

»Ich brauche deinen Rat. Du bist doch selbst in dieser Situation gewesen und weißt, wie das ist.«

Alex holte tief Luft, er wünschte, er wäre irgendwo sonst, nur nicht hier. »Wie steht's mit deiner Freundin, dieser Jackie? Wird sie für dich lügen?«

»Sie wird genauso wenig verdächtigt werden wollen wie ich. Ja, sie wird lügen.«

»Wer weiß davon?«

»Von uns?« Sie zuckte die Achseln. »Niemand, glaube ich.«

»Aber sicher bist du nicht?«

»Man kann nie sicher sein.«

»Dann meine ich, du wirst die Wahrheit sagen müssen. Wenn sie es nämlich später entdecken, wird es viel verdächtiger aussehen.« Alex rieb sich das Gesicht und wandte den Blick ab. »Ich kann es nicht glauben, dass wir so reden, kaum dass Mondo tot ist.«

Hélène wich zurück.

»Ich weiß, du findest mich wahrscheinlich gefühllos, Alex. Aber ich habe den Rest meines Lebens Zeit, den Mann zu beweinen, den ich liebte. Und ich habe ihn geliebt, das kannst du mir glauben. Im Moment will ich aber sichergehen, dass ich nicht die Schuld an etwas zugeschoben bekomme, das nichts mit mir zu tun hat. Ausgerechnet du solltest das doch verstehen können.«

»Gut«, sagte Alex und wechselte ins Englische zurück. »Hast du Sheila und Adam schon Bescheid gesagt?«

Sie schüttelte den Kopf. »Der einzige Mensch, mit dem ich

gesprochen habe, war Lynn. Ich wusste nicht, was ich zu seinen Eltern sagen sollte.«
»Willst du, dass ich es für dich tue?« Aber bevor Hélène antworten konnte, klingelte Alex' Handy in seiner Tasche. »Das ist bestimmt Lynn«, sagte er, nahm es heraus und sah auf die Nummer auf dem Display. »Hallo?«
»Alex?« Lynn klang verängstigt.
»Ich bin hier im Haus«, sagte er. »Ich weiß nicht, wie ich dir das sagen soll. Es tut mir so furchtbar leid. Hélène hatte recht. Mondo ist tot. Es sieht aus, als wäre jemand eingebrochen …«
»Alex«, unterbrach ihn Lynn, »ich habe Wehen. Sie haben gleich, nachdem ich mit dir gesprochen habe, eingesetzt. Ich dachte, es wäre falscher Alarm, aber sie sind jetzt im Abstand von drei Minuten.«
»Oh Gott.« Er sprang auf und sah sich in Panik um.
»Reg dich nicht auf. Das ist doch natürlich.« Lynn stöhnte vor Schmerz auf. »Da ist schon wieder eine. Ich habe ein Taxi angerufen, es müsste gleich da sein.«
»Was … was …?«
»Fahr einfach zum Simpson. Ich treffe dich in der Entbindungsstation.«
»Aber, Lynn, es ist zu früh«, brachte Alex endlich etwas Sinnvolles heraus.
»Es ist von dem Schock, Alex. Das kommt vor. Alles ist in Ordnung. Bitte, hab keine Angst. Für mich ist es wichtig, dass du keine Angst hast. Und dass du dich ins Auto setzt und nach Edinburgh kommst – und sei vorsichtig. Bitte?«
Alex schluckte. »Ich liebe dich, Lynn. Euch beide.«
»Ich weiß. Bis bald.«
Die Verbindung wurde unterbrochen, und Alex blickte Hélène hilflos an. »Sie hat Wehen«, sagte er mit belegter Stimme.
»Also, dann geh.«
»Du solltest nicht allein sein.«

»Ich habe eine Freundin, die ich anrufen kann. Du musst bei Lynn sein.«
»Beschissenes Timing«, sagte Alex. Er stopfte das Telefon in seine Tasche zurück. »Ich ruf dich an, wenn ich kann.«
Hélène stand auf und legte die Hand auf seinen Arm. »Geh einfach, Alex. Lass mich wissen, was los ist. Danke, dass du gekommen bist.«
Er rannte aus dem Zimmer.

30

Schmutzig graue Streifen bildeten sich in der vom Orange der Straßenlampen erhellten Dunkelheit der Stadt. Alex ließ sich auf eine kalte Bank beim Simpson Memorial Pavilion fallen, Tränen liefen ihm über die Wangen. Nichts in seinem bisherigen Leben hatte ihn auf eine solche Nacht vorbereitet. Er war inzwischen über die Müdigkeit hinaus in einen Bewusstseinszustand gewechselt, wo er das Gefühl hatte, er würde nie wieder schlafen können. Die starke emotionale Belastung bewirkte, dass er fast nicht mehr wusste, was er eigentlich fühlte.

Er hatte keine Erinnerung an die Rückfahrt von Glasgow nach Edinburgh, außer, dass er irgendwann unterwegs seine Eltern angerufen hatte, und er erinnerte sich dunkel an eine aufgeregte Unterhaltung mit seinem Vater. Die wildesten Ängste hatten in seinem Kopf getobt, was alles schiefgehen konnte. Und all die ihm nicht einmal vage bekannten Risiken einer Frühgeburt nach nur vierunddreißig Wochen Schwangerschaft. Er wünschte, er wäre Weird, damit er sein Vertrauen in eine zuverlässigere Macht als die Medizin setzen könnte. Was sollte er ohne Lynn nur machen? Was, um Gottes willen, würde er mit einem Baby ohne Lynn oder aber mit Lynn ohne das Baby tun? Die Vorzeichen konnten gar nicht schlechter sein. Mondo lag tot im Leichensaal einer Klinik. Und er, Alex, war in der wichtigsten Nacht seines Lebens nicht da gewesen, wo er sein sollte.

Er hatte den Wagen irgendwo auf dem Parkplatz der Klinik abgestellt und fand beim dritten Anlauf den Eingang zur Entbindungsstation. Als er endlich schwitzend und keuchend bei der Anmeldung ankam, war er dankbar, dass die Schwestern der Station an so vieles gewöhnt waren. Ein unrasierter Mann mit wildem Blick, der wie ein Narr vor sich hin faselte, ließ den Zeiger ihrer Richterskala nicht einmal ausschlagen.

»Mrs. Gilbey? Ah ja, wir haben sie gleich raufgebracht in den Kreißsaal.«

Alex versuchte sich auf die Beschreibung des Wegs nach oben zu konzentrieren und wiederholte sie halblaut, während er durch die Korridore der Station ging. Er drückte auf den Knopf der Sprechanlage und sah ängstlich in die Videokamera, in der Hoffnung, dass er einem werdenden Vater ähnlicher war als einem entsprungenen Irren. Es kam ihm wie eine Ewigkeit vor, bis sich nach dem Summton die Tür öffnete und er in die Station hineinstürmte. Da kam eine Schwester aus einem der Korridore, die nach allen Richtungen von hier abgingen.

»Mr. Gilbey?«, sagte sie.

Alex nickte hektisch. »Wo ist Lynn?«, fragte er.

»Kommen Sie mit.«

Er folgte ihr den Korridor entlang. »Wie geht es ihr?«

»Gut.« Sie hielt inne, eine Hand auf dem Türgriff. »Wir müssen ihr helfen, ruhig zu bleiben. Sie ist etwas bekümmert. Es hat ein oder zwei Aussetzer beim Herzschlag des Embryos gegeben.«

»Was bedeutet das? Ist das Baby in Ordnung?«

»Sie brauchen sich keine Sorgen zu machen.«

Er hasste es, wenn Mediziner so etwas sagten. Es hörte sich immer an wie eine platte Lüge. »Aber es ist doch noch viel zu früh. Sie ist erst vierunddreißig Wochen schwanger.«

»Versuchen Sie, sich nicht zu sorgen. Sie sind hier in guten Händen.«

Die Tür wurde geöffnet, und was er da sah, hatte keinerlei Ähnlichkeit mit dem Hergang, den sie im Schwangerschaftskurs geübt hatten. Es war schwer, sich etwas vorzustellen, das Lynns Traum von einer natürlichen Geburt unähnlicher war. Drei Frauen in Chirurgenkitteln liefen geschäftig hin und her. Ein Monitor stand neben dem Bett, eine vierte Frau in einem weißen Kittel beobachtete die Kurve auf dem Display. Lynn lag mit gespreizten Beinen auf dem Rücken, ihr Haar klebte schweißnass am Kopf. Ihr Gesicht war rot und feucht, die Augen waren aufgerissen und voller Angst. Das dünne Krankenhaushemd klebte an ihrem Körper. Der Schlauch von einem Infusionsständer neben ihrem Bett verschwand darunter.

»Gott sei Dank, dass du hier bist«, keuchte sie. »Alex, ich habe Angst.«

Er eilte zu ihr und ergriff ihre Hand. Sie hielt sie fest. »Ich liebe dich«, sagte er. »Du machst es gut.«

Die Frau im weißen Kittel warf ihm einen Blick zu. »Hi, ich bin Dr. Singh«, sagte sie und reagierte damit auf Alex' Kommen. Sie ging zu der Hebamme am Fußende des Betts. »Lynn, wir machen uns ein bisschen Gedanken wegen des Herzschlags. Wir kommen nicht so schnell voran, wie wir es uns wünschen würden. Wir werden eventuell einen Schnitt machen müssen.«

»Holen Sie einfach das Baby raus«, stöhnte Lynn.

Plötzlich gab es große Aufregung. »Das Baby steckt fest«, sagte eine Hebamme. Dr. Singh studierte kurz die Kurve auf dem Monitor.

»Herzschlag schwach«, sagte sie. Alles geschah plötzlich schneller, als Alex begreifen konnte, während er immer noch Lynns feuchte Hand hielt. Merkwürdige kurze Wortfetzen drangen zu ihm durch. »Sofort in den OP bringen«, »Katheter setzen«, »Einverständniserklärung«. Dann setzte sich das Bett in Bewegung, die Tür ging auf, alle liefen den Korridor entlang zum OP.

Die Welt verwandelte sich in ein verschwommenes Bild der Betriebsamkeit. Die Zeit schien einerseits zu rasen und zugleich ganz langsam zu vergehen. Dann, als Alex fast schon die

Hoffnung aufgegeben hatte, kam das Zauberwort: »Es ist ein Mädchen. Sie haben eine Tochter.«

Tränen traten ihm in die Augen, und er drehte sich um, damit er sein Kind sehen konnte. Blutbeschmiert und rot, erschreckend ruhig und stumm. »Oh Gott«, sagte er. »Lynn, es ist ein Mädchen.« Aber Lynn konnte es nicht hören.

Eine Hebamme wickelte das Baby eilig in ein Tuch und ging damit weg. Alex stand auf. »Ist alles in Ordnung?« Er war wie betäubt, und man führte ihn aus dem Saal. Was geschah mit seinem Kind? Lebte es überhaupt? »Was ist los?«, fragte er.

Die Hebamme lächelte. »Ihre Tochter macht sich prima. Sie atmet selbst, was bei Frühchen immer eine große Sorge ist.«

Alex ließ sich auf einen Stuhl fallen und schlug die Hände vors Gesicht. »Ich will nur, dass sie gesund ist«, sagte er unter Tränen.

»Sie hält sich gut. Sie wiegt vier Pfund und sieben Gramm, das ist gut. Mr. Gilbey, ich habe schon ziemlich viele Frühgeburten entbunden, und ich würde sagen, Ihr kleines Mädchen ist eine der stärksten. Ich kann zu diesem Zeitpunkt noch nichts Genaueres sagen, aber ich glaube, sie wird sich gut entwickeln.«

»Wann kann ich sie sehen?«

»In einer Weile sollten Sie sie auf der Frühchenstation sehen können. Sie werden sie noch nicht halten können, aber da sie selbst atmet, können Sie sie wahrscheinlich in einem Tag oder so hochnehmen.«

»Was ist mit Lynn?«, sagte er, plötzlich schuldbewusst, dass er nicht früher gefragt hatte.

»Sie wird jetzt gerade genäht. Sie hat's nicht leicht gehabt. Wenn man sie herausbringt, wird sie müde und verwirrt sein. Sie wird sich aufregen, weil sie ihr Baby nicht bei sich hat. Sie werden ihr beistehen müssen.«

Er konnte sich an nichts mehr erinnern außer an einen wichtigen Moment, als er in das durchsichtige Bettchen geblickt und seine Tochter zum ersten Mal vor sich gesehen hatte. »Kann

ich sie berühren?«, hatte er ehrfürchtig gefragt. Ihre winzigen Finger sahen so zart aus, die Augen waren geschlossen, Fäden dunklen Haares klebten an ihrem Kopf.
»Geben Sie ihr einen Finger«, hatte die Hebamme ihn angewiesen.
Er hatte vorsichtig die Hand ausgestreckt und die runzlige Haut ihres Handrückens gestreichelt. Ihre winzigen Finger öffneten sich und griffen fest zu. Und schon war Alex ihr verfallen.
Er hatte bei Lynn gesessen, bis sie aufwachte, und erzählte ihr dann von ihrer gemeinsamen wunderbaren Tochter. Blass und erschöpft, hatte Lynn geweint. »Ich weiß, dass wir uns geeinigt hatten, sie Ella zu nennen, aber ich will ihr den Namen Davina geben. Nach Mondo«, sagte sie.
Es traf ihn mit aller Macht. Er hatte nicht einmal mehr an Mondo gedacht, seit er im Krankenhaus angekommen war. »Oh Gott«, sagte er, und die Schuldgefühle verdrängten seine Freude. »Das ist ein guter Gedanke. Oh Lynn, ich weiß nicht, was ich sagen soll. Mein Kopf ist völlig durcheinander.«
»Du solltest nach Hause gehen. Und schlafen.«
»Ich muss Anrufe machen und es den Leuten mitteilen.«
Lynn klopfte ihm leicht auf die Hand. »Das kann warten. Du musst schlafen. Du siehst völlig erschöpft aus.«
Und so war er gegangen und hatte versprochen, später wiederzukommen. Aber er kam nicht weiter als bis zum Eingang des Krankenhauses, wo ihm klar wurde, dass er nicht die Kraft hatte, es bis nach Hause zu schaffen. Noch nicht. Er hatte die Bank gefunden, war darauf zusammengesunken und fragte sich, wie er die nächsten paar Tage überstehen sollte. Er hatte eine Tochter, aber seine Arme waren leer. Er hatte noch einen Freund verloren und mochte nicht einmal daran denken, was das hieß. Und irgendwie musste er die Kraft finden, Lynn zu unterstützen. Bis jetzt hatte er sich immer treiben lassen im sicheren Wissen, dass Ziggy oder Lynn auf seiner Seite sein würden, wenn es Schwierigkeiten gab.

Zum ersten Mal in seinem Leben als Erwachsener fühlte sich Alex schrecklich allein.

James Lawson hörte die Neuigkeit von David Kerrs Tod, als er am folgenden Morgen zur Arbeit fuhr. Als sie ihre Wirkung getan hatte, konnte er sich ein grimmiges, zufriedenes Lächeln nicht verkneifen. Es stand schon so lange an, und jetzt hatte Barney Maclennans Mörder endlich das bekommen, was er verdiente. Dann kehrten seine Gedanken zu Robin und dem Motiv zurück, das er ihm geliefert hatte, und ihm war nicht mehr so wohl. Er nahm das Autotelefon. Sobald er im Präsidium ankam, ging er in den Raum, wo die ungelösten Fälle untersucht wurden. Zum Glück war Robin Maclennan der Einzige, der schon da war. Er stand an der Kaffeemaschine und wartete, bis das heiße Wasser durch das Kaffeepulver lief und in die Tasse darunter tropfte. Die Maschine war der Vorwand für Lawsons Besuch bei Robin, der zusammenfuhr, als sein Chef plötzlich sagte: »Haben Sie die Neuigkeit schon gehört?«
»Welche Neuigkeit?«
»Davey Kerr ist ermordet worden.« Lawson musterte den Detective Inspector mit schmalen Augen. »Gestern Abend. In seinem Haus.«
Robins Augenbrauen hoben sich. »Im Ernst?«
»Es kam im Radio. Ich habe Glasgow angerufen, um sicherzugehen, dass es unser David Kerr war, und siehe da: Er war's.«
»Was ist passiert?« Robin wandte sich ab und gab Zucker in eine Tasse.
»Auf den ersten Blick sah es aus wie ein Einbruch, der schief gelaufen ist. Aber dann merkten sie, dass er zwei Stichwunden hatte. Na ja, ein normaler Einbrecher wird, wenn er Panik bekommt, vielleicht einmal zustechen, aber sich dann davonmachen. Dieser hat sich abgesichert, dass Davey Kerr nicht mehr da sein würde, um davon zu erzählen.«
»Was meinen Sie also damit?«, fragte Robin und nahm sich eine Tasse Kaffee.

»Nicht ich meine das, sondern die Polizei von Strathclyde. Sie untersuchen andere Möglichkeiten. So haben sie sich ausgedrückt.« Lawson wartete, aber Robin sagte nichts. »Wo waren Sie gestern Abend, Robin?«
Robin blitzte Lawson zornig an. »Was soll denn das heißen?«
»Beruhigen Sie sich, Mann. Ich beschuldige Sie nicht. Aber machen wir uns doch nichts vor, wenn irgendjemand ein Motiv hat, Davey Kerr zu ermorden, dann sind Sie es. Also, ich weiß, dass Sie so etwas nicht tun würden. Ich bin auf Ihrer Seite. Ich vergewissere mich nur, dass Sie es belegen können, das ist alles.« Er legte Robin beruhigend eine Hand auf den Arm. »Haben Sie ein Alibi?«
Robin fuhr sich mit der Hand durchs Haar. »Herrgott noch mal, nein. Dianes Mutter hatte Geburtstag, und sie ist mit den Kindern nach Grangemouth hinübergefahren. Sie sind erst nach elf zurückgekommen. Ich war also allein zu Hause.« Er legte besorgt die Stirn in Falten.
Lawson schüttelte den Kopf. »Das sieht nicht gut aus, Robin. Sie werden gleich als erstes fragen, wieso Sie nicht auch in Grangemouth waren.«
»Ich komme mit meiner Schwiegermutter nicht gut aus. Bin noch nie mit ihr ausgekommen. Also benutzt Diane meinen Dienst als Vorwand, wenn ich nicht mitwill. Aber es war ja nicht zum ersten Mal so. Es ist ja nicht so, als hätte ich mich gedrückt, damit ich nach Glasgow hinüberfahren und Davey Kerr umbringen konnte, um Gottes willen.« Er presste die Lippen zusammen. »An jedem anderen Abend wäre ich in Sicherheit gewesen. Aber gestern Abend ... Scheiße. Ich bin geliefert, wenn sie Wind davon kriegen, was Kerr mit Barney gemacht hat.«
Lawson nahm eine Tasse und goss sich Kaffee ein. »Von mir werden sie es nicht hören.«
»Sie wissen ja, wie's bei uns zugeht. Scheißquasselbude. Es wird bestimmt rauskommen. Sie werden sich mit Davey Kerrs Vergangenheit befassen, und jemand wird sich daran erin-

nern, dass mein Bruder nach einem dummen Selbstmordversuch zu Tode gekommen ist. Wenn es Ihr Fall wäre, würden Sie sich nicht mit Barneys Bruder unterhalten? Nur für den Fall, dass er vielleicht fand, die Zeit sei reif, die alte Rechnung zu begleichen? Wie gesagt, ich bin geliefert.« Robin wandte sich ab und biss sich auf die Lippe.

Lawson legte mitfühlend eine Hand auf seinen Arm. »Ich sag Ihnen was. Wenn jemand aus Strathclyde fragt, waren Sie bei mir.«

Robin war schockiert. »Sie wollen für mich lügen?«

»Wir werden beide lügen. Weil wir beide wissen, dass Sie nichts mit Davey Kerrs Tod zu tun hatten. Betrachten Sie es so: Wir ersparen der Polizei Arbeit. So werden sie nicht Zeit und Kraft verschwenden, um Sie unter die Lupe zu nehmen, wenn sie nach dem Mörder suchen sollten.«

Zögernd nickte Robin. »Ich schätze ja. Aber …«

»Robin, Sie sind ein guter Polizist. Sie sind ein guter Mann. Sonst wären Sie nicht in meinem Team. Ich glaube an Sie und will nicht, dass Ihr guter Name in den Dreck gezogen wird.«

»Danke. Ich danke Ihnen für Ihr Vertrauen.«

»Geht schon in Ordnung. Sagen wir, ich bin bei Ihnen vorbeigekommen, wir haben ein paar Bierchen getrunken und 'ne Weile Poker gespielt. Sie haben etwa zwanzig Pfund gewonnen, und ich bin gegen elf weggegangen. Wie hört sich das an?«

»Gut.«

Lawson lächelte, stieß mit seiner Tasse mit Robin an und ging. Das war ein Zeichen von Führungskraft, glaubte er. Man musste herausbekommen, was die eigenen Leute brauchten, und es ihnen geben, bevor sie überhaupt wussten, dass sie es brauchten.

An diesem Abend war Alex wieder nach Glasgow unterwegs. Irgendwann war er vom Krankenhaus nach Hause gefahren, wo das Telefon andauernd klingelte. Er hatte mit beiden

Großeltern gesprochen. Seinen Eltern war es angesichts dessen, was in Glasgow passiert war, fast peinlich, sich so zu freuen. Lynns Mutter und Vater waren verwirrt und untröstlich, dass ihr einziger Sohn tot war. Es war noch viel zu früh, um die Geburt ihres ersten Enkelkindes als Trost begreifen zu können. Die Nachricht, dass es in der Frühchenstation war, schien nur ein weiterer Grund, sich zu sorgen und zu ängstigen. Nach den beiden Telefongesprächen war Alex über seine Müdigkeit hinaus in einem zombiehaften Zustand. Er hatte per E-Mail nur eine einfache Nachricht über Davinas Geburt an seine Freunde und Kollegen geschickt, zog dann den Telefonstecker heraus und legte sich hin.

Als er erwachte, konnte er kaum glauben, dass er nur drei Stunden geschlafen hatte. Er fühlte sich so ausgeruht, als hätte er rund um die Uhr im Tiefschlaf gelegen. Nachdem er geduscht und sich rasiert hatte, schnappte er sich schnell ein belegtes Brot und die Digitalkamera, bevor er nach Edinburgh zurückfuhr. Er hatte Lynn im Rollstuhl in der Frühchenstation gefunden, wo sie glückselig ihr Kind betrachtete. »Ist sie nicht schön?«, fragte sie sofort.

»Natürlich. Hast du sie schon gehalten?«

»Der schönste Augenblick meines Lebens. Aber sie ist so winzig, Alex. Und so leicht wie Luft.« Sie warf ihm einen ängstlichen Blick zu. »Sie wird es doch überstehen, oder?«

»Natürlich. Die Gilbeys geben nicht so schnell auf.« Sie hielten sich an den Händen und wünschten innig, dass er recht behalten würde.

Lynn sah ihn beunruhigt an. »Ich schäme mich so, Alex. Mein Bruder ist gestorben, aber ich kann nur daran denken, wie sehr ich Davina liebe und was für ein Schatz sie ist.«

»Ich weiß gut, was du meinst. Ich bin so glücklich, dann erinnert mich irgendwas daran, was mit Mondo geschehen ist, und ich stürze auf den Boden der Tatsachen zurück. Ich weiß nicht, wie wir das überstehen sollen.«

Am Ende des Nachmittags hatte auch Alex seine Tochter in

den Armen gehalten, hatte Dutzende Fotos gemacht und das Baby seinen Eltern vorgeführt. Adam und Sheila Kerr waren zu der Fahrt nicht in der Lage gewesen, und die Tatsache, dass sie nicht da waren, ließ Alex daran denken, dass er sich nicht ewig in seine Elternfreuden einspinnen konnte. Als die Schwester Lynn ihr Abendessen brachte, stand er auf. »Ich sollte nach Glasgow zurückfahren«, sagte er. »Ich muss mich darum kümmern, wie es Hélène geht.«

»Du brauchst diese Verantwortung nicht zu übernehmen«, wandte Lynn ein.

»Ich weiß. Aber sie hat doch uns angerufen«, erinnerte er sie. »Ihre Familie ist weit weg. Vielleicht braucht sie Hilfe bei den Vorbereitungen für die Beerdigung. Außerdem schulde ich Mondo das. Ich war in den letzten Jahren kein sehr guter Freund und kann es nicht wieder gutmachen. Aber er war ein Teil meines Lebens.«

Lynn blickte mit einem traurigen Lächeln zu ihm auf, und Tränen schimmerten in ihren Augen. »Armer Mondo. Ich denke immer daran, wie viel Angst er am Ende gehabt haben muss. Und zu sterben, ohne dass man Gelegenheit hat, seinen Frieden mit den Menschen zu machen, die man liebt ... Und Hélène – ich kann mir gar nicht vorstellen, wie es ihr gehen muss. Wenn ich bedenke, wie ich mich fühlen würde, wenn dir etwas passieren würde oder Davina ...«

»Nichts wird mir passieren. Und Davina auch nicht«, sagte Alex. »Ich verspreche es dir.«

Er dachte jetzt an dieses Versprechen, als er zwischen Freude und Trauer hin und her schwankend die Meilen zurücklegte. Es war schwer, sich nicht überwältigen zu lassen von der Veränderung, die kürzlich in seinem Leben stattgefunden hatte. Aber er konnte es sich nicht leisten, sich gehen zu lassen. Zu vieles hing jetzt von ihm ab.

Als er sich Glasgow näherte, rief er Hélène an. Der Anrufbeantworter verwies ihn auf ihr Handy. Fluchend fuhr er an den Straßenrand, hörte sich die Nachricht noch einmal an und

notierte sich die Nummer. Sie antwortete beim zweiten Klingeln. »Alex? Wie geht es Lynn? Was ist geschehen?«
Er war überrascht. Er hatte Hélène immer so eingeschätzt, dass sie sich zu sehr auf ihre eigenen Belange konzentrierte, um sich auch um andere Menschen außer sich selbst und Mondo kümmern zu können. Er fand es erstaunlich, dass ihr die Sorge um Lynn und das Baby trotz ihrer Trauer so wichtig war, dass sie sie als Erstes erwähnte. »Wir haben eine Tochter.« Es waren die stolzesten Worte, die er je gesprochen hatte. Ein Kloß saß ihm im Hals. »Da sie zu früh gekommen ist, ist sie noch im Brutkasten. Aber es geht ihr gut. Und sie ist wunderbar.«
»Wie geht es Lynn?«
»Sie hat Schmerzen. In jeder Beziehung. Aber sie ist okay. Und du? Wie geht's dir?«
»Nicht gut. Aber ich komme klar, nehme ich an.«
»Hör zu, ich wollte zu dir kommen. Wo bist du?«
»Das Haus wird immer noch als Tatort behandelt, wie es scheint. Ich kann erst morgen wieder zurückkehren. Ich bin bei meiner Freundin Jackie. Sie wohnt in Merchant City. Willst du hierher kommen?«
Alex wollte der Frau, mit der Hélène Mondo betrogen hatte, eigentlich nicht begegnen. Er überlegte, ob er einen neutralen Treffpunkt vorschlagen könne, aber unter den Umständen schien das ziemlich herzlos. »Sag mir, wie ich fahren muss«, antwortete er.
Die Wohnung war leicht zu finden. Sie nahm die Hälfte des zweiten Stockwerks eines der umgebauten Lagerhäuser ein, die zum Abzeichen des Erfolgs für die Singles der Stadt geworden waren. Die Frau, die die Tür öffnete, hätte wohl Hélène kaum weniger ähneln können. Ihre Jeans war alt und ausgebleicht und hatte Risse an den Knien, ihr ärmelloses T-Shirt bescheinigte ihr, 100% Girrrl zu sein, und ließ Muskeln sehen, mit denen sie nach Alex' Einschätzung ihr eigenes Körpergewicht stemmen konnte, ohne ins Schwitzen zu geraten.

Unterhalb des Bizeps hatte sie auf jedem Arm eine komplizierte Tätowierung in Form eines keltischen Armbands. Ihr kurzes, dunkles Haar war gegelt, stand spitz und steif hoch, und der Blick, den sie ihm zuwarf, war genauso scharf. Sie hatte die dunklen Augenbrauen über den hellen, blaugrünen Augen zusammengezogen, und auf ihren breiten Lippen lag kein freundliches, entgegenkommendes Lächeln. »Sie müssen Alex sein«, sagte sie und verriet damit sofort ihre Herkunft aus Glasgow. »Kommen Sie rein.«

Alex folgte ihr in eine Dachwohnung, die niemals eine Zeitschrift für schönes Wohnen geziert hätte. Kein steriler moderner Minimalismus, sondern dies war das Zuhause einer Frau, die genau wusste, was sie mochte und wie sie es haben wollte. Die Rückwand war von oben bis unten mit Regalen bedeckt und unordentlich mit Büchern, Videos, CDs und Zeitschriften voll gestopft. Davor stand ein Multi-Trainingsgerät, die Hanteln waren achtlos zur Seite gelegt worden. Im Küchenbereich herrschte genau die Art von Unaufgeräumtheit, die bei regelmäßig genutzten Küchen üblich ist. Der Platz zum Sitzen war mit Sofas ausgestattet, die eher gemütlich als elegant waren. Ein Couchtisch verschwand unter Stößen von Zeitungen und Zeitschriften. An den Wänden hingen gerahmte Fotos von Sportlerinnen von Martina Navratilowa bis Ellen MacArthur.

Hélène saß zusammengekauert in einer Ecke des Sofas mit einem gemusterten Bezug, an dessen Lehnen man ablesen konnte, dass hier auch eine Katze wohnte. Alex ging über den blanken Holzfußboden zu seiner Schwägerin, die ihm zum gewohnten Austausch von Küsschen die Wange hinhielt. Ihre Augen waren geschwollen und trübe, aber ansonsten schien Hélène sich wieder im Griff zu haben. »Ich danke dir, dass du gekommen bist«, sagte sie. »Vor allem jetzt, wo du dich an deinem Kind erfreuen könntest.«

»Wie ich schon sagte, sie ist noch auf der Station für Frühgeborene. Und Lynn ist erschöpft. Ich dachte, ich könnte mich

hier eher nützlich machen. Aber ...«, er lächelte Jackie zu, »ich sehe, man kümmert sich hier gut um dich.«
Jackie zuckte die Achseln, ihre feindselige Miene änderte sich nicht. »Ich bin freie Journalistin, da kann ich meine Arbeitszeit ein bisschen flexibel gestalten. Möchten Sie etwas trinken? Bier, Whisky oder Wein.«
»Kaffee wäre prima.«
»Kaffee haben wir keinen mehr. Tee?«
Es war doch nett, wenn man so herzlich empfangen wurde, dachte er. »Tee ist gut. Milch, kein Zucker, bitte.« Er setzte sich ans andere Ende der Couch, auf der Hélène saß. Ihre Augen sahen aus, als hätten sie viel zu viel gesehen. »Wie geht es dir?«
Ihre Lider zitterten. »Ich bemühe mich, überhaupt nichts zu fühlen. Ich will nicht an David denken, wenn ich es tue, fühle ich mich, als bräche mir das Herz. Ich kann es nicht glauben, dass die Welt weiterlaufen und er nicht da sein soll. Aber ich muss es durchstehen, ohne zusammenzubrechen. Die Polizei ist ganz furchtbar, Alex. Diese dümmlich aussehende Frau in der Ecke von gestern Abend, weißt du noch?«
»Die Polizistin?«
»Ja«, schnaubte Hélène leise lachend. »Es hat sich gezeigt, dass sie in der Schule Französisch hatte. Sie hat unsere Unterhaltung verstanden.«
»Ach Scheiße.«
»Ach Scheiße, da hast du recht. Der leitende Kripobeamte war heute früh hier. Er hat zuerst mit mir gesprochen und mich über Jackie und mich ausgefragt. Er sagte mir, es bringe nichts zu lügen, seine Beamtin hätte gestern Abend alles gehört. Also hab ich ihm die Wahrheit gesagt. Er war sehr höflich, aber ich merkte, dass er einen Verdacht hat.«
»Hast du gefragt, was mit Mondo passiert ist?«
»Natürlich.« Ihr Gesicht verzog sich im Schmerz. »Er sagte, sie könnten mir nur sehr wenig mitteilen. Das Glas in der Küchentür war zerbrochen, vielleicht von einem Einbrecher.

Aber sie haben keine Fingerabdrücke gefunden. Das Messer, mit dem David erstochen wurde, war aus einem Satz von einem Messerblock in der Küche. Er sagte, oberflächlich betrachtet würde es so aussehen, als hätte David ein Geräusch gehört und sei heruntergekommen, um nachzusehen. Aber er betonte das, Alex. Oberflächlich betrachtet.«

Jackie kam zurück und trug eine Tasse, deren Marilyn-Monroe-Bild von der Geschirrspülmaschine beschädigt war. Der Tee hatte einen intensiven Braunton. »Danke«, sagte Alex.

Jackie setzte sich auf die Sofalehne, eine Hand auf Hélènes Schulter. »Primitive Kerle. Die Frau hat eine Geliebte, deshalb muss also die Frau oder die Geliebte den Mann loswerden wollen. Sie können sich keine Welt vorstellen, wo Erwachsene schwierigere Entscheidungen zu treffen haben als so etwas. Ich versuchte, diesem Bullen zu erklären, dass man mit jemandem Sex haben kann, ohne die anderen Geliebten umbringen zu wollen. Das Arschloch hat mich angesehen, als käme ich von einem fremden Planeten.«

Alex war in dieser Sache auf der Seite des Polizisten. Mit Lynn verheiratet zu sein machte ihn den Reizen anderer Frauen gegenüber nicht unempfindlich. Aber es ließ ihn den Gedanken verwerfen, etwas in dieser Richtung zu unternehmen. Seiner Ansicht nach waren Geliebte für Leute da, die mit dem falschen Partner lebten. Er konnte sich nur vorstellen, wie außer sich er wäre, wenn Lynn nach Hause käme und ihm mitteilte, dass sie mit jemand anderem schlief. Mondo tat ihm plötzlich leid. »Ich nehme an, sie haben nichts anderes, auf das sie sich stützen können, also halten sie sich an dich«, sagte er.

»Aber ich bin das Opfer, nicht die Verbrecherin«, sagte Hélène bitter. »Ich habe nichts getan, um David zu schaden. Doch es ist unmöglich, das Gegenteil zu beweisen. Du weißt ja selbst, wie schwierig es ist, den Verdacht zu zerstreuen, wenn einmal mit dem Finger auf einen gezeigt wird. Es hat David so verrückt gemacht, dass er sich umzubringen versuchte.«

Alex schauderte unwillkürlich bei dem Gedanken daran. »Es wird nicht so weit kommen.«
»Da haben Sie verdammt recht, dass es nicht so weit kommen wird«, sagte Jackie. »Ich werde morgen früh mit einem Rechtsanwalt sprechen. Ich lasse mir das nicht gefallen.«
Hélène sah besorgt aus. »Bist du sicher, dass das eine gute Idee ist?«
Hélène warf Alex einen merkwürdigen Seitenblick zu.
»Es ist durch das Mandanten-Privileg geschützt«, sagte Jackie.
»Was ist das Problem?«, fragte Alex. »Gibt es etwas, das du mir verschweigst, Hélène?«
Jackie seufzte und rollte mit den Augen. »Herrgott, Hélène.«
»Es ist in Ordnung, Jackie. Alex ist auf unserer Seite.«
Jackie betrachtete ihn mit einem Blick, der heißen sollte, sie könne ihn wohl besser beurteilen als ihre Geliebte.
»Was hast du mir nicht gesagt?«, fragte er.
»Es geht Sie nichts an, okay?«, sagte Jackie.
»Jackie«, protestierte Hélène.
»Vergiss es, Hélène.« Alex stand auf. »Ich muss nicht unbedingt hier sein, wissen Sie«, sagte er zu Jackie. »Aber ich dachte, im Moment kann Hélène alle Freunde brauchen, die sie kriegen kann. Besonders in Mondos Familie.«
»Jackie, sag es ihm«, verlangte Hélène. »Andernfalls wird er gehen und denken, wir hätten wirklich etwas zu verbergen.«
Jackie starrte Alex wütend an. »Ich musste gestern Abend ungefähr eine Stunde weggehen. Ich hatte keinen Stoff mehr, und wir wollten einen Joint rauchen. Mein Dealer ist nicht der Typ für Alibis. Und selbst wenn er das wäre, würde die Polizei ihm nicht glauben. Theoretisch könnte also sie oder ich David umgebracht haben.«
Alex spürte, wie sich seine Nackenhaare sträubten. Er erinnerte sich an den Augenblick in der vorigen Nacht, als er sich gefragt hatte, ob Hélène ihn zu manipulieren versuche. »Ihr solltet es der Polizei mitteilen«, sagte er knapp. »Wenn sie

herausfinden, dass ihr gelogen habt, werden sie nie glauben, dass ihr unschuldig seid.«

»Anders als Sie, meinen Sie?«, griff Jackie ihn in verächtlichem Ton an.

Alex mochte die Feindseligkeit überhaupt nicht, die ihm entgegenschlug.

»Ich bin gekommen, um zu helfen, nicht um als Prügelknabe herzuhalten«, sagte er scharf. »Haben sie etwas darüber gesagt, wann die Leiche freigegeben wird?«

»Sie führen heute Nachmittag die Obduktion durch. Danach könnten wir die Beerdigung festlegen, sagten sie.« Hélène breitete die Hände aus. »Ich weiß nicht, wen ich anrufen soll. Was soll ich machen, Alex?«

»Ich nehme an, du wirst ein Bestattungsunternehmen in den Gelben Seiten finden. Lass eine Anzeige in die Zeitung setzen, dann nimm mit seinen Freunden und Verwandten Kontakt auf. Wenn du möchtest, kann ich die Sache mit der Familie erledigen.«

Sie nickte. »Das wäre mir eine große Hilfe.«

Jackie sagte höhnisch: »Ich nehme an, sie werden nicht gerade darauf erpicht sein, von Hélène zu hören, nachdem sie die Geschichte mit mir erfahren haben.«

»Es wäre besser, wenn wir das vermeiden könnten. Mondos Eltern müssen schon mit genug fertig werden«, sagte Alex kühl. »Hélène, du wirst ein Lokal für das Essen besorgen müssen.«

»Das Essen?«, sagte Hélène.

»Den Leichenschmaus nach dem Begräbnis«, übersetzte Jackie.

Hélène schloss die Augen. »Ich kann es nicht fassen, dass wir hier sitzen und über Bewirtung reden, wenn mein David auf einem Tisch in der Leichenhalle liegt.«

»Na ja«, sagte Alex. Er brauchte nicht unbedingt zu sagen, was er dachte, denn die unausgesprochene Anklage war deutlich. »Ich sollte jetzt zurückfahren.«

»Hat sie schon einen Namen, deine Tochter?«, fragte Hélène, offensichtlich nach etwas Unverfänglichem suchend.
Alex warf ihr einen besorgten Blick zu. »Wir wollten sie Ella nennen. Aber wir dachten … also Lynn meinte, sie wollte sie lieber Davina nennen. Wegen Mondo. Wenn es dich nicht stört, natürlich.«
Hélènes Lippen zitterten, und Tränen rannen ihr aus den Augenwinkeln. »Oh Alex, es tut mir so leid, dass wir uns nie die Zeit genommen haben, dir und Lynn bessere Freunde zu sein.«
Er schüttelte den Kopf. »Was? Damit wir uns jetzt auch betrogen fühlen müssten?«
Hélène fuhr zurück, als hätte er ihr einen Schlag versetzt. Jackie ging auf Alex zu und hielt die geballten Fäuste in die Hüften gestemmt. »Ich glaube, es ist Zeit zu gehen.«
»Das glaub ich auch«, sagte Alex. »Wir sehen uns bei der Beerdigung.«

31

ACC Lawson zog einen Hefter über den Schreibtisch zu sich heran. »Ich hatte mir davon einiges erhofft«, seufzte er.

»Ich auch, Sir«, gab Karen Pirie zu. »Ich weiß, man hatte damals keine biologischen Spuren an der Jacke gefunden, aber ich dachte, mit der fortgeschrittenen Technik, die es jetzt gibt, würde sich vielleicht irgendwo ein Überrest finden, den wir nutzen könnten. Sperma oder Blut. Aber nichts außer diesen komischen Farbspritzern.«

»Von denen wir damals auch schon wussten. Und auch damals hat es uns nicht weitergebracht.« Lawson schlug resignierend den Hefter auf und überflog den kurzen Bericht. »Das Problem war, dass die Jacke nicht zusammen mit der Leiche gefunden wurde. Wenn ich mich recht erinnere, wurde sie über eine Hecke in einen Garten geworfen?«

Karen nickte. »Nummer fünfzehn. Sie haben sie erst mehr als eine Woche danach gefunden. Und inzwischen hatte es geschneit, getaut und geregnet, was nicht gerade hilfreich war. Von Rosie Duffs Mutter wurde bestätigt, dass es sich um die Jacke handelte, die sie an jenem Abend getragen hatte. Ihre Handtasche und ihren Mantel haben wir nie gefunden.« Sie blätterte in einem dicken Ordner auf ihrem Schoß. »Ein brauner, etwas mehr als knielanger, weit fallender Mantel von C&A, gefüttert mit einem Stoff mit braunem Hahnentrittmuster.«

»Wir haben sie nie gefunden, weil wir nicht wussten, wo wir suchen sollten. Weil wir nicht wussten, wo sie ermordet wurde. Nachdem sie die Lammas Bar verließ, konnte sie innerhalb von etwa einer Stunde irgendwo andershin gebracht worden sein. Über die Brücke nach Dundee, ans ganz andere Ende von Fife. Irgendwohin von Kirriemuir bis Kirkcaldy. Sie könnte auf einem Boot getötet worden sein, in einem Kuhstall, irgendwo. Das Einzige, dessen wir einigermaßen sicher sein konnten, war, dass sie nicht in dem Haus in Fife Park umgebracht wurde, wo Gilbey, Malkiewicz, Kerr und Mackie wohnten.« Lawson warf Karen den Bericht von der Gerichtsmedizin zu.
»Nur interessehalber, Sir ... sind irgendwelche anderen Häuser in Fife Park durchsucht worden?«
Lawson runzelte die Stirn. »Ich glaube nicht. Warum?«
»Mir ist eingefallen, dass es ja während der Universitätsferien geschah. Viele Studenten waren bestimmt schon über die Feiertage weggefahren. Es könnte Nachbarhäuser gegeben haben, die leer standen.«
»Sie wären abgeschlossen gewesen. Wir hätten davon gehört, wenn jemand in Fife Park einen Einbruch gemeldet hätte.«
»Sie wissen ja, wie Studenten sind, Sir. Sie gehen bei ihren Kollegen mal hier und mal da vorbei. Es wäre nicht schwer gewesen, sich einen Schlüssel anzueignen. Außerdem waren die vier im letzten Jahr. Sie hätten leicht einen Schlüssel von einem anderen Haus behalten können, wo sie früher gewohnt hatten.«
Lawson warf Karen einen scharfen, anerkennenden Blick zu. »Schade, dass Sie nicht bei der ursprünglichen Ermittlung dabei waren. Ich glaube, diese Richtung wurde nicht verfolgt. Natürlich ist es jetzt zu spät. Also, wie weit sind wir mit der Durchsicht der Beweisstücke? Sind Sie fertig damit?«
»Ich hatte über Weihnachten und Neujahr Urlaub«, sagte sie zu ihrer Verteidigung. »Aber ich habe Überstunden gemacht und sie gestern Abend abgeschlossen.«
»Das war's dann also? Das übrige Beweismaterial zu Rosie Duffs Ermordung ist spurlos verschwunden?«

»Es sieht so aus. Die letzte Person, die sich den Inhalt des Kartons angesehen hat, war DI Maclennan, eine Woche bevor er starb.«

Lawson stutzte. »Sie wollen doch damit nicht sagen, dass Barney Maclennan die Beweise für die laufende Untersuchung eines Mordfalls verschwinden ließ?«

Karen ruderte eilig zurück. Sie war nicht so dumm, einen Kollegen zu verleumden, der als Held gestorben war. »Nein, das habe ich überhaupt nicht gemeint, Sir. Ich wollte nur sagen, was immer mit Rosie Duffs Kleidern passiert ist, es gibt dazu keinen offiziellen Beleg in unseren Akten, den wir weiterverfolgen könnten.«

Er seufzte wieder. »Wahrscheinlich ist es schon vor Jahren passiert. Sie sind vermutlich in einer Mülltonne gelandet. Also ehrlich, manchmal muss man sich schon wundern. Manche von den Leuten, die für uns arbeiten ...«

»Ich nehme an, die andere Möglichkeit ist, dass DI Maclennan sie zu weiteren Tests weggeschickt hat und sie entweder nie zurückkamen, weil er sich nicht mehr drum kümmern konnte, oder das ganze Päckchen ist irgendwo untergegangen, weil DI Maclennan nicht mehr da war, um es entgegenzunehmen«, schlug Karen vorsichtig vor.

»Ich nehme an, das ist eine zusätzliche Möglichkeit, aber so oder so werden Sie jetzt nichts mehr finden.« Lawson trommelte mit den Fingern auf seinen Schreibtisch. »Also, das war's dann wohl. Ein ungelöster Fall, der weiter eingemottet bleibt. Ich freue mich nicht gerade darauf, es dem Sohn mitzuteilen. Er hat jeden Tag angerufen und gefragt, wie wir vorankommen.«

»Ich kann immer noch kaum fassen, dass der Pathologe übersehen hat, dass sie ein Kind zur Welt gebracht hatte«, sagte Karen.

»In Ihrem Alter hätte ich das auch gesagt«, gab Lawson zu. »Aber er war ein alter Mann, und alte Männer machen dumme Fehler. Ich weiß das inzwischen, weil ich auf dem gleichen

Weg bin. Wissen Sie, manchmal frage ich mich, ob dieser Fall nicht von Anfang an unter einem schlechten Stern stand.«
Karen spürte, wie enttäuscht er war. Und sie wusste, wie das schmerzte, denn es stimmte mit ihren eigenen Gefühlen überein. »Sie glauben nicht, dass es sich lohnen würde, es noch einmal mit den Zeugen zu versuchen? Den vier Studenten?«
Lawson zog eine Grimasse. »Das wird ziemlich schwierig werden.«
»Wie meinen Sie das?«
Lawson zog seine Schreibtischschublade auf und holte eine drei Tage alte Ausgabe des *Scotsman* heraus. Die Todesanzeigen waren aufgeschlagen. Er schob ihr die Zeitung zu und zeigte mit dem Finger auf den Text.

> KERR, DAVID MCKNIGHT. Mein geliebter Mann, mein Bruder und unser Sohn, Dr. David Kerr, Garden Grove, Bearsden, Glasgow, ist gestorben. Die Beerdigung findet am Donnerstag um 14 Uhr im Krematorium von Glasgow, Western Necropolis, Trest Road, statt. Wir bitten, von Blumenspenden abzusehen.

Karen schaute überrascht auf. »Er kann doch nicht älter als sechsundvierzig, siebenundvierzig gewesen sein. Das ist ziemlich jung, um zu sterben.«
»Sie sollten mehr auf die Nachrichten achten, Karen. Der Dozent der Universität Glasgow, der vergangenen Donnerstagabend in seiner Küche von einem Einbrecher erstochen wurde?«
»Das war *unser* David Kerr? Der, den sie Mondo nannten?«
Lawson nickte. »Der Crazy Diamond. Ich habe am Montag mit dem Detective Inspector gesprochen, der sich um den Fall kümmert, um sicherzugehen, dass ich mich nicht irrte. Offenbar sind sie aber von der Einbrechertheorie nicht überzeugt. Die Frau hat ihn betrogen.«
Karen verzog das Gesicht. »Widerlich.«

»Sehr. Also, haben Sie Lust zu ’ner kleinen Fahrt nach Glasgow heute Nachmittag? Ich dachte, wir könnten einem unserer Verdächtigen die letzte Ehre erweisen.«

»Meinen Sie, die anderen drei werden kommen?«

Lawson zuckte die Schultern. »Sie waren gute Freunde, aber das war vor fünfundzwanzig Jahren. Wir werden es abwarten müssen, oder? Aber ich glaube nicht, dass wir sie heute vernehmen werden. Wir sollten es eine Weile ruhen lassen. Schließlich wollen wir uns nicht vorwerfen lassen, wir seien unsensibel, oder?«

Im Krematorium gab es nur noch Stehplätze. Mondo mochte sich von der Familie und seinen alten Freunden entfernt haben, aber es sah aus, als hätte er kein Problem damit gehabt, Ersatz zu finden. Alex saß in der ersten Reihe, Lynn zusammengekauert neben ihm. Sie war vor zwei Tagen aus dem Krankenhaus entlassen worden und bewegte sich noch wie eine alte Frau. Er hatte sie zu überreden versucht, zu Hause zu bleiben und sich auszuruhen, aber sie hatte darauf bestanden, das Begräbnis ihres einzigen Bruders nicht zu verpassen. Außerdem, so argumentierte sie, da sie bis jetzt kein Kind zu Hause hatte, für das sie sorgen musste, würde sie nur herumsitzen und grübeln. Es wäre besser, bei der Familie zu sein. Ihm fiel kein schlagendes Gegenargument ein. Also saß sie da und hielt die Hand ihres völlig benommenen Vaters, um ihn zu trösten; die Rollen von Eltern und Kind waren jetzt vertauscht. Ihre Mutter saß auf der anderen Seite, ihr Gesicht war hinter einem weißen Taschentuch fast nicht zu sehen.

Hélène saß weiter drüben in der Reihe, den Kopf gesenkt, die Schultern hochgezogen. Sie sah aus, als hätte sie sich ganz in sich zurückgezogen und eine Schranke zwischen sich und dem Rest der Welt errichtet. Wenigstens war sie vernünftig genug gewesen, nicht an Jackies Arm zur Beerdigung zu erscheinen. Sie stand auf, als der Pfarrer das letzte Lied ansagte.

Bei den einleitenden schönen Klängen der Crimond-Vertonung des dreiundzwanzigsten Psalms saß Alex ein Kloß im Hals. Die Singstimmen waren etwas schwach, bis die Leute den rechten Ton gefunden hatten, dann schwoll die Melodie um ihn herum zu voller Lautstärke an. Was für ein Klischee, dachte er und verachtete sich selbst dafür, dass er von dem traditionellen Choral, der immer bei Beerdigungen gesungen wurde, so gerührt war. Ziggys Trauerfeier war so viel ehrlicher gewesen, eine Ehrung des Mannes statt dieser zusammengestoppelten oberflächlichen Rituale. Soweit er wusste, war Mondo nie zur Kirche gegangen außer an den traditionell üblichen Festen. Der schwere Vorhang hob sich, und der Sarg begann seine letzte Reise.

Die Klänge des letzten Verses verstummten, als der Vorhang sich hinter dem Sarg schloss. Der Pfarrer sprach den Segen und ging dann den Mittelgang entlang. Die Familie folgte ihm, Alex als Letzter mit Lynn, die schwer an seinem Arm hing. Die meisten Gesichter waren verschwommen, aber auf halbem Weg durch das Kirchenschiff sprang ihm Weirds hoch aufgeschossene Gestalt ins Auge. Sie begrüßten sich mit einem kurzen Nicken, dann war Alex vorbei und ging auf die Türen zu. Als er gerade weggehen wollte, kam die zweite Überraschung. Obwohl er James Lawson nicht mehr persönlich gesehen hatte, seit er Jimmy gerufen wurde, war ihm sein Gesicht aus den Medien vertraut. Geschmacklos, dachte Alex und nahm seinen Platz an der Tür ein, um die Beileidsbezeugungen der Trauergäste entgegenzunehmen. Hochzeiten und Beerdigungen erforderten gleichermaßen, dass man sich bei den Leuten bedankte, die gekommen waren.

Es nahm kein Ende. Sheila und Adam Kerr schienen sehr verwirrt. Es war schon schwer genug, ein Kind zu Grabe tragen zu müssen, das so brutal zu Tode gekommen war, und dann auch noch die Anstrengung, alle Beileidsbezeugungen von Menschen zu empfangen, die sie vorher nie zu Gesicht bekommen hatten und auch nie wiedersehen würden. Alex fragte sich, ob es sie tröstete, dass so viele Leute gekommen waren,

um ihrem Sohn die letzte Ehre zu erweisen. Ihm machte es nur bewusst, wie groß der Abstand war, der ihn in den letzten Jahren von Mondo getrennt hatte. Er kannte fast niemanden.
Weird stand fast am Ende der Schlange. Er umarmte Lynn behutsam. »Es tut mir so leid, dass du ihn verloren hast«, sagte er. Dann schüttelte er Alex die Hand und legte ihm seine andere Hand auf den Ellbogen. »Ich warte draußen.« Alex nickte.
Endlich kamen die letzten paar Trauergäste. Komisch, dachte Alex. Lawson war nicht dabei. Er musste durch eine andere Tür hinausgegangen sein. Eigentlich war das ganz gut so. Er bezweifelte, dass er hätte höflich sein können. Alex führte seine Verwandten durch die trauernde Menge zum Wagen des Bestattungsunternehmens. Er half Lynn hinein, vergewisserte sich, dass alle anderen auf ihren Plätzen saßen, und sagte dann: »Wir sehen uns im Hotel. Ich muss nur nachsehen, dass hier alles in Ordnung geht.«
Er schämte sich, dass er erleichtert war, als das Auto die Einfahrt entlangfuhr. Vorher hatte er hier seinen eigenen Wagen abgestellt, damit er einen fahrbaren Untersatz hatte, falls er sich nach dem Gottesdienst noch um irgendetwas kümmern musste. Aber im Grunde seines Herzens wusste er, dass er eine kurze Erholungspause vom drückenden Kummer seiner Familie brauchen würde.
Eine Hand auf seiner Schulter ließ ihn herumfahren. »Ach, du bist es«, sagte er vor Erleichterung fast lachend, als er Weird sah.
»Wen sonst hattest du erwartet?«
»Na ja, Jimmy Lawson ist da hinten im Krematorium herumgeschlichen«, sagte Alex.
»Jimmy Lawson, der Bulle?«
»Assistant Chief Constable James Lawson, bitte schön«, sagte Alex und ging vom Haupteingang zu der Stelle, wo die Kränze ausgelegt waren.
»Was wollte der denn hier?«

»Sich an der Situation weiden, vielleicht? Ich weiß es nicht. Er leitet jetzt die Ermittlungen zu einigen ungelösten Fällen. Vielleicht wollte er überprüfen, ob seine Hauptverdächtigen unter der Last der Gefühle zusammenbrechen, auf die Knie fallen und ein Geständnis ablegen würden.«

Weird zog ein Gesicht. »Diesen katholischen Kram hab ich noch nie gemocht. Wir sollten doch erwachsen genug sein, um mit unserer Schuld allein klarzukommen. Es ist nicht Gottes Aufgabe, reinen Tisch zu machen, damit wir dann wieder von neuem sündigen können.« Er hielt inne und wandte sich Alex zu. »Ich wollte dir sagen, wie sehr ich mich freue, dass es Lynn gut geht und du ein Töchterchen hast.«

»Danke, Tom.« Alex grinste. »Siehst du? Ich hab dran gedacht.«

»Ist die Kleine noch im Krankenhaus?«

Alex seufzte. »Sie hat eine leichte Gelbsucht, deshalb behalten sie sie ein paar Tage. Es ist nicht leicht. Vor allem für Lynn. Man macht all das durch und kommt schließlich mit leeren Händen nach Hause. Und dann mit dem fertig werden zu müssen, was Mondo passiert ist …«

»Du wirst diesen Schmerz vergessen, wenn ihr sie erst mal zu Hause habt, da bin ich sicher. Ich werde euch in all meine Gebete einschließen.«

»Oh ja, das wird sehr viel ausmachen«, sagte Alex.

»Du würdest überrascht sein«, sagte Weird und betrachtete es nicht als Kränkung, da es wohl nicht so gemeint war. Sie gingen weiter und sahen auf die Blumengrüße. Einer der Trauergäste kam und fragte Alex nach dem Weg zum Hotel, in dem das Essen stattfand. Alex wandte sich wieder Weird zu und sah, dass sich sein Freund über einen der Kränze beugte. Als er nah genug war, zu erkennen, was Weirds Aufmerksamkeit erregte, stockte ihm das Herz. Der Kranz unterschied sich in nichts von dem, den sie in Seattle gesehen hatten: ein ansehnlicher kleiner Reif aus weißen Rosen und schmalblättrigem Rosmarin. Weird nahm die Karte und richtete sich auf. »Der

gleiche Text«, sagte er und gab sie an Alex weiter. »Rosemary zum Gedächtnis.«
Alex spürte, wie seine Hände feucht wurden. »Das gefällt mir nicht.«
»Uns beiden gefällt es nicht. Das wäre ein zu großer Zufall, Alex. Ziggy und Mondo sterben beide unter verdächtigen Umständen ... Herrgott, nein, nennen wir es doch beim Namen. Ziggy und Mondo werden beide ermordet. Und die exakt gleichen Kränze tauchen bei ihren Begräbnissen auf. Mit einem Gruß, der uns alle vier mit dem ungelösten Mord an einem Mädchen namens Rosemary in Verbindung bringt.«
»Das war vor fünfundzwanzig Jahren. Wenn jemand sich hätte rächen wollen, hätte er das doch bestimmt schon vor langer Zeit getan?«, sagte Alex und versuchte damit genauso wie Weird sich selbst zu überzeugen. »Es ist jemand, der uns nur einen Schrecken einjagen will.«
Weird schüttelte den Kopf. »Dich haben in den letzten Tagen andere Dinge beschäftigt, aber ich habe darüber nachgedacht. Vor fünfundzwanzig Jahren waren alle wachsam. Ich habe die Prügel, die ich bekommen habe, nicht vergessen. Ich habe auch nicht die Nacht vergessen, als sie Ziggy in das Flaschenverlies hinuntergeworfen haben. Und ich habe nicht vergessen, dass Mondo sich so aufgeregt hatte, dass er sich umbringen wollte. Das hat alles nur aufgehört, weil die Bullen Colin und Brian Duff Bescheid gesagt haben. Sie haben ihnen klar gemacht, dass sie uns in Ruhe lassen sollten. Du hast mir damals selbst gesagt, Jimmy Lawson hätte geäußert, sie hätten sich nur zurückgezogen, weil sie ihrer Mutter nicht noch mehr Kummer machen wollten. Vielleicht haben sie also damals beschlossen zu warten.«
Alex schüttelte den Kopf. »Aber fünfundzwanzig Jahre? Könntest du einen Groll fünfundzwanzig Jahre hegen?«
»Ich bin nicht der Richtige für eine solche Frage. Aber es gibt doch jede Menge Leute da draußen, die Jesus Christus nicht als ihren Retter angenommen haben, und du weißt doch ge-

nauso gut wie ich, Alex, dass diese Leute zu allem fähig sind. Wir wissen nicht, was ihnen in ihrem Leben zugestoßen ist. Vielleicht ist etwas geschehen, das alles wieder ins Rollen gebracht hat. Vielleicht ist ihre Mutter gestorben. Vielleicht hat die Wiederaufnahme des Falls sie daran erinnert, dass sie noch eine Rechnung zu begleichen hatten und dass es jetzt wahrscheinlich relativ ungefährlich ist, es zu tun. Keine Ahnung. Ich weiß nur, dass es sehr danach aussieht, als habe es jemand auf uns abgesehen. Und wer immer es sein mag, die Zeit und die Umstände arbeiten für ihn.« Weird sah sich nervös um, als wandle sein Rächer unter den Trauergästen, die auf ihre Autos zugingen.

»Jetzt wirst du aber paranoid.« Alex wollte im Moment nicht gerade an diesen Aspekt von Weirds Jugend erinnert werden.

»Ich glaube nicht. Ich meine, ich bin derjenige, der sich den gesunden Menschenverstand erhalten hat.«

»Was schlägst du also vor, was sollten wir tun?«

Weird zog den Mantel eng um sich. »Ich habe vor, mich morgen früh in ein Flugzeug zu setzen und in die Staaten zurückzufliegen. Dann werde ich meine Frau und die Kinder an einen sicheren Ort schicken. Es gibt viele gute Christen, die draußen in der Wildnis leben. Niemand wird in ihre Nähe kommen.«

»Und du?« Alex merkte, wie er sich von Weirds Misstrauen anstecken ließ.

Weird setzte das vertraute alte Wolfsgrinsen auf. »Ich werde mich zu Exerzitien zurückziehen. Die Gemeinden haben Verständnis dafür, dass die, die für sie da sind, von Zeit zu Zeit den Kontakt mit ihrer Spiritualität wiederherstellen müssen. Das werde ich also tun. Die tolle Sache an der Arbeit als Fernsehprediger ist, dass ich überall, wo ich gerade bin, ein Video machen kann. Meine Herde wird mich während meiner Abwesenheit also nicht vergessen.«

»Du kannst dich aber nicht ewig verstecken. Früher oder später wirst du wieder nach Hause gehen müssen.«

Weird nickte. »Das weiß ich. Aber ich werde nicht untätig

herumsitzen, Alex. Sobald meine Familie und ich aus der Schusslinie sind, werde ich einen Privatdetektiv beauftragen herauszufinden, wer den Kranz zu Ziggys Beerdigung geschickt hat. Wenn ich das nämlich weiß, wird mir auch klar sein, vor wem ich mich hüten muss.«

Alex schnaufte geräuschvoll. »Du hast ja alles gut ausgetüftelt, was?«

»Je mehr ich über diesen ersten Kranz nachdachte, desto mehr Zweifel kamen mir. Und Gott hilft denen, die sich selbst helfen, deshalb habe ich einen Plan ausgearbeitet. Nur für den Fall.« Weird legte eine Hand auf Alex' Arm.

»Alex, ich schlage vor, dass du es genauso machst. Jetzt musst du auf mehr Rücksicht nehmen als nur auf dich selbst.« Weird zog ihn heran und umarmte ihn. »Pass auf dich auf.«

»Sehr ergreifend, verdammt noch mal«, sagte eine Stimme schroff.

Weird wich zurück und fuhr herum. Zuerst konnte er den Mann mit dem grimmigen Gesicht, der ihn und Alex finster anstarrte, nicht einordnen. Dann ließ die Erinnerung die Jahre wegschmelzen, und er erlebte wieder die Angst und den Schmerz vor der Lammas Bar. »Brian Duff«, flüsterte Weird.

Alex sah vom einen zum anderen. »Sind Sie Rosies Bruder?«

»Ja, stimmt.«

Die wirren Gefühle, die Alex schon tagelang quälten, ballten sich plötzlich zu großer Wut zusammen. »Aus Schadenfreude gekommen, was?«

»Ausgleichende Gerechtigkeit, so nennt man das doch, oder? Ein mörderischer kleiner Dreckskerl verabschiedet einen anderen. Ja, ich bin aus Schadenfreude gekommen.«

Alex wollte sich auf ihn stürzen, wurde aber von Weird mit festem Griff am Arm gepackt. »Lass es, Alex. Keiner von uns hat Rosie ein Haar gekrümmt, Brian. Ich weiß, dass Sie jemanden brauchen, der Schuld hat, aber es war keiner von uns. Das müssen Sie uns glauben.«

»Ich muss überhaupt nichts glauben.« Er spuckte auf den

Boden. »Ich hatte wirklich gehofft, dass die Polizei diesmal einen von euch überführen würde. Da das nicht passieren wird, ist das hier die einzige andere Möglichkeit.«
»Natürlich wird das nicht passieren. Wir haben Ihre Schwester nie angerührt, und die DNA-Analyse wird das belegen«, rief Alex.
Duff schnaubte: »Was für eine DNA-Analyse? Diese verfluchten Idioten haben doch die Beweisstücke verloren.«
Alex fiel die Kinnlade herunter. »Was?«, flüsterte er.
»Sie haben es gehört. Ihr seid also immer noch vor dem Arm des Gesetzes in Sicherheit.« Brians Lippen verzogen sich zu einem Grinsen. »Hat aber euren Freund nicht gerettet, was?« Er drehte sich auf dem Absatz um und ging ohne einen Blick zurück davon.
Weird schüttelte langsam den Kopf. »Glaubst du ihm?«
»Warum sollte er lügen?«, seufzte Alex. »Weißt du, ich dachte wirklich, wir würden jetzt endlich aus der Sache heraus sein. Wie konnten sie so inkompetent sein? Wie konnten sie die Beweisstücke verlieren, die diesem ganzen Mist ein Ende gesetzt hätten?« Er wies auf den Kranz.
»Da bist du überrascht? Sie haben sich bei der ersten Runde wirklich nicht mit Ruhm bekleckert. Warum sollte es diesmal anders sein?« Weird zog an seinem Mantelkragen. »Alex, es tut mir leid, aber ich muss los.« Sie gaben sich die Hand. »Ich melde mich.«
Alex stand wie angewurzelt, er war wie gelähmt von dem Tempo, mit dem seine Welt durcheinander geraten war. Wenn Brian Duff recht hatte, war das dann der Grund für diese geheimnisvollen Kränze? Und wenn es so war, würde dieser Albtraum je ein Ende finden, solange er und Weird noch am Leben waren?

Graham Macfadyen saß in seinem Wagen und beobachtete sie. Die Kränze waren ein meisterhafter Schachzug gewesen. Es zahlte sich aus, das Beste aus jeder Gelegenheit zu machen.

Er war nicht in Seattle gewesen, um die Wirkung des ersten Kranzes mitzubekommen, aber zweifellos war diesmal die Botschaft bei Mackie und Gilbey angekommen. Und das hieß, dass es um eine Botschaft ging, die die Richtigen erreicht hatte. Unschuldige hätten eine solche Erinnerung gar nicht beachtet.

Dass er ihre Reaktion sehen konnte, hatte fast einen Ausgleich geschaffen für die abstoßende Zurschaustellung der Heuchelei, die er im Krematorium hatte mit ansehen müssen. Es war offensichtlich gewesen, dass der Pfarrer David Kerr im Leben nicht gekannt hatte, deshalb war es auch nicht weiter überraschend, dass es ihm so gut gelang, ihn nach seinem Tod reinzuwaschen. Aber es widerte ihn an, wie alle weise nickten, den Mist akzeptierten und wie ihre frommen Gesichter diese heuchlerische Täuschung bekräftigten.

Er fragte sich, wie sie ausgesehen hätten, wenn er im Krematorium nach vorn gegangen wäre und die Wahrheit verkündet hätte. »Meine Damen und Herren, wir haben uns heute hier versammelt, um einen Mörder einzuäschern. Dieser Mann, den Sie zu kennen glaubten, hat Sie sein ganzes Erwachsenenleben lang getäuscht. David Kerr gab vor, ein rechtschaffenes Mitglied der Gesellschaft zu sein. Aber in Wirklichkeit war er vor vielen Jahren an der brutalen Vergewaltigung und Ermordung meiner Mutter beteiligt, wofür er nie bestraft wurde. Wenn Sie sich also in Ihre Erinnerungen an ihn vertiefen, dann denken Sie daran.« Oh ja, das hätte die ehrfürchtige Trauer von ihren Gesichtern verschwinden lassen. Er wünschte fast, er hätte es getan.

Aber so sollte man sich nicht gehen lassen. Es schickte sich nicht, Schadenfreude zu zeigen. Es war besser, im Schatten zu bleiben. Besonders da sein Onkel plötzlich aufgetaucht war und für ihn gesprochen hatte. Er hatte keine Ahnung, was Onkel Brian zu Gilbey und Mackie gesagt hatte. Aber es hatte die beiden ganz schön erwischt, und jetzt würden sie nicht vergessen können, woran sie früher einmal teilgenommen hatten.

Sie würden wach liegen und sich fragen, wann ihre Vergangenheit sie schließlich einholen würde. Der Gedanke gefiel ihm.

Macfadyen sah zu, wie Alex Gilbey zu seinem Wagen ging, offensichtlich nahm er nichts um sich herum wahr. »Er weiß nicht einmal, dass es mich gibt«, murmelte er. »Aber es ist so, Gilbey. Es gibt mich.« Er ließ den Motor an und fuhr los, um sich am Rand des Buffets für die Trauergäste herumzutreiben. Erstaunlich, wie leicht es war, in das Leben anderer Menschen einzudringen.

32

Davina machte Fortschritte, berichtete ihnen die Schwester. Sie konnte gut ohne Sauerstoff atmen, und ihre Gelbsucht sprach auf das Licht der Phototherapielampe an, die Tag und Nacht an ihrem Bettchen brannte. Wenn er sie im Arm hielt, konnte Alex die Niedergeschlagenheit, die nach Mondos Begräbnis über ihn gekommen war, und die Ängste vergessen, die Weirds Reaktion auf den Kranz ausgelöst hatte. Das Einzige, was besser gewesen wäre, als mit seiner Frau und seiner Tochter in der Frühchenstation zu sitzen, wäre genau das Gleiche, aber in ihrem eigenen Wohnzimmer gewesen. Das hatte er jedenfalls bis zu dem Gespräch im Krematorium gedacht.

Als könne sie seine Gedanken lesen, sah Lynn auf, während sie dem Baby die Brust gab. »Nur noch zwei Tage, dann werden wir sie mit nach Hause nehmen.«

Alex lächelte und verbarg das Unbehagen, das ihre Worte bei ihm hervorriefen.

»Ich kann's kaum erwarten«, sagte er.

Als sie später nach Hause fuhren, hätte er gern über den Kranz und Brian Duffs Eröffnung gesprochen. Aber er wollte Lynn nicht aufregen, also schwieg er lieber. Erschöpft von diesem Tag ging Lynn gleich zu Bett, während Alex eine besonders gute Flasche Shiraz öffnete, die er für einen Abend aufgehoben hatte, an dem sie es verdient hätten, sich etwas zu gönnen. Er brachte den Wein ins Schlafzimmer und goss für beide ein Glas ein. »Sagst du mir jetzt, was dich umtreibt?«, fragte Lynn, als er sich neben ihr auf der Steppdecke ausstreckte.

»Ach, ich habe gerade an Hélène und Jackie gedacht. Ich frage mich immer wieder, ob Jackie etwas mit Mondos Ermordung zu tun hatte. Ich sage nicht, dass sie ihn getötet hat. Aber es hört sich an, als würde sie Leute kennen, die es täten, wenn das Geld stimmt.«

Lynn schaute finster drein. »Ich wünschte fast, sie wäre es gewesen. Hélène, dieses Miststück, verdient es zu leiden. Wie konnte sie herumschleichen und Mondo betrügen und dabei so tun, als sei sie die perfekte Ehefrau?«

»Ich meine, Hélène leidet wirklich, Lynn. Ich glaube ihr, wenn sie sagt, sie hätte ihn geliebt.«

»Fang bloß nicht an, sie zu verteidigen.«

»Ich verteidige sie nicht. Aber wie immer es zwischen ihr und Jackie auch stehen mag, sie hatte ihn gern. Das ist offensichtlich.«

Lynn schürzte die Lippen. »Ich werde es dir wohl glauben müssen. Aber das treibt dich nicht um. Etwas ist geschehen, nachdem wir das Krematorium verließen und bevor du ins Hotel gekommen bist. War es Weird? Hat er etwas gesagt, was dich aufgeregt hat?«

»Also, ich könnte schwören, du bist eine Hellseherin«, klagte Alex. »Hör zu, es war nichts weiter. Nur eine verrückte Idee von Weird.«

»Muss ja schon eine äußerst merkwürdige Idee gewesen sein, dass sie dich so beeindruckt hat, während zur gleichen Zeit so viele andere wichtige Dinge liefen. Sag es mir doch. Oder ist es nur etwas für Männer?«

Alex seufzte.

Vor Lynn hielt er nicht gerne etwas geheim. Er hatte nie daran geglaubt, dass Nichtwissen Seelenfrieden bringt, jedenfalls nicht in einer Ehe, in der jeder gleiche Rechte haben sollte. »In gewisser Weise ja. Ich wollte dich wirklich nicht damit belasten, du hast doch im Moment gerade genug zu verkraften.«

»Alex, glaubst du nicht, dass bei dem, was ich jetzt zu bewältigen habe, alles andere eine willkommene Ablenkung wäre?«

»Diese Sache nicht, Schatz.« Er nippte am Wein und genoss das feine Aroma. Er wünschte sich, sein ganzes Bewusstsein auf den Genuss des Weins lenken und alles andere, das ihn schmerzte, abstreifen zu können. »Manche Dinge lässt man besser ruhen.«

»Warum kann ich dir einfach nicht recht glauben?« Lynn lehnte sich mit dem Kopf an seine Schulter. »Na los, spuck's aus. Du weißt doch, dass du dich danach besser fühlen wirst.«

»Da bin ich gar nicht so sicher.« Er seufzte wieder. »Ich weiß nicht, vielleicht sollte ich es dir sagen. Du bist schließlich die Vernünftigere.«

»Was keiner von uns je von Weird behaupten könnte«, sagte Lynn trocken.

Und so erzählte er ihr von den Kränzen bei den Beerdigungen und stellte es so harmlos wie möglich dar. Zu seiner Überraschung versuchte Lynn nicht, die Geschichte als Produkt von Weirds Paranoia abzutun. »Deshalb versuchst du dir also einzureden, Jackie hätte einen Auftragskiller engagiert«, sagte sie. »Das gefällt mir überhaupt nicht. Weird hat recht, es ernst zu nehmen.«

»Aber sieh mal, es könnte eine einfache Erklärung dafür geben«, protestierte Alex. »Vielleicht hat jemand sie beide gekannt.«

»Bei der Art und Weise, wie Mondo sich von seiner Vergangenheit abgewandt hat? Die einzigen Leute, denen mit einiger Wahrscheinlichkeit beide bekannt sein können, müssten aus Kirkcaldy oder St. Andrews sein. Und dort kannten alle den Fall Rosie Duff. So etwas vergisst man nicht. Nicht wenn man sie gut genug kannte, um einen Kranz zur Beerdigung zu schicken, da ja in den Anzeigen gebeten wurde, von ›Blumenspenden abzusehen‹«, argumentierte Lynn.

»Aber trotzdem heißt das nicht, dass jemand hinter uns her ist«, sagte Alex. »Gut, jemand wollte uns ärgern. Es gibt aber keinen Grund, anzunehmen, dass die gleiche Person zwei kaltblütige Morde verübt hat.«

Lynn schüttelte ungläubig den Kopf. »Alex, wo lebst du denn? Ich kann gerade noch hinnehmen, dass jemand, der euch ärgern wollte, die Berichte über Mondos Tod gesehen hat. Zumindest geschah das ja im gleichen Land wie Rosie Duffs Ermordung. Aber wie sollte er denn rechtzeitig von Ziggys Tod gehört haben, um noch Blumen zur Beerdigung schicken zu können, wenn er nicht irgendwie mit der Sache zu tun hatte?«

»Ich weiß nicht, aber die Welt ist ja heutzutage klein. Vielleicht hatte der, der den Kranz geschickt hat, eine Verbindung nach Seattle. Vielleicht ist jemand von St. Andrews dorthin gezogen und hat Ziggy irgendwie durch die Klinik gekannt. Es ist ja nicht gerade ein geläufiger Name, und Ziggy war auch nicht völlig unbekannt. Du weißt ja selbst, wann immer wir mit Ziggy und Paul in Seattle essen gingen, kam jemand an den Tisch, um ihn zu begrüßen. Die Menschen vergessen den Arzt nicht, der ihr Kind behandelt hat. Und wenn das geschehen ist, was wäre dann natürlicher, als jemandem zu Hause eine E-Mail zu schicken, als Ziggy starb? In einem Ort wie St. Andrews würde sich eine solche Nachricht wie ein Lauffeuer verbreiten. Das ist doch nicht so weit hergeholt, oder?« Alex klang erregt, als müsse er sich anstrengen, eine Begründung dafür zu finden, dass er Weirds Mutmaßungen nicht glauben musste.

»Es ist ein bisschen übertrieben, aber ich nehme an, du könntest recht haben. Allerdings kannst du es nicht einfach dabei belassen. Du kannst dich nicht auf eine vage Möglichkeit verlassen. Du musst etwas unternehmen, Alex.« Lynn stellte ihr Glas ab und umarmte ihn. »Du kannst kein Risiko eingehen, doch nicht jetzt, wo Davina bald nach Hause kommt.«

Alex leerte sein Glas und achtete nicht mehr darauf, wie der

Wein schmeckte. »Was soll ich denn tun? Mich mit dir und Davina verstecken? Wo sollten wir hingehen? Und was ist mit der Firma? Ich kann jetzt nicht einfach meinen Lebensunterhalt aufgeben, wo ich ein Kind zu ernähren habe.«
Lynn strich ihm über den Kopf. »Alex, reg dich nicht so auf. Ich meine ja nicht, dass wir unüberlegt handeln sollen wie Weird. Du hast mir gesagt, dass Lawson heute bei der Beerdigung war. Geh doch und sprich mit ihm.«
Alex lachte. »Lawson? Der Mann, der mich mit Linsensuppe und Sympathie reinlegen wollte? Der Mann, der so lange an der Sache dran ist, dass er kam, um dabei zu sein, als einer von uns eingeäschert wurde? Meinst du, er wird sich wohlwollend anhören, was ich zu sagen habe?«
»Lawson mag vielleicht einen Verdacht gegen euch gehabt haben, aber zumindest hat er verhindert, dass du verprügelt wurdest.« Alex rutschte auf dem Bett nach unten und legte seinen Kopf an Lynns Bauch. Sie zuckte zusammen und wich zurück. »Sei vorsichtig mit meiner Wunde«, sagte sie. Er rutschte zurück und lehnte sich gegen ihren Arm.
»Er würde mich auslachen.«
»Oder er könnte dich auch ernst genug nehmen, dass er die Sache näher untersucht. Es ist nicht in seinem Interesse, es zu übersehen, wenn jemand das Gesetz selbst in die Hand nimmt, und darum handelt es sich ja vielleicht. Abgesehen von allem anderen lässt es die Polizei noch beschissener aussehen, als es jetzt schon der Fall ist.«
»Du weißt ja längst nicht alles«, sagte Alex.
»Was meinst du damit?«
»Nach der Beerdigung ist noch etwas geschehen. Rosie Duffs Bruder ist aufgetaucht. Er sorgte dafür, dass Weird und ich wussten, dass er gekommen war, um seine Schadenfreude auszukosten.«
Lynn war schockiert. »Oh Alex. Das ist ja schrecklich. Für euch alle. Der arme Mann. Dass er nach all dieser Zeit keine Ruhe finden konnte.«

»Und das ist noch nicht alles. Er hat uns erzählt, dass die Polizei von Fife die Beweisstücke von Rosies Fall verloren hat. Die Beweisstücke, von denen wir uns erwartet hatten, dass sie die uns entlastende DNA enthalten würden.«

»Das ist nicht dein Ernst.«

»Ich wollte, es wäre so.«

Lynn schüttelte den Kopf. »Desto wichtiger ist es, dass du mit Lawson redest.«

»Meinst du etwa, es wird ihm gefallen, wenn ich ihm das unter die Nase reibe?«

»Es ist mir egal, was Lawson sich wünscht. Du musst sicher sein können, dass du weißt, was los ist. Wenn dir wirklich jemand nachstellt, hat ihn vielleicht die Einsicht dazu getrieben, dass ihm jetzt doch keine Gerechtigkeit zuteil wird. Rufe Lawson morgen früh an. Mach einen Termin. Es würde mich beruhigen.«

Alex rollte sich vom Bett und fing an sich auszuziehen. »Wenn das damit zu erreichen wäre, kannst du dich darauf verlassen, dass ich es tue. Aber gib nicht mir die Schuld, wenn er findet, der wehrhafte Fremde sei im Recht und er sollte mich einsperren.«

Als Alex anrief, um ein Gespräch mit ACC Lawson zu vereinbaren, gab ihm die Sekretärin zu seiner Überraschung einen Termin am gleichen Nachmittag. Er hatte gerade noch genug Zeit, um zwei Stunden ins Büro zu gehen, was aber das Gefühl, die Kontrolle zu haben, eher abschwächte. Er hatte gern ein wachsames Auge auf das Tagesgeschäft, nicht weil er kein Vertrauen zu seinen Mitarbeitern hatte, sondern weil es ihn unruhig werden ließ, wenn er nicht wusste, was lief. Aber in letzter Zeit war er zu oft nicht ganz auf dem Laufenden gewesen und musste jetzt aufholen. Er kopierte einen Stapel Rundschreiben und Berichte auf eine CD, weil er hoffte, dass er später zu Hause die Zeit finden würde, sich auf den neuesten Stand zu bringen. Er nahm ein belegtes Brot mit, das er im Auto essen wollte, und machte sich wieder nach Fife auf.

Das leere Büro, in das man ihn führte, war ungefähr doppelt so groß wie sein eigenes. Bei Beamten waren die Vorteile einer höheren Position immer deutlich erkennbar, dachte er und betrachtete den großen Schreibtisch, die sorgsam gerahmte Karte der Grafschaft und James Lawsons an gut sichtbarer Stelle an der Wand hängende Qualifikationen. Er setzte sich auf den Besucherstuhl und bemerkte amüsiert, dass er viel niedriger war als der hinter dem Schreibtisch.

Er musste nicht lange warten. Die Tür hinter ihm öffnete sich, und Alex sprang auf. Das Alter war nicht nett mit Lawson umgegangen, stellte er fest. Seine Haut war voller Falten und wettergegerbt, auf den Wangen hatte er zwei rote Flecken von geplatzten Äderchen, Merkmale eines Mannes, der entweder zu viel trank oder zu viel Zeit im rauen Ostwind von Fife zubrachte. Sein Blick war jedoch immer noch scharfsinnig, bemerkte Alex, als Lawson ihn von Kopf bis Fuß musterte. »Mr. Gilbey«, sagte er. »Tut mir leid, dass Sie warten mussten.«

»Macht nichts. Ich weiß ja, dass Sie viel zu tun haben. Ich danke Ihnen, dass Sie mir so schnell einen Termin gegeben haben.«

Lawson eilte an ihm vorbei, ohne ihm die Hand zu geben. »Es interessiert mich immer, wenn jemand, der mit einer Ermittlung zu tun hat, mich sehen möchte.« Er setzte sich auf seinen Lederstuhl und zog an seinem Jackett, um es zurechtzurücken.

»Ich habe Sie bei David Kerrs Begräbnis gesehen«, sagte Alex.

»Ich hatte in Glasgow drüben zu tun und ergriff die Gelegenheit, ihm meinen Respekt zu erweisen.«

»Ich dachte nicht, dass die Polizei von Fife für Mondo großen Respekt hat«, sagte Alex.

Lawson machte eine ungeduldige Handbewegung. »Ich nehme an, Ihr Besuch hat mit der Wiederaufnahme des Mordfalles Rosemary Duff zu tun?«

»Ja, wenn auch nicht direkt. Wie geht es mit den Ermittlungen? Hat es Fortschritte gegeben?«

Lawson schien durch die Fragen irritiert. »Ich kann mit jemandem in Ihrer Lage nicht über Angelegenheiten sprechen, die mit einem laufenden Fall zu tun haben.«

»Welche Lage meinen Sie damit? Sie betrachten mich doch wohl nicht immer noch als Verdächtigen?« Alex war jetzt mutiger als damals als Zwanzigjähriger und wollte eine solche Bemerkung nicht ohne Widerspruch durchgehen lassen.

Lawson schob einige Papiere auf seinem Tisch hin und her. »Sie waren damals Zeuge.«

»Und Zeugen darf nicht mitgeteilt werden, was sich tut? Sie sind sehr schnell dabei, mit der Presse zu sprechen, wenn Sie Fortschritte machen. Warum habe ich weniger Rechte als ein Journalist?«

»Ich spreche auch mit der Presse nicht über den Fall Rosie Duff«, sagte Lawson steif.

»Vielleicht weil Sie die Beweisstücke verloren haben?«

Lawson warf ihm einen langen scharfen Blick zu. »Kein Kommentar«, sagte er.

Alex schüttelte den Kopf. »Das reicht nicht. Nach dem, was wir vor fünfundzwanzig Jahren über uns haben ergehen lassen, meine ich, eine klarere Antwort verdient zu haben. Rosie Duff war damals nicht das einzige Opfer, und das wissen Sie auch. Vielleicht ist es an der Zeit, dass ich zur Presse gehe und bekannt mache, dass ich nach all den Jahren immer noch wie ein Krimineller von der Polizei behandelt werde. Und wenn ich gerade dabei bin, könnte ich auch erzählen, dass die Polizei von Fife ihre Wiederaufnahme von Rosie Duffs Fall vermasselt hat, weil die entscheidenden Beweisstücke verloren gingen, die mich entlastet und eventuell zur Überführung des wirklichen Mörders geführt hätten.«

Diese Drohung bereitete Lawson offensichtlich Unbehagen. »Ich lasse mich nicht auf Einschüchterungen ein, Mr. Gilbey.«

»Ich auch nicht. Jetzt nicht mehr. Wollen Sie wirklich in allen Zeitungen als der Polizist dastehen, der eine trauernde Familie belästigte, während sie ihren ermordeten Sohn zu Grabe trug? Der gleiche Sohn, dessen Unschuld immer noch nicht erwiesen war – und zwar auf Grund Ihrer Unfähigkeit und der Ihrer Kommission?«

»Sie sollten nicht diese Haltung einnehmen«, sagte Lawson.

»Ach nein? Ich glaube, ich habe jedes Recht dazu. Sie sollten doch die Untersuchung eines ungelösten Falles wieder aufnehmen. Ich bin der wichtigste Zeuge, die Person, die die Leiche gefunden hat. Und trotzdem hat sich kein einziger Polizeibeamter von Fife bei mir gemeldet. Das sieht ja nicht gerade nach Pflichteifer aus, oder? Und jetzt habe ich herausgefunden, dass Sie nicht einmal einen Beutel mit Beweisstücken sicher aufbewahren können. Vielleicht sollte ich darüber mit dem Polizeibeamten sprechen, der an dem Fall arbeitet, nicht mit einem Bürokraten, dessen Horizont durch die Vergangenheit eingeschränkt ist?«

Lawsons Gesichtszüge wurden verkniffen. »Mr. Gilbey, es stimmt, dass es in diesem Fall ein Problem mit den Beweisstücken gibt. Irgendwann in den letzten fünfundzwanzig Jahren sind Rosie Duffs Kleider verloren gegangen. Wir versuchen immer noch, sie ausfindig zu machen, aber bis jetzt konnten wir nur die Strickjacke aufspüren, die in einiger Entfernung vom Tatort gefunden wurde. Und an ihr gab es keine beweiskräftigen biologischen Spuren. Keines der Kleidungsstücke, die nach der Untersuchung mit modernen gerichtsmedizinischen Methoden relevant sein könnten, liegt uns vor. Im Moment sind uns also die Hände gebunden. Die Beamtin, die den Fall bearbeitet, wollte tatsächlich mit Ihnen sprechen, nur um noch einmal Ihre ursprüngliche Aussage zu überprüfen. Vielleicht können wir bald einen Termin dafür machen?«

»Herrgott noch mal«, sagte Alex. »Jetzt wollen Sie mich endlich befragen? Sie begreifen wirklich nichts, oder? Wir hängen

immer noch ungeschützt in der Luft. Ist Ihnen klar, dass zwei von uns vieren im letzten Monat ermordet worden sind?«
Lawson hob die Augenbrauen. »Zwei?«
»Ziggy Malkiewicz ist auch unter verdächtigen Umständen gestorben. Kurz vor Weihnachten.«
Lawson zog einen Notizblock heran und schraubte seinen Füller auf. »Das ist mir neu. Wo ist das passiert?«
»In Seattle, wo er seit zwölf Jahren wohnt. Ein Brandstifter hat in seinem Haus eine Feuerbombe gezündet. Ziggy ist im Schlaf gestorben. Sie können sich ja bei der Polizei dort erkundigen. Der einzige Tatverdächtige, den sie haben, ist Ziggys Lebenspartner, und das, muss ich Ihnen sagen, halte ich für denkbar albern.«
»Es tut mir leid, das über Mr. Malkiewicz zu hören …«
»Dr. Malkiewicz«, unterbrach ihn Alex.
»Dr. Malkiewicz«, korrigierte sich Lawson. »Aber ich verstehe trotzdem nicht, warum Sie glauben, dass diese zwei Todesfälle etwas mit dem Mord an Rosie Duff zu tun haben.«
»Deshalb wollte ich heute mit Ihnen sprechen. Um Ihnen zu erklären, warum ich glaube, dass es einen Zusammenhang gibt.«
Lawson lehnte sich in seinem Stuhl zurück und legte die Fingerspitzen aneinander. »Ich höre, Mr. Gilbey. Alles, was auf diese besonders undurchsichtigen Dinge Licht werfen könnte, ist von Interesse für mich.«
Alex erklärte ihm die Sache mit den Kränzen. Hier im Herzen des Polizeipräsidiums hörte es sich in seinen eigenen Ohren nicht besonders überzeugend an. Er spürte, wie ihm Lawsons Skepsis von seinem Schreibtisch entgegenschlug, als er einer so nebensächlichen Sache Gewicht zu verleihen versuchte. »Ich weiß, es klingt wahnwitzig«, sagte er abschließend. »Aber Tom Mackie ist so überzeugt davon, dass er seine Familie verstecken und selbst untertauchen will. Zu so etwas entschließt man sich nicht so leicht.«
Lawson lächelte säuerlich. »Ah ja, Mr. Mackie. Vielleicht

doch etwas zu viele Drogen in den siebziger Jahren? Ich glaube, Halluzinogene können auf lange Sicht zu Paranoia führen.«

»Glauben Sie nicht, dass wir es ernst nehmen sollten? Zwei unserer Freunde sterben unter verdächtigen Umständen. Zwei unbescholtene Männer ohne Verbindung zur Unterwelt. Zwei Männer, die offensichtlich keine Feinde hatten. Und bei beiden Begräbnissen taucht ein Kranz auf, der direkt auf die Untersuchung eines Mordfalls hinweist, in der beide als Verdächtige betrachtet wurden?«

»Keiner von Ihnen wurde je öffentlich als verdächtig bezeichnet. Und wir haben unser Bestes getan, Sie zu schützen.«

»Ja. Aber danach starb auch einer Ihrer Kollegen in Folge des Drucks, der auf uns ausgeübt wurde.«

Lawson schoss plötzlich hoch. »Gut, dass Sie noch daran denken. In diesem Gebäude hat es nämlich auch niemand vergessen.«

»Bestimmt nicht. Barney Maclennan war das zweite Opfer des Mörders. Und ich glaube, dass Ziggy und Mondo auch seine Opfer waren. Indirekt, vielleicht. Aber ich glaube, jemand hat sie umgebracht, weil er Rache nehmen wollte. Und wenn es so war, dann steht auch mein Name auf der Liste.«

Lawson seufzte. »Ich verstehe, warum Sie so reagieren. Aber ich glaube nicht, dass jemand eine vorsätzliche Racheaktion gegen Sie und Ihre Freunde in Gang gesetzt hat. Ich kann Ihnen sagen, dass die Polizei in Glasgow vielversprechende Ermittlungsrichtungen verfolgt, die nichts mit Rosie Duffs Ermordung zu tun haben. Zufälle gibt es nun mal, und darum geht es bei diesen beiden Todesfällen. Ein Zufall, sonst nichts. So etwas tun die Menschen nicht, Mr. Gilbey. Und ganz bestimmt warten sie nicht fünfundzwanzig Jahre, um es dann zu tun.«

»Und Rosies Brüder? Die waren ja damals ziemlich scharf drauf, mit uns abzurechnen. Sie sagten mir, Sie hätten sie gewarnt und überzeugt, sie dürften ihrer Mutter nicht noch mehr Kummer machen. Lebt ihre Mutter noch? Sind sie diese Sorge jetzt los? Ist Brian Duff deshalb bei Mondos Beerdigung aufgetaucht, um uns zu verhöhnen?«

»Es stimmt, dass Mr. und Mrs. Duff beide tot sind. Aber ich glaube nicht, dass Sie von den Duffs etwas zu befürchten haben. Vor einigen Wochen habe ich Brian selbst gesehen. Ich glaube nicht, dass er an Rache dachte. Und Colin arbeitet draußen auf der Nordsee. Über Weihnachten war er zu Hause, aber als David Kerr starb, war er außer Landes.« Lawson holte tief Luft. »Er hat eine von meinen Kolleginnen geheiratet – Janice Hogg. Ironie des Schicksals, dass sie Mr. Mackie zu Hilfe kam, als er von den Duffs überfallen wurde. Sie ist aus der Polizei ausgeschieden, als sie heiratete, aber ich bin ziemlich sicher, dass sie ihren Mann nicht zu einem derartigen Verstoß gegen die Gesetze ermuntern würde. Ich glaube, in dieser Hinsicht können Sie beruhigt sein.«

Alex hörte, wie überzeugt Lawson klang, aber es beruhigte ihn kaum. »Brian war nicht gerade freundlich gestern«, sagte er.

»Ja, das kann ich glauben, dass er das vielleicht nicht war. Aber machen wir uns doch nichts vor, weder Brian noch Colin waren das, was man raffinierte Kriminelle nennen würde. Wenn sie sich vorgenommen hätten, Sie und Ihre Freunde umzubringen, wären sie wahrscheinlich in einer vollen Bar auf Sie zugekommen und hätten Ihnen mit einer Schrotflinte in den Kopf geschossen. Großartig vorauszuplanen, das war nie ihre Sache«, sagte Lawson trocken.

»Damit wären also die Verdächtigen abgehakt.« Alex rutschte auf seinem Stuhl zur Seite, um aufzustehen.

»Nicht ganz«, sagte Lawson sanft.

»Was meinen Sie damit?«, fragte Alex, und die Angst überkam ihn wieder.

Lawson sah schuldbewusst auf, als hätte er zu viel gesagt. »Ach lassen Sie, ich hab nur laut gedacht.«

»Moment mal. So einfach werden Sie mich nicht los. Was sollte das heißen, ›nicht ganz‹?« Alex beugte sich vor und sah

aus, als wolle er gleich über den Schreibtisch springen und Lawson an seinem tadellosen Revers packen.
»Ich hätte das nicht sagen sollen. Es tut mir leid, ich habe eben wie ein Polizist gedacht.«
»Dafür werden Sie doch bezahlt, oder? Na kommen Sie, sagen Sie mir, was Sie gemeint haben.«
Lawsons Blick wich aus und schweifte wieder zurück, als suche er nach einer Richtung, die es ihm erlauben würde, Alex nicht anzusehen. Er fuhr sich mit der Hand über die Oberlippe, holte tief Luft und sagte: »Rosies Sohn.«

33

Lynn starrte Alex an und wiegte dabei ohne Pause ihre Tochter. »Sag das noch mal«, befahl sie.

»Rosie hatte einen Sohn. Damals kam das nie heraus. Aus irgendeinem Grund hat es der Pathologe bei der Obduktion nicht bemerkt. Lawson gab zu, dass er ein tatteriger alter Knacker war, der gern trank. Aber er sagte zu dessen Verteidigung, dass möglicherweise die Wunde selbst die Spuren einer Schwangerschaft verdeckt haben könnte. Die Familie wollte es natürlich nicht erzählen, weil klar war, dass die Leute sie sofort als leichtfertiges Flittchen abgestempelt hätten, wenn bekannt geworden wäre, dass sie ein uneheliches Kind hatte. Von einem unschuldigen Opfer wäre sie abgestiegen zu einem Mädchen, das es nicht anders hatte haben wollen. Sie waren verzweifelt darum bemüht, ihren guten Namen zu schützen. Man kann ihnen das nicht vorwerfen.«

»Ich werfe es ihnen überhaupt nicht vor. Ein Blick darauf, wie böse die Presse dich behandelt hat, genügt – und jeder hätte es genauso gemacht. Aber wieso ist er jetzt aufgetaucht?«

»Laut Lawson wurde er adoptiert. Und letztes Jahr beschloss er, seine leibliche Mutter ausfindig zu machen. Er fand die ehemalige Leiterin des Heims, in dem Rosie während ihrer Schwangerschaft wohnte, und entdeckte da, dass es doch keine glückliche Vereinigung mit seiner Familie geben würde.«

Davina stieß einen leisen Schrei aus, und Lynn steckte ihr den kleinen Finger in den Mund und lächelte auf sie hinunter.

»Das muss schrecklich für ihn gewesen sein. Bestimmt braucht man großen Mut, um nach seiner leiblichen Mutter zu suchen. Sie hat einen schon einmal zurückgewiesen, wer weiß warum, und dann setzt man sich noch einem zweiten Schlag ins Gesicht aus. Aber man klammert sich wohl an die Hoffnung, dass sie einen mit offenen Armen empfangen wird.«
»Ich weiß. Und dann herauszufinden, dass jemand einem diese Chance schon vor fünfundzwanzig Jahren genommen hat.« Alex beugte sich vor. »Darf ich sie eine Weile nehmen?«
»Klar, es ist noch nicht lange her, dass sie getrunken hat, sie sollte also ein bisschen schlafen.« Lynn zog ihre Hände vorsichtig unter ihrer Tochter weg und gab sie an Alex weiter, als sei sie der kostbarste und zerbrechlichste Gegenstand der Welt. Er schob seine Hand unter ihren zarten Hals und lehnte sie an seine Brust. Davina murmelte leise und wurde dann still.
»Glaubt Lawson also, dass der Sohn euch nachstellt?«
»Lawson glaubt, dass niemand uns nachstellt. Er hält mich für einen paranoiden Spinner, der aus einer Mücke einen Elefanten macht. Es war ihm allerdings ziemlich peinlich, dass ihm das über Rosies Sohn herausgerutscht war, und er beruhigte mich immer wieder, er würde keiner Fliege etwas zuleide tun. Er heißt übrigens Graham. Den Zunamen wollte Lawson mir nicht nennen. Offenbar arbeitet er im IT-Bereich und soll ruhig, gefestigt und sehr normal sein«, sagte Alex.
Lynn schüttelte den Kopf. »Ich finde es unglaublich, dass Lawson das alles so leicht nimmt. Wer, meint er, hat denn die Kränze geschickt?«
»Er weiß es nicht, und es kümmert ihn nicht. Das Einzige, was ihn stört, ist, dass seine kostbare Wiederaufnahme dieses ungelösten Falls vor die Hunde geht.«
»Die könnten ja nicht mal einen Haushalt führen, geschweige denn die Ermittlung eines Mordfalls durchziehen. Hatte er eine Erklärung dafür, dass ein ganzer Karton mit relevanten Beweisstücken verloren gegangen ist?«
»Der ganze Karton ist nicht verloren gegangen. Eine Strick-

jacke haben sie noch. Offenbar wurde sie separat gefunden. Sie war über eine Mauer in einen Garten geworfen worden. Sie haben sie erst nach all den anderen Sachen untersucht, und wahrscheinlich ist sie deshalb getrennt von dem anderen Zeug wieder aufgetaucht.«

Lynn runzelte die Stirn. »Sie wurde später gefunden? War da nicht etwas mit einer zweiten, späteren Durchsuchung eurer Wohnung damals? Ich erinnere mich vage, dass Mondo sich darüber beklagte, weil sie Wochen nach dem Mord überall herumstöberten.«

Alex versuchte krampfhaft, sich zu erinnern. »Nach der ersten Durchsuchung ... Sie kamen nach Neujahr noch einmal. Sie schabten Farbe von den Wänden und Decken. Und sie wollten wissen, ob wir die Wohnung gestrichen hätten.« Er lachte. »Ausgerechnet. Und Mondo sagte, er hätte einen von ihnen über eine Strickjacke reden hören. Er nahm an, dass sie nach etwas suchten, das einer von uns getragen hatte. Aber so war es natürlich nicht. Sie meinten Rosies Jacke«, folgerte er triumphierend.

»Es muss also Farbe an ihrer Strickjacke gewesen sein«, sagte Lynn nachdenklich. »Deshalb nahmen sie Proben mit.«

»Ja, aber offensichtlich hat sich keine Übereinstimmung mit der Farbe in unserer Wohnung ergeben. Sonst hätten wir in einer schwierigeren Klemme gesessen.«

»Ob sie wohl eine neue Analyse der Farbe gemacht haben? Hat Lawson etwas darüber gesagt?«

»Nicht direkt. Er sagte, sie hätten keines der Kleidungsstücke, bei dem eine Untersuchung mit modernen forensischen Methoden etwas bringen würde.«

»Das ist Unsinn. Sie können heutzutage sehr viel über Farbe herausfinden. Ich bekomme viel mehr Information von den Labors, als ich selbst noch vor drei oder vier Jahren erhielt. Sie sollten das untersuchen. Du musst noch einmal zu Lawson gehen und darauf bestehen, dass sie es sich erneut vornehmen.«

»Eine Analyse bringt nichts, wenn es nichts gibt, womit man

sie vergleichen kann. Lawson wird die Sache nicht anpacken, nur weil ich es ihm sage.«

»Ich dachte, du hättest gesagt, er wolle diesen Fall lösen?«

»Lynn, wenn sich auf diese Weise etwas erreichen ließe, dann hätten sie es schon getan.«

Lynn stieg plötzlich die Zornesröte ins Gesicht. »Herrgott, Alex, hör dich doch bloß mal selbst reden. Willst du einfach abwarten, bis wir die nächste Katastrophe haben? Mein Bruder ist tot. Jemand ist total ungeniert in sein Haus eingebrochen und hat ihn ermordet. Der einzige Mensch, der dir vielleicht hätte nützen können, meint, dass du paranoid bist. Ich will nicht, dass du umkommst, Alex. Ich will nicht, dass unsere Tochter ohne eine Erinnerung an dich aufwächst.«

»Meinst du, ich will das?« Alex drückte seine Tochter an seine Brust.

»Dann hör auf, so verdammt lahm zu sein. Wenn ihr recht habt, du und Weird, dann wird derjenige, der Ziggy und Mondo umgebracht hat, hinter dir her sein. Da kommst du nur raus, wenn Rosies Mörder endlich überführt wird. Wenn Lawson es nicht tut, solltest du es vielleicht selbst versuchen. Die beste Motivation der Welt hältst du da in den Armen.«

Das konnte er nicht abstreiten. Seit Davinas Geburt war er von Gefühlen erfüllt, deren Tiefe ihn immer wieder erstaunte.

»Ich bin Hersteller von Grußkarten, Lynn, kein Detektiv«, war sein schwacher Protest.

Lynn starrte ihn an. »Und wie oft sind Justizirrtümer schon aufgedeckt worden, weil einer einfach nicht aufhörte nachzubohren?«

»Ich habe keine Ahnung, wo ich anfangen könnte.«

»Erinnerst du dich an die Sendungen über Gerichtsmedizin im Fernsehen vor zwei Jahren?«

Alex stöhnte. Die Begeisterung seiner Frau für Kriminalistisches in Fernsehen und Film war nie auf ihn übergesprungen. Gewöhnlich war seine Reaktion auf eine zweistündige Sendung über authentische Fälle, dass er einen Zeichenblock nahm und Ideen für Karten ausarbeitete. »Nur ungenau«, sagte er.

»Ich weiß noch, dass einer der Gerichtsmediziner sagte, dass sie oft vieles aus ihren Berichten herauslassen – Spuren, die sie nicht analysieren können, und solche Sachen. Wenn es den Kriminalbeamten nichts bringt, lassen sie es einfach weg. Offenbar könnte die Verteidigung solche Unsicherheiten nutzen, um die Geschworenen zu verwirren.«

»Ich weiß nicht, wie uns das weiterbringen soll. Selbst wenn wir die Originalberichte bekommen könnten, wüssten wir doch nicht, was sie weggelassen haben, oder?«

»Stimmt. Aber wenn wir vielleicht den Experten aufspüren könnten, der den Bericht geschrieben hat, würde der sich eventuell an etwas erinnern, was damals nicht von Bedeutung war, es aber heute ist. Er hätte vielleicht sogar seine Notizen aufbewahrt.« Ihr Zorn war jetzt ihrer Begeisterung gewichen. »Was meinst du?«

»Ich glaube, deine Hormone haben dein Gehirn vernebelt«, sagte Alex. »Meinst du etwa, Lawson wird mir sagen, wer den Bericht verfasst hat, wenn ich ihn anrufe und frage?«

»Natürlich nicht.« Sie verzog missbilligend die Lippen. »Aber einem Journalisten würde er es sagen, oder?«

»Die einzigen Journalisten, die ich kenne, sind die, welche im Sonntagsfeuilleton Artikel über Lifestyle schreiben«, wandte Alex ein.

»Na, dann ruf doch mal ein paar an und bitte sie, einen ihrer Kollegen ausfindig zu machen, der helfen kann.« Lynn klang bestimmt und schloss das Thema damit ab. Er wusste, dass es nichts brachte, mit ihr zu diskutieren, wenn sie in dieser Stimmung war. Aber als er sich damit abfand, dass er sich wohl an seine Bekannten wenden müsste, kam ihm eine Idee. Vielleicht würde er auf diese Weise sogar zwei Fliegen mit einer Klappe schlagen. Allerdings konnte es auch sehr schmerzlich nach hinten losgehen. Es gab jedoch nur eine Möglichkeit, dies herauszufinden.

Parkplätze bei Krankenhäusern ließen sich ausgezeichnet zum Observieren nutzen, dachte Macfadyen. Viele Leute kamen und gingen, und öfter saß jemand wartend im Auto. Die Beleuchtung war einwandfrei, so dass man gut sehen konnte, wann die Zielperson auftauchte und wieder wegfuhr. Niemand beachtete einen, man konnte sich stundenlang dort aufhalten, ohne dass man sich verdächtig machte. Nicht wie in einer Vorortstraße, wo jeder gleich wissen wollte, was man vorhatte.

Er fragte sich, wann es Gilbey erlaubt würde, seine Tochter mit nach Hause zu nehmen. Er hatte versucht, es durch einen Anruf im Krankenhaus herauszufinden, aber da war man vorsichtig gewesen und wollte nicht mehr sagen, als dass es dem Baby gut gehe. Alle, die für Kinder Verantwortung trugen, waren heutzutage sehr auf Sicherheit bedacht.

Der Groll, den er gegenüber Gilbeys Tochter empfand, war überwältigend. Niemand würde sich von diesem Baby abwenden. Sie würden es nicht einfach abgeben und sein Schicksal Fremden überlassen. Fremde, die das Kind in einer Atmosphäre andauernder Angst aufziehen würden, der Angst, dass es etwas tun könnte, durch das es grundlosen Zorn auf sich ziehen würde. Seine Eltern hatten ihn nicht misshandelt, nicht in dem Sinn, dass er Prügel bekommen hatte. Aber sie hatten ihm ständig das Gefühl gegeben, unzulänglich und tadelnswert zu sein. Und sie hatten sich nicht gescheut, den Grund für seine Unzulänglichkeit in seiner schlechten Herkunft zu sehen. Aber ihm entging so viel mehr als Zärtlichkeit und Liebe. Die Familiengeschichten, die man ihm als Kind erzählt hatte, waren die Geschichten über andere Leute, nicht seine eigenen. Er war ein Fremder in seiner eigenen Geschichte.

Nie würde er in den Spiegel blicken und eine Ähnlichkeit mit den Zügen seiner Mutter erkennen können. Nie würde er auf die seltsamen Übereinstimmungen treffen, die in Familien vorkommen, wenn die Reaktionen eines Kindes sich mit denen seiner Eltern decken. Er war verloren in einer Welt ohne

Zusammenhänge. Die einzige wirkliche Familie, die er hatte, lehnte ihn immer noch ab.
Und Gilbeys Kind würde nun alles haben, was ihm verwehrt gewesen war, obwohl sein Vater zu denen gehörte, die für seinen Verlust verantwortlich waren. Es quälte Macfadyen und fraß sich tief bis in den Kern seiner verkümmerten Seele. Es war ungerecht. Es hatte das sichere, liebevolle Zuhause nicht verdient, in das es, wie er wusste, gebracht würde.
Es war an der Zeit, Pläne zu schmieden.

Weird küsste jedes seiner Kinder, als sie in den Kleinbus der Familie stiegen. Er wusste nicht, wann er sie wiedersehen würde, und sich unter diesen Umständen von ihnen zu verabschieden zerriss ihm fast das Herz. Aber er wusste, dass dieser Schmerz unendlich klein war im Vergleich dazu, wie er sich fühlen würde, wenn er untätig blieb und sie durch seine Passivität einer Gefahr ausgesetzt hätte. Nach ein paar Stunden Fahrt würden sie sicher in den Bergen sein, hinter dem Schutzwall einer fundamentalistischen Gruppe in der Einöde, deren Anführer früher Diakon in Weirds Kirche gewesen war. Er glaubte nicht, dass selbst die Regierung dort an seine Kinder herankommen würde, und ein rachedurstiger Killer, der allein aktiv wurde, schon gar nicht.
Einerseits hielt er seine Reaktion für übertrieben, wollte dem aber andererseits keine Beachtung schenken. Jahrelang hatte er mit Gott Zwiesprache gehalten und zweifelte jetzt kaum noch an sich selbst, wenn er Entscheidungen fällen musste. Weird schloss seine Frau in die Arme und hielt sie fest. »Danke, dass du dies ernst nimmst«, sagte er.
»Ich habe dich immer ernst genommen, Tom«, murmelte sie und strich über sein Seidenhemd. »Versprich mir, dass du genauso gut auf dich aufpasst, wie du dich um uns kümmerst.«
»Ich muss noch einen Anruf machen, dann verschwinde ich. Da wo ich hingehe, wird man mir nicht leicht folgen und mich

finden können. Wir halten uns eine Weile zurück, im Vertrauen auf Gott, und ich bin sicher, wir werden diese Bedrohung überstehen.« Er beugte sich hinab und küsste sie lange und heftig. »Geh mit Gott.«
Er trat zurück und wartete, bis sie eingestiegen war und den Motor anließ. Die Kinder winkten, sie waren aufgeregt bei dem Gedanken an ein Abenteuer, das ihnen den Schulbesuch ersparte. Um das raue Wetter in den Bergen beneidete er sie nicht, aber sie würden es verkraften. Er sah dem Bus bis zum Ende der Straße nach und eilte dann ins Haus zurück.
Ein Kollege in Seattle hatte ihn auf einen zuverlässigen, diskreten Privatdetektiv hingewiesen. Weird wählte die Nummer seines Mobiltelefons und wartete. »Pete Makin«, sagte die Stimme am anderen Ende mit dem schleppenden Akzent des Westens.
»Mr. Makin? Mein Name ist Tom Mackie. Reverend Tom Mackie. Ich habe Ihren Namen von Reverend Polk.«
»Ach, ein Pfarrer, der Arbeit unter seiner Herde verteilt, das gefällt mir«, sagte Makin. »Womit kann ich Ihnen dienen, Reverend?«
»Ich muss wissen, wer dafür verantwortlich war, dass ein bestimmter Kranz zu einem Begräbnis gesandt wurde, das ich kürzlich in Ihrer Gegend besucht habe. Wäre das möglich?«
»Ja, ich nehme es an. Haben Sie irgendwelche Einzelheiten dazu?«
»Ich kenne den Namen des Floristen nicht, der ihn gemacht hat, aber es war ein sehr charakteristischer Blumenschmuck. Ein kleiner Kranz aus weißen Rosen und Rosmarin. Auf der Karte stand: ›Rosemary zum Gedächtnis.‹«
»Rosemary zum Gedächtnis«, wiederholte Makin. »Sie haben recht, das ist ungewöhnlich. Ich glaube, so etwas ist mir noch nie untergekommen. Wer immer das angefertigt hat, müsste sich doch daran erinnern. Also, können Sie mir sagen, wann und wo diese Beerdigung stattfand?«
Weird gab die Information weiter und buchstabierte Ziggys

Namen sorgfältig. »Wie lange wird es dauern, bis Sie eine Antwort haben?«

»Das kommt darauf an. Das Bestattungsunternehmen kann mir vielleicht eine Liste der Floristen geben, von denen der Blumenschmuck normalerweise kommt. Aber wenn das nicht klappt, werde ich einen ziemlich großen Bereich überprüfen müssen. Es könnte also ein paar Stunden dauern oder ein paar Tage. Wenn Sie mir Ihre Nummer geben, halte ich Sie auf dem Laufenden.«

»Ich werde nicht leicht zu erreichen sein. Wenn Ihnen das recht ist, rufe ich Sie jeden Tag an?«

»Das geht in Ordnung. Aber leider werde ich einen Honorarvorschuss von Ihnen brauchen, bevor ich anfangen kann zu arbeiten.«

Weird lächelte ironisch. Heutzutage traute man nicht einmal mehr einem Geistlichen. »Den schicke ich Ihnen. Wie viel brauchen Sie?«

»Fünfhundert Dollar würden genügen.« Makin diktierte Weird die Angaben zu seinem Konto. »Sobald ich das Geld habe, werde ich den Fall angehen. Danke für den Auftrag, Reverend.«

Weird legte auf und war durch das Gespräch merkwürdig beruhigt. Pete Makin hatte keine Zeit verschwendet und lange gefragt, warum er die Information brauchte, und hatte auch seine Arbeit nicht schwieriger dargestellt, als sie war. Er war ein Mann, dem man vertrauen konnte, dachte Weird. Er ging nach oben und tauschte die Garderobe eines Geistlichen gegen ein bequemes Paar Jeans, ein cremefarbenes Oxford-Hemd und eine weiche Lederjacke aus. Seine Tasche war schon gepackt. Es fehlte nur noch die Bibel, die auf dem Nachttisch lag. Er steckte sie in die Außentasche, sah sich in dem vertrauten Raum um und schloss dann einen Augenblick die Augen zum Gebet.

Eine Stunde später verließ er zu Fuß den Parkplatz des Flughafens in Atlanta. Er hatte noch genug Zeit vor seinem Flug

nach San Diego. Bei Einbruch der Nacht würde er schon über die Grenze sein, in irgendeinem unbekannten, billigen Hotel in Tijuana. Es war keine Umgebung, die er normalerweise wählen würde, aber das machte sie nur sicherer.
Wer immer es darauf abgesehen hatte, ihn zu erwischen, würde ihn dort nicht finden.

Jackie starrte Alex finster an. »Sie ist nicht hier.«
»Ich weiß, ich wollte zu Ihnen.«
Sie lachte, die Arme vor der Brust verschränkt. Heute hatte sie Lederjeans und ein enges schwarzes T-Shirt an. Ein Diamant funkelte an ihrer Augenbraue. »Sie wollen mich wohl abservieren?«
»Wieso denken Sie, dass das meine Aufgabe wäre?«, sagte Alex kühl.
Sie hob die Augenbrauen. »Sie sind Schotte, Sie sind ein Mann, und sie gehört zu Ihrer Familie.«
»Ihre Arroganz wird sich noch zu Ihrem Nachteil auswirken. Sehen Sie, ich bin hier, weil ich glaube, Sie und ich, wir könnten uns einen gegenseitigen Gefallen tun.«
Jackie neigte den Kopf und warf ihm einen unverschämten Blick zu. »Mit Männern läuft bei mir nix. Haben Sie das inzwischen nicht geschnallt?«
Alex wandte sich verärgert zum Gehen. Er fragte sich, warum er es für diese Vorstellung riskiert hatte, dass Lynn wütend auf ihn würde. »Ich verschwende wohl meine Zeit. Ich hatte nur gedacht, Sie würden vielleicht einen Vorschlag zu schätzen wissen, mit dem Sie bei der Polizei aus dem Schneider wären.«
»Moment mal. Wieso wollen Sie mir einen Ausweg anbieten?«
Er blieb am Fuß der Treppe stehen. »Nicht wegen Ihres natürlichen Charmes, Jackie. Nur weil es mir auch nützen würde.«
»Selbst wenn Sie glaubten, dass ich Ihren Schwager umgebracht hätte?«

Alex brummte: »Seien Sie versichert, ich würde viel ruhiger schlafen, wenn ich das glaubte.«
Jackie fuhr herum. »Weil die Lesbe dann kriegen würde, was sie verdient hat?«
»Könnten Sie Ihre Vorurteile vielleicht mal fünf Minuten beiseite lassen?«, stieß Alex ärgerlich hervor. »Wenn Sie Mondo ermordet hätten, wäre ich nur aus dem einzigen Grund froh: weil es heißen würde, dass ich in Sicherheit bin.«
Jackie, unwillkürlich interessiert, neigte den Kopf zur Seite. »Das ist ja sehr merkwürdig, was Sie da sagen.«
»Wollen Sie zwischen Tür und Angel darüber reden?«
Sie wies auf die Tür und trat zurück. »Kommen Sie rein. Was meinen Sie damit, ›in Sicherheit‹?«, fragte sie, während er zum nächsten Stuhl ging und sich setzte.
»Ich habe eine Theorie zu Mondos Tod. Ich weiß nicht, ob Ihnen das bekannt ist, aber noch ein Freund von mir ist vor ein paar Wochen unter verdächtigen Umständen umgebracht worden.«
Jackie nickte. »Hélène hat es erwähnt. Es war jemand, den Sie und David vom Studium her kannten, ja?«
»Wir sind zusammen aufgewachsen. Wir waren vier. Schon in der Schule waren wir dicke Freunde, und dann haben wir alle zusammen studiert. Eines Abends, als wir betrunken von einer Party nach Hause kamen, stolperten wir über eine junge Frau …«
»Das weiß ich auch«, unterbrach ihn Jackie.
Es überraschte Alex, wie erleichtert er war, dass er nicht noch einmal alle Einzelheiten und Folgen von Rosies Ermordung erzählen musste. »Gut. Sie kennen die Vorgeschichte. Also, ich weiß, dass sich das verrückt anhört, aber ich glaube, Mondo und Ziggy wurden umgebracht, weil jemand sich für Rosie Duffs Tod rächen will. Das ist das Mädchen, das starb«, fügte er hinzu.
»Warum?« Jackie war unwillkürlich ganz Ohr, hatte den Kopf vorgebeugt und stützte sich mit den Ellbogen auf die

Knie. Wenn sich eine gute Story ankündigte, war ihre Unversöhnlichkeit vergessen.
»Es hört sich so belanglos an«, sagte Alex und berichtete ihr dann über die Kränze. »Ihr vollständiger Name war Rosemary«, sagte er abschließend.
Sie zog die Augenbrauen hoch. »Das ist ganz schön gruselig«, sagte sie. »Ich hab noch nie einen solchen Kranz gesehen. Es fällt schwer, das anders – nicht als Anspielung auf diese Frau – zu verstehen. Ich kann nachvollziehen, dass es Sie aus der Ruhe bringt.«
»Die Polizei konnte das nicht. Sie taten, als sei ich eine alte Dame, die sich im Dunkeln fürchtet.«
Jackie machte ein verächtliches glucksendes Geräusch. »Na ja, wir wissen ja beide, wie schlau die Polizei ist. Was dachten Sie also, was ich tun kann?«
Alex schien verlegen. »Lynn hatte diese Idee, dass, wer immer sich an uns rächen will, damit aufhören müsste, wenn wir wirklich herausfinden könnten, wer Rosie vor so langer Zeit getötet hat. Bevor es für uns beide, die noch da sind, zu spät ist.«
»Klingt logisch. Können Sie die Polizei nicht überreden, den Fall noch einmal aufzurollen? Mit den Methoden, die ihnen heutzutage zur Verfügung stehen ...«
»Er wird zur Zeit noch einmal aufgerollt. Die Polizei von Fife hat alte ungelöste Fälle wieder aufgenommen, dies ist einer davon. Aber sie scheinen in einer Sackgasse zu stecken, hauptsächlich, weil sie die Beweisstücke verloren haben. Lynn meint, wenn wir den Gerichtsmediziner ausfindig machen könnten, der den ursprünglichen Bericht geschrieben hat, könnte er uns vielleicht noch einiges sagen, was er nicht in den Bericht einbezogen hat.«
Jackie nickte verständnisvoll. »Manchmal lassen sie einiges weg, um der Verteidigung keine Angriffspunkte zu bieten. Sie möchten also, dass ich diesen Typ finde und ein Interview mit ihm mache?«

»So ungefähr. Ich dachte, Sie könnten vielleicht vorgeben, dass Sie ein ausführliches Feature über den Fall schreiben wollen, das sich auf die damaligen Ermittlungen konzentriert. Vielleicht könnten Sie die Polizei überreden, Ihnen Zugriff auf das Material zu gewähren, das man mir nicht so einfach zeigen würde?«

Sie zuckte die Achseln. »Es ist einen Versuch wert.«

»Sie werden es also tun?«

»Ich will ehrlich sein, Alex. Ich kann nicht behaupten, dass ich ein gesteigertes Interesse daran habe, Ihre Haut zu retten. Aber Sie haben recht. Für mich steht hier auch etwas auf dem Spiel. Wenn ich Ihnen helfe herauszufinden, wer David umgebracht hat, hilft mir das aus der Bredouille. Also, mit wem sollte ich sprechen?«

34

Die Nachricht auf James Lawsons Schreibtisch lautete ganz lapidar: »Die Einsatzgruppe für die ungelösten Fälle möchte Sie so bald wie möglich sprechen.« Es hörte sich nicht nach einer Katastrophe an. Er ging mit einem vorsichtig optimistischen Gesichtsausdruck in die Einsatzzentrale und fand ihn durch eine Flasche Famous Grouse und ein halbes Dutzend Plastiktassen in den Händen seiner Mitarbeiter sofort gerechtfertigt. Er grinste. »Sieht verdächtig danach aus, dass es hier was zu feiern gibt«, sagte er.

DI Robin Maclennan trat vor und bot dem Assistant Chief Constable einen Whisky an. »Ich habe gerade eine Nachricht von der Kreispolizei Manchester bekommen. Sie haben einen Typ verhaftet, der im Verdacht steht, vor zwei Wochen in Rochdale eine Frau vergewaltigt zu haben. Als sie die DNA-Ergebnisse durch den Computer laufen ließen, zeigte er einen Treffer an.«

Lawson blieb unvermittelt stehen. »Lesley Cameron?« Robin nickte.

Lawson nahm den Whisky entgegen, hob seine Tasse und trank seinen Leuten schweigend zu. Wie den Fall Rosie Duff würde Lawson auch den Mord an Lesley Cameron niemals vergessen. Sie war Studentin an der Universität und auf dem Rückweg zu ihrem Wohnheim vergewaltigt und erdrosselt worden. Wie bei Rosie hatten sie ihren Mörder nie gefunden. Eine Zeit lang hatten die Kriminalbeamten versucht, die beiden Fälle miteinander zu verknüpfen, aber es gab nicht genug Ähnlichkeiten, um die Verbindung zu rechtfertigen. Es genügte nicht, einfach zu argumentieren, dass es zur fraglichen Zeit in St. Andrews keine weiteren Fälle von Vergewaltigungen mit Todesfolge gegeben hatte. Er war damals ein junger Kriminalbeamter gewesen und erinnerte sich an diese Diskussion. Er persönlich hatte nie die Theorie vertreten, dass die Fälle zusammenhingen. »Ich erinnere mich gut daran«, sagte er.

»Wir haben ihre Kleider auf DNA untersucht, aber das System zeigte keine Übereinstimmung«, fuhr Robin fort, auf dessen schmalem Gesicht zuvor verborgene Lachfalten erschienen. »Also hab ich die Sache zurückgestellt und mit der Überprüfung unserer anderen Sexualverbrecher weitergemacht. Bin nicht so recht vorangekommen. Aber dann erhielten wir einen Anruf von der Polizei im Kreis Manchester. Offenbar haben wir ein Ergebnis.«

Lawson klopfte ihm auf die Schulter. »Gut gemacht, Robin. Fahren Sie zum Verhör runter?«, fragte er.

»Allerdings. Ich kann's kaum erwarten, das Gesicht des Dreckskerls zu sehen, wenn er hört, welche Fragen ich ihm stelle.«

»Das sind ja wirklich gute Nachrichten.« Lawson strahlte den Rest seiner Mannschaft an. »Seht ihr? Einmal Glück, und schon hat man einen Erfolg gelandet. Wie läuft's bei euch anderen? Karen, sind Sie mit der Suche nach dem ehemaligen Freund von Rosie Duff weitergekommen, den wir für Macfadyens Vater halten?«

Karen nickte. »John Stobie. Die Kollegen vor Ort haben mit ihm gesprochen und auch eine Art Erfolg zu verbuchen. Es hat sich ergeben, dass Stobie ein perfektes Alibi hat. Er hatte sich Ende November 1978 bei einem Motorradunfall das Bein gebrochen. In der Nacht, als Rosie ermordet wurde, hatte er einen Gips von der Hüfte bis zum großen Zeh. Es ist unmöglich, dass er so in St. Andrews im Schneesturm herumlief.«

Lawson hob die Augenbrauen. »Herrje, man könnte ja geradezu meinen, Stobie habe spröde Knochen. Man hat dort doch wohl die medizinischen Unterlagen überprüft?«

»Stobie gab ihnen die Erlaubnis. Und es sieht so aus, als hätte er die Wahrheit gesagt. Damit scheint diese Sache also erledigt.«

Lawson lehnte sich leicht zu Karen hinüber, so dass sie beide dem Blickfeld der anderen entzogen waren. »Wie Sie sagen, Karen.« Er seufzte. »Vielleicht sollte ich Macfadyen auf Stobie ansetzen. Dann würde er mich vielleicht in Ruhe lassen.«

»Belästigt er Sie immer noch?«

»Zweimal pro Woche. Ich wünschte langsam, er wäre nie aufgetaucht.«

»Ich muss noch die drei anderen Zeugen vernehmen«, sagte Karen.

Lawson verzog das Gesicht. »Eigentlich sind es nur noch zwei. Offenbar starb Malkiewicz kurz vor Weihnachten infolge einer mutmaßlichen Brandstiftung. Und Alex Gilbey hat es sich in den Kopf gesetzt, dass es jetzt, nach David Kerrs Ermordung, da draußen eine verrückte Schlägertruppe gibt, die einen nach dem anderen wegputzen will.«

»Was?«

»Er kam vor zwei Tagen hierher, um mich zu sprechen. Reine Paranoia, voll durchgedreht, aber ich will ihn nicht noch bestärken. Vielleicht ist es am besten, wenn Sie die Zeugenvernehmungen einfach sein lassen. Ich kann mir nicht vorstellen, dass sie nach all der Zeit noch etwas bringen.«

Karen dachte kurz daran, etwas dagegen einzuwenden. Nicht dass sie sich von ihren Gesprächen mit den Zeugen viel erwartet hätte, aber sie war eine zu hartnäckige Kriminalbeamtin, um eine Ermittlungslinie einfach fallen zu lassen. »Glauben Sie nicht, dass er recht haben könnte? Ich meine, es ist doch ein ziemlicher Zufall. Macfadyen erscheint auf der Bildfläche, findet heraus, dass wir die Hoffnung aufgegeben haben, den

Mörder seiner Mutter zu erwischen, und dann werden zwei der ursprünglichen Tatverdächtigen ermordet.«
Lawson rollte mit den Augen. »Sie stecken schon zu lange in diesem Raum hier fest, Karen, und fangen an zu halluzinieren. Macfadyen ist ganz sicher nicht mit einer Charles-Bronson-Nummer unterwegs. Er ist ein achtbarer, erfahrener Fachmann, um Gottes willen, kein Schwachkopf, der auf Selbstjustiz aus ist. Und wir werden ihn nicht beleidigen und wegen zweier Mordfälle befragen, die nicht einmal in unseren Zuständigkeitsbereich fallen.«
»Nein, Sir«, seufzte Karen.
Lawson legte väterlich eine Hand auf ihren Arm. »Vergessen wir also erst einmal Rosie Duff. Der Fall läuft uns nicht weg.« Er wandte sich zur Gruppe zurück. »Robin, ist Lesley Camerons Schwester nicht Spezialistin für Täterprofile?«
»Stimmt, Dr. Fiona Cameron. Sie hatte vor ein paar Jahren mit dem Fall Drew Shand in Edinburgh zu tun.«
»Jetzt erinnere ich mich. Na ja, vielleicht sollten wir aus Höflichkeit mal kurz bei Dr. Cameron anrufen und sie wissen lassen, dass wir einen Tatverdächtigen verhören. Und wir sollten auch sicherstellen, dass die Pressestelle Bescheid weiß. Aber erst nachdem wir mit Dr. Cameron gesprochen haben. Ich will nicht, dass sie es in der Zeitung liest, bevor sie es aus erster Hand gehört hat.« Offenbar war das Gespräch damit beendet. Lawson trank seinen Whisky aus und ging auf die Tür zu, blieb dann auf der Schwelle stehen und drehte sich um. »Toller Erfolg, Robin. Damit stehen wir alle gut da. Danke.«

Weird schob den Teller zur Seite. Touristenfraß mit viel Fett und in so großen Portionen, dass es gereicht hätte, eine ganze Familie armer Mexikaner einen oder zwei Tage zu ernähren, dachte er traurig. Er hasste es, so aus der Verrichtung seiner alltäglichen Pflichten herausgerissen zu werden. Alle Dinge, die sein Leben schön machten, kamen ihm wie ein ferner Traum vor. Und der Trost, den man allein aus dem Glauben ziehen konnte, hatte auch seine Grenzen. Das war ein Beweis, wenn er je einen gebraucht hätte, dass er von seinen eigenen Idealen noch weit entfernt war.

Als der Kellner die Überreste seines Burrito-Special wegräumte, zog Weird sein Telefon heraus und rief Pete Makin an. Nach der Begrüßung kam er gleich zur Sache. »Haben Sie etwas erreicht?«, fragte er.

»Nur im negativen Sinn. Das Bestattungsunternehmen gab mir die Namen von drei Geschäften, von denen normalerweise der Blumenschmuck kommt. Aber niemand hatte einen solchen Kranz wie den gemacht, den Sie mir beschrieben haben. Alle fanden, dass es sich ungewöhnlich anhörte, nach etwas Besonderem. Etwas, an das sie sich erinnern würden, wenn sie es geliefert hätten.«

»Und jetzt?«

»Also«, sagte Makin schleppend. »Es gibt vielleicht fünf oder sechs Floristen in der näheren Umgebung. Ich werde sie abklappern und sehen, was ich herausfinden kann. Aber es kann einen oder zwei Tage dauern. Morgen bin ich im Gericht und sage in einem Betrugsfall aus. Die Verhandlung könnte noch bis übermorgen gehen. Aber seien Sie beruhigt, Reverend. Ich werde mich melden, sobald ich kann.«

»Ich danke Ihnen für Ihre Offenheit, Mr. Makin. In zwei Tagen werde ich Sie anrufen, um zu hören, wie es läuft.« Weird steckte das Telefon wieder in die Tasche. Es war noch nicht vorbei. Noch lange nicht.

Jackie legte neue Batterien in den Kassettenrekorder und vergewisserte sich, dass sie zwei Kulis in der Tasche hatte, dann stieg sie aus ihrem Auto aus. Von der Hilfsbereitschaft des Beamten von der Polizeipressestelle, den sie nach Alex' Besuch angerufen hatte, war sie angenehm überrascht.

Sie hatte ihren Spruch fertig. Sie wollte einen Artikel für eine große Zeitschrift schreiben, in dem sie die vor fünfundzwanzig Jahren üblichen Polizeimethoden in einem Mordfall mit denen einer heutigen Ermittlung vergleichen würde. Sie hatte die Idee gehabt, dass sich eine solche alte Ermittlung am leichtesten beschreiben ließe, wenn sie sich einen ungelösten Fall vornahm wie den, an dem man jetzt in Fife arbeitete. Dabei würde sie mit einem Kriminalbeamten zu tun haben, der über die Einzelheiten des Falls bestens Bescheid wusste. Sie betonte, dass es nicht darum ging, die Polizei zu kritisieren. Es sollten lediglich die Veränderungen des Verfahrens und der praktischen Durchführung auf Grund der wissenschaftlichen Entwicklung und der geänderten gesetzlichen Vorschriften gezeigt werden.

Der Pressebeauftragte hatte sie am nächsten Tag zurückgerufen. »Sie haben Glück. Wir haben einen Fall, der fast genau fünfundzwanzig Jahre alt ist. Und zufällig war unser Assistant Chief Constable der erste Polizist am Tatort. Und er hat zugestimmt, Ihnen darüber ein Interview zu geben. Ich habe auch veranlasst, dass Sie Detective Constable Karen Pirie treffen, die an der Wiederaufnahme des Falls arbeitet. Sie hat alle Einzelheiten parat.«

Hier war sie also – bereit, in die Festung der Polizei von Fife einzudringen. Normalerweise war Jackie vor Interviews nicht nervös, da sie lange genug im Geschäft war und so etwas sie nicht mehr erschreckte. Mit allen Arten von Leuten hatte sie schon zu tun gehabt, mit Schüchternen, Unverfrorenen, Aufgeregten, Ängstlichen, mit solchen, die sich selbst in den Vordergrund stellen wollten, mit Blasierten, mit abgehärteten Kriminellen und unerfahrenen Opfern. Aber heute spürte sie tatsächlich den Adrenalinschub im Blut. Sie hatte nicht gelogen, als sie Alex gesagt hatte, es stünde hier auch für sie etwas auf dem Spiel. Nach ihrem Gespräch hatte sie noch stundenlang wach gelegen und war sich sehr deutlich dessen bewusst, welchen Schaden ein Verdacht gegen sie wegen David Kerrs Tod ihrem Leben zufügen konnte. Sie war also heute gut vorbereitet, hatte sich konservativ gekleidet und versuchte, betont harmlos auszusehen. Ausnahmsweise waren einmal weniger Ringe in ihren Ohren als Löcher.

Man konnte sich beim Anblick von ACC Lawson den jungen Polizisten von damals nur schwer vorstellen, dachte sie, als sie ihm gegenübersaß. Er sah wie einer jener Menschen aus, die schon mit der Sorgenlast der ganzen Welt auf den Schultern geboren wurden, und heute schien sie ihn besonders zu drücken. Er konnte nicht viel älter als fünfzig sein, aber er glich eher einem, der auf dem Golfplatz zu Hause war, als einem Ermittler der Kripo in Fife. »Komische Idee, die Sie da für Ihren Artikel haben«, sagte er, als sie sich vorgestellt und begrüßt hatten.

»Eigentlich nicht. Die Leute nehmen bei polizeilichen Ermittlungen so vieles als selbstverständlich hin. Es ist gut, sie daran zu erinnern, wie weit wir in einer relativ kurzen Zeitspanne gekommen sind. Ich werde natürlich viel mehr erfahren müssen, als ich jemals in meinem Artikel verwenden kann. Man wirft immer neunzig Prozent der Recherchen weg.«

»Und für wen ist der Artikel?«, fragte er im Plauderton.

»*Vanity Fair*«, sagte Jackie entschieden. Es war immer besser, bei Angaben zu den Aufträgen zu lügen. Es gab den Leuten das beruhigende Gefühl, dass man nicht ihre Zeit verschwendete.

»Also, ich stehe Ihnen zur Verfügung«, sagte er mit gespielter Heiterkeit und ausgebreiteten Armen.

»Ich danke Ihnen, denn ich kann mir denken, dass Sie sehr beschäftigt sind. Also, können wir auf die Dezembernacht des Jahres 1978 zurückkommen? Wie kam es, dass Sie mit dem Fall zu tun hatten?«

Lawson atmete tief durch die Nase ein. »Ich hatte Nachtdienst und fuhr Streife. Das hieß, die ganze Nacht auf den Straßen draußen zu sein, außer in den Pausen. Ich fuhr aber nicht die ganze Nacht umher, verstehen Sie.« Ein Mundwinkel hob sich zu einem halben Lächeln. »Wir waren selbst damals schon in unserem Budget eingeschränkt. In einer Schicht sollte ich nicht mehr als vierzig Meilen zurücklegen. Also fuhr ich im Stadtzentrum herum, wenn die Pubs schlossen, und suchte mir dann einen ruhigen Ort zum Parken, bis ich zu einem Einsatz

gerufen wurde. Was nicht oft vorkam. St. Andrews war eine ziemlich ruhige Stadt, besonders in den Semesterferien.«
»Muss ja einigermaßen langweilig gewesen sein«, sagte sie mitfühlend.
»Aber ehrlich. Ich nahm oft das Transistorradio mit, aber es gab nie viel, was sich zu hören lohnte. An den meisten Abenden stand ich am Eingang zum Botanischen Garten. Dort gefiel es mir. Es war schön ruhig, aber man konnte innerhalb von ein paar Minuten überall in der Stadt sein. In dieser Nacht war das Wetter scheußlich. Es hatte mit einigen Unterbrechungen den ganzen Tag geschneit, und mitten in der Nacht lag der Schnee ziemlich hoch. Deshalb war es für mich eine ruhige Nacht gewesen. Wegen des Wetters blieben die meisten Menschen zu Hause. Dann sah ich gegen vier Uhr eine Gestalt, die mir aus dem Schnee entgegenkam. Ich stieg aus, und ehrlich gesagt überlegte ich einen Moment, ob mich ein betrunkener Spinner angreifen wollte. Der junge Mann war außer Atem, überall blutbefleckt, und Schweiß lief ihm übers Gesicht. Er stieß hervor, dass auf dem Hallow Hill ein Mädchen überfallen worden sei.«
»Sie müssen schockiert gewesen sein«, gab Jackie ihm das Stichwort.
»Zuerst hielt ich es für einen Streich betrunkener Studenten. Aber er blieb beharrlich dabei. Er sagte mir, er habe sie im Schnee gefunden, und sie blute stark. Mir war ziemlich bald klar, dass er wirklich sehr aufgeregt war und mir nichts vorspielte. Ich rief also die Wache an und sagte den Kollegen, dass ich der Meldung über eine verletzte Frau auf dem Hallow Hill nachgehen würde. Ich ließ den jungen Mann einsteigen ...«
»Das war Alex Gilbey, nicht wahr?«
Lawson hob die Augenbrauen. »Sie haben Ihre Hausaufgaben gemacht.«
Sie zuckte die Achseln. »Ich habe die Zeitungsartikel gelesen, sonst nichts. Sie haben also Gilbey zum Hallow Hill zurückbegleitet? Was haben Sie dort vorgefunden?«

Lawson nickte. »Als wir hinkamen, war Rosie Duff tot. Noch drei andere junge Männer standen um die Leiche herum. Es war dann meine Aufgabe, den Tatort abzusperren und Verstärkung per Funk anzufordern. Ich verlangte Unterstützung durch Streifen- und Kriminalpolizei und brachte die vier Zeugen vom Tatort weg wieder den Hügel runter. Ich gebe zu, ich war völlig ratlos. So etwas hatte ich noch nie gesehen und wusste zu dem Zeitpunkt nicht, ob ich mit vier Mördern im Schneesturm stand.«

»Wenn sie sie getötet hätten, wären sie aber doch bestimmt nicht losgerannt, um Hilfe zu suchen?«

»Das ist nicht gesagt. Es waren intelligente junge Männer, die durchaus in der Lage gewesen wären, einen raffinierten Doppeltrick abzuziehen. Ich sah es als meine Aufgabe an, nichts darüber zu sagen, dass ich einen Verdacht hatte, aus Angst, dass sie in die Nacht hinauslaufen und uns ein noch größeres Problem bereiten könnten. Schließlich hatte ich keine Ahnung, wer sie waren.«

»Sie hatten wohl Erfolg, denn sie warteten ja, bis Ihre Kollegen kamen. Was ist dann geschehen? Rein vom Ablauf her, meine ich.« Jackie hörte pflichtschuldig zu, und Lawson berichtete alles, was am Fundort bis zu dem Zeitpunkt geschah, als er die vier jungen Männer zur Polizeiwache brachte.

»Das war eigentlich schon mein direkter Anteil an dem Fall«, schloss Lawson seinen Bericht. »Alle nachfolgenden Befragungen wurden von den Kollegen der Kripo gemacht. Sie mussten Männer von anderen Abteilungen anfordern, selbst hatten sie nicht genug Personal, um einen Fall wie diesen zu bearbeiten.« Lawson schob seinen Stuhl zurück. »Wenn Sie mich jetzt entschuldigen würden, ich werde DC Pirie heraufkommen lassen, die Sie abholen kann. Sie kann den Fall besser mit Ihnen durchgehen.«

Jackie nahm ihren Kassettenrekorder, schaltete ihn aber nicht ab. »Sie haben die Nacht ja sehr genau in Erinnerung«, sagte sie mit Bewunderung in der Stimme.

Lawson drückte auf den Knopf der Sprechanlage. »Bitten Sie Karen heraufzukommen, ja, Margaret?« Er warf Jackie ein Lächeln befriedigter Eitelkeit zu. »Man muss in diesem Beruf akribisch sein«, sagte er. »Ich habe mir immer sorgfältig Notizen gemacht. Aber Sie dürfen nicht vergessen, Mord kommt in St. Andrews ziemlich selten vor. Wir hatten in den zehn Jahren, die ich dort Dienst tat, nur eine Hand voll solcher Vorfälle. Deshalb blieb mir natürlich alles im Gedächtnis.«

»Und Sie kamen nie so weit, dass jemand verhaftet werden konnte?«

Lawson presste die Lippen aufeinander. »Nein. Und das ist für einen Polizisten sehr schwer zu verkraften. Alles deutete auf die vier jungen Männer hin, die die Leiche gefunden hatten, aber es gab nur Indizienbeweise gegen sie. Weil die Leiche an der bewussten Stelle gefunden wurde, hatte ich den Verdacht, dass es eine Art heidnischer Ritualmord gewesen sein könnte. Aber diese Idee brachte nichts, und in unserem Revier ist so was auch nie wieder passiert. Es tut mir leid sagen zu müssen, dass Rosie Duffs Mörder ungeschoren davongekommen ist. Oft werden natürlich Männer, die ein derartiges Verbrechen begehen, später zu Wiederholungstätern. So könnte er nach unserem Ermessen wegen eines anderen Mordes einsitzen.«

Es klopfte an die Tür, und Lawson rief: »Herein.« Die Frau, die eintrat, war das totale Gegenteil von Jackie. Die Journalistin war elegant und geschmeidig, Karen Pirie dagegen kräftig und unscheinbar. Was sie aber gemeinsam hatten, war der offensichtliche Funke von Intelligenz, den jede an der anderen wahrnahm. Lawson machte sie bekannt und lotste sie dann geschickt zur Tür. »Viel Glück für Ihren Artikel«, sagte er, als er die Tür fest hinter ihnen schloss.

Karen ging voran, eine Treppe hinauf zu dem Büro, wo man sich der ungelösten Fälle annahm. »Sie kommen aus Glasgow?«, sagte sie, während sie hinaufgingen.

»Dort geboren und aufgewachsen. Eine klasse Stadt. Da gibt es alles, was das menschliche Leben bietet, sagt man.«

»Praktisch für eine Journalistin. Wodurch hat dieser Fall Ihr Interesse erregt?«

Jackie gab rasch wieder ihre Tarngeschichte zum Besten, die Karen zu überzeugen schien. Sie stieß die Tür zur Einsatzzentrale auf und führte sie hinein. Jackie sah sich um und bemerkte die Anschlagtafeln, an denen Fotos, Karten und Rundschreiben hingen. Zwei Leute saßen hinter Computern und hoben den Blick, als sie hereinkamen, kehrten dann aber zu ihrer Arbeit zurück. »Übrigens ist es natürlich selbstverständlich, dass alles, was Sie in diesem Raum hören und sehen und was mit den laufenden Ermittlungen oder irgendeinem anderen Fall zu tun hat, vertraulich behandelt werden muss. Ist Ihnen das klar?«

»Ich bin keine Reporterin, die über Verbrechen berichtet. Ich bin nur an den Dingen interessiert, über die wir hier sprechen wollten. Also, Sie brauchen keine faulen Tricks zu befürchten, okay?«

Karen lächelte. Sie hatte in ihrer Zeit als Polizistin einige Journalisten getroffen, denen sie zugetraut hätte, einem kleinen Kind sein Eis zu klauen. Aber diese Frau schien anders zu sein. Was immer sie suchte, sie hatte jedenfalls nicht vor, eine krumme Tour abzuziehen und danach wegzulaufen. Karen zeigte Jackie einen langen Zeichentisch an der einen Wand, auf dem sie das Material der ursprünglichen Ermittlung ausgelegt hatten. »Ich weiß nicht, wie weit Sie ins Detail gehen wollen«, sagte sie mit einem skeptischen Blick auf die vielen Aktenordner, die vor ihr standen.

»Ich muss ein Gefühl dafür bekommen, wie die Ermittlungen geführt worden sind. Welche Richtungen man verfolgt hat. Und natürlich« – Jackie sagte das mit einem Ausdruck leicht ironischer Selbstkritik, ein Versatzstück aus ihrer Trickkiste – »da es hier um Journalismus und nicht um Geschichtsschreibung geht, brauche ich die Namen aller beteiligten Personen

und das Hintergrundwissen über sie. Polizeibeamte, Pathologen, Gerichtsmediziner. Dies alles.« Sie war aalglatt, Wasser wäre wie Regen am Gefieder einer Ente von ihr abgelaufen.
»Sicher, ich kann Ihnen Namen geben. Mit dem Hintergrundwissen sieht es ein bisschen mager aus. Ich war erst drei Jahre alt, als dieser Fall in einer Sackgasse stecken blieb. Und der damalige Leiter der Ermittlungen, Barney Maclennan, ist während der Arbeit an diesem Fall gestorben. Sie wussten das, nicht wahr?« Jackie nickte. Karen fuhr fort: »Der einzige Beteiligte, den ich überhaupt persönlich kennen gelernt habe, ist David Soanes von der Gerichtsmedizin. Er hat die Arbeit gemacht, obwohl tatsächlich sein Chef den Bericht unterschrieb.«
»Wie kam das?«, fragte Jackie beiläufig und versuchte, ihre freudige Erregung, dass sie so leicht und schnell alles erfuhr, was sie wissen wollte, zu verbergen.
»Das läuft normalerweise so. Die Person, die den Bericht tatsächlich unterschreibt, ist immer der Laborleiter, obwohl er die Beweisstücke vielleicht nie zu Gesicht bekommen hat. Macht mehr Eindruck bei den Geschworenen.«
»Da sieht man mal wieder, was Gutachten von Experten wert sind«, sagte Jackie sarkastisch.
»Man tut eben, was nötig ist, um die bösen Buben einsperren zu können«, sagte Karen. Ihr lässiger Tonfall ließ erkennen, dass sie sich wegen eines so selbstverständlichen Sachverhalts nicht in die Defensive begeben wollte. »Jedenfalls, in diesem Fall hätten wir es gar nicht besser erwischen können. David Soanes ist einer der gewissenhaftesten Menschen, die ich je getroffen habe.« Sie lächelte. »Und dieser Tage ist er derjenige, der die Berichte anderer Leute unterschreibt. David ist Professor der Gerichtsmedizin an der Universität Dundee. Von dort bekommen wir alle unsere forensischen Analysen.«
»Vielleicht könnte ich mit ihm sprechen.«
Karen zuckte die Schultern. »Er ist ein recht zugänglicher Typ. Also, wo sollen wir anfangen?«

Zwei großenteils ermüdende Stunden später gelang es Jackie, sich davonzumachen. Sie wusste mehr über die Arbeitsweise der Polizei von Fife in den späten siebziger Jahren, als sie je zu erfahren gewünscht hatte. Nichts ist frustrierender, als gleich am Anfang eines Interviews die gewünschte Information zu erhalten und dann aus Furcht, den verborgenen Schlachtplan preiszugeben, trotzdem weitermachen zu müssen.
Natürlich hatte Karen ihr nicht die gerichtsmedizinischen Originalberichte gezeigt. Aber das hatte Jackie auch nicht erwartet. Sie hatte alles erreicht, weswegen sie gekommen war. Jetzt war Alex an der Reihe.

35

Alex starrte in das Babykörbchen hinunter. Jetzt war sie da, wo sie hingehörte. Ihre Tochter, in ihrem Haus. Locker in eine weiße Decke gewickelt, das Gesicht im Schlaf etwas verzogen, brachte Davina sein Herz zum Jubeln. Sie hatte nicht mehr das spitze Gesichtchen, das ihn in ihren ersten Lebenstagen so erschreckt hatte. Jetzt sah sie wie andere Babys aus, und ihr Gesicht nahm immer mehr eigene Züge an. Am liebsten hätte er sie jeden Tag ihres Lebens gezeichnet, damit er nicht eine einzige Nuance der Veränderungen in ihrer Entwicklung verpassen würde.

Sie zog alle seine Sinne in ihren Bann. Wenn er sich weit zu ihr hinunterbeugte und die Luft anhielt, konnte er ihren leise summenden Atem hören. Seine Nase nahm mit Wonne den unverwechselbaren Babygeruch wahr. Alex wusste, dass er Lynn liebte; aber nie hatte er diesen überwältigenden, leidenschaftlichen Wunsch zu beschützen verspürt. Lynn hatte recht. Er musste alles in seiner Macht Stehende tun, um zu garantieren, dass er da sein würde und seine Tochter aufwachsen sehen konnte. Er beschloss, später mit Paul zu telefonieren, um diesen denkwürdigen Abend mit ihm zu teilen. Wenn Ziggy noch lebte, würde er ihn anrufen, und deshalb verdiente Paul zu hören, dass er noch Teil ihres Lebens war.

Der ferne Klang der Türglocke unterbrach seine andächtige Stimmung. Alex streichelte seine schlafende Tochter sanft und ging dann rückwärts aus dem Zimmer. Kurz nach Lynn, die

wie vom Donner gerührt war, als sie Jackie auf der Schwelle stehen sah, kam er an die Haustür. »Was tun Sie denn hier?«, fragte sie.
»Hat Alex nicht Bescheid gesagt?«, fragte Jackie lässig.
»Was sollte er mir sagen?«, fiel Lynn über Alex her.
»Ich habe Jackie gebeten, mir zu helfen«, sagte Alex.
»Das stimmt.« Jackie schien mehr belustigt als beleidigt.
»Du hast *sie* gebeten?« Lynn machte keinen Versuch, ihre Verachtung zu verbergen. »Eine Frau, die ein Motiv hatte, meinen Bruder zu ermorden, und die erforderlichen Kontakte, es auch durchführen zu lassen? Wie konntest du nur, Alex?«
»Weil sie dabei auch etwas für sich herausholen kann. Und das heißt, ich kann ihr vertrauen, dass sie uns nicht um eines Aufmachers willen sitzen lässt«, sagte er und versuchte Lynn zu besänftigen, bevor Jackie einschnappte und in die Nacht hinausstürmte, ohne zu verraten, was sie erfahren hatte.
»Sie kommt mir nicht ins Haus«, sagte Lynn unmissverständlich.
Alex hob beschwichtigend die Hände. »Gut. Lassen Sie mich nur schnell meinen Mantel holen. Wir gehen in den Pub, wenn Ihnen das recht ist, Jackie.«
Sie zuckte die Achseln. »Meinetwegen. Aber auf Ihre Rechnung.«
Sie gingen schweigend den kleinen Hügel zum Pub hinunter. Alex hatte keine Lust, sich für Lynns Feindseligkeit zu entschuldigen, und Jackie wollte deshalb kein Aufhebens machen. Als sie beide vor einem Glas Rotwein saßen, hob Alex fragend die Augenbrauen. »Und? Hat's was gebracht?«
Jackie sah selbstgefällig aus. »Ich habe den Namen des Gerichtsmediziners, der am Fall Rosie Duff gearbeitet hat. Und das Schöne daran ist, dass er immer noch mit von der Partie ist. Er ist Professor in Dundee, heißt David Soanes und ist offenbar als Experte ein As.«
»Wann können Sie ihn also besuchen und mit ihm sprechen?«, fragte Alex.

»Ich werde nicht hingehen und ihn besuchen, Alex. Das ist Ihre Aufgabe.«

»Meine Aufgabe? Ich bin doch kein Journalist. Warum sollte er mit mir sprechen?«

»Sie sind derjenige, für den hier etwas auf dem Spiel steht. Offenbaren Sie ihm alles, und bitten Sie ihn um alle Hinweise, die er Ihnen eventuell geben kann, um in diesem Fall weiterzukommen.«

»Ich weiß nicht, wie man ein Interview führt«, wandte Alex ein. »Und warum sollte Soanes mir etwas sagen? Er wird nicht wollen, dass es so aussieht, als hätte er zuvor etwas übersehen.«

»Alex, Sie haben mich überredet, für Sie ein Risiko einzugehen, und offen gestanden mag ich weder Sie noch Ihre gehässige, kleinliche Frau. Darum können Sie vermutlich auch David Soanes dazu überreden, Ihnen das zu sagen, was Sie wissen wollen. Besonders da Sie ja gar nicht nach Dingen fragen, die er übersehen hat. Sie wollen etwas über Dinge erfahren, die man damals nicht untersuchen konnte, Dinge, die er mit Recht nicht in seinen Bericht aufnahm. Wenn ihm seine Arbeit wichtig ist, dann müsste er den Wunsch haben, Ihnen zu helfen. Außerdem ist es viel unwahrscheinlicher, dass er mit einer Journalistin sprechen würde, die ihn als inkompetent erscheinen lassen könnte.« Jackie nahm einen Schluck Wein, verzog das Gesicht und stand auf. »Lassen Sie mich wissen, wenn Sie etwas rausgekriegt haben, das mich entlastet.«

Lynn saß im Wintergarten und beobachtete die Lichter auf der Flussmündung. Sie waren von einem leichten, dunstigen Hof umgeben, der sie geheimnisvoller erscheinen ließ, als sie waren. Sie hörte, dass die Haustür geschlossen wurde und Alex rief: »Ich bin zurück.« Aber bevor er zu ihr hereinkommen konnte, erklang noch einmal die Türglocke. Wer immer das sein mochte, sie hatte jedenfalls keine Lust auf Besuch.

Das Stimmengemurmel wurde deutlicher, aber sie konnte

immer noch nicht erkennen, wer der Besucher war. Dann ging die Tür auf, und Weird kam mit großen Schritten herein.
»Lynn«, rief er, »ich habe gehört, du hast ein wunderschönes Töchterchen, das du mir zeigen kannst.«
»Weird«, rief Lynn erstaunt. »Du bist der letzte Mensch, den ich zu sehen erwartet hätte.«
»Gut so«, sagte er. »Hoffen wir, dass alle so denken.« Er sah besorgt auf sie herab. »Wie kommst du klar?«
Lynn ließ sich von ihm umarmen. »Ich weiß, es klingt dumm, aber so wenig wir auch mit Mondo zusammen waren, fehlt er mir doch.«
»Natürlich. Er fehlt uns allen. Und wir werden ihn immer vermissen. Er gehörte doch zu uns, und jetzt ist er nicht mehr da. Es ist nur ein schwacher Trost für unseren Verlust, dass wir wissen, er ist bei seinem himmlischen Vater.« Sie schwiegen einen Augenblick, dann löste sich Lynn von ihm.
»Aber was machst du hier?«, fragte sie. »Ich dachte, du wärst nach dem Begräbnis direkt zurück in die Staaten geflogen?«
»Bin ich auch. Ich habe meine Frau und die Kinder in die Berge verfrachtet, an einen Ort, wo sie vor jedem, der etwas gegen mich hat, sicher sein werden. Und dann machte ich mich unsichtbar. Ich bin über die Grenze nach Mexiko gegangen. Lynn, fahr nie nach Tijuana, wenn du keinen bärenstarken Magen hast. Das Essen dort ist das absolut schlechteste auf der Welt, aber was die Seele wirklich angreift, ist der Kontrast zwischen dem übertriebenen amerikanischen Wohlstand und der elenden Armut der Mexikaner. Ich habe mich meiner adoptierten Landsleute geschämt. Weißt du, dass die Mexikaner sogar ihre Esel gestreift wie Zebras anstreichen, damit die Touristen sich damit fotografieren lassen können? So weit haben wir sie gebracht.«
»Verschone uns mit deiner Predigt, Weird. Komm zur Sache«, beschwerte sich Lynn.
Weird grinste. »Ich hatte vergessen, wie direkt du sein kannst, Lynn. Na ja, nach Mondos Begräbnis fühlte ich mich ziemlich

unbehaglich. Also habe ich in Seattle einen Privatdetektiv beauftragt. Ich wollte herausfinden, wer den Kranz für Ziggys Beerdigung geschickt hat. Er fand eine Antwort, die Grund genug für mich war, hierher zurückzukehren. Außerdem schätze ich, dass dies hier der letzte Ort wäre, an dem mich irgendjemand vermuten würde. Es wäre viel zu nahe liegend.«

Alex rollte mit den Augen. »Du hast ja im Lauf der Jahre wirklich ein paar theatralische Tricks gelernt, was? Erzählst du uns, was du herausgefunden hast?«

»Der Mann, der den Kranz geschickt hat, lebt hier in Fife. In St. Monans, genau genommen. Ich weiß nicht, wer er ist oder was er mit Rosie Duff zu tun hat. Aber sein Name ist Graham Macfadyen.«

Alex und Lynn tauschten einen angstvollen Blick. »Wir wissen, wer er ist«, sagte Alex. »Oder wir haben zumindest eine fundierte Vermutung.«

Jetzt war es Weird, der verwirrt und frustriert aussah. »Tatsächlich? Wieso?«

»Er ist Rosie Duffs Sohn«, sagte Lynn.

Weird machte große Augen. »Sie hatte einen Sohn?«

»Niemand wusste damals davon. Er wurde gleich nach der Geburt adoptiert. Als sie starb, muss er drei oder vier Jahre alt gewesen sein«, sagte Alex.

»Ach du meine Güte«, sagte Weird. »Na, das erklärt einiges, oder? Ich nehme an, dass er von der Ermordung seiner Mutter erst in letzter Zeit erfahren hat?«

»Als die ungelösten Fälle wieder aufgerollt werden sollten, ging er zu Lawson. Er hat erst vor ein paar Monaten angefangen, seine leibliche Mutter zu suchen.«

»Das ist also das Motiv – er denkt, ihr vier wärt für den Mord verantwortlich«, sagte Lynn. »Wir müssen mehr über diesen Macfadyen herausfinden.«

»Wir müssen herausbekommen, ob er in der Woche, als Ziggy starb, in den Staaten war«, sagte Alex.

»Wie sollen wir das machen?«, fragte Lynn.

Weird hob die Hand. »Atlanta ist das Kerngebiet von Delta Airlines. Ein Mitglied meiner Gemeinde hat dort eine ziemlich hohe Position. Ich kann mir vorstellen, dass er vielleicht an Passagierlisten rankommt. Die Fluglinien tauschen ja offenbar häufig Informationen aus. Und ich habe die Daten von Macfadyens Kreditkarte, das könnte die Sache beschleunigen. Ich rufe ihn später an, wenn ich darf?«

»Natürlich«, sagte Alex. Dann drehte er den Kopf zur Seite. »Höre ich da Davina?« Er ging auf die Tür zu. »Ich bringe sie heraus.«

»Das hast du gut gemacht, Weird«, sagte Lynn. »Ich hätte dich nie für einen systematisch vorgehenden Rechercheur gehalten.«

»Du vergisst, dass ich Mathematiker war, und ein verdammt guter. All die anderen Sachen, das war nur ein verzweifelter Versuch, nicht wie mein Vater zu werden. Was ich, Gott sei's gedankt, vermeiden konnte.«

Alex kam wieder herein und hielt die wimmernde Davina in den Armen. »Ich glaube, sie muss gestillt werden.«

Weird stand auf und sah auf das winzige Bündel hinunter. »Du meine Güte«, sagte er mit sanfter Stimme. »Das ist aber eine kleine Schönheit.« Er schaute zu Alex auf. »Jetzt verstehst du, warum ich so entschlossen bin, lebendig aus dieser Sache herauszukommen.«

Draußen unter der Brücke starrte Macfadyen auf diese Szene hinunter. Es war ein ereignisreicher Abend gewesen. Zuerst war die Frau aufgetaucht. Er hatte sie bei der Beerdigung gesehen und beobachtet, dass die Witwe Kerr in ihrem Wagen wegfuhr. Er war ihnen zur Wohnung in Merchant City gefolgt und dann zwei Tage später hinter Gilbey zur gleichen Wohnung gekommen. Er fragte sich, welchen Zusammenhang es zwischen ihnen gab, wie die Frau in das komplexe Beziehungsnetz passte. War sie einfach eine Freundin der Familie? Oder mehr als das?

Wer immer sie war, man hatte sie nicht freundlich empfangen. Sie und Gilbey waren zum Pub gegangen, aber kaum auf einen kurzen Drink dort gewesen. Als Gilbey dann zum Haus zurückkehrte, war die echte Überraschung fällig. Mackie war wieder da. Er hätte sich doch in Georgia in einem sicheren Versteck aufhalten und sich um seine Gemeinde kümmern sollen. Aber jetzt war er wieder hier in Fife, bei seinem Komplizen. Man durchbrach seine Alltagsroutine nicht ohne einen guten Grund.

Das war ein klarer Beweis. Man konnte es von ihren Gesichtern ablesen. Es war kein heiteres Treffen alter Freunde. Keine vergnügte Zusammenkunft, um die Entlassung von Gilbeys Tochter aus der Klinik zu feiern. Die beiden hatten etwas zu verbergen, etwas, das sie in dieser schwierigen Zeit zueinander zog. Die Angst hatte sie wieder zusammengebracht. Sie waren zu Tode erschrocken, dass das Unheil, das ihre Mordkameraden eingeholt hatte, auch bald über sie kommen könnte. Und sie drängten sich aneinander, weil sie Sicherheit suchten.

Macfadyen lächelte grimmig vor sich hin. Unaufhaltsam streckte die Vergangenheit ihre kalte Hand nach Gilbey und Mackie aus. Sie würden heute Nacht nicht gut schlafen. Und so sollte es auch sein. Er hatte einiges für sie geplant. Und je mehr Angst sie hatten, desto besser, wenn diese Pläne verwirklicht würden.

Sie hatten fünfundzwanzig Jahre Ruhe gehabt, und das war eine längere Zeit, als seine Mutter hatte leben dürfen. Jetzt war es vorbei.

36

Der Morgen dämmerte trist und grau, die Sicht auf North Queensferry war von trüben Dunstschleiern verhangen. Irgendwo in der Ferne tönte ein Nebelhorn, ein melancholisches Blöken wie das einer Kuh, die um ihr totes Kalb trauert. Unrasiert und benommen, weil er aus dem Schlaf gerissen worden war, stützte sich Alex beim Frühstück mit den Ellbogen auf den Tisch und sah Lynn zu, die Davina stillte. »War es eine gute oder eine schlechte Nacht?«, fragte er.

»Ich schätze, eine durchschnittliche«, sagte Lynn gähnend. »Sie müssen eben in dem Alter alle paar Stunden etwas bekommen.«

»Ein Uhr, halb vier, halb sieben. Bist du sicher, dass das ein Baby ist und kein Vielfraß?«

Lynn lächelte. »Wie schnell doch die ersten Blüten der Liebe verwelken«, neckte sie.

»Wenn das stimmte, hätte ich mir das Kissen über den Kopf gezogen und wäre wieder eingeschlafen, statt aufzustehen und Tee zu machen und ihre Windel zu wechseln«, verteidigte sich Alex.

»Wenn Weird nicht da wäre, könntest du im Gästezimmer schlafen.«

Alex schüttelte den Kopf. »Das will ich nicht. Wir werden sehen, wie wir klarkommen.«

»Du brauchst aber deinen Schlaf. Du hast ja einen Betrieb, um den du dich kümmern musst.«

Alex lachte. »Aber nur dann, wenn ich nicht gerade irgendwo

im Land herumfahre, um mit Gerichtsmedizinern zu sprechen, oder?«

»Stimmt. Stört es dich nicht, dass Weird hier ist?«

»Warum sollte es?«

»Ich habe nur überlegt. Ich bin von Natur aus misstrauisch. Und du weißt ja, ich dachte immer schon, dass er von euch vieren der Einzige ist, der möglicherweise Rosie umgebracht haben könnte. Deshalb ist mir eben ein bisschen bange, dass er hier so auftaucht.«

Alex schien unsicher. »Gerade deshalb ist er doch wohl, was Rosie betrifft, unverdächtig. Welches Motiv könnte er denn haben, uns nach fünfundzwanzig Jahren zu beseitigen?«

»Vielleicht hat er über die Wiederaufnahme dieser alten Fälle gehört und hatte Angst, dass nach dieser langen Zeit einer von euch ihn beschuldigen könnte.«

»Du übertreibst aber auch immer, was? Er hat sie nicht ermordet, Lynn. Er kann so was nicht.«

»Menschen tun schreckliche Dinge, wenn sie Drogen genommen haben. Ich erinnere mich, dass bei Weird in der Hinsicht immer etwas lief. Er hatte den Landrover. Sie kannte ihn wahrscheinlich gut genug, dass sie sich von ihm hätte mitnehmen lassen. Und dann kam diese dramatische Bekehrung. Da hätte es um Schuldgefühle gehen können, Alex.«

Er schüttelte den Kopf. »Er ist mein Freund. Ich hätte das doch mitbekommen.«

Lynn seufzte. »Wahrscheinlich hast du recht. Ich steigere mich manchmal in etwas hinein. Ich bin einfach im Moment nervös. Tut mir leid.«

Während sie noch sprach, kam Weird herein. Geduscht und rasiert, war er ein Muster an Gesundheit und Kraft. Alex warf ihm einen Blick zu und stöhnte: »Oh Gott, Tigger, der Unermüdliche.«

»Ein prima Bett«, sagte Weird und sah sich nach der Kaffeemaschine um. Er ging an den Küchenschrank und öffnete verschiedene Türen, bis er die Tassen fand. »Ich hab geschlummert wie ein Säugling.«

»Das glaube ich nicht«, sagte Lynn. »Außer wenn du alle drei Stunden aufgewacht wärst. Müsstest du nicht überhaupt sehr müde von der Zeitumstellung sein?«

»Damit hab ich noch nie Probleme gehabt«, sagte Weird vergnügt und goss sich Kaffee ein. »Also, Alex, wann fahren wir los nach Dundee?«

Alex streckte sich. »Ich werde dort anrufen und einen Termin machen müssen.«

»Spinnst du? Dem Typ die Möglichkeit geben abzulehnen?«, sagte Weird und wühlte im Brotkorb herum. Er nahm ein dreieckiges Brötchen heraus und leckte sich die Lippen. »Mm, so eins hab ich seit Jahren nicht mehr gegessen.«

»Bediene dich«, sagte Alex.

»Das tu ich ja«, sagte Weird und suchte im Kühlschrank nach Butter und Käse. »Nein, Alex. Keine Anrufe. Wir erscheinen dort einfach auf der Bildfläche und erklären, dass wir nicht weggehen, bevor Professor Soanes ein Zeitfenster für uns findet.«

»Warum, damit er es aufmachen und rausspringen kann?« Alex konnte der Versuchung nicht widerstehen, sich über Weirds amerikanische Ausdrucksweise lustig zu machen. Sie klang einfach komisch mit seinem Akzent, der über Nacht plötzlich sehr schottisch geworden war.

»Haha.« Weird fand einen Teller und ein Messer und setzte sich an den Tisch.

»Meinst du nicht, das könnte ihn ein bisschen verstimmen?«, fragte Lynn.

»Ich glaube, es wird ihm begreiflich machen, dass wir es ernst meinen«, sagte Weird. »Und ich glaube, dass zwei Typen, die um ihr Leben fürchten, so etwas tun würden. Für Höflichkeit und Unterwürfigkeit ist jetzt nicht der rechte Zeitpunkt. Es ist an der Zeit zu sagen: ›Wir haben wirklich Angst, und Sie können uns helfen.‹«

Alex wand sich. »Bist du sicher, dass du wirklich mitkommen willst?« Der tyrannische Blick, den Weird ihm zuwarf, hätte sogar einen Teenager aus der Bahn geworfen. Alex hielt resignierend die Hände hoch. »Okay. Gib mir 'ne halbe Stunde.«

Als er den Raum verließ, sah Lynn ihm mit besorgtem Blick nach.

»Mach dir keine Gedanken, Lynn. Ich pass schon auf ihn auf.«

Lynn lachte. »Ach, bitte, Weird. Lass das nicht meine einzige Hoffnung sein.«

Er schluckte einen Bissen von dem Brötchen und sah sie an. »Ich bin wirklich nicht mehr der Mensch, den du von damals im Gedächtnis hast, Lynn«, sagte er ernst. »Vergiss die jugendliche Aufmüpfigkeit, die Sauferei und die Drogen. Denk daran, dass ich immer meine Hausaufgaben gemacht und meine Referate rechtzeitig fertig bekommen habe. Es hatte immer nur den Anschein, als würde ich vom rechten Weg abkommen. Im Grunde war ich genauso ein guter, rechtschaffener Bürger wie Alex. Ich weiß, ihr lacht euch alle ins Fäustchen, dass ihr einen Fernsehprediger auf eurer Liste für die Weihnachtskarten habt, übrigens sind es sehr schöne Karten. Aber unter all dem Glamour ist es mir sehr ernst mit dem, was ich glaube und was ich tue. Wenn ich sage, ich passe auf Alex auf, kannst du mir vertrauen, dass er bei mir so sicher sein wird wie nur bei irgendjemandem sonst.«

Etwas beruhigt, aber doch noch mit einem Rest Misstrauen legte Lynn ihre Tochter von der einen Brust an die andere. »So, mein Schatz.« Sie zuckte bei der immer noch ungewohnten Berührung zusammen, wenn die Kiefer auf ihre Brustwarze trafen. »Es tut mir leid, Weird. Es ist einfach so schwierig, die Zeit zu vergessen, in der ich dich am besten kannte.«

Er trank seinen Kaffee aus und stand auf. »Ich weiß. Du stehst mir immer noch als das dumme kleine Ding vor Augen, das von David Cassidy träumte.«

»Du Flegel«, sagte sie.
»Ich werde jetzt eine Weile beten«, sagte er und ging auf die Tür zu. »Alex und ich, wir können alle Hilfe brauchen, die wir bekommen können.«

Der äußere Eindruck des Old-Fleming-Gymnasiums entsprach Alex' Vorstellung von einem gerichtsmedizinischen Institut so wenig wie nur möglich. Es war in einer kleinen engen Straße versteckt, und der Sandstein aus viktorianischen Zeiten war fleckig von jahrhundertelanger Verschmutzung. Es war kein unansehnliches Gebäude, das eine Stockwerk hatte harmonische Proportionen und hohe Bogenfenster im italienischen Stil. Aber es war einfach kein Gebäude, das so aussah, als beherberge es den scharfsinnigsten Vordenker der Gerichtsmedizin.
Weird hatte offenbar denselben Eindruck. »Bist du sicher, dass es hier ist?«, fragte er und blieb zögernd am Anfang der kleinen Straße stehen.
Alex deutete zur anderen Straßenseite. »Das ist das OTI-Café. Nach dem, was auf der Uni-Website steht, müssen wir hier abbiegen.«
»Sieht eher aus wie eine Bank als wie eine Schule oder ein Institut.« Aber trotzdem folgte er Alex die schmale Straße hinunter.
Auch der Empfangsbereich ließ nicht viele Rückschlüsse zu. Ein junger Mann mit starker Schuppenflechte saß in einem Aufzug, der dem eines Beatniks aus den fünfziger Jahren nachempfunden schien, hinter einem Schreibtisch und tippte auf einer Computertastatur herum. Er blickte über die dicken schwarzen Ränder seiner Brille und fragte: »Kann ich etwas für Sie tun?«
»Wir würden gern mit Professor Soanes sprechen, wenn möglich«, sagte Alex.
»Haben Sie einen Termin?«
Alex schüttelte den Kopf. »Nein. Aber wir wären wirklich

sehr dankbar, wenn er mit uns sprechen würde. Es geht um einen alten Fall, an dem er gearbeitet hat.«

Der junge Mann drehte gewandt wie eine indische Tänzerin den Kopf von einer Seite zur anderen. »Ich denke, das wird nicht möglich sein. Er hat sehr viel zu tun«, sagte er.

»Wir auch«, mischte sich Weird ein und beugte sich vor. »Und wir wollen mit ihm über etwas sprechen, bei dem es um Leben und Tod geht.«

»Ach so«, sagte der junge Mann. »Der Tommy Lee Jones von Tayside.« Es hätte unhöflich klingen können, aber der belustigt bewundernde Tonfall nahm dem Satz jede Bösartigkeit.

Weird sah ihn scharf an. »Wir können warten«, warf Alex ein, bevor offene Feindschaft ausbrechen konnte.

»Das werden Sie auch müssen. Im Moment hält er ein Seminar. Lassen Sie mich auf seinem Terminkalender für heute nachsehen.« Seine Finger huschten klappernd über die Tasten. »Können Sie um drei Uhr wiederkommen?«, fragte er nach ein paar Sekunden.

Weird blickte finster. »Fünf Stunden in Dundee verbringen?«

»Das ist prima«, sagte Alex und warf Weird einen wütenden Blick zu. »Komm, Tom.« Sie hinterließen ihre Namen, die Einzelheiten des Falls und Alex' Handynummer und zogen sich zurück.

»Du kannst ja so charmant sein«, sagte Alex, als sie zum Wagen zurückgingen.

»Aber wir haben etwas erreicht. Wenn es nach dir, dem demütigen Bittsteller, gegangen wäre, hätten wir von Glück sagen können, noch vor Ende des Semesters einen Termin zu kriegen. Was machen wir jetzt also in den nächsten fünf Stunden?«

»Wir könnten nach St. Andrews fahren«, sagte Alex. »Es liegt ja gleich auf der anderen Seite der Brücke.«

Weird blieb abrupt stehen. »Soll das ein Witz sein?«

»Nein, mir war's noch nie so ernst. Ich glaube, es würde nicht schaden, uns an das Terrain zu erinnern. Nach all den Jahren wird uns ja niemand erkennen.«

Weird führte die Hand an die Stelle, wo normalerweise sein Kreuz hing. Er schüttelte tadelnd über sich selbst den Kopf, als seine Finger nur die leere Stelle auf seinem Hemd berührten. »Okay«, sagte er. »Aber in die Nähe des Flaschenverlieses gehe ich nicht.«

Nach St. Andrews hineinzufahren war eine merkwürdig bestürzende Erfahrung. Erstens hatten sie in der Zeit an der Uni noch keinen Wagen gehabt, so dass sie die Stadt nie aus der Perspektive des Autofahrers erlebt hatten. Außerdem führte die Straße an Gebäuden vorbei, die es in ihrer Studentenzeit noch gar nicht gegeben hatte. Der Betonkomplex des Old Course Hotels, der neoklassizistische Zylinderbau des Museums der St. Andrews University, das Sea Life Centre hinter dem noch immer unverändert steifen Royal Ancient Clubhouse, dem Tempel der Golfspieler. Weird starrte unruhig aus dem Fenster. »Es hat sich verändert.«

»Natürlich hat es sich verändert. Es ist fast ein Vierteljahrhundert her.«

»Ich nehme an, du bist seitdem oft hier gewesen?«

Alex schüttelte den Kopf. »Seit zwanzig Jahren nicht.« Er fuhr langsam durch The Scores und quetschte seinen BMW schließlich auf einen Platz, den eine Frau mit einem Renault freigemacht hatte.

Schweigend stiegen sie aus und fingen an, die einst vertrauten Straßen zu Fuß zu erkunden. Alex fand es ganz ähnlich, wie Weird nach all den Jahren wiederzusehen. Die Grundstruktur der Knochen war die gleiche. Es war unmöglich, ihn mit einem anderen Menschen zu verwechseln oder umgekehrt. Aber die Oberfläche war anders. Es gab feine Veränderungen und auch manche, die auffällig waren. Und beim Gang durch St. Andrews war es genauso. Manche Geschäfte mit ihren alten Fassaden waren noch an derselben Stelle. Paradoxerweise schienen sie aber nicht mehr dorthin zu passen, als hätten sie irgendwie eine Zeitentwicklung nicht mitgemacht, die den Rest der Stadt erfasst hatte. Der Süßwarenladen war noch da, ein Monument für den Appetit der Nation auf Zucker. Alex erkannte das Restaurant, wo sie zum ersten Mal chinesisch gegessen und mit ihren von der Hausmannskost abgestumpften Gaumen fremdartige Geschmacksnuancen wahrgenommen hatten. Damals waren sie zu viert gewesen, leichtsinnig, voll Zuversicht und ohne die leiseste Ahnung, welches Unheil auf sie zukam. *Und dann waren's nur noch zwei.*

Die Universität war hier nicht zu übersehen. In einer Stadt von sechzehntausend Seelen verdiente durch sie ein Drittel der Einwohner seinen Lebensunterhalt, und wenn die Universitätsgebäude sich über Nacht unerklärlicherweise in Staub verwandelt hätten, wäre nur ein Dorf mit Baulücken übrig geblieben. Studenten eilten durch die Straßen, hier und da hatte sich einer gegen die Kälte in sein charakteristisches rotes Flanellgewand gehüllt. Es war kaum zu glauben, dass sie dies damals auch getan hatten. Alex kam plötzlich ein Bild ins Gedächtnis: Ziggy und Mondo in einem eleganten Konfektionsgeschäft, wo sie ihre neuen Gewänder anprobierten. Alex und Weird hatten sich mit einem gebrauchten behelfen müssen, aber die Gelegenheit genutzt, sich im Dienst einer guten Sache schlecht zu benehmen, und die Geduld des Ladenpersonals bis zum Äußersten strapaziert. Jetzt kam ihnen dies alles sehr fremd und sehr weit weg vor, wie aus einem Film und nicht Teil ihrer eigenen Lebensgeschichte.

Als sie sich dem West Port näherten, erblickten sie durch die Steinbögen des wuchtigen Tors die vertraute Fassade der Lammas Bar. Weird blieb plötzlich stehen. »Das macht mich fertig. Ich kann das nicht ertragen, Alex. Komm, wir machen, dass wir hier wegkommen.«

Alex war nicht gerade unglücklich über diesen Vorschlag. »Also zurück nach Dundee?«

»Nein, ich glaube nicht. Ich bin doch zum Teil zurückgekom-

men, um diesen Graham Macfadyen wegen der Kränze zur Rede zu stellen. Nach St. Monans ist es doch nicht weit? Wir fahren hin und sehen mal, was er zu sagen hat.«
»Mitten am Tag – bestimmt ist er bei der Arbeit«, sagte Alex und beeilte sich, mit Weird Schritt zu halten, als sie zum Wagen zurückgingen.
»Wenigstens können wir einen Blick auf sein Haus werfen. Und vielleicht können wir nach dem Gespräch mit Professor Soanes noch mal hinfahren.« Wenn Weird in so einer Stimmung war, konnte man nicht mit ihm streiten, stellte Alex resigniert fest.

Macfadyen begriff nicht, was das sollte. Er hatte ab sieben Uhr morgens vor Gilbeys Haus gestanden und ein angenehmes Triumphgefühl verspürt, als der Wagen mit den beiden Männern weggefahren war. Die beiden Komplizen hatten ja offensichtlich etwas vor. Er war ihnen durch Fife nach Dundee hinein bis zur Small's Wynd gefolgt. Sobald sie in dem alten Sandsteingebäude waren, eilte er ihnen nach. Das Schild an der Tür mit der Aufschrift GERICHTSMEDIZINISCHES INSTITUT ließ ihn stutzen. Was suchten sie nur? Warum waren sie hier?
Was immer es war, sie hatten nicht viel Zeit dafür gebraucht. Innerhalb von zehn Minuten waren sie wieder draußen. Bei der Zufahrt auf die Tay-Brücke verlor er sie fast aus den Augen, schaffte es aber, sie einzuholen, als sie bremsten, um in die St. Andrews Road einzubiegen. Es war nicht ganz leicht gewesen, einen Parkplatz zu finden, und er hatte das Auto schließlich vor einer Einfahrt stehen lassen.
Als sie durch die Stadt gingen, hatte er sie im Auge behalten. Sie schienen kein bestimmtes Ziel zu haben, gingen zweimal wieder zurück und überquerten die North Street, Market Street und South Street. Zum Glück war Mackie so groß, dass er auf der Straße gut sichtbar und es nicht allzu schwer war, ihm zu folgen. Dann merkte er plötzlich, dass dieser anscheinend ziellose Spaziergang sie West Port immer näher brachte.

Sie waren auf dem Weg zur Lammas Bar. Sie hatten tatsächlich die Stirn, durch die Tür zu treten und den Ort zu besuchen, an dem sie seine Mutter zuerst ins Visier genommen hatten.

Obwohl es ein feuchtkalter Tag war, stand Macfadyen jetzt Schweiß auf der Oberlippe. Die Hinweise auf ihre Schuld nahmen von Stunde zu Stunde zu. Wären sie schuldlos, dann hätte der Respekt sie von der Lammas Bar fern gehalten. Aber er war ganz sicher, dass ihre Schuld sie wie ein Magnet anzog.

Er war so in seine Gedanken vertieft, dass er sie fast angerempelt hätte. Unerwartet waren sie mitten auf dem Gehweg stehen geblieben, während er weitergegangen war. Macfadyen wich ihnen mit abgewandtem Gesicht und heftig pochendem Herzen aus. Er trat schnell in einen Ladeneingang, schaute zurück und ballte die feuchten Hände in den Taschen zur Faust. Er konnte seinen Augen kaum trauen. Sie waren eingeknickt, hatten sich von West Port abgewendet und gingen jetzt die South Street hinunter in die Richtung, aus der sie gekommen waren.

Als sie durch eine ganze Reihe enger Gassen und Passagen gingen, musste er fast anfangen zu laufen, um sie im Blick zu behalten. Dass sie diese schmalen Straßen nahmen statt der größeren, schien Macfadyen ein klares Zeichen ihrer Schuldgefühle. Gilbey und Mackie versteckten sich vor der Welt und den anklagenden Blicken, die sie überall vermuten mussten.

Bis er zu seinem eigenen Wagen zurückkam, fuhren sie schon auf die Kathedrale zu. Fluchend setzte sich Macfadyen hinters Steuer und gab Vollgas. Er hatte sie fast eingeholt, als das Schicksal ihm einen grausamen Streich spielte. Am Ende von Kinkell Braes wurden Straßenarbeiten durchgeführt und der Verkehr auf der einzigen, jetzt befahrbaren Spur durch eine Ampel geregelt. Die Ampel schaltete auf Rot, und Gilbey schoss gerade noch durch, als wüsste er, dass es darauf ankam, zu entwischen. Wäre kein Fahrzeug zwischen ihnen gewesen, hätte Macfadyen es riskiert, einfach bei Rot durchzufahren. Aber ein Kleinlaster mit Autoersatzteilen versperrte ihm den Weg. Er schlug mit der Faust erbittert auf das Steuerrad und kochte vor Wut, als Minuten verstrichen, bis das grüne Licht endlich wieder aufleuchtete. Der Laster kroch langsam den Hügel hoch, Macfadyen dicht hinter ihm. Aber er konnte ihn erst zwei Meilen später überholen und wusste im Grunde seines Herzens, dass es unmöglich war, Gilbeys BMW noch einzuholen.

Er hätte weinen können, denn er hatte keine Ahnung, in welche Richtung sie gefahren waren. An diesem verwirrenden Morgen hatte es nichts gegeben, das ihm als Hinweis hätte dienen können. Er erwog, nach Hause zurückzukehren und nachzusehen, ob über seine Computer Neuigkeiten hereingekommen waren, fand es aber nicht sinnvoll. Das Internet würde ihm keinen Aufschluss darüber geben, wo Gilbey und Mackie waren.

Das Einzige, worauf er sich verlassen konnte, war, dass sie früher oder später wieder nach North Queensferry zurückkehren würden. Über sich selbst und seine Unfähigkeit fluchend, beschloss Macfadyen, es sei am besten, dorthin zurückzufahren.

Im gleichen Moment, als Graham Macfadyen die Ausfahrt passierte, auf der er hätte heimkehren können, standen Weird und Alex vor seinem Haus. »Zufrieden?«, fragte Alex. Weird war schon langsam den Weg hinaufgegangen und hatte erfolglos an die Tür geklopft. Dann versuchte er bei einem Rundgang um das Haus, durch die Fenster zu schauen. Alex war überzeugt, dass die Polizei, von irgendeinem neugierigen Nachbarn gerufen, jeden Moment kommen würde. Aber dies war keine Gegend, in der die Leute den ganzen Tag zu Hause waren.

»Wenigstens wissen wir, wo wir ihn finden können«, sagte Weird. »Sieht so aus, als wohnte er allein.«

»Wieso glaubst du das?«

Weird warf ihm einen Blick zu, der bedeuten sollte: *Du bist aber doof.*

»Nichts, was auf die Hand einer Frau hinweist, hm?«

»Absolut nichts«, sagte Weird. »Okay, du hattest recht, es war Zeitverschwendung.« Er schaute auf die Uhr. »Komm, wir suchen uns einen netten Pub und essen eine Kleinigkeit. Und dann können wir in das schöne Dundee zurückkehren.«

37

Professor David Soanes war ein pausbäckiger, kugelrunder Mann mit rosigen Wangen und weißen Löckchen, die ihm in die Stirn fielen und rund um seinen glänzend kahlen Schädel standen. Mit seinen leuchtend blauen Augen hatte er eine verwirrende Ähnlichkeit mit einem glatt rasierten Weihnachtsmann. Er führte Alex und Weird in einen winzigen Raum, der seinem Schreibtisch und zwei Stühlen für Besucher kaum genug Platz bot. Das Zimmer war spartanisch eingerichtet, der einzige Schmuck war ein Zertifikat, das Soanes als Ehrenbürger von Srebrenica auswies. Alex wollte sich lieber gar nicht vorstellen, was er getan haben musste, um sich diese Ehre zu verdienen.

Soanes bat sie, sich zu setzen, und machte es sich hinter seinem Schreibtisch bequem, wobei sein runder Bauch gegen die Kante stieß. Er schob die Lippen vor und betrachtete sie. »Fraser hat mir gesagt, dass Sie mit mir über den Fall Rosemary Duff sprechen wollten«, sagte er nach einer Weile. Der Tonfall seiner Stimme war so opulent und pflaumenweich wie ein Weihnachtspudding bei Dickens. »Ich habe zuerst eine oder zwei Fragen an Sie.«

Er blickte auf ein Blatt Papier vor sich. »Alex Gilbey und Tom Mackie, richtig?«

»Stimmt«, sagte Alex.

»Und Sie sind keine Journalisten?«

Alex holte seine Visitenkarte heraus und gab sie ihm. »Ich

habe eine Firma, die Grußkarten herstellt. Tom ist Pfarrer. Wir sind keine Journalisten.«
Soanes betrachtete die Karte genau und hob sie schräg gegen das Licht, um sich zu vergewissern, dass die Prägung echt war. »Wieso interessieren Sie sich für den Fall Rosemary Duff?«, fragte er abrupt.
Weird beugte sich vor. »Wir sind zwei der vier jungen Männer, die sie entdeckten, als sie vor fünfundzwanzig Jahren sterbend im Schnee lag. Sie hatten wahrscheinlich unsere Kleider unter Ihrem Mikroskop.«
Soanes neigte den Kopf leicht zur Seite. Die Fältchen um seine Augen zogen sich fast unmerklich zusammen. »Das war vor langer Zeit. Warum sind Sie jetzt hier?«
»Wir glauben, dass wir bei jemandem auf der Abschussliste stehen«, sagte Weird.
Diesmal hob Soanes beide Augenbrauen. »Jetzt kann ich Ihnen nicht mehr folgen. Was hat das mit mir oder Rosemary Duff zu tun?«
Alex legte die Hand auf Weirds Arm. »Zwei von den vieren, die in der Nacht damals dort waren, sind tot. Sie starben innerhalb einer Zeitspanne von sechs Wochen. Beide wurden ermordet. Ich weiß, das könnte einfach Zufall sein. Aber bei beiden Begräbnissen gab es gleiche Kränze, auf denen stand: ›Rosemary zum Gedächtnis‹. Und wir vermuten, dass diese Kränze von Rosie Duffs Sohn geschickt wurden.«
Soanes runzelte die Stirn. »Ich glaube, da sind Sie bei mir an der falschen Adresse, meine Herren. Sie sollten mit der Polizei von Fife sprechen, die zur Zeit alte Fälle wieder aufgenommen hat, unter anderem gerade diesen.«
Alex schüttelte den Kopf. »Ich habe das schon versucht, ACC Lawson hat mir praktisch erklärt, ich sei paranoid. Solche Zufälle kämen eben vor, und ich solle gehen und aufhören, mir Sorgen zu machen. Aber ich glaube, er irrt sich. Ich meine, jemand bringt uns um, weil er überzeugt ist, dass wir Rosie ermordet haben. Und die einzige Möglichkeit, aus dieser

schwierigen Lage herauszukommen, ist aufzuklären, wer tatsächlich der Täter war.«

Bei der Erwähnung von Lawsons Namen huschte ein merkwürdiger Ausdruck über Soanes' Gesicht. »Trotzdem verstehe ich immer noch nicht, wieso Sie hergekommen sind. Meine persönliche Beteiligung an dem Fall war vor fünfundzwanzig Jahren abgeschlossen.«

»Das ist nur darum so, weil die Beweisstücke verloren gegangen sind«, unterbrach Weird, der es nicht ertragen konnte, längere Zeit seine eigene Stimme nicht zu hören.

»Ich glaube, da irren Sie sich. Wir haben kürzlich für ein Kleidungsstück Analysen durchgeführt. Aber wir haben nichts gefunden, was für eine DNA-Untersuchung relevant wäre.«

»Sie hatten die Strickjacke«, sagte Alex. »Aber die wichtigen Stücke, an denen Blut und Sperma war, sind verloren gegangen.«

Unverkennbar erwachte jetzt Soanes' Interesse. »Die Original-Beweisstücke gingen verloren?«

»Das hat ACC Lawson mir gesagt«, antwortete Alex.

Soanes schüttelte ungläubig den Kopf. »Das ist ja erschreckend«, sagte er. »Wenn auch nicht unbedingt erstaunlich unter dieser Leitung.« Seine Stirn legte sich in missbilligende Falten. Alex fragte sich, was die Polizei von Fife sonst noch getan hatte, um Soanes' Missfallen zu erregen. »Also, ohne die hauptsächlichen Beweisstücke weiß ich eigentlich nicht, wie Sie glauben, dass ich Ihnen helfen kann.«

Alex holte tief Luft. »Ich weiß, Sie haben die Originaluntersuchungen des Falls gemacht. Und ich habe gehört, dass Experten der Gerichtsmedizin nicht immer jedes Detail in ihre Berichte einbeziehen. Ich habe mich gefragt, ob es etwas gab, das Sie sich vielleicht damals aufgeschrieben haben. Ich denke da besonders an Farbe. Weil die Strickjacke das Einzige ist, was nicht verloren wurde. Und nachdem sie die damals gefunden hatten, kamen sie und nahmen Farbproben von unserer Wohnung.«

»Und warum sollte ich Ihnen so etwas mitteilen, immer vorausgesetzt, dass es da etwas gäbe? Das ist wohl kaum üblich. Schließlich könnte man ja sagen, Sie waren Verdächtige.«

»Wir waren Zeugen, nicht Verdächtige«, sagte Weird ärgerlich. »Und Sie sollten es tun, weil es sehr schwierig für Sie sein wird, es vor Gott und Ihrem Gewissen zu verantworten, wenn Sie es unterlassen und wir ermordet werden.«

»Und weil Wissenschaftler der Wahrheit verpflichtet sein sollten«, fügte Alex hinzu. *Zeit, etwas zu riskieren,* dachte er. »Und ich habe das Gefühl, dass Sie ein Mann sind, der die Wahrheit zu seinem Aufgabenbereich zählt, ganz im Gegensatz zur Polizei, der es im Allgemeinen nur darum zu gehen scheint, dass sie irgendein Ergebnis bekommt.«

Soanes stützte sich mit einem Ellbogen auf den Schreibtisch und spielte an seiner Unterlippe, deren fleischige Innenseite zu sehen war. Er sah sie lange an, als müsse er etwas überlegen. Dann richtete er sich entschlossen auf und öffnete einen Hefter, der das Einzige war, was neben dem Blatt auf seinem Schreibtisch lag. Er warf einen Blick auf die Unterlagen, schaute dann auf und begegnete ihren erwartungsvollen Blicken. »Mein Bericht befasste sich hauptsächlich mit Blut und Sperma. Das Blut war ausschließlich von Rosie Duff, das Sperma stammte, so nahmen wir an, von dem Mörder. Weil derjenige, von dem das Sperma kam, Sekretor war, konnten wir die Blutgruppe feststellen.« Er blätterte zwei Seiten weiter. »Es gab auch Fasern von billigem braunem Teppichboden und zwei von einem anthrazitfarbenen Teppichmaterial, das von mehreren Autoherstellern in ihren Mittelklassewagen verwendet wird. Die Hundehaare stammten von dem Springerspaniel des Wirts, der den Pub führte, in dem sie arbeitete. Dies stand mit allen Details in meinem Bericht.«

Er bemerkte Alex' Enttäuschung und lächelte leicht. »Und dann gibt es da noch meine eigenen Notizen.«

Er zog ein Bündel handbeschriebener Blätter heraus. Einen

Augenblick sah er mit zusammengekniffenen Augen darauf, dann nahm er eine Lesebrille mit Goldrand aus seiner Westentasche und setzte sie auf. »Meine Handschrift war sozusagen immer schon eine Plage«, sagte er trocken. »Und ich habe dies seit Jahren nicht mehr angesehen. Also, wo waren wir ...? Blut ... Sperma ... Schlamm.« Er blätterte zwei dicht mit winzigen Buchstaben beschriebene Seiten um. »Haare ... Hier ist es – Farbe.« Er tippte mit dem Finger auf die Seite und blickte auf. »Was wissen Sie über Farbe?«

»Emulsionsfarbe für Wände, Glanzlack für Holz«, sagte Weird. »Das ist alles, was ich über Farbe weiß.«

Soanes lächelte zum ersten Mal. »Farbe besteht aus drei Hauptbestandteilen. Der Farbträger ist normalerweise Polymer. Das ist der feste Bestandteil, der an Ihrem Arbeitsanzug haften bleibt, wenn Sie ihn nicht sofort wegmachen. Dann gibt es das Lösungsmittel, meistens eine organische Flüssigkeit. Der Träger wird im Lösungsmittel aufgelöst, damit man für Pinsel oder Roller eine günstige Konsistenz beim Anstrich bekommt. Das Lösungsmittel ist für kriminaltechnische Belange selten wichtig, weil es gewöhnlich schon lange verdunstet ist. Schließlich gibt es noch das Pigment, das den Farbton abgibt. Unter den Pigmenten, die am häufigsten verwendet werden, hat man Titaniumdioxid und Zinkoxid für Weiß, Phthalocyanine für Blau, Zinkchromat für Gelb und Kupferoxid für Rot. Aber jede Charge hat ihre eigene mikroskopische Struktur. So ist es möglich, einen Farbfleck zu analysieren und zu bestimmen, was für eine Farbe es ist. Es gibt ganze Bibliotheken von Farbmustern, mit denen wir die einzelnen Proben vergleichen können.

Und natürlich sehen wir uns nicht nur die Farbe, sondern auch die Art des Flecks an. Ist es ein Spritzer? Ist es ein Tropfen? Oder ein abgekratzter Partikel?« Er hob einen Finger. »Bevor Sie mich weiter fragen, ich bin kein Experte für so etwas. Es ist nicht mein Spezialgebiet.«

»Das hätte ich Ihnen jetzt aber glatt abgenommen«, sagte

Weird. »Was steht also in Ihren Notizen über die Farbe an Rosies Jacke?«
»Ihr Freund kommt wirklich gern schnell zur Sache, was?«, sagte Soanes zu Alex, Gott sei Dank eher amüsiert als ärgerlich.
»Wir wissen doch, wie kostbar Ihre Zeit ist, das ist alles«, sagte Alex und schämte sich insgeheim seiner Kriecherei.
Soanes kehrte zu seinen Notizen zurück. »Das ist wahr«, sagte er. »Die Farbe, von der wir hier sprechen, war ein blassblaues aliphatisches Polyurethan-Email. Keine Farbe, die man oft für Wohnungen nimmt. Mehr so etwas, das man auf Booten oder auf Glasfasermaterial verwendet. Wir haben keine genaue Übereinstimmung mit den vorliegenden Mustern, allerdings eine Ähnlichkeit mit zwei Bootsfarben unserer Bibliothek gefunden. Und am interessantesten war das Profil der Tröpfchen, das die Form von winzigen Tränen hatte.«
Alex runzelte die Stirn. »Was bedeutet das?«
»Es heißt, dass die Farbe nicht nass war, als sie auf die Jacke kam. Es waren kleine, winzige Tropfen getrockneter Farbe, die ohne Zweifel von einer Oberfläche, auf der Rosie lag, auf ihre Kleidung gelangte. Wahrscheinlich war es ein Teppich.«
»Jemand hatte also an dem Platz, auf dem sie lag, etwas gestrichen? Und von der Farbe war etwas auf den Teppich getropft?«, fragte Weird.
»Das ist fast sicher. Aber ich muss noch einmal auf die merkwürdige Form der Tröpfchen zurückkommen. Wenn Farbe von einem Pinsel tropft oder auf einen Teppichboden spritzt, würden die Tröpfchen nicht so aussehen. Und alle die Tröpfchen, die wir in diesem Fall betrachtet haben, hatten die gleiche Form.«
»Warum haben Sie all das nicht in Ihrem Bericht geschrieben?«, fragte Alex.
»Weil wir es nicht erklären konnten. Es ist sehr gefährlich für die Anklage, wenn ein Experte als Zeuge aussagt: ›Ich weiß es

nicht.‹ Ein guter Verteidiger würde die Fragen nach der Farbe erst ganz am Schluss zur Sprache bringen. Dann würden sich die Geschworenen noch am besten an die Antwort meines Chefs erinnern, nachdem der zugeben musste, dass er die Antworten nicht kannte.« Soanes schob seine Unterlagen in den Hefter zurück. »Also haben wir es weggelassen.«

Jetzt also zur einzigen Frage, auf die es ankommt, dachte Alex. »Wenn Sie sich die Beweisstücke jetzt noch einmal betrachten würden, könnten Sie dann zu einem anderen Ergebnis kommen?«

Soanes sah ihn über seine Brille an. »Ich persönlich? Nein. Aber ein Experte für Kriminaltechnik könnte vielleicht schon eine brauchbarere Analyse liefern. Ihre Chancen, nach fünfundzwanzig Jahren noch die dazu passende Farbe zu finden, sind allerdings sehr gering.«

»Das soll unsere Sorge sein«, sagte Weird. »Könnten Sie das machen? Würden Sie es tun?«

Soanes schüttelte den Kopf. »Wie ich schon sagte, ich bin wirklich kein Experte auf dem Gebiet. Aber selbst wenn ich es wäre, könnte ich keine Untersuchungen ohne eine Anfrage von der Polizei von Fife durchführen lassen. Und man hat mich nicht um Analysen der Farbe gebeten.« Mit einer abschließenden Geste schlug er den Hefter zu.

»Warum nicht?«, fragte Weird.

»Ich nehme an, weil sie dachten, es wäre hinausgeworfenes Geld. Wie ich schon sagte, die Chancen, nach so langer Zeit noch die dazu passende Farbe zu finden, sind verschwindend gering.«

Alex sank ernüchtert auf seinem Stuhl zusammen. »Und ich werde Lawson nicht dazu bringen können, dass er seine Meinung ändert. Prima. Ich glaube, Sie haben gerade mein Todesurteil unterschrieben.«

»Ich habe nicht gesagt, dass es unmöglich sei, Analysen machen zu lassen«, sagte Soanes ruhig. »Sondern ich sagte, sie könnten nicht hier durchgeführt werden.«

»Wieso sollten sie irgendwo anders gemacht werden können?«, sagte Weird gereizt. »Niemand hat Proben davon.«
Soanes zupfte wieder an seiner Unterlippe. Dann seufzte er. »Wir haben keine Proben von Körpersubstanzen. Aber die Farbe haben wir noch. Ich habe nachgesehen, bevor Sie kamen.« Er schlug den Hefter wieder auf und nahm einen einzelnen Plastikbeutel heraus, der in Taschen unterteilt war. Darin lagen ein Dutzend Objektträger. Soanes nahm drei davon heraus und legte sie nebeneinander auf den Schreibtisch. Alex starrte begierig auf sie hinunter. Er konnte seinen Augen kaum trauen. Die Farbstückchen sahen wie winzige Flöckchen blauer Zigarettenasche aus.
»Könnte man die hier untersuchen?«, fragte er und wagte kaum darauf zu hoffen.
»Natürlich«, sagte Soanes. Er nahm eine Papiertüte aus seiner Schublade, legte sie auf die Objektträger und schob sie ein bisschen näher zu Alex und Weird hinüber. »Nehmen Sie sie mit. Wir haben noch welche, die wir unabhängig davon analysieren können, sollte etwas dabei herauskommen. Sie werden natürlich mit Ihrer Unterschrift bestätigen müssen, dass Sie sie erhalten haben.«
Weird streckte langsam die Hand aus und nahm die Objektträger. Vorsichtig steckte er sie in die Tüte und ließ sie in seine Tasche gleiten. »Danke«, sagte er. »Wo soll ich unterschreiben?«
Während Weird seinen Namen unten auf ein Formular kritzelte, blickte Alex Soanes neugierig an. »Warum tun Sie das?«, fragte er.
Soanes nahm seine Brille ab und steckte sie sorgfältig weg. »Weil ich ungelöste Rätsel hasse«, antwortete er und stand auf. »Fast so sehr wie schlampige Polizeiarbeit. Und außerdem würde es mir überhaupt nicht behagen, wenn ich Ihren Tod auf dem Gewissen hätte, sollte sich Ihre Theorie als korrekt erweisen.«

»Warum biegen wir hier ab?«, fragte Weird, als sie den Rand von Glenrothes erreichten und Alex den rechten Winker setzte.

»Ich will Lawson darüber informieren, dass Macfadyen die Kränze geschickt hat. Und ich will versuchen, ihn zu überreden, dass er Soanes beauftragt, die Farbproben, die er hat, zu analysieren.«

»Zeitverschwendung«, brummte Weird.

»Keine größere, als nach St. Monans zurückzufahren und an die Tür eines leeren Hauses zu klopfen.«

Weird sagte nichts dazu und ließ Alex zum Polizeipräsidium fahren. Am Tisch im Eingangsbereich fragte er, ob er Lawson sprechen könne. »Es ist wegen des Falles Rosemary Duff«, sagte er. Sie wurden in ein Wartezimmer geführt, wo sie die Poster über Kartoffelkäfer, vermisste Personen und Gewalt in Familien betrachteten. »Erstaunlich, wie schuldig man sich fühlt, wenn man einfach nur hier sitzt«, murmelte Alex.

»Ich nicht«, sagte Weird. »Aber ich bin ja auch einer höheren Stelle gegenüber verantwortlich.«

Ein paar Minuten danach kam eine untersetzte Frau zu ihnen herein. »Ich bin DC Pirie«, sagte sie. »Leider ist ACC Lawson nicht zu sprechen. Aber ich leite die Untersuchung des Falles Rosemary Duff.«

Alex schüttelte den Kopf. »Ich will Lawson sehen. Ich warte.«

»Ich fürchte, das wird nicht möglich sein. Er hat zwei Tage Urlaub.«

»Angeln gegangen«, sagte Weird spöttisch.

Karen Pirie war darauf nicht gefasst, und bevor sie sich stoppen konnte, rutschte es ihr heraus: »Ja, stimmt zufällig. Am Loch …«

Weird sah noch überraschter aus als sie. »Wirklich? Ich hab das nur so hingesagt.«

Karen bemühte sich, ihre Verwirrung zu verbergen. »Sie sind Mr. Gilbey, nicht wahr?«, sagte sie und sah Alex scharf an.

»Stimmt. Wie wussten Sie …?«

»Ich habe Sie bei Dr. Kerrs Beerdigung gesehen. Mein Beileid.«

»Deshalb sind wir hier«, sagte Weird. »Wir glauben, dass die gleiche Person, die David Kerr umgebracht hat, auch vorhat, uns zu töten.«

Karen holte tief Luft. »ACC Lawson hat mich über sein Gespräch mit Mr. Gilbey informiert. Und wie er Ihnen damals schon sagte«, fuhr sie fort und sah Alex an, »gibt es wirklich keinen Grund für Ihre Befürchtungen.«

Von Weird kam ein kurzes frustriertes Lachen. »Und wenn wir Ihnen mitteilen, dass es Graham Macfadyen war, der diese Kränze geschickt hat?«

»Kränze?« Karen schien völlig ratlos.

»Ich dachte, Sie hätten gesagt, Sie seien informiert worden«, versuchte Weird sie zu provozieren.

Alex mischte sich ein und fragte sich dabei flüchtig, wie Sünder wohl mit Weird zurechtkamen. Er erzählte Karen von dem merkwürdigen Grabschmuck und war erfreut, dass sie das ernst zu nehmen schien.

»Das ist seltsam, gebe ich zu. Aber es ist noch kein Hinweis darauf, dass Mr. Macfadyen herumläuft und Leute umbringt.«

»Wie sollte er sonst von den Morden erfahren haben?«, fragte Alex, denn er suchte darauf ehrlich eine Antwort.

»Das ist doch die Frage, nicht wahr«, verlangte Weird zu wissen.

»Er hätte über Dr. Kerrs Tod in der Zeitung lesen können. Es wurde ausführlich darüber berichtet. Und ich denke mir, es dürfte wohl nicht schwer gewesen sein, Kenntnis von Mr. Malkiewicz' Tod zu erhalten. Das Internet hat die Welt sehr klein werden lassen«, sagte Karen.

Alex war wieder tief enttäuscht. Warum sträubten sich alle so sehr gegen das, was für ihn offensichtlich zu sein schien? »Aber warum sollte er die Kränze schicken, wenn er uns nicht für den Tod seiner Mutter verantwortlich halten würde?«

»Glauben, dass Sie verantwortlich sind, ist noch ein ganzes Stück weit von einem Mord entfernt«, sagte Karen. »Mir ist klar, dass Sie sich bedrängt fühlen, Mr. Gilbey. Aber das, was Sie mir geschildert haben, überzeugt mich nicht davon, dass Sie in Gefahr sind.«

Weird sah aus, als sei er einem Schlaganfall nahe. »Wie viele von uns müssen sterben, bis Sie uns ernst nehmen?«

»Hat jemand Sie bedroht?«

Mit einem finsteren Blick sagte Weird: »Nein.«

»Hat es Anrufe gegeben, bei denen jemand ohne Erklärung aufgelegt hat?«

»Nein.«

»Und haben Sie jemanden bemerkt, der sich in der Umgebung Ihres Hauses herumtreibt?«

Weird sah Alex an, der den Kopf schüttelte.

»Dann tut es mir leid, ich kann nichts für Sie tun.«

»Doch, Sie können etwas tun«, sagte Alex. »Sie können eine neue Analyse der Farbe anfordern, die auf Rosie Duffs Strickjacke gefunden wurde.«

Karen riss erstaunt die Augen auf. »Wie haben Sie über die Farbe erfahren?«

Vor lauter Frustration klang Alex' Stimme schneidend scharf. »Wir waren Zeugen. Eigentlich sogar Verdächtige, nur dass man uns nicht so nannte. Glauben Sie, wir haben nicht bemerkt, dass Ihre Kollegen an unseren Wänden herumkratzten und überall mit Klebeband an unseren Teppichboden rangingen? Wie wär's, DC Pirie? Wie wär's, wenn Sie jetzt tatsächlich herauszufinden versuchten, wer Rosie Duff umgebracht hat?«

Durch seine Worte aufgebracht, richtete Karen sich auf. »Genau das habe ich die letzten zwei Monate getan, Sir. Und die offizielle Sicht der Dinge ist, dass eine Farbanalyse nicht kosteneffektiv wäre, da es nach so langer Zeit sehr unwahrscheinlich ist, dass sich irgendeine Übereinstimmung finden lässt.«

Der Zorn, den Alex schon tagelang zurückgehalten hatte, stieg jetzt plötzlich in ihm hoch. »Nicht kosteneffektiv? Wenn es irgendeine Möglichkeit gibt, dann sollten Sie ihr nachgehen«, rief er. »Sie haben ja sonst keine aufwendigen kriminaltechnischen Untersuchungen durchzuführen, oder? Jetzt nicht mehr, da Sie die einzigen Beweisstücke verloren haben, die endlich unsere Namen vom Verdacht hätten befreien können. Haben Sie eine Ahnung, was ihr alle hier uns damals durch eure Unfähigkeit angetan habt? Sie haben unser Leben ruiniert. Er wurde zusammengeschlagen …« Er zeigte auf Weird. »Ziggy wurde in das Flaschenverlies hinuntergeworfen. Dabei hätte er umkommen können. Mondo hat versucht, Selbstmord zu begehen, und Barney Maclennan ist deshalb umgekommen. Und wenn Jimmy Lawson nicht im richtigen Moment gekommen wäre, wäre auch ich furchtbar verprügelt worden. Stellen Sie sich also nicht hin und reden über Kosten. Erledigen Sie einfach Ihren Scheißjob.« Alex drehte sich auf dem Absatz um und stürmte hinaus.

Weird hielt stand und sah Karen Pirie unverwandt an. »Sie haben gehört, was er gesagt hat«, sagte er. »Richten Sie Jimmy Lawson aus, er soll seine Angelrute einholen und dafür sorgen, dass wir am Leben bleiben.«

38

James Lawson schlitzte den Bauch auf, fuhr mit der Hand in die Höhlung und umfasste mit den Fingern die glitschigen Eingeweide. Seine Lippen zuckten angeekelt, die Berührung der schlüpfrigen inneren Organe mit seiner Haut ließ ihn schaudern. Er zog die Gedärme heraus und passte auf, dass kein Blut und Schleim von der Zeitung rann, die er vorher darunter ausgebreitet hatte. Dann legte er die Forelle zu den anderen dreien, die er an diesem Nachmittag gefangen hatte.

Keine schlechter Schnitt in dieser Jahreszeit, dachte er. Er würde sich zwei zum Abendessen braten und die anderen in den winzigen Kühlschrank des Wohnwagens legen. Das würde ein gutes Frühstück geben, bevor er morgen früh zur Arbeit zurückkehrte. Er stand auf und schaltete die Pumpe an, die das kleine Waschbecken mit einem kalten Wasserstrahl füllte. Wenn er nächstes Mal zu seinem Versteck am Ufer des Loch Leven herauskam, nahm er sich vor, zwei Zwanzig-Liter-Kanister mitzubringen. Heute früh hatte er den Reservekanister in den Tank entleert, und obwohl er sich immer darauf verlassen konnte, dass der Farmer, der ihm den Standplatz vermietete, in einem Notfall aushelfen würde, wollte Lawson seine Gutmütigkeit nicht ausnutzen. In den zwanzig Jahren, seitdem er den Wohnwagen hier heraufgebracht hatte, war er immer allein hier gewesen. Er mochte das. Nur er, sein Radio und ein Stoß Krimis. Ein stiller Ort, wo er den Zwängen der Arbeit und des Familienlebens entkommen und seine Energien aufladen konnte.

Er öffnete eine Dose neuer Kartoffeln, schüttete das Wasser ab und schnitt sie in Würfel. Während er wartete, bis die große Bratpfanne für die Fische und die Kartoffeln heiß war, wickelte er die Fischabfälle sorgfältig in Zeitungspapier und in eine Plastiktüte. Er würde nach dem Essen Haut und Gräten dazutun, die Tüte fest zubinden und sie, bis er sie morgen früh mitnahm, auf die Stufen des Wohnwagens legen. Es gab nichts Schlimmeres, als beim Gestank von Fischresten schlafen zu müssen.

Lawson ließ ein Stück Schweinefett in der Pfanne zerschmelzen und tat dann die Kartoffeln dazu. Er rührte sie um, und während sie langsam bräunten, legte er die zwei Forellen sorgfältig in die Pfanne und fügte einen Spritzer Zitronensaft hinzu. Das vertraute Zischen und Krachen munterte ihn auf, ebenso der vielversprechende köstliche Duft. Als das Essen fertig war, tat er es auf einen Teller und setzte sich an den Tisch, um es zu genießen. Perfektes Timing. Die vertraute Erkennungsmelodie seiner Lieblingsserie *The Archers* ertönte aus dem Radio, als er sein Messer unter die knusprige Haut der ersten Forelle schob.

Als er halb fertig war, hörte er etwas, das er nicht unbedingt hören wollte. Eine Autotür schlug zu. Das Radio hatte das sich nähernde Motorengeräusch übertönt, aber das Schließen der Tür war so laut, dass es die Geschichte vom Landleben im Radio übertönte. Lawson erstarrte zunächst, schaltete dann die Sendung aus und horchte auf Geräusche von draußen. Verstohlen zog er den Vorhang etwas zur Seite. Direkt vor dem Tor zum Feld konnte er die Umrisse eines Autos erkennen. Klein bis mittelgroß mit Hecktür, schätzte er. Ein Golf, Astra oder Focus. Etwas in der Art. Es war schwer, in der Dunkelheit Genaueres zu erkennen. Er suchte mit den Augen den Platz zwischen dem Tor und seinem Wohnwagen ab. Nichts regte sich.

Beim Klopfen an der Tür blieb ihm fast das Herz stehen. Wer war das nur, verdammt? Soweit er wusste, waren die einzigen Leute, die seine Unterkunft beim Fischen kannten, der Farmer und seine Frau. Er hätte niemals Kollegen oder Freunde hierher gebracht. Wenn sie zusammen angeln gegangen waren, hatte er sie weiter drüben am Ufer in seinem Boot getroffen, denn er war entschlossen, sich seine Ruhe zu bewahren.

»Moment«, rief er, stand auf, ging auf die Tür zu und hielt nur kurz an, um sich sein rasiermesserscharfes Weidmesser zu schnappen. Es gab viele Kriminelle, die vielleicht der Meinung waren, sie hätten eine Rechnung zu begleichen, und er würde sich nicht schutzlos erwischen lassen. Einen Fuß hatte er hinter die Tür gestellt und öffnete sie nur einen Spalt.

In dem schmalen Lichtschein, der auf die Stufen hinausfiel, stand Graham Macfadyen. Lawson brauchte einen Augenblick, bis er ihn erkannte. Seit ihrem letzten Treffen hatte der Mann abgenommen. Seine Augen glänzten fiebrig über den eingefallenen Wangen, und sein Haar war strähnig und fettig.

»Was tun Sie hier, zum Teufel?«, rief Lawson.

»Ich muss mit Ihnen sprechen. Man sagte mir, Sie hätten zwei Tage Urlaub, da dachte ich, Sie müssten wohl hier sein.« Macfadyen klang ganz normal, als sei es nichts Ungewöhnliches, wenn irgendein x-beliebiger Mensch im Anglerparadies vor dem Wohnwagen auftauchte, der dem stellvertretenden Polizeichef gehörte.

»Wie haben Sie mich hier bloß gefunden?«, fragte Lawson und klang vor Angst gereizt.

Macfadyen zuckte die Schultern. »Man kann heutzutage alles herausfinden. Sie haben dem *Fife Record* bei Ihrer letzten Beförderung ein Interview gegeben. Es ist auf Ihrer Website. Sie sagten, dass Sie gern angeln und dass Sie an den Loch Leven hinauffahren. Es gibt nicht viele Straßen, die nahe ans Wasser führen. Ich bin einfach herumgefahren, bis ich Ihr Auto gesehen habe.«

In seiner Haltung und seinem Tonfall lag etwas, das Lawson ein eisiges Gefühl von Furcht einflößte. »Das gehört sich nicht«, sagte er. »Kommen Sie zu mir ins Büro, wenn Sie über polizeiliche Dinge reden wollen.«

Macfadyen schien verärgert. »Es ist wichtig. Es kann nicht warten. Und ich spreche zu niemand sonst darüber. Sie verstehen doch meine Lage. Sie sind derjenige, mit dem ich sprechen muss. Jetzt bin ich hier. Warum hören Sie mich nicht an? Sie müssen mir zuhören, ich bin der Mann, der Ihnen helfen kann.«

Lawson wollte die Tür schließen, aber Macfadyen hob die Hand und drückte dagegen. »Ich bleibe hier draußen stehen und schreie, wenn Sie mich nicht reinlassen«, sagte er. Die Gleichgültigkeit seiner Stimme passte schlecht zu der Entschlossenheit seines Gesichtsausdrucks.

Lawson wägte die Möglichkeiten ab. Macfadyen machte ihm nicht den Eindruck, eventuell gewaltsam zu werden. Aber man wusste nie. Allerdings hatte er ja ein Messer, wenn es drauf ankam. Es war besser, den Mann anzuhören und ihn dann loszuwerden. Er machte die Tür auf und trat zurück, wandte seinem unwillkommenen Besucher aber keinen Moment den Rücken zu.

Macfadyen folgte ihm nach drinnen. Es war wie die Parodie einer normalen Unterhaltung, als er grinsend sagte: »Sie haben es sehr gemütlich hier.« Dann fiel sein Blick mit Bedauern auf den Tisch. »Ich habe Sie beim Essen gestört. Das tut mir wirklich leid.«

»Geht schon in Ordnung«, log Lawson. »Worüber wollten Sie mit mir sprechen?«

»Sie kommen zusammen. Sie versammeln sich und versuchen, ihrem Schicksal zu entgehen«, sagte Macfadyen, als sei das eine Erklärung.

»Wer kommt zusammen?«, fragte Lawson.

Macfadyen seufzte, als sei er frustriert über einen besonders begriffsstutzigen Lehrling. »Die Mörder meiner Mutter«,

sagte er. »Mackie ist wieder da. Er ist zu Gilbey gezogen. Nur so fühlen sie sich sicher. Aber natürlich täuschen sie sich. Das wird sie nicht schützen. Ich habe nie zuvor an das Schicksal geglaubt, aber anders kann man das nicht beschreiben, was den vieren in letzter Zeit zugestoßen ist. Gilbey und Mackie spüren das bestimmt auch. Sie müssen Angst haben, dass die Zeit für sie genauso abläuft wie für ihre Freunde. Und natürlich ist das ja auch so. Außer wenn sie entsprechend dafür bezahlen. Dass sie so zusammenkommen, ist wie ein Geständnis. Das müssen Sie doch begreifen.«
»Sie mögen wohl recht haben«, sagte Lawson, der um Versöhnlichkeit bemüht war. »Aber es ist kein Geständnis, das auch vor einem Gericht Bestand haben würde.«
»Das weiß ich«, sagte Macfadyen ungeduldig. »Aber jetzt sind sie am verwundbarsten. Sie haben Angst. Es ist an der Zeit, diese Schwäche zu nutzen, um einen Keil zwischen sie zu treiben. Sie müssen sie jetzt verhaften, müssen sie zwingen, die Wahrheit zu sagen. Ich habe sie beobachtet. Sie könnten jeden Moment durchknallen.«
»Wir haben keine Beweise«, sagte Lawson.
»Sie werden gestehen. Was für Beweise brauchen Sie da noch?« Macfadyen hielt die ganze Zeit den Blick auf den Polizeibeamten gerichtet.
»Das denken die Leute oft. Aber nach schottischem Recht ist ein Geständnis allein nicht genug, um jemanden zu verurteilen. Man braucht zusätzliche Beweise zur Bestätigung.«
»Das kann doch nicht richtig sein«, protestierte Macfadyen.
»So steht's im Gesetz.«
»Sie müssen etwas tun. Bringen Sie sie dazu, dass sie gestehen, und dann suchen Sie Beweise, die vor Gericht Bestand haben. Das ist Ihre Aufgabe«, sagte Macfadyen mit immer lauter werdender Stimme.
Lawson schüttelte den Kopf. »So läuft das nicht. Hören Sie, ich verspreche Ihnen, ich werde mit Mackie und Gilbey reden. Aber mehr kann ich nicht tun.«

Macfadyen ballte die rechte Hand zur Faust »Es ist Ihnen egal, was? Keinen von euch kümmert es.«
»Doch, ich kümmere mich darum«, sagte Lawson. »Aber ich muss mich innerhalb der Gesetze bewegen. Und Sie auch, Sir.«
Aus Macfadyens Kehle drang ein merkwürdiger Laut wie das Würgen eines Hundes, der an einem Hühnerknochen nagt. »Sie sollten es aber verstehen«, sagte er bitter, packte den Griff und riss die Tür auf, so dass sie knallend nach hinten gegen die Wand flog.
Dann war er fort, von der Dunkelheit draußen verschluckt. Die feuchte, kalte Nachtluft drang in den gemütlichen Mief des Wohnwagens, und der scharfe Geruch von den Marschen verdrängte den Kochdunst.
Nachdem Graham Macfadyens Wagen schwankend den Weg rückwärts hinaufgefahren war, stand Lawson noch lange mit besorgtem Blick in der Tür.

Lynn würde ihnen den Kontakt zu Jason McAllister ermöglichen. Aber sie würde Davina niemandem überlassen, nicht einmal Alex. Und deshalb war das, was eine einfache morgendliche Fahrt nach Bridge of Allan hätte sein können, zu einer Großaktion geworden. Es ist erstaunlich, was man alles für ein Baby mitnehmen muss, dachte Alex, als er, gebeugt unter dem Gewicht von Davina und dem Kindersitz zum dritten und letzten Mal Sachen zum Auto hinaustrug. Der Kinderwagen, der Rucksack mit Windeln, Wischtüchern, Mull-Läppchen, zweimal Kleider zum Umziehen, nur für den Notfall. Extradecken, auch nur für den Notfall. Ein frischer Pullover für Lynn, weil das kleckernde Erbrochene nicht immer auf dem Mull-Läppchen landete. Das Tragetuch. Er war nur erstaunt, dass er die Spüle in der Küche zurücklassen durfte.
Er steckte den hinteren Sicherheitsgurt durch die Öffnungen an dem tragbaren Sitz und prüfte, wie sicher er saß. Nie zuvor

hatte er sich Gedanken über die Stärke von Sicherheitsgurten gemacht, aber jetzt fragte er sich plötzlich, wie zuverlässig sie bei Belastung wohl sein würden. Er beugte sich in den Wagen, zog Davinas Fleecemütze gerade und küsste seine schlafende Tochter. Als sie sich bewegte, hielt er ängstlich den Atem an. Bitte, lass sie nicht den ganzen Weg nach Bridge of Allan schreien, betete er. Er glaubte, er würde dann mit den Schuldgefühlen nicht fertig werden.

Lynn und Weird kamen heraus, und alle stiegen ins Auto. Ein paar Minuten später waren sie auf der Autobahn. Weird tippte ihm auf die Schulter. »Auf der Autobahn solltest du schneller als vierzig Meilen die Stunde fahren«, sagte er. »Sonst kommen wir zu spät.«

Trotz der Sorge um seine kostbare Fracht drückte Alex gehorsam aufs Gaspedal. Er war genauso darauf erpicht wie Weird, ihre Ermittlungen voranzutreiben. Jason McAllister schien genau der Mann zu sein, der sie den nächsten Teil des Weges führen konnte. Lynns Arbeit als Restauratorin von Gemälden für die schottische Nationalgalerie hatte sie zur Expertin für die Farben gemacht, die Maler in verschiedenen Epochen benutzten. Dazu hatte sie auch ihren eigenen Fachmann finden müssen, der die Proben der Originale analysieren konnte, damit sie die Farbe, die sie verwendete, möglichst optimal anpassen konnte. Und natürlich ging es manchmal auch darum, die Echtheit eines bestimmten Werkes zu überprüfen. Dann mussten die Farbproben ausgewertet werden, um herauszufinden, ob sie aus der richtigen Zeit stammten und zu dem Material passten, das vom gleichen Maler für andere Bilder mit einwandfreier Herkunft verwendet worden war. Der Mann, den sie gefunden hatte, um diese wissenschaftliche Überprüfung durchzuführen, war Jason McAllister.

Er arbeitete in einem privaten kriminaltechnischen Labor in der Nähe der Universität Stirling. Den größten Teil seines Berufslebens hatte er damit zugebracht, Farbfragmente aus Verkehrsunfällen entweder für die Polizei oder für Versicherungen zu untersuchen. Gelegentlich ergab sich eine interessante Ablenkung durch einen Mordfall, eine Vergewaltigung oder einen Überfall, aber das kam zu selten vor, um Jason genug Gelegenheiten zum Einsatz seines Talents zu bieten.

Bei einer privaten Vorschau auf eine Poussin-Ausstellung hatte er Lynn aufgespürt und ihr erzählt, dass Farben seine Leidenschaft seien. Zuerst hatte sie ihn für einen etwas albernen jungen Mann gehalten, der großspurig behauptete, mit großer Kunst auf Du und Du zu stehen. Dann ging ihr auf, dass er genau das meinte, was er gesagt hatte. Nicht mehr und nicht weniger. Nicht das, was auf der Leinwand abgebildet war, war Gegenstand seiner Leidenschaft, sondern die Struktur der Substanz, mit deren Hilfe das Gemälde hergestellt wurde. Er gab ihr seine Karte und bat sie, ihm zu versprechen, dass sie ihn, wenn sie wieder ein Problem hätte, anrufen würde. Er versicherte ihr mehrmals, er werde besser sein als jeder, den sie sonst um Hilfe bat, wer immer es auch sein mochte.

Und zufällig hatte Jason an diesem Abend Glück. Lynn hatte den aufgeblasenen Trottel satt, auf den sie sich verlassen musste. Er gehörte zur alten Edinburgher Schule, deren Mitglieder nicht aufhören konnten, sich Frauen gegenüber herablassend zu geben. Obwohl er eigentlich nur Labortechniker war, behandelte er Lynn wie eine Assistentin, deren Meinung nichts zählte. Lynn hatte es davor gegraut, wieder mit ihm zusammenzuarbeiten, besonders da sie den Auftrag für eine wichtige Restauration erwartete. Jason schien ein Geschenk des Himmels zu sein. Es kam von Anfang an nie vor, dass er mit ihr von oben herab sprach. Wenn überhaupt, gab es eher das umgekehrte Problem. Er neigte dazu anzunehmen, dass sie ihm auf seinem Fachgebiet ebenbürtig sei, und sie wusste schon gar nicht mehr, wie oft sie ihn hatte bitten müssen, langsamer zu sprechen und sich in normalem Englisch auszudrücken. Aber das war doch unendlich viel angenehmer als die Alternative.

Als Alex und Weird mit einer Tüte Farbproben nach Hause gekommen waren, hatte Lynn zehn Minuten später schon Jason an der Strippe. Genau wie sie erwartete, hatte er wie ein Kind reagiert, das gerade erfahren hat, es dürfe den nächsten Sommer in Disneyland verbringen. »Ich habe jetzt gleich eine Besprechung, aber um zehn bin ich frei.«

Auf Alex' Vorschlag hatte sie versucht, ihm zu sagen, sie würden sein Honorar privat bezahlen. Aber er hatte ihr Angebot von sich gewiesen. »Wozu hat man denn Freunde?«, hatte er gefragt. »Außerdem kommt mir die Autofarbe schon zu den Ohren raus. Du rettest mich davor, an Langeweile zu sterben. Rück sie schon raus, meine Liebe.«

Das Labor war ein überraschend schönes, modernes, einstöckiges Gebäude, das auf einem eigenen Grundstück ein Stück von der Straße entfernt stand. Die Fenster lagen hoch oben an den braunen Backsteinwänden, und die Überwachungskameras waren so ausgerichtet, dass sie jeden aufnahmen, egal, aus welcher Richtung er sich näherte. Sie mussten an zwei Sicherheitstüren auf das Summen des Türöffners warten, bevor sie zur Rezeption kamen. »Ich habe schon Gefängnisse besucht, in denen die Sicherheitsvorkehrungen weniger streng waren«, lautete Weirds Kommentar. »Was machen die denn hier? Werden hier etwa Massenvernichtungswaffen hergestellt?«

»Sie erledigen Aufträge für den Obersten Gerichtshof. Und für die Verteidigung«, erklärte Lynn, als sie auf Jason warteten. »Deshalb müssen sie zeigen können, dass Beweismaterial in ihrer Verwahrung sicher aufgehoben ist.«

»Sie analysieren also auch DNA und all so was?«, fragte Alex.

»Warum? Hast du Zweifel an deiner Vaterschaft?«, neckte ihn Lynn.

»Damit werde ich warten, bis sie sich zu einem wilden Teenager entwickelt hat«, sagte Alex. »Nein, ich bin nur neugierig.«

»Sie untersuchen DNA und Haare und Fasern ebenso wie

Farbe«, antwortete Lynn. Während sie sprach, trat ein stämmiger Mann an sie heran und legte einen Arm um ihre Schulter.
»Du hast deine Kleine mitgebracht«, sagte er und beugte sich hinunter, um in die Tragetasche zu sehen. »Oh, die ist ja süß.« Er lächelte Lynn zu. »Die meisten Babys sehen doch aus, als hätte der Hund auf ihrem Gesicht gesessen. Aber sie sieht wie ein richtiger kleiner Mensch aus.« Er richtete sich auf. »Ich bin Jason«, sagte er und blickte unsicher von Weird zu Alex.
Sie stellten sich vor. Alex betrachtete das Stirling-Albion-Hemd, die Cargohose mit großen weiten Taschen und die stachelig hochstehenden Haare, deren Spitzen in einem unnatürlichen Blondton gefärbt waren. Oberflächlich betrachtet sah Jason aus, als wäre er mit einer schicken Flasche Bier in der Hand freitagabends in jedem Pub zu Hause. Aber sein Blick war scharf und wach und seine Körperhaltung ruhig und beherrscht. »Hier lang«, wies Jason sie an. »Lass mich das Baby tragen«, fügte er hinzu und nahm die Babytragetasche. »Sie ist wirklich niedlich.«
»Um drei Uhr morgens würdest du das vielleicht nicht sagen«, meinte Lynn mit offensichtlichem Mutterstolz.
»Vielleicht nicht. Übrigens, es tut mir leid wegen deines Bruders«, sagte er und sah verlegen über die Schulter zu Lynn zurück. »Das muss ja schrecklich gewesen sein.«
»Es war nicht leicht«, sagte Lynn und folgte Jason durch den schmalen Korridor, dessen Wände zart hellblau gestrichen waren. Als sie am Ende angekommen waren, führte sie Jason in ein beeindruckendes Labor. Geheimnisvolle Apparate glänzten in jeder Ecke. Die Arbeitsflächen waren sauber und ordentlich, und der Techniker, der durch eine Art Rohr sah – Alex hielt es für ein futuristisches Mikroskop –, zuckte nicht mit der Wimper, als sie geräuschvoll hereinkamen. »Ich habe das Gefühl, den Raum hier schon allein durch meinen Atem zu verunreinigen«, sagte er.
»Bei Farbe ist das nicht so problematisch«, antwortete Jason.

»Wenn ich mit DNA arbeiten würde, könntet ihr hier nicht so einfach reinkommen. Also, jetzt sagt mir noch mal, was ihr für mich habt.«

Alex fasste das zusammen, was Soanes ihm am vorhergehenden Nachmittag erklärt hatte. »Soanes meint, die Wahrscheinlichkeit, eine entsprechende Farbe zu finden, sei gering, aber vielleicht könnten Sie auf Grund der Tropfenform etwas Neues herausbekommen«, fügte er hinzu.

Jason betrachtete die Objektträger. »Sie scheinen sie jedenfalls gut erhalten zu haben, was von Vorteil ist.«

»Was werden Sie damit machen?«, fragte Weird.

Lynn stöhnte. »Ich wünschte, du hättest das nicht gefragt.«

Jason lachte. »Beachten Sie sie nicht, sie tut nur gern so, als hätte sie keine Ahnung. Wir haben eine ganze Reihe von Methoden, mit denen wir den Träger und das Pigment analysieren. Außer der Mikrospektrofotometrie, mit der wir den Farbton feststellen, können wir noch eine gründlichere Untersuchung machen, um die Zusammensetzung der Farbproben herauszubekommen. Die infrarote Fourier-Spektrometrie, die pyrolytische Gaschromatographie und die Elektronenmikroskopie. Diese Art von Untersuchungen.«

Weird schien verwirrt. »Und was können Sie damit herausfinden?«, fragte Alex.

»Allerhand. Wenn es ein abgebrochenes Stückchen ist, die Art der Oberfläche, von der es stammt. Bei Autofarben analysieren wir die verschiedenen Schichten und bekommen so eine Datensammlung, nach der wir die Marke, das Modell und das Baujahr bestimmen können. Bei Tropfen können wir so ziemlich das Gleiche machen, obwohl wir natürlich keine Einzelheiten zur Oberfläche bekommen, weil die Farbe niemals auf eine Oberfläche aufgetragen wurde.«

»Wie lange wird das alles dauern?«, fragte Weird. »Wir sind nämlich etwas unter Druck, Zeitdruck.«

»Ich werde es in meiner Freizeit machen. Zwei Tage? Ich werde so schnell wie möglich arbeiten. Aber ich will ja nichts weniger als beste Arbeit leisten. Wenn Sie recht haben in der Sache, könnten wir zum Schluss alle vor Gericht aussagen müssen, und da will ich nichts verkürzen. Ich gebe Ihnen auch eine Bestätigung, dass ich diese Proben von Ihnen erhalten habe, nur für den Fall, dass irgendjemand später versuchen sollte, etwas anderes zu behaupten.«

»Danke dir, Jason«, sagte Lynn. »Ich steh in deiner Schuld.«

Er grinste. »Das mag ich bei einer Frau.«

39

Jackie Donaldson hatte gelegentlich über ein Klopfen an der Tür am frühen Morgen geschrieben, darüber, wie jemand zum wartenden Polizeiauto geführt wurde, über die schnelle Fahrt durch leere Straßen und das absolut zermürbende Warten in einem engen Raum, der nach anderen Leuten roch. Aber es war ihr nie eingefallen, dass sie dies eines Tages selbst erleben würde, anstatt es zu beschreiben.

Sie war durch die summende Klingel aus dem Schlaf gerissen worden, hatte festgestellt, wie spät es war – 03.47 –, stolperte zur Tür und zog dabei ihren Morgenmantel über. Als Detective Inspector Darren Heggie seinen Namen durch die Sprechanlage gerufen hatte, war ihr erster Gedanke gewesen, dass Hélène etwas Schreckliches passiert sein könnte. Sie begriff nicht, warum er zu dieser Zeit Zutritt verlangte. Aber sie machte keine Einwände. Sie wusste, es wäre Zeitverschwendung.

Heggie hatte mit einer Frau in Zivil und zwei uniformierten Polizisten, die als Letzte etwas verlegen hereinschlurften, geräuschvoll ihre Wohnung betreten. Heggie verschwendete keine Zeit mit Geplauder. »Jacqueline Donaldson, ich nehme Sie fest wegen des Verdachts auf Verabredung zum Mord. Sie können sechs Stunden ohne Verhaftung festgehalten werden und haben das Recht, mit einem Anwalt Kontakt aufzunehmen. Sie brauchen nichts außer Ihren Namen und Ihre Adresse anzugeben. Verstehen Sie den Grund für Ihre Festnahme?«

Sie stieß ein kurzes, verächtliches Lachen aus. »Ich verstehe, dass Sie das Recht dazu haben. Aber ich verstehe nicht, *warum* Sie es tun.«

Jackie hatte Heggie noch nie gemocht, sein spitzes Kinn, die kleinen Augen, den schlechten Haarschnitt, den billigen Anzug und seinen angeberischen Gang. Aber er war höflich gewesen, bei ihren früheren Treffen sogar irgendwie schüchtern. Jetzt war er jedoch kurz angebunden und nur auf Effizienz aus. »Bitte, ziehen Sie sich an. Meine Kollegin wird bei Ihnen bleiben. Wir warten draußen.« Heggie wandte sich ab und ging mit den Uniformierten auf den Treppenabsatz.

Verwirrt, aber entschlossen, dies nicht zu zeigen, kehrte Jackie zur Schlafecke ihres Appartements zurück. Sie holte das erstbeste T-Shirt und einen Pullover aus einer Schublade und schnappte sich ein paar Jeans vom Stuhl. Dann ließ sie alles fallen. Wenn es schlecht lief, würde sie vor einem Richter erscheinen müssen, bevor sie eine Chance zum Umziehen hatte. Sie wühlte hinten in ihrem Kleiderschrank und suchte nach ihrem einzigen anständigen Kostüm. Jackie wandte der Polizeibeamtin, die sie nicht aus den Augen ließ, den Rücken zu und zog sich an. »Ich muss auf die Toilette«, sagte sie.

»Sie werden die Tür offen lassen müssen«, antwortete die Frau gleichmütig.

»Glauben Sie vielleicht, ich will mir ’n Schuss setzen oder so was?«

»Es ist zu Ihrem eigenen Schutz«, antwortete sie gelangweilt.

Jackie tat, was sie tun musste, befeuchtete ihre Haare mit einer Handvoll kaltem Wasser und strich sie nach hinten. Sie sah in den Spiegel und fragte sich, wann sie wohl in der Lage sein werde, das zum nächsten Mal wieder zu tun. Jetzt wusste sie, wie sich die Leute gefühlt hatten, über die sie geschrieben hatte. Und es war schrecklich. Ihr war flau im Magen, als hätte sie seit Tagen nicht geschlafen, und ihr Atem schien in der Kehle stecken zu bleiben. »Wann kann ich meinen Anwalt anrufen?«, fragte sie.

»Wenn wir auf der Wache sind«, kam die Antwort.

Eine halbe Stunde später saß sie in einem kleinen Raum mit Tony Donatello zusammen, einem Anwalt für Strafsachen, dessen Vater und Großvater auch schon in diesem Beruf gearbeitet hatten und den sie seit ihren ersten Monaten als Reporterin kannte. Sie waren eher daran gewöhnt, sich in Bars zu treffen als in Zellen, aber Tony war so taktvoll, das nicht zu erwähnen. Er war auch sensibel genug, sie nicht daran zu erinnern, dass sie sich beim letzten Mal, als er sie auf einer Polizeiwache vertreten hatte, schließlich eine Vorstrafe eingehandelt hatte. »Sie wollen Sie wegen Davids Tod befragen«, sagte er. »Aber ich nehme an, darauf sind Sie auch schon selbst gekommen.«

»Es ist der einzige Mord, mit dem ich in letzter Zeit auch nur im Entferntesten zu tun hatte. Haben Sie Hélène angerufen?«

Tony hüstelte kurz und trocken. »Es hat sich herausgestellt, dass sie sie auch mitgenommen haben.«

»Das hätte ich mir ja schon denken können. Also, wie gehen wir vor?«

»Gibt es irgendetwas in der jüngsten Vergangenheit, aus dem sich ein Zusammenhang mit Davids Tod konstruieren ließe?«

Jackie schüttelte den Kopf. »Nein, nichts. Hier geht es nicht um irgendeine schäbige Verabredung, Tony. Hélène und ich hatten nichts mit Davids Ermordung zu tun.«

»Jackie, sprechen Sie hier nicht für Hélène. Sie sind meine Klientin, und ich habe mich um das zu kümmern, was Sie getan haben. Wenn es irgendetwas gibt – eine beiläufige Bemerkung, eine leichtsinnige E-Mail, was auch immer –, das Sie verdächtig machen könnte, dann beantworten wir keine Fragen. Schalten Sie einfach auf stur. Aber wenn Sie sicher sind, dass es keinerlei Grund gibt, sich Sorgen zu machen, dann werden wir Fragen beantworten. Wie wollen wir's machen?«

Jackie spielte mit dem Ring an ihrer Augenbraue. »Hören Sie, da gibt es etwas, was Sie wissen sollten. Ich war nicht die ganze Zeit bei Hélène. Eine Stunde oder so war ich mal weg, weil ich ausgehen musste, um bei jemandem vorbeizuschauen. Ich kann nicht sagen, wer es war, aber Sie können mir glauben, er eignet sich nicht für ein Alibi.«

Tony schien besorgt. »Das ist nicht gut«, sagte er. »Vielleicht sollten Sie nur ›kein Kommentar‹ sagen.«

»Das will ich nicht. Sie wissen ja, wie schlecht das aussieht.«

»Das müssen Sie entscheiden. Aber unter den gegebenen Umständen, glaube ich, wäre Aussageverweigerung die bessere Entscheidung.«

Jackie dachte lange und intensiv nach. Sie war ziemlich sicher, dass die Polizei nichts von ihrer Abwesenheit wissen konnte. »Ich werde mit ihnen reden«, sagte sie schließlich.

Das Vernehmungsbüro bot keine Überraschung für jemanden, der sich mit Polizeiserien im Fernsehen auskannte. Jackie und Tony saßen Heggie und der Kripobeamtin gegenüber, die ihn zu Jackies Wohnung begleitet hatte. Aus der Nähe roch Heggies Aftershave penetrant. Zwei Kassetten liefen nebeneinander in einem Rekorder am Ende des Tisches. Nachdem die Formalitäten erledigt waren, legte Heggie gleich los. »Wie lange kennen Sie Hélène Kerr schon?«

»Ungefähr vier Jahre. Ich habe sie und ihren Mann auf der Party eines gemeinsamen Freundes kennen gelernt.«

»Was für eine Beziehung haben Sie zueinander?«

»In erster Linie sind wir befreundet. Gelegentlich auch Geliebte.«

»Wie lange sind Sie schon ihre Geliebte?« Heggie hatte einen begehrlichen Blick in den Augen, als sei die Vorstellung von Jackie und Hélène als Liebespaar für ihn möglicherweise genauso zufriedenstellend wie irgendein Geständnis.

»Seit ungefähr zwei Jahren.«

»Und wie oft fand das statt?«

»Wir verbrachten meistens einen Abend der Woche zusammen. Bei den meisten Treffen hatten wir Sex. Aber nicht immer. Wie ich schon sagte, Freundschaft ist der wichtigste Teil unserer Beziehung.« Unter dem kritischen Blick der Vernehmungsbeamten fand Jackie es schwieriger, als sie gedacht hatte, gelassen und nüchtern zu bleiben. Aber sie wusste, sie musste ruhig bleiben, jeder Gefühlsausbruch würde als Beweis ausgelegt werden, dass es um mehr als nur um strapazierte Nerven ging.

»Wusste David Kerr, dass Sie mit seiner Frau schliefen?«

»Ich glaube nicht.«

»Es muss Sie geärgert haben, dass sie bei ihm blieb«, bemerkte Heggie.

Eine scharfsinnige Beobachtung, dachte sie. Und eine, die auf peinliche Weise der Wahrheit ziemlich nahe kam. Unter der Oberfläche wusste Jackie genau, es tat ihr nicht leid, dass David Kerr tot war. Sie liebte Hélène und war es bitter leid, dass sie sich mit der Nebenrolle begnügen musste, die ihre Geliebte ihr zugestand. Lange Zeit hatte sie schon mehr haben wollen.

»Ich wusste von Anfang an, dass sie ihren Mann nicht verlassen würde. Dagegen hatte ich nichts.«

»Das fällt mir schwer zu glauben«, sagte er. »Sie wurden wegen Hélènes Mann zurückgewiesen, und das machte Ihnen nichts aus?«

»Es war keine Zurückweisung. So wie die Sache lief, war es uns beiden recht.« Jackie beugte sich mit der Absicht vor, durch ihre Körpersprache Offenheit vorzutäuschen. »Nur ein bisschen Spaß. Ich liebe meine Freiheit. Ich will mich nicht binden.«

»Wirklich?« Er schaute auf seine Notizen hinunter. »Die Nachbarin lügt also, die hörte, dass Sie sich anschrien und stritten, weil sie ihren Mann nicht verlassen wollte?«

Jackie erinnerte sich an den Streit. Es hatte in ihrer gemeinsamen Zeit so wenig Streit gegeben, dass dieser denkwürdig war. Zwei Monate zuvor hatte sie Hélène eingeladen, mit ihr zum vierzigsten Geburtstag einer Freundin zu kommen. Hélène hatte sie ungläubig angesehen. So etwas verstieß gegen die Grundregeln, über so etwas sollte nicht einmal geredet werden. Jackies Frustration war außer Kontrolle geraten und

ein Riesenkrach die Folge. Als Hélène gedroht hatte, zu gehen und nie wiederzukommen, änderte sich der Ton plötzlich. Denn diese Möglichkeit war für Jackie unerträglich; und sie hatte aufgegeben. Aber sie würde über diese Dinge nicht mit Heggie und seiner Assistentin sprechen. »So muss es wohl gewesen sein. Man hört durch die Wände dieser Wohnung nicht das Geringste.«
»Offenbar doch, wenn die Fenster offen sind«, sagte Heggie.
»Wann soll diese angebliche Unterhaltung stattgefunden haben?«, unterbrach Tony.
Noch ein Blick auf die Notizen. »Gegen Ende November.«
»Sie behaupten im Ernst, meine Klientin hätte Ende November in Glasgow das Fenster offen stehen lassen?«, fragte Tony spöttisch. »Ist das alles, was Sie gegen sie haben? Klatsch und Tratsch von neugierigen und zu phantasiebegabten Nachbarn?«
Heggie sah ihn scharf an, bevor er sagte: »In der Vorgeschichte Ihrer Klientin hat es Gewalttätigkeit gegeben.«
»Nein, das stimmt nicht. Sie wurde einmal verurteilt, weil sie einen Polizeibeamten angriff, als sie über eine Demonstration gegen die Kopfsteuer berichtete und von einem Ihrer Kollegen vor lauter Eifer für eine Demonstrantin gehalten wurde. Das heißt wohl kaum, dass sie in der Vergangenheit gewalttätig war.«
»Sie versetzte einem Polizisten einen Schlag ins Gesicht.«
»Nachdem er sie an den Haaren über den Boden geschleift hatte. Wenn es ein gewalttätiger Angriff auf einen Polizeibeamten gewesen wäre, glauben Sie nicht, dass der Richter ihr dann mehr als sechs Monate auf Bewährung gegeben hätte? Wenn Sie nichts haben als das, sehe ich keinen Grund, meine Klientin hier festzuhalten.«
Heggie starrte sie beide an. »Sie waren mit Mrs. Kerr zusammen an dem Abend, als ihr Mann starb?«
»Das stimmt«, sagte Jackie vorsichtig. Hier begab sie sich auf dünnes Eis. »Es war unser normaler Wochentag, an dem wir

uns immer abends trafen. Sie kam etwa gegen halb sieben. Wir aßen eine Fischmahlzeit, die ich holte, tranken Wein und gingen zusammen ins Bett. Sie verließ meine Wohnung gegen elf. Genau wie sonst auch.«

»Gibt es dafür Zeugen?«

Jackie hob die Augenbrauen. »Ich weiß nicht, wie Sie es halten, Inspektor, aber wenn ich mit jemandem schlafe, lade ich nicht die Nachbarn ein. Das Telefon hat zweimal geklingelt, aber ich ging nicht ran.«

»Wir haben einen Zeugen, der ausgesagt hat, er hätte Sie an diesem Abend gegen neun Uhr zu Ihrem Wagen gehen sehen«, sagte Heggie triumphierend.

»Er muss sich im Tag geirrt haben«, sagte Jackie. »Ich war den ganzen Abend bei Hélène. Ist das auch so einer meiner beschränkten Nachbarn, dem Sie das Erstellen belastender Aussagen beigebracht haben?«

Tony bewegte sich unruhig auf seinem Stuhl. »Sie haben die Antwort meiner Klientin gehört. Wenn Sie nichts Neues auf den Tisch zu legen haben, schlage ich wirklich vor, dass wir jetzt zum Ende kommen.«

Heggie atmete tief ein. »Wenn Sie sich noch einen Moment gedulden könnten, Mr. Donatello, möchte ich gern zu einer Zeugenaussage kommen, die wir gestern Abend aufgenommen haben.«

»Darf ich das sehen?«, fragte Tony.

»Immer mit der Ruhe. Denise?«

Die Beamtin schlug einen Hefter auf, den sie auf dem Schoß hielt, und legte ein Blatt Papier vor ihn hin. Heggie fuhr sich mit der Zunge über die Lippen und sprach. »Wir haben gestern einen kleineren Drogendealer verhaftet. Er wollte gern etwas beisteuern, das uns seinen Fall in einem günstigeren Licht erscheinen ließe. Ms. Donaldson, kennen Sie Gary Hardie?«

Jackie stockte das Herz. Was hatte das mit der Sache zu tun? Sie hatte an jenem Abend weder Gary Hardie noch einen seiner Spezis getroffen. »Ich weiß, wer er ist«, zögerte sie eine klare Antwort hinaus. Damit gab sie ja nichts zu. Jeder, der in Schottland Zeitung las oder Fernsehen sah, hätte den Namen gekannt. Ein paar Wochen zuvor hatte es nach einem der bekanntesten Mordfälle der Stadt seit einigen Jahren für Gary Hardie einen sensationellen Freispruch vom Obersten Gerichtshof in Glasgow gegeben. Während des Prozesses war er mehrmals als Drogendealer, Mann ohne Rücksicht auf Verluste und äußerst gewissenloser krimineller Kopf bezeichnet worden. Unter den Anschuldigungen, die die Geschworenen gehört hatten, war die Behauptung, dass er einen angeheuerten Mörder beauftragt hätte, einen Konkurrenten auszuschalten.

»Haben Sie Gary Hardie je kennen gelernt?«

Jackie spürte, wie sich an ihrem Kreuz der Schweiß sammelte. »Rein beruflich, ja.«

»Ging es da um seinen Beruf oder um Ihren?«, fragte Heggie und rutschte mit dem Stuhl näher an den Tisch.

Jackie rollte belustigt die Augen. »Ach bitte, Inspector. Ich bin Journalistin. Es ist meine Aufgabe, mit Leuten zu sprechen, die in den Nachrichten sind.«

»Wie oft haben Sie Gary Hardie getroffen?«, drängte Heggie.

Jackie schnaubte leicht. »Dreimal. Ich habe vor einem Jahr ein Interview über die aktuelle Gangsterszene in Glasgow mit ihm gemacht für ein Feature, das ich für eine Zeitschrift schrieb. Während er auf seinen Prozess wartete, habe ich mit ihm über einen Artikel gesprochen, den ich nach dem Prozess schreiben wollte. Und ich habe vor zwei Wochen einmal etwas mit ihm getrunken. Es ist wichtig, die Kontakte zu pflegen. So bekomme ich Storys, die niemand sonst erwischt.«

Heggie schien skeptisch. Er sah auf die Aussage hinunter. »Wo fand dieses Treffen statt?«

»Im Ramblas. Das ist eine Café-Bar in ...«

»Ich weiß, wo das Ramblas ist«, unterbrach sie Heggie. Er warf wieder einen Blick auf das Blatt Papier vor ihm. »Bei diesem Treffen wurde ein Umschlag übergeben. Von Ihnen an Hardie. Ein dickes Kuvert, Ms. Donaldson. Würden Sie uns bitte erklären, was in dem Umschlag war?«

Jackie versuchte, ihren Schock zu verbergen. Tony an ihrer Seite machte eine Bewegung. »Ich würde gern mit meiner Klientin unter vier Augen sprechen«, sagte er hastig.

»Nein, das geht schon in Ordnung, Tony«, sagte Jackie. »Ich habe nichts zu verbergen. Als ich mit Gary sprach, um das Treffen zu vereinbaren, sagte er mir, jemand hätte ihm den Zeitschriftenartikel gezeigt, und das Foto, das dort verwendet wurde, gefiele ihm. Er wollte Abzüge für sich selbst. Also ließ ich Abzüge machen und habe sie ins Ramblas mitgenommen. Wenn Sie mir nicht glauben, können Sie im Fotolabor nachfragen. Sie entwickeln nicht viele in Schwarzweiß. Vielleicht erinnern sie sich noch daran. Ich habe dafür auch eine Quittung bei meinen Rechnungen.«

Tony beugte sich vor. »Sehen Sie, Inspektor? Nichts Schlimmes. Nur eine Journalistin, die versucht, einen nützlichen Kontaktmann bei guter Laune zu halten. Wenn damit Ihr ganzes Material gegen sie erschöpft ist, gibt es keinen Grund, meine Klientin auch nur einen Moment länger hier festzuhalten.«

Heggie schien leicht verstimmt. »Haben Sie Gary Hardie beauftragt, David Kerr umbringen zu lassen?«, fragte er.

Jackie schüttelte den Kopf. »Nein.«

»Haben Sie Gary Hardie gebeten, Sie mit jemandem zusammenzubringen, der David Kerr ermorden könnte?«

»Nein. Es ist mir nie in den Sinn gekommen.« Jackie hielt den Kopf jetzt hoch erhoben, das Kinn vorgestreckt, die Angst war besiegt.

»Sie haben kein einziges Mal daran gedacht, wie viel angenehmer das Leben ohne David Kerr sein würde? Und wie leicht es für Sie wäre, das zu arrangieren?«

»Das ist einfach Mist.« Sie schlug mit den Handflächen auf den Tisch. »Warum verschwenden Sie Ihre Zeit mit mir, anstatt Ihre Arbeit zu tun?«

»Ich tue meine Arbeit«, sagte Heggie ruhig. »Deshalb sind Sie hier.«
Tony warf einen Blick auf seine Uhr. »Aber nicht viel länger, Inspektor. Entweder verhaften Sie meine Klientin, oder Sie lassen sie gehen. Die Befragung ist zu Ende.« Er legte seine Hand auf die Jackies.
Eine Minute kommt einem in einem Vernehmungsbüro der Polizei sehr lang vor. Heggie schwieg und ließ den Blick die ganze Zeit auf Jackie ruhen. Dann schob er seinen Stuhl zurück. »Vernehmung um sechs Uhr fünfundzwanzig beendet. Sie können gehen«, sagte er unwillig und drückte auf den Knopf am Rekorder. »Ich glaube Ihnen nicht, Ms. Donaldson«, sagte er, als er aufstand. »Ich bin der Meinung, dass Sie und Hélène Kerr sich zusammentaten, um David Kerr umbringen zu lassen. Ich vermute, Sie wollten sie für sich allein haben. Und ich glaube, Sie sind in der Nacht damals ausgegangen, um Ihren gedungenen Killer zu bezahlen. Ich habe die Absicht, das zu beweisen.« An der Tür wandte er sich um. »Dies ist erst der Anfang.«
Als sich die Tür hinter den Polizeibeamten schloss, schlug Jackie die Hände vors Gesicht. »Mein Gott«, sagte sie.
Tony räumte seine Sachen zusammen und legte ihr den Arm um die Schultern. »Sie haben Ihre Sache gut gemacht. Sie haben nichts gegen Sie in der Hand.«
»Ich habe schon Leute gesehen, die auf Grund spärlicherer Beweise vor Gericht kamen. Sie haben sich darin verbissen. Sie werden nicht aufhören, bis sie jemanden finden, der mich damals in der Nacht außerhalb meiner Wohnung gesehen hat. Herrgott noch mal. Ich kann nicht glauben, dass Gary Hardie gerade jetzt aus dem Nichts auftaucht.«
»Ich wünschte, Sie hätten das vorher erwähnt«, sagte Tony, während er seine Krawatte lockerte und sich streckte.
»Es tut mir leid. Ich hatte keine Ahnung, dass das jetzt zur Sprache kommen würde. Ich denke ja nicht gerade jeden Tag an Gary Hardie. Und er hatte auch nichts mit der Sache zu tun.

Sie glauben mir doch, oder, Tony?« Sie sah besorgt aus. Wenn sie nicht einmal ihren Anwalt überzeugen konnte, hatte sie gegen die Polizei keine Chance.

»Was ich glaube, ist unwichtig. Was sie beweisen können, zählt. Aber momentan haben sie nichts in der Hand, was ein guter Anwalt nicht in einigen Minuten entkräften könnte.« Er gähnte. »Echt angenehme Art und Weise, die Nacht zu verbringen, was?«

Jackie stand auf. »Wir machen, dass wir aus dem Drecksladen rauskommen. Sogar die Luft ist verseucht.«

Tony grinste. »Jemand sollte Heggie mal eine Flasche gutes Aftershave zum nächsten Geburtstag schenken. Was immer er da nimmt, riecht wie ein läufiger Iltis.«

»Man würde mehr als Paco Rabane brauchen, um ihm die Zugehörigkeit zur menschlichen Rasse zuzugestehen«, knurrte Jackie. »Haben sie Hélène auch hier?«

»Nein.« Tony holte tief Luft. »Es wäre wahrscheinlich besser, wenn Sie und Hélène sich jetzt nicht so viel sehen würden.«

Jackie warf ihm einen gekränkten und enttäuschten Blick zu. »Warum nicht?«

»Wenn Sie einander fern bleiben, ist es schwerer zu beweisen, dass Sie unter einer Decke stecken. Wenn Sie zusammen sind, könnte es so aussehen, als würden Sie Ihre Taktik abstimmen, damit Sie sich nicht in Widersprüche verstricken.«

»Das ist doch Unsinn«, sagte sie entschlossen. »Wir sind Freundinnen, verdammt noch mal. Wir lieben uns. Zu wem geht man sonst, wenn man Unterstützung und Trost braucht? Wenn wir einander aus dem Weg gehen, sieht es so aus, als ob es etwas gäbe, das uns in Verlegenheit bringt. Wenn Hélène mich sehen will, bin ich bereit. Keine Frage.«

Er zuckte die Schultern. »Das müssen Sie entscheiden. Sie zahlen für meine Ratschläge, egal, ob Sie sie annehmen oder nicht.« Er machte die Tür auf und begleitete sie in den Flur. Jackie unterschrieb, dass sie alle ihre Habseligkeiten wieder zurückbekommen hatte, und sie gingen zusammen zum Ausgang.

Tony stieß die Türen auf, die auf die Straße hinausführten, dann blieb er stehen. Obwohl es noch so früh war, standen schon drei Kameramänner und eine Handvoll Journalisten zusammengedrängt auf dem Gehweg. Sobald sie Jackie sahen, fingen sie an zu rufen. »He, Jackie, haben sie dich verhaftet? Hast du mit deiner Freundin einen Killer bestellt, Jackie? Wie fühlt man sich als Mordverdächtige, Jackie?«

Sie hatte unzählige solcher Szenen erlebt, aber nie aus der jetzigen Perspektive. Jackie hatte gedacht, es könne nichts Schlimmeres geben, als mitten in der Nacht aus dem Bett geholt und von der Polizei wie eine Kriminelle behandelt zu werden. Jetzt wusste sie, dass das nicht stimmte. Sie hatte gerade entdeckt, dass Verrat noch viel schlimmer verletzte.

40

Die Dunkelheit in Graham Macfadyens Arbeitszimmer wurde nur vom geisterhaften Licht der Bildschirme etwas erhellt. Auf den beiden Monitoren, die er im Moment nicht nutzte, zeigten Bildschirmschoner eine Serie von Bildern, die er eingescannt hatte. Grobkörnige Zeitungsfotos von seiner Mutter, düstere Schnappschüsse des Hallow Hill, der Grabstein auf dem Westfriedhof und die Bilder, die er in neuerer Zeit heimlich von Alex und Weird gemacht hatte.

Macfadyen saß an seinem PC und setzte ein Schreiben auf. Er hatte ursprünglich geplant, einfach eine offizielle Beschwerde über die Untätigkeit Lawsons und seiner Mitarbeiter einzureichen. Aber ein Blick auf die Website der schottischen Regierung hatte ihm die Sinnlosigkeit eines solchen Versuchs gezeigt. Jede Beschwerde würde von der Polizei in Fife selbst bearbeitet werden, und sie würden wohl kaum die Arbeit ihres stellvertretenden Polizeichefs kritisieren. Er wollte Genugtuung, wollte nicht abgewimmelt werden.

So beschloss er, die ganze Geschichte zusammenzufassen und Kopien davon an seinen Parlamentsabgeordneten in Westminster, seinen schottischen Abgeordneten und an alle größeren Medienorgane in Schottland zu schicken. Aber je mehr er schrieb, desto mehr fürchtete er, dass er vielleicht einfach als Phantast abgetan würde, der sich eine Verschwörungstheorie zusammengesponnen hatte. Oder vielleicht käme es noch schlimmer.

Macfadyen kaute an seinen Fingernägeln und überlegte, was er tun sollte. Er würde seine vernichtende Kritik der unfähigen Polizei von Fife und ihrer Weigerung, die Anwesenheit zweier Mörder in ihrem Revier zur Kenntnis zu nehmen, zu Ende schreiben. Aber er brauchte noch etwas, das die Leute aufhorchen ließ und sie dazu brachte, der Sache Beachtung zu schenken. Etwas, das es unmöglich machen würde, seine Beschwerden zu übergehen oder zu ignorieren, dass das Schicksal mit unerbittlichem Finger auf die gezeigt hatte, die am Tod seiner Mutter schuld waren.
Zwei Todesfälle hätten eigentlich genügen sollen, um zu dem Ergebnis zu kommen, das er sich inständig wünschte. Aber die Menschen waren so blind. Sie konnten einfach das nicht sehen, was doch offensichtlich war. Nach alldem war der Gerechtigkeit immer noch nicht Genüge getan.
Und weiterhin war er der Einzige, der dafür sorgen konnte.

Langsam bekam man das Gefühl, das Haus sei ein Flüchtlingslager. Alex war an die alltäglichen Abläufe des Lebens gewöhnt, die er und Lynn im Lauf der Jahre sich zu eigen gemacht hatten. Gemeinsame Mahlzeiten, Spaziergänge am Strand, Besuche von Ausstellungen und Kinos, gelegentliche Treffen mit Freunden. Er gab zu, dass viele Leute dies wohl langweilig finden würden, aber er wusste es besser. Er mochte sein Leben, so wie es war. Er hatte vorausgesehen, dass die Dinge sich nach der Geburt eines Kindes ändern würden, und er hatte dieser Veränderung mit uneingeschränkter Freude entgegengesehen, auch wenn er nicht genau wusste, was sie alles bedeuten mochte. Worauf er aber nicht gefasst gewesen war, war Weird im Gästezimmer. Und genauso wenig war er auf Hélènes und Jackies Anwesenheit vorbereitet, die eine völlig aufgelöst, die andere kochend vor Wut. Er fühlte sich überrannt und war so vom Schmerz und Ärger der anderen überwältigt, dass er kaum mehr wusste, was er selbst fühlte.
Als plötzlich zwei Frauen vor der Tür standen und Zuflucht

vor der Presse suchten, die vor ihren Wohnungen ihr Lager aufgeschlagen hatte, war er völlig verblüfft gewesen. Wie konnten sie sich einbilden, dass sie hier willkommen sein würden? Lynns erste Regung war, ihnen zu sagen, sie sollten in ein Hotel gehen, aber Jackie hatte hartnäckig behauptet, dies hier sei der einzige Ort, an dem sie niemand suchen würde. Genau wie Weird, dachte er müde.

Hélène war in Tränen ausgebrochen und entschuldigte sich dafür, dass sie Mondo betrogen hatte. Jackie hatte Lynn energisch daran erinnert, dass sie bereit gewesen war, ein Risiko einzugehen, um Alex zu helfen. Trotzdem hatte Lynn darauf bestanden, dass es hier keinen Platz für sie gebe. Dann hatte Davina angefangen zu schreien, Lynn hatte ihnen die Tür vor der Nase zugeworfen und war zu ihrem Kind gerannt, wobei sie Alex einen Blick zuwarf, der sagte, er solle es bloß nicht wagen, die beiden Frauen hereinzulassen. Weird schlüpfte an ihm vorbei und holte sie ein, als sie gerade in ihren Wagen stiegen. Als er eine Stunde später zurückkam, gestand er, dass er sie unter seinem Namen in einem in der Nähe gelegenen Motel untergebracht hatte. »Sie haben ein kleines von Bäumen geschütztes Chalet«, berichtete er. »Niemand weiß, dass sie da sind. Da wird es ihnen gut gehen.«

Weirds vermeintlich ritterliche Hilfsbereitschaft machte sie zunächst verlegen, aber im Lauf des Abends sorgten das gemeinsame Ziel und großzügige Mengen von Wein dafür, dass sie ihr Unbehagen nach und nach vergaßen. Die drei Erwachsenen saßen um den Küchentisch, die Rollos waren in der abendlichen Dunkelheit heruntergelassen, und die Weinflaschen leerten sich allmählich, während sie sich immer wieder mit dem gleichen Thema befassten. Aber es genügte ihnen nicht, über das zu sprechen, was sie bedrückte, es mussten Taten her.

Weird war unbedingt dafür, von Graham Macfadyen eine Erklärung zu fordern, was die Kränze bei Ziggys und Mondos Beerdigung zu bedeuten hatten. Er war von den beiden anderen überstimmt worden, die fanden, ohne Beweise, dass Macfadyen etwas mit den Morden zu tun hatte, würden sie ihn nur misstrauisch machen und trotzdem kein Geständnis von ihm bekommen.

»Es ist mir egal, wenn er vorgewarnt wird«, hatte Weird gesagt. »Dann hört er vielleicht wenigstens damit auf, solange er einen Vorsprung hat, und lässt uns in Ruhe.«

»Entweder das, oder er wird untertauchen und sich nächstes Mal mit einer besseren Methode an uns heranmachen. Er hat keine Eile, Weird. Er hat den Rest seines Lebens Zeit, um für seine Mutter Rache zu nehmen«, betonte Alex.

»Immer angenommen, dass er es war und nicht Jackies Killer, der Mondo umgebracht hat«, sagte Lynn.

»Gerade deshalb müssen wir erreichen, dass Macfadyen mit der Sprache herausrückt«, sagte Alex. »Wenn er sich einfach zurückzieht und versteckt, ist das nicht genug, um unseren guten Namen wiederherzustellen.«

Das Gespräch drehte sich im Kreis, führte immer wieder zu der Erkenntnis, dass die Situation ausweglos sei, und wurde nur von Davinas gelegentlichem Schreien unterbrochen, wenn sie aufwachte und trinken wollte. Sie erlebten ihre Vergangenheit noch einmal, indem Alex und Weird den Schaden rekapitulierten, den die gehässigen Gerüchte im letzten Jahr in St. Andrews ihrem Leben zugefügt hatten.

Weird verlor als Erster die Geduld mit dieser Vergangenheitsbewältigung. Er leerte sein Glas und stand auf. »Ich brauche frische Luft«, verkündete er. »Ich lasse mich nicht einschüchtern und werde mich nicht den Rest meines Lebens hinter verschlossenen Türen verstecken. Will jemand mitkommen?«

Sie lehnten ab. Alex wollte das Abendessen machen, und Lynn versorgte gerade Davina. Weird lieh sich Alex' Wachsjacke und machte sich auf den Weg zum Strand. Überraschenderweise hatten sich die Wolken aufgelöst, die den ganzen Tag vorübergezogen waren. Der Himmel war klar, ein abnehmender Mond stand tief zwischen den Brücken. Die Temperatur war um mehrere Grade gefallen, und Weird zog den Kragen der Jacke hoch, als ein heftiger kalter Windstoß vom Firth heraufblies. Er wandte sich den Schatten unter der Eisenbahnbrücke zu, denn er wusste, wenn er auf die Landspitze hinaufstieg, würde er eine großartige Aussicht auf die Flussmündung in Richtung Inchcolm und die Nordsee haben.

Draußen im Freien fühlte er sich schon viel besser. Man war Gott in der frischen Luft, ohne die störende Gegenwart anderer Menschen, immer ein Stück näher. Er dachte, er hätte sich mit seiner Vergangenheit ausgesöhnt, aber nach den Ereignissen der letzten Tage war ihm auf beunruhigende Weise bewusst geworden, dass ihn einiges mit dem jungen Mann von einst verband. Weird musste allein sein, um seinen Glauben an den Wandel, den er durchgemacht hatte, wiederherzustellen. Beim Gehen überlegte er, welch langen Weg er zurückgelegt und wie viel hinderliches Gepäck er auf Grund seines Glaubens an die Erlösung, den seine Religion ihm bot, abgeworfen hatte. Es wurde ihm leichter ums Herz, und seine Gedanken wurden beschwingter. Später würde er seine Familie anrufen und sich von ihren Stimmen beruhigen lassen. Nach ein paar Worten mit seiner Frau und seinen Kindern würde er sich fühlen wie jemand, der aus einem Albtraum erwacht. An der praktischen Situation würde sich nichts ändern. Das wusste er. Aber er würde besser mit dem umgehen können, was die Welt ihm zu bewältigen aufgab.

Der Wind wurde jetzt stärker, er brauste und tobte ihm um die Ohren. Als er stehen blieb, um Atem zu holen, nahm er das ferne Rauschen des Verkehrs auf der Brücke wahr. Er hörte das Rattern eines Zuges, der sich der Eisenbahnbrücke näherte, lehnte sich zurück und legte den Kopf nach hinten, um den Zug fünfzig Meter über sich wie ein Spielzeug vorbeifahren zu sehen.

Den Schlag, der Weird in die Knie gehen ließ, während er nur ein paar schrecklich verzerrte Fetzen eines Gebets ausstoßen konnte, sah und hörte er nicht. Der zweite Schlag traf seine

Rippen und ließ ihn zu Boden stürzen. Er nahm nur vage eine dunkle Gestalt wahr, die etwas wie einen Baseballschläger hielt, bevor sich nach einem dritten Schlag auf die Schultern seine Gedanken verwirrten. Ein vierter Schlag erwischte ihn hinten an den Oberschenkeln und ließ ihn auf den Bauch fallen, so dass eine Flucht unmöglich war.

Damit war der Überfall, so plötzlich, wie er begonnen hatte, vorüber. Es kam ihm wie ein blitzschneller Rückblick auf das Geschehen vor fünfundzwanzig Jahren vor. In einem Nebel von Schmerz und Schwindel hörte Weird undeutliches Rufen und das rätselhafte Bellen eines kleinen Hundes. Er roch seinen warmen, schalen Atem und spürte, wie eine nasse Zunge ihm sabbernd das Gesicht ableckte. Dass er überhaupt etwas spürte, war ein solcher Segen, dass ihm die Tränen kamen.

»Du hast mich vor meinen Feinden gerettet«, versuchte er zu sagen. Dann wurde ihm schwarz vor Augen.

»Ich gehe nicht ins Krankenhaus«, beharrte Weird. Er hatte es so oft gesagt, dass Alex anfing, es für ein unbestreitbares Symptom einer Gehirnerschütterung zu halten. Weird saß am Küchentisch, starr vor Schmerz und genauso unflexibel, was das Thema medizinischer Versorgung anging. Sein Gesicht war blass, und ein langer Striemen lief von der rechten Schläfe zum Hinterkopf.

»Ich glaube, du hast ein paar Rippenbrüche«, sagte Alex. Und das nicht zum ersten Mal.

»Auf die sie nicht einmal ein Pflaster kleben werden«, sagte Weird. »Ich habe mir schon mal Rippen gebrochen. Sie werden mir nur Schmerzmittel geben und verlangen, dass ich sie einnehme, bis es mir besser geht.«

»Ich mache mir eher Sorgen wegen der Gehirnerschütterung«, sagte Lynn, die mit einem starken schwarzen Tee hereinkam. »Trink das. Es ist gut für den Schock. Und wenn dir wieder schlecht wird, hast du wahrscheinlich doch eine Gehirn-

erschütterung, und wir bringen dich ins Krankenhaus in Dunfermline.«
Weird schauderte. »Nein, nicht Dunfermline.«
»So schlecht geht es ihm nicht, wenn er noch Witze über Dunfermline machen kann«, sagte Alex. »Fällt dir noch was zu dem Überfall ein?«
»Vor dem ersten Schlag habe ich nichts gesehen. Und danach war mir schwindelig. Ich sah irgendeine dunkle Gestalt. Wahrscheinlich ein Mann. Vielleicht eine große Frau. Und einen Baseballschläger. So was Blödes. Ich musste aus der Fremde nach Schottland zurückkommen, um mit einem Baseballschläger verprügelt zu werden.«
»Sein Gesicht hast du nicht gesehen?«
»Ich glaube, er muss irgendeine Maske getragen haben. Nicht einmal den Umriss eines Gesichts habe ich gesehen. Und da wurde ich auch schon bewusstlos. Als ich wieder zu mir kam, kniete euer Nachbar neben mir und sah fürchterlich erschrocken aus. Dann hab ich mich übergeben – mitten auf seinen Hund.«
Trotz der Beleidigung seines Jack Russells hatte Eric Hamilton Weird auf die Beine geholfen und ihn die Viertelmeile bis zum Haus der Gilbeys gestützt. Er hatte etwas über einen Straßenräuber gemurmelt, dem er in die Quere gekommen sei, wehrte ihre überschwänglichen Dankesbezeugungen ab und verschwand wieder in die Nacht hinaus, ohne auch nur einen Whisky zum Dank anzunehmen.
»Er ist sowieso schon gegen uns«, sagte Lynn. »Er ist Buchhalter im Ruhestand und hält uns für Bohemiens und Künstler. Mach dir also keine Sorgen. Du hast keineswegs eine wunderbare Freundschaft kaputtgemacht. Aber wir müssen die Polizei anrufen.«
»Warten wir doch bis morgen früh. Dann können wir direkt mit Lawson sprechen. Vielleicht nimmt er uns jetzt ernst«, sagte Alex.
»Glaubst du, dass es Macfadyen war?«, fragte Weird.

»Wir sind hier nicht in Atlanta«, sagte Lynn. »sondern in einem ruhigen kleinen Dorf in Fife. Ich glaube nicht, dass in North Queensferry jemals jemand überfallen worden ist. Und wenn man jemanden überfallen wollte, würdest du dir dann einen riesigen Kerl in den Vierzigern vornehmen, wo doch jeden Abend so viele Rentner ihre Hunde im Küstenvorland spazieren führen? Es war kein Zufall, es war Absicht.«
»Meine ich auch«, sagte Alex. »Und es entspricht dem Muster der anderen Morde. So inszeniert, dass es nach einem anderen Motiv aussieht. Brandstiftung, Einbruch, Raubüberfall. Wenn Eric nicht gekommen wäre, wärst du jetzt tot.«
Aber bevor irgendjemand antworten konnte, klingelte es an der Tür. »Ich mach auf«, sagte Alex.
Als er zurückkam, war er in Begleitung eines Polizisten. »Mr. Hamilton hat den Überfall gemeldet« erklärte Alex. »PC Henderson ist gekommen, um eine Aussage aufzunehmen. Das ist Mr. Mackie«, fügte er hinzu.
Weird gelang es, ein verkniffenes Lächeln aufzusetzen. »Danke, dass Sie gekommen sind«, sagte er. »Setzen Sie sich doch.«
»Wenn ich kurz ein paar Fakten notieren könnte«, sagte PC Henderson, nahm ein Notizbuch heraus und setzte sich an den Tisch. Er knöpfte seine sperrige wasserdichte Uniform auf, machte aber keine Anstalten, sie auszuziehen. Sie sind wahrscheinlich extra darauf trainiert, eher Hitze hinzunehmen, als auf den Eindruck zu verzichten, den die voluminöse Jacke macht, dachte Alex, obwohl das völlig belanglos war.
Weird gab seinen vollständigen Namen und seine Adresse an und erklärte, dass er bei seinen alten Freunden Alex und Lynn zu Besuch sei. Als er mitgeteilt hatte, dass er Pfarrer sei, sah Henderson unangenehm berührt aus, als sei es ihm peinlich, dass in seinem Revier ein Ganove einen Geistlichen verdroschen hatte. »Was ist denn genau passiert?«, fragte der Constable.
Weird erzählte die spärlichen Einzelheiten des Überfalls, an die er sich erinnern konnte. »Tut mir leid, mehr kann ich

Ihnen nicht sagen. Es war dunkel. Und ich wurde überrascht«, sagte er.
»Er hat nichts gesagt?«
»Nein.«
»Er hat kein Geld oder die Brieftasche verlangt?«
»Nichts.«
Henderson schüttelte den Kopf. »Hört sich nicht gut an. So etwas erwarten wir normalerweise hier im Dorf nicht.« Er sah zu Alex auf. »Ich bin überrascht, dass Sie uns nicht selbst angerufen haben, Sir.«
»Wir fanden es wichtiger, uns darum zu kümmern, wie es Tom geht«, mischte sich Lynn ein. »Wir wollten ihn überreden, ins Krankenhaus zu gehen, aber er will wohl unbedingt die Zähne zusammenbeißen.«
Henderson nickte. »Ich glaube, Mrs. Gilbey hat recht, Sir. Es könnte nicht schaden, Ihre Verletzungen von einem Arzt untersuchen zu lassen. Abgesehen von allem anderen heißt das, dass wir einen offiziellen Beleg für das Ausmaß des Schadens hätten, sollten wir den erwischen, der es getan hat.«
»Vielleicht morgen früh«, sagte Weird. »Jetzt bin ich zu müde dafür.«
Henderson schlug sein Notizbuch zu und schob seinen Stuhl zurück. »Wir werden Sie informieren, wenn sich etwas ergibt, Sir«, sagte er.
»Sie könnten noch etwas für uns tun«, sagte Alex.
Henderson sah ihn fragend an.
»Ich weiß, dass sich das jetzt etwas merkwürdig anhört, aber könnten Sie dafür sorgen, dass eine Kopie Ihres Berichts an ACC Lawson geht?«
Henderson schien von dieser Bitte verwirrt. »Entschuldigen Sie, Sir, ich verstehe nicht …«
»Das heißt nicht, dass ich Sie bevormunden will, es ist eine lange und komplizierte Geschichte, und wir sind alle zu müde, um uns jetzt damit zu befassen. Mr. Mackie und ich hatten mit ACC Lawson in einer sehr heiklen Angelegenheit zu tun, und

es besteht die Möglichkeit, dass dies hier nicht nur ein zufälliger Raubüberfall ist. Mir wäre daran gelegen, dass er den Bericht sieht, nur damit er weiß, was hier heute Abend vorgefallen ist. Ich werde sowieso morgen früh mit ihm sprechen, und es wäre hilfreich, wenn er schon auf dem Laufenden wäre.« Niemand, der Alex je dabei gesehen hatte, wie er seine Belegschaft zu einer besonderen Anstrengung anspornte, wäre von seinem ruhigen Durchsetzungsvermögen überrascht gewesen.

Henderson wägte mit unsicherem Blick seine Worte ab. »Es wird normalerweise nicht so gehandhabt«, sagte er zögernd.

»Das ist mir klar. Aber dies ist keine normale Situation. Ich verspreche Ihnen, es wird nicht auf Sie zurückfallen. Wenn Sie lieber warten möchten, bis der Assistant Chief Constable Sie anspricht …« Alex ließ den Satz unbeendet.

Henderson traf seine Entscheidung. »Ich werde eine Kopie ans Präsidium schicken«, sagte er. »Ich werde erwähnen, dass Sie darum gebeten haben.«

Alex brachte ihn zur Tür. Dann stand er auf der Schwelle und sah zu, wie der Streifenwagen langsam aus der Einfahrt auf die Straße fuhr. Er fragte sich, wer da draußen in der Dunkelheit stand und wartete, bis seine Zeit gekommen war. Ihn fröstelte. Aber nicht von der kalten Nachtluft.

41

Kurz nach sieben klingelte das Telefon. Davina wurde wach, und Alex zuckte zusammen. Nach dem Angriff auf Weird drang das geringste Geräusch in sein Bewusstsein und musste analysiert und auf eine eventuelle Gefahr hin überprüft werden. Jemand war da draußen, der hinter ihm und Weird her war. Alle seine Sinne waren alarmbereit, infolgedessen hatte er kaum geschlafen. Er hatte gemerkt, dass Weird in der Nacht auf war, wahrscheinlich auf der Suche nach Schmerztabletten. Es war kein normales Nachtgeräusch, und sein Herz pochte heftig, bis er die Erklärung dafür fand.

Er nahm ab und fragte sich, ob Lawson schon an seinem Schreibtisch saß und Hendersons Bericht vorgefunden hatte. Auf die fröhliche Stimme Jason McAllisters war er nicht gefasst. »Hi, Alex«, begrüßte ihn der Gerichtsmediziner und Farbenexperte vergnügt. »Ich weiß, dass Eltern von Babys immer mit den Hühnern aufstehen, da dachte ich, es würde Ihnen nichts ausmachen, wenn ich so früh anrufe. Hören Sie, ich habe Ihnen etwas mitzuteilen. Ich kann jetzt gleich rüberkommen und Ihnen kurz berichten, bevor ich zur Arbeit gehe. Wie hört sich das an?«

»Prima«, sagte Alex düster. Lynn schob die Decke zurück, ging verschlafen zum Körbchen hinüber und nahm ihre Tochter mit einem Seufzer heraus.

»Super, ich bin in 'ner halben Stunde da.«

»Haben Sie die Adresse?«

»Klar. Ich habe mich doch dort ein paarmal mit Lynn getroffen. Bis dann.« Er hängte ein, und Alex richtete sich im Bett auf, während Lynn mit dem Baby zurückkam.
»Das war Jason«, sagte Alex. »Er ist schon unterwegs. Ich geh besser duschen. Du hast mir gar nicht gesagt, dass er so ein Hansdampf ist.« Er beugte sich vor und küsste den Kopf seiner Tochter, als Lynn sie an die Brust legte.
»Er übertreibt manchmal ein bisschen«, stimmte ihm Lynn zu. »Ich versorge Davina, dann zieh ich nur kurz den Morgenmantel an und komme dazu.«
»Ich kann's kaum glauben, dass er so schnell zu einem Ergebnis gekommen ist.«
»Er ist wie du, als du damals die Firma gegründet hattest. Er findet seine Arbeit toll, deshalb stört es ihn nicht, wenn er viel Zeit darauf verwendet. Und er will seine Freude mit allen anderen teilen.«
Alex hatte nach seinem Morgenmantel gegriffen, hielt aber inne. »So war ich? Es ist ja ein Wunder, dass du dich nicht scheiden lassen wolltest.«
Alex fand Weird, der elend aussah, in der Küche. Er hatte keine Farbe im Gesicht außer von den blauen Flecken, die sich wie Schminke um beide Augen zogen. Er saß unglücklich da und hielt seine Tasse mit beiden Händen umklammert. »Du siehst miserabel aus«, sagte Alex.
»So fühl ich mich auch.« Er nippte an seinem Kaffee und zuckte zusammen. »Warum habt ihr keine anständigen Schmerztabletten?«
»Weil es nicht unsere Angewohnheit ist, verprügelt zu werden«, sagte Alex über die Schulter, als er an die Tür ging, um zu öffnen. Jason kam aufgeregt und federnden Schritts herein, stutzte dann aber, was fast komisch wirkte, als er bemerkte, wie Weird aussah. »Scheiße, was ist Ihnen denn passiert, Mann?«
»Einer mit einem Baseballschläger«, sagte Alex lakonisch. »Das war kein Scherz, als wir sagten, es könnte hier um Leben

und Tod gehen.« Er goss Jason einen Kaffee ein. »Ich bin beeindruckt, dass Sie so schnell etwas für uns haben«, sagte er.
Jason zuckte die Schultern. »Als ich mich dranmachte, war es gar nicht so schwierig. Ich habe die Mikrospektrofotometrie gemacht, um den Farbton festzustellen, dann hab ich's durch den Chromatographen laufen lassen, um die Zusammensetzung herauszukriegen. Aber es passte zu nichts, was ich in meiner Datenbank hatte.«
Alex seufzte. »Na ja, das hatten wir ja erwartet«, sagte er.
Jason hob den ausgestreckten Zeigefinger. »Aber, Alex, ich bin ja niemand, der sich nicht zu helfen wüsste. Vor zwei Jahren hab ich auf einem Kongress einen Typ getroffen. Der ist der größte Farbspezialist der Welt. Er arbeitet für das FBI und schätzt, dass er die umfassendste Datenbank für Farben hat, die es in dem uns bekannten Universum gibt. Ich hab ihn also meine Ergebnisse mit seinen Unterlagen vergleichen lassen, und bingo! Wir hatten es.« Er hielt die Arme ausgebreitet, als erwarte er Applaus.
Lynn kam gerade rechtzeitig herein, um den Schluss mitzukriegen. »Und was war es?«, fragte sie.
»Ich werde euch nicht mit den technischen Einzelheiten langweilen. Die Farbe wurde Mitte der siebziger Jahre von einem kleinen Hersteller in New Jersey zum Streichen auf Glasfaser und bestimmte Arten gegossener Plastikmasse produziert. Die Zielgruppe waren Besitzer und Bauer von Booten. Die Farbe ergab eine besonders widerstandsfähige Oberflächenbeschaffenheit, die nicht leicht Kratzer bekam und selbst unter extremen Wetterbedingungen nicht abblätterte.« Er machte seinen Rucksack auf, wühlte darin herum und brachte schließlich eine mit dem Computer hergestellte Farbskala zutage. Eine hellblaue Farbprobe war mit schwarzem Filzstift eingerahmt. »So hat sie ausgesehen«, sagte er und gab das Blatt herum. »Die gute Nachricht zur Qualität eurer Farbe ist, dass man, wenn euer Tatort wie durch ein Wunder erhalten geblieben ist, also noch die passende Substanz dazu finden könnte. Die

Farbe wurde hauptsächlich an der Ostküste der USA verkauft, aber auch nach Großbritannien und in die Karibik exportiert. Die Firma ist allerdings in den späten achtziger Jahren eingegangen.«

»Es könnte also sein, dass Rosie auf einem Boot getötet wurde?«, fragte Alex.

Jason schmatzte leise, um Zweifel auszudrücken. »Wenn es so war, dann muss es schon ein ziemlich großes gewesen sein.«

»Wieso sagen Sie das?«

Mit Schwung zog er einige Papiere aus seinem Rucksack. »Da spielt die Form der Farbtropfen eine Rolle. Wir haben hier winzige Tränen. Und ein oder zwei sehr kleine Faserreste, die mir sehr nach Teppichboden auszusehen scheinen. Und das sagt mir etwas. Diese Tropfen sind beim Streichen vom Pinsel gefallen. Es ist eine sehr bewegliche Farbe, das heißt, dass sie in winzigen Tröpfchen herunterfiel. Die Person, die das Streichen besorgte, hat es wahrscheinlich überhaupt nicht bemerkt. Typisch ist der feine Sprühnebel, der sich ergibt, wenn man weit oben etwas streicht, besonders wenn man sich dabei streckt. Und weil es fast keine Abweichungen in der Form der Tröpfchen gibt, weist das darauf hin, dass die Farbe irgendwo oben in gleich bleibender Höhe aufgetragen wurde. Das alles passt nicht zum Streichen eines Schiffskörpers. Und selbst wenn man das Boot umgedreht hätte, um es innen zu streichen, würde man das nicht an einem Ort tun, wo Teppichboden liegt, oder? Und die Tröpfchen würden in der Größe variieren, weil ein Teil der Oberfläche einem näher wäre, nicht wahr?« Er hielt inne und sah sich im Raum um. Alle schüttelten die Köpfe, von seiner Begeisterung fasziniert.

»Was bleibt uns also? Wenn es ein Boot war, dann hätte euer Mann wahrscheinlich das Dach der Kajüte gestrichen. Von innen. Ich habe also mit einer ganz ähnlichen Farbe experimentiert, und um diese Wirkung zu bekommen, musste ich mich sehr strecken. Kleine Boote haben diese lichte Höhe nicht. Ich würde also schätzen, dass euer Mann ein ziemlich großes Boot hatte.«

»Wenn es ein Boot war«, sagte Lynn. »Hätte es nicht etwas anderes sein können? Etwa der Innenraum eines Wohnwagens? Oder eines Wohnwagenanhängers?«

»Könnte sein. Man würde aber in einem Wohnwagen wahrscheinlich keinen Teppichboden haben, oder? Es hätte eine Hütte sein können, oder auch eine Garage. Denn Farben für Glasfaser eignen sich auch recht gut für Asbest, und davon hat es damals in den siebziger Jahren noch viel mehr gegeben.«

»Die Schlussfolgerung ist also, dass es uns nicht weiterbringt«, sagte Weird enttäuscht.

Das Gespräch ging danach in verschiedene Richtungen. Aber Alex hatte aufgehört zuzuhören. Sein Gehirn arbeitete, das gerade Gehörte hatte einen bestimmten Gedankengang in Bewegung gesetzt. Verbindungen entstanden, einzelne Fetzen von Information setzten sich in seinem Kopf zu einer Kette zusammen. Wenn man dem zunächst Undenkbaren erst einmal Raum gab, fingen so viele Dinge an, einen Sinn zu bekommen. Die Frage war jetzt, was man tun konnte.

Plötzlich wurde ihm bewusst, dass er dem Gespräch nicht mehr gefolgt war. Alle sahen ihn gespannt an und warteten auf seine Antwort auf eine Frage, die er nicht gehört hatte.

»Was?«, sagte er. »Tut mir leid, ich war in Gedanken ganz woanders.«

»Jason hat gefragt, ob du möchtest, dass er einen offiziellen Bericht schreibt«, sagte Lynn. »Damit ihr ihn Lawson zeigen könnt.«

»Ja, tolle Idee«, sagte Alex. »Das ist prima, Jason, wirklich eindrucksvoll.«

Als Lynn Jason zur Tür begleitete, schaute Weird Alex durchdringend an. »Du hast doch eine Idee, Gilly«, sagte er. »Den Blick kenne ich doch.«

»Nein. Ich hab mir nur das Gehirn zermartert und versucht, mich an jemanden aus der Lammas Bar zu erinnern, der ein

Boot hatte. Es gab da zwei Fischer, oder?« Alex wandte sich ab und beschäftigte sich mit den zwei Scheiben Brot im Toaster.

»Jetzt wo du das erwähnst ... Wir sollten Lawson daran erinnern«, sagte Weird.

»Ja, wenn er anruft, kannst du es ihm ja sagen.«

»Warum? Wo wirst du denn sein?«

»Ich muss mal für ein paar Stunden ins Büro. Ich habe die Firma vernachlässigt. Sie läuft nicht von selbst. Heute früh sind zwei Besprechungen, bei denen ich wirklich dabei sein muss.«

»Aber solltest du alleine herumfahren?«

»Ich habe keine andere Wahl«, sagte Alex. »Aber ich glaube, dass ich am helllichten Tag auf der Straße nach Edinburgh ziemlich sicher bin. Und ich werde lange vor Dunkelheit wieder zurück sein.«

»Hoffentlich.« Lynn kam herein und brachte die Morgenzeitungen mit. »Sieht so aus, als hätte Jackie recht gehabt. Sie sind überall auf den Titelseiten.«

Alex kaute gedankenverloren auf seinem Toast herum, während die anderen in den Zeitungen blätterten. Während sie beschäftigt waren, nahm er die Farbskala, die Jason dagelassen hatte, und steckte sie sich in die Hosentasche. In einer Gesprächspause sagte er, er gehe jetzt, küsste seine Frau und das schlafende Kind und verließ das Haus.

Er steuerte den BMW vorsichtig aus der Garage auf die Straße und fuhr los zur Autobahn, die über die Brücke nach Edinburgh führte. Aber als er den Kreisverkehr erreichte, nahm er die Ausfallstraße nach Norden, statt nach Süden auf die M90 abzubiegen. Wer immer ihnen nachstellte, war jetzt in seinem Gebiet angekommen. Da konnte Alex seine Zeit nicht mit Besprechungen verschwenden.

Lynn setzte sich mit einem Gefühl der Erleichterung, auf das sie nicht gerade stolz war, hinters Steuer. Sie fing an, in ihrem eigenen Zuhause Platzangst zu bekommen. Nicht einmal in ihr Arbeitszimmer konnte sie sich zurückziehen und Ruhe finden, indem sie an ihrem neuesten Bild malte. Sie wusste, sie sollte so bald nach einer schwierigen Entbindung nicht Auto fahren, aber sie musste mal raus. Dass sie einkaufen müsste, war eine perfekte Ausrede. Sie versprach Weird, dass sie jemanden vom Supermarkt bitten würde, die schweren Sachen zu tragen. Dann hatte sie Davina warm eingepackt, sie in ihre Tragetasche gelegt und war entflohen.

Sie wollte ihre Freiheit nutzen und fuhr zu dem großen Sainsbury-Supermarkt in Kirkcaldy. Wenn sie nach dem Einkauf noch genug Energie hatte, konnte sie ja noch bei ihren Eltern reinschauen. Sie hatten Davina nicht mehr gesehen, seit sie aus dem Krankenhaus nach Hause gekommen war. Vielleicht würde ein Besuch ihrer Enkelin helfen, ihren Trübsinn zu verscheuchen. Sie brauchten etwas, was sie dazu brachte, wieder mehr an der Zukunft als an der Vergangenheit teilzunehmen.

Als sie bei Halbeath von der Autobahn abfuhr, ging die Benzinleuchte am Armaturenbrett an. Rational war ihr klar, dass sie mehr als genug Treibstoff hatte, um nach Kirkcaldy und wieder zurück zu kommen, aber da sie das Kind dabeihatte, wollte sie kein Risiko eingehen. An der Ausfahrt zur Tankstelle setzte sie den Winker und fuhr zu den Zapfsäulen, ohne dabei den Wagen zu bemerken, der schon hinter ihr herfuhr, seit sie North Queensferry verlassen hatte.

Lynn füllte den Tank und ging dann schnell hinein, um zu zahlen. Während ihre Kreditkarte überprüft wurde, blickte sie auf den Vorplatz hinaus.

Zuerst begriff sie nichts. Was da draußen vor sich ging, war abwegig, es konnte nicht sein. Dann fiel der Groschen. Lynn schrie so laut sie konnte und stolperte auf die Tür zu, ihre Tasche fiel herunter, und beim Weiterrennen verstreute sich der Inhalt auf dem Boden.

Ein silberner Golf stand mit laufendem Motor und weit offener Tür hinter ihrem Wagen. Auch die Beifahrertür ihres Autos war offen und verdeckte die Sicht auf jemanden, der sich hineinbeugte. Als sie die schwere Tür des Tankstellen-Shops aufriss, richtete sich ein Mann auf, dem dichtes schwarzes Haar über die Augen fiel. Er hielt Davinas Tragetasche umklammert, warf einen Blick in ihre Richtung und rannte dann zu dem anderen Auto. Davinas Schrei durchschnitt die Luft wie ein Messer.

Halb schob er und halb warf er die Tragetasche auf seinen Beifahrersitz und sprang dann hinein. Lynn hatte ihn fast erreicht. Er legte den Gang ein und fuhr mit quietschenden Reifen davon.

Ohne auf den Schmerz ihrer halb verheilten Wunde zu achten, warf sich Lynn auf den wild schlingernden Golf, der an ihr vorbeiraste. Sie versuchte die Finger verzweifelt festzukrallen, fand aber keinen Halt, und ihr Schwung ließ sie nach vorn auf die Knie fallen.

»Nein«, schrie sie und hämmerte mit den Fäusten auf den Boden. »Nein.« Sie versuchte aufzustehen, zu ihrem Wagen zu gehen und hinter ihm herzujagen. Aber ihre Beine trugen sie nicht mehr, sie brach zusammen und fiel von Angst gelähmt zu Boden.

Graham Macfadyen frohlockte, als er die A92 entlangdonnerte und sich vom Autohof in Halbeath entfernte. Er hatte es geschafft. Er hatte das Kind in seiner Gewalt. Er warf einen schnellen Blick darauf, um sich zu vergewissern, dass alles in Ordnung war. Sobald er auf die Schnellstraße gekommen war, hörte es auf, so durchdringend zu schreien. Er hatte gehört, dass Babys das Gefühl, in einem Auto zu fahren, mögen, was bei diesem hier jedenfalls zu stimmen schien. Es schaute gelassen und ruhig mit seinen blauen Augen zu ihm hoch. Am Ende der Schnellstraße war er auf kleine Wege abgebogen, um der Polizei auszuweichen. Danach würde er anhalten und die Tasche richtig anschnallen. Er wollte nicht, dass ihm schon jetzt etwas passierte. Er wollte Alex Gilbey bestrafen, und je länger das Baby lebte und es ihm offenbar gut ging, desto mehr würde Gilbey leiden. Er würde das Baby als Geisel bei sich behalten, solange es ihm nützte.

Es war lächerlich leicht gewesen. Die Leute sollten wirklich besser aufpassen. Es war erstaunlich, dass nicht mehr Kinder Fremden in die Hände fielen.

Das würde die Leute endlich aufhorchen lassen, dachte er. Er würde das Baby mit nach Hause nehmen und die Türen abschließen. Es würde zu einer Belagerung kommen. Die Medien würden in Scharen erscheinen, und er würde erklären können, warum er sich zu so extremen Maßnahmen gezwungen sah. Wenn sie hörten, wie die Polizei von Fife die Mörder seiner Mutter schützte, würden sie verstehen, warum ihn das zu solch einer Tat trieb, die nicht zu ihm passte. Und wenn auch das nicht funktionierte, hatte er noch eine letzte Karte, die er ausspielen konnte. Er sah auf das schläfrige Baby hinunter.

Lawson würde es noch bereuen, dass er nicht auf ihn gehört hatte.

42

Alex hatte die Autobahn bei Kinross verlassen. Er war durch die stille Marktstadt und an der anderen Seite wieder hinaus auf den Loch Leven zugefahren. Als Karen Pirie herausgerutscht war, dass Lawson angeln ging, hatte sie etwas über einen »Loch« gesagt. Und es gab nur einen Loch in Fife, wo ein richtiger Angler seine Rute auswerfen würde. Alex musste die ganze Zeit über das nachdenken, was er da kürzlich erfahren hatte. Denn tief im Innern wusste er, dass keiner von ihnen es getan hatte, und weil er sich nicht vorstellen konnte, dass Rosie allein in einem Schneesturm herumgelaufen war und so leicht zur Beute eines Fremden hätte werden können, war er immer schon geneigt gewesen zu glauben, dass sie von ihrem geheimnisvollen Freund getötet wurde. Und wenn man plante, ein Mädchen zu verführen, nahm man sie nicht in eine Garage oder Hütte mit. Sondern man brachte sie dorthin, wo man wohnte. Und dann war ihm ein nebensächlicher Satz in einem der Gespräche vom Vortag wieder eingefallen. Das Undenkbare war plötzlich das Einzige gewesen, was Sinn machte. Wie ein schlafender Dinosaurier ragte zur Rechten die massige Form des Bishop auf, und sein Mobiltelefon empfing kein Signal mehr. Gleichgültig gegenüber allem, was irgendwo sonst vor sich ging, verfolgte Alex seine Mission. Er wusste genau, was er suchte. Nur war ihm nicht klar, wo er es finden würde.

Er fuhr langsam und erkundete jeden Feldweg und jede Seitenstraße, die zum Ufer des Sees hinunterführte. Ein leichter

Dunst hing über dem stahlgrauen Wasser, der die Geräusche dämpfte und diese Fahrt zu einem unerwünscht unheimlichen Unternehmen machte. Alex hielt an jedem Tor, an das er kam, stieg aus, stützte sich auf den Zaun und blickte über die Felder, damit er sein Jagdziel nicht verfehlte. Als seine Knöchel von den langen Grashalmen nass wurden, wünschte er, er wäre vernünftiger angezogen. Aber er hatte Lynn nicht merken lassen wollen, dass er nicht beabsichtigte, ins Büro zu gehen.

Er nahm sich Zeit und fuhr systematisch das ganze Seeufer ab. Fast eine Stunde lang durchstreifte er einen kleinen Campingplatz, aber das, was er suchte, war nicht da. Allerdings überraschte ihn das eigentlich nicht. Er hatte nicht erwartet, seine Jagdbeute an einer Stelle zu finden, zu der normale Leute Zugang hatten.

Ungefähr zu der Zeit, als seine verzweifelte Frau ihre erste Aussage bei der Polizei machte, trank Alex einen Kaffee in einer Teestube am Straßenrand, bestrich selbst gebackene Scones mit Butter und versuchte sich nach dem Aufenthalt auf dem Campingplatz aufzuwärmen. Er hatte nicht die leiseste Ahnung, dass etwas schief gelaufen war.

Der erste Polizist vor Ort hatte eine verwirrte Frau vorgefunden, die mit Schmutz an den Händen und an den Knien ihrer Jeans auf dem Vorplatz stand und schrie. Der völlig aufgelöste Tankwart stand hilflos neben ihr, während frustrierte Autofahrer ankamen und wieder wegfuhren, als sie merkten, dass sie hier nicht bedient werden konnten.

»Holen Sie Jimmy Lawson, jetzt sofort«, schrie sie immer wieder, und der Tankwart erklärte ihm, was geschehen war.

Der Polizist versuchte, ihre Forderungen zu ignorieren, und forderte über Funk eilig Hilfe an. Dann hatte sie ihn an der Jacke gepackt, mit ihren Speicheltröpfchen benetzt und dabei immer wieder verlangt, der stellvertretende Kripochef solle kommen. Er hatte versucht, sie abzuwehren, ihr aber vorge-

schlagen, sie könne vielleicht ihren Mann anrufen, einen Freund, irgendjemanden.
Lynn stieß ihn geringschätzig von sich und stürmte in den Tankstellenladen zurück. Aus dem Haufen ihrer verstreuten Sachen schnappte sie sich ihr Mobiltelefon. Sie versuchte Alex' Nummer, hörte aber nur die nervtötende Stimme des Auskunftsdienstes, die sagte, die Nummer sei nicht zu erreichen. »Scheiße«, schrie Lynn. Sie fingerte nervös über die Tasten und wählte ihre Nummer zu Hause.
Als Weird antwortete, jammerte sie: »Tom, er hat Davina mitgenommen. Der Scheißkerl hat mir meine Tochter weggenommen.«
»Was? Wer hat sie genommen?«
»Ich weiß nicht. Macfadyen, glaube ich. Er hat mein Baby gestohlen.« Jetzt kamen die Tränen, strömten ihr über die Wangen und ließen ihre Stimme versagen.
»Wo bist du?«
»Bei der Tankstelle in Halbeath. Ich habe nur zum Tanken angehalten. Ich war nur eine Minute weg ...« Lynn blieben die Worte im Halse stecken, und das Handy fiel ihr auf die Füße. Sie ging in die Hocke und lehnte sich gegen ein Regal mit Süßigkeiten, bedeckte den Kopf mit den Armen und schluchzte. Sie hatte keine Ahnung, wie viel Zeit vergangen war, bevor sie eine leise, beruhigende Frauenstimme hörte und in das Gesicht einer Fremden aufsah.
»Ich bin Detective Inspector Cathy McIntyre«, sagte die Frau. »Würden Sie mir sagen, was geschehen ist?«
»Er heißt Graham Macfadyen. Und er wohnt in St. Monans«, sagte Lynn. »Er hat mein Baby entführt.«
»Kennen Sie den Mann?«, fragte DI McIntyre.
»Nein. Aber er hat es auf meinen Mann abgesehen. Er glaubt, dass Alex seine Mutter umgebracht hat. Aber natürlich stimmt das nicht. Er ist verrückt. Er hat schon zwei Leute umgebracht. Lassen Sie ihn nicht mein Baby umbringen.« Lynns Worte kamen so schnell und wirr heraus, dass sie

klang, als sei sie übergeschnappt. Sie versuchte, tief Luft zu holen, und bekam Schluckauf. »Ich weiß, ich höre mich verrückt an, aber das bin ich nicht. Sie müssen den Assistant Chief Constable anrufen. James Lawson. Er weiß Bescheid.«

DI McIntyre war unschlüssig. Diese Sache lag weit außerhalb ihres Erfahrungsbereichs, und das wusste sie auch. Bis jetzt hatte sie es nur geschafft, alle Kollegen, die im Auto oder zu Fuß auf Streife waren, über Funk zu verständigen und ihnen zu sagen, sie sollten auf einen silbernen Golf mit einem dunkelhaarigen Mann am Steuer achten. Vielleicht würde ein Anruf beim ACC ihr eine Demütigung ersparen. »Überlassen Sie das mir«, sagte sie und ging wieder auf den Vorplatz hinaus, um zu überlegen, welche Möglichkeiten sie hatte.

Weird saß in der Küche und kochte vor Wut, dass er nichts tun konnte. Beten war ja gut und schön, aber man brauchte eine tiefe innere Ruhe, um mit Gebeten irgendetwas Förderliches zu erreichen. Seine Phantasie raste und führte ihm Filmszenen vor, in denen seine eigenen Kinder in den Händen eines Entführers waren. Er wusste, dass er an Lynns Stelle zu keiner rationalen Reaktion fähig wäre. Er musste etwas Konkretes tun, das vielleicht helfen konnte.

Er versuchte, Alex anzurufen. Aber auf seinem Mobiltelefon war er nicht zu erreichen, und in Alex' Büro hieß es, man hätte den ganzen Morgen nichts von ihm gehört oder gesehen. Also stand Alex auch auf der Vermisstenliste. Weird war nicht unbedingt überrascht. Er war überzeugt gewesen, dass Alex etwas im Sinn hatte, was er in Angriff nehmen wollte.

Er griff nach dem Telefon, zuckte bei dieser kleinen Bewegung schon zusammen und ließ sich von der Auskunft die Nummer der Polizei von Fife geben. Er musste alle ihm zu Gebote stehenden Überredungskünste einsetzen, um bis zu Lawsons Sekretärin vorzudringen. »Ich muss unbedingt mit dem Assistant Chief Constable sprechen«, sagte er. »Es ist dringend. Es liegt eine Kindesentführung vor, und ich habe wichtige

Informationen dazu«, sagte er zu der Frau, die offensichtlich genauso viel Geschick im Abwimmeln hatte wie er im Schönreden.

»Mr. Lawson ist in einer Besprechung«, sagte sie. »Wenn Sie mir Ihren Namen und Ihre Nummer hinterlassen, werde ich ihn bitten, Sie anzurufen, wenn er kann.«

»Sie haben wohl nicht gehört, was ich gesagt habe? Da draußen gibt es irgendwo ein Kleinkind, dessen Leben in Gefahr ist. Wenn dem Baby irgendwas passiert, können Sie Ihre Pension darauf verwetten, dass ich innerhalb von einer Stunde mit der Presse und dem Fernsehen sprechen und sie darüber informieren werde, wie Sie und Ihre Kollegen versagt haben. Wenn Sie Lawson nicht sofort an den Apparat holen, werden Sie der Sündenbock sein.«

»Sie brauchen sich nicht so aufzuregen, Sir«, sagte die Frau kühl. »Wie war Ihr Name noch mal?«

»Pfarrer Tom Mackie. Er wird mit mir sprechen, das kann ich Ihnen garantieren.«

»Bleiben Sie bitte am Apparat.«

Bei den Klängen eines hektischen Concerto grosso tobte Weird innerlich. Nach einer Wartezeit, die ihm endlos vorkam, erklang eine Stimme, die ihm nach all den Jahren noch vertraut war. »Hoffentlich geht's um etwas Wichtiges, Mr. Mackie. Man hat mich aus einer Besprechung mit dem Polizeipräsidenten herausgeholt, damit Sie mit mir reden können.«

»Graham Macfadyen hat Alex Gilbeys Kind geraubt. Es ist unglaublich, dass Sie in einer Besprechung sitzen, während sich so etwas abspielt«, sagte Weird bissig.

»Was haben Sie gesagt?«, fragte Lawson.

»Sie haben eine Kindesentführung auf dem Hals. Vor etwa einer Viertelstunde hat Macfadyen Davina Gilbey entführt. Sie ist erst zwei Wochen alt, um Gottes willen.«

»Darüber weiß ich nichts, Mr. Mackie. Können Sie mir sagen, was Ihnen bekannt ist?«

»Lynn Gilbey hat an der Tankstelle von Halbeath angehalten,

um zu tanken. Als sie beim Bezahlen war, nahm Macfadyen das Baby aus Lynns Auto. Ihre Leute sind jetzt vor Ort, warum hat Ihnen niemand Bescheid gesagt?«

»Hat Mrs. Gilbey Macfadyen erkannt? Kennt sie ihn überhaupt?«, fragte Lawson.

»Nein. Aber wer sonst würde Alex so treffen wollen?«

»Kinder werden aus allen möglichen Gründen entführt, Mr. Mackie. Vielleicht ist es nichts Persönliches.« Seine Stimme sollte beruhigen, blieb aber wirkungslos.

»Natürlich ist es etwas Persönliches«, rief Weird. »Gestern Abend hat jemand versucht, mich zu Tode zu prügeln. Sie sollten einen Bericht dazu auf Ihrem Schreibtisch haben. Und heute früh wird Alex' Kind entführt. Wollen Sie wieder mit der Zufallsgeschichte kommen? Das nehmen wir Ihnen nicht ab. Sie müssen Ihren Hintern in Bewegung setzen und Macfadyen aufspüren, bevor dem Baby etwas passiert.«

»Die Tankstelle in Halbeath, sagen Sie?«

»Ja. Fahren Sie sofort hin. Sie können doch mit Ihrer Autorität einiges in Gang setzen.«

»Lassen Sie mich mit meinen Beamten vor Ort sprechen. Versuchen Sie in der Zwischenzeit ruhig zu bleiben, Mr. Mackie.«

»Ja, gut. Das sagt sich leicht.«

»Wo ist Mr. Gilbey?«, fragte Lawson.

»Ich weiß nicht. Er wollte angeblich in sein Büro, aber dort ist er nicht aufgetaucht. Und sein Handy funktioniert nicht.«

»Überlassen Sie das mir. Wir werden den finden, der das Baby hat, wer immer es ist. Und wir werden es nach Hause bringen.«

»Sie klingen wie ein Polizist aus 'ner schlechten Fernsehserie, wissen Sie das, Lawson? Tun Sie einfach was. Fahnden Sie nach Macfadyen.« Weird knallte den Hörer auf die Gabel. Er versuchte sich einzureden, dass er etwas erreicht hatte, aber eigentlich war ihm ganz anders zumute. Er nahm wieder den Hörer auf und fragte die Auskunft nach einer Taxinummer.

Lawson starrte auf den Telefonhörer. Macfadyen war zu weit gegangen. Das hätte er voraussehen sollen, aber er hatte versagt. Jetzt war es zu spät, den Mann aus dem Verkehr zu ziehen. Die Sache hatte durchaus das Potenzial, völlig außer Kontrolle zu geraten. Und wer wusste, was dann passieren konnte? Er bemühte sich, den Anschein von Ruhe zu bewahren, rief die Einsatzzentrale an und ließ sich darüber berichten, was sich in Halbeath tat.

Sobald er die Worte »silberner Golf« hörte, stand ihm vor Augen, wie er den Weg zu Macfadyens Haus hochgegangen war und den Wagen in der Einfahrt gesehen hatte. Keine Frage, Macfadyen war ausgerastet.

»Stellen Sie mich zu dem Kollegen vor Ort durch, der die Sache übernommen hat«, befahl er und trommelte mit den Fingern auf seinen Schreibtisch, bis die Verbindung hergestellt war. Das übertraf ja seine schlimmsten Befürchtungen. Was zum Teufel hatte Macfadyen vor? Rächte er sich an Gilbey für den Mord an seiner Mutter? Oder spielte er ein tiefsinnigeres Spielchen? Was immer er vorhatte, das Kind war in Gefahr. Normalerweise war das Motiv von Kindesentführern einfach. Sie wollten ein eigenes Kind. Wollten es umsorgen, mit ihrer Liebe und Hingabe überschütten. Aber hier war die Situation anders. Dieses Kind war ein Unterpfand in Macfadyens morbidem Spiel, und wenn er sich vorstellte, er nehme Rache für den Mord, dann wollte er die Sache vielleicht auch mit einem Mord zu Ende bringen. Die Folgen durfte man sich gar nicht ausdenken. Lawsons Magen zog sich bei dieser Vorstellung zusammen. »Na los«, murmelte er.

Schließlich war unter Knacken und Krachen eine Stimme zu hören. »Hier ist DI McIntyre.« Wenigstens eine Frau, die da vor Ort war, dachte Lawson erleichtert. Er erinnerte sich an Cathy McIntyre. Sie war Sergeant bei der Kripo gewesen, als er Hauptkommissar bei der Schutzpolizei in Dunfermline war. Sie war eine gute Polizistin, die sich immer an die Regeln hielt.

»Cathy, hier ist ACC Lawson.«

»Ja, Sir. Ich wollte Sie gerade anrufen. Die Mutter des Babys, das entführt worden ist – sie hat nach Ihnen gefragt. Sie glaubt anscheinend, dass Sie wissen, worum es hier geht.«
»Der Entführer fuhr einen silberfarbenen Golf, richtig?«
»Ja. Wir versuchen mit Hilfe der Videoüberwachung die Autonummer herauszufinden, aber das Auto wurde nur fahrend aufgenommen. Er hat direkt hinter Mrs. Gilbey angehalten, die Nummer ist nicht zu erkennen, solange das Auto stand.«
»Lassen Sie jemanden das weiterverfolgen. Aber ich glaube, ich weiß, wer dafür verantwortlich ist. Er heißt Graham Macfadyen und wohnt in Carlton Way 12 in St. Monans. Ich vermute, dass er das Kind dorthin gebracht hat. Wahrscheinlich legt er es auf eine Geiselsituation an. Treffen Sie mich also dort am Ende der Straße. Bringen Sie nicht so viele Leute mit und veranlassen Sie, dass Mrs. Gilbey in einem separaten Wagen dorthin gefahren wird. Kein Funkkontakt in dem Wagen. Ich werde von hier aus das Verhandlungsteam für Geiselnahmen organisieren und Sie aufs Laufende bringen, wenn ich dort bin. Halten Sie sich nicht weiter auf, Cathy. Ich sehe Sie in St. Monans.«
Lawson legte auf und kniff dann die Augen zu, um sich zu konzentrieren. Geiseln freizubekommen war die schwerste Aufgabe, die es für Polizeibeamte gab. Der Umgang mit Hinterbliebenen war dagegen ein Kinderspiel. Er rief noch einmal die Einsatzzentrale an und befahl, das Team für Geiselnahmen und ein Sondereinsatzkommando zu mobilisieren. »Ach, und schicken Sie auch einen Fernmeldetechniker hin. Ich will, dass jede Verbindung zur Außenwelt gekappt wird.« Schließlich rief er Karen Pirie an. »Treffen Sie mich in fünf Minuten auf dem Parkplatz«, schnauzte er. »Ich erkläre alles unterwegs.«
Er war schon halb aus der Tür, als das Telefon schrillte. Er überlegte, ob er es klingeln lassen sollte, kehrte dann aber um.
»Lawson«, meldete er sich.
»Hallo, Mr. Lawson. Hier ist Andy von der Pressestelle. Ich hatte gerade jemanden vom *Scotsman* mit einer sehr merk-

würdigen Geschichte am Apparat. Man sagte mir, sie hätten dort eine E-Mail von einem Typ bekommen, der behauptet, er hätte ein Baby entführt, weil die Polizei von Fife die Mörder seiner Mutter schütze. Er gibt besonders Ihnen die Schuld an der Situation. Es ist offenbar eine sehr lange und ausführliche E-Mail. Sie werden sie mir schicken. Und die Frage ist im Grunde, ob es stimmt. Gibt es denn im Revier eine Kindesentführung?«

»Ach Herrgott«, stöhnte Lawson. »Ich hatte schon das schreckliche Gefühl, dass das passieren würde. Hören Sie, wir haben eine sehr komplizierte Situation hier. Ja, ein Säugling ist entführt worden, aber ich habe selbst noch nicht alle Details. Sie müssen mit der Einsatzzentrale sprechen, die können Ihnen die genauen Einzelheiten geben. Ich habe den Verdacht, dass Sie in der Sache noch eine Menge Anrufe bekommen werden, Andy. Geben Sie ihnen so viele Hinweise zu dem Einsatz wie möglich. Kündigen Sie eine Pressekonferenz für den Nachmittag an, allerdings so spät es sich machen lässt. Aber heben Sie ausdrücklich hervor, dass der Typ gestört ist und dass man seinen Faseleien keinen Glauben schenken sollte.«

»Der offizielle Standpunkt ist also, dass es ein Spinner ist«, sagte Andy.

»Ja, so ungefähr. Aber wir nehmen die Sache sehr ernst. Das Leben eines Kindes steht auf dem Spiel, ich will keine unverantwortliche Berichterstattung, die den Typ vollends zum Überschnappen bringt. Ist das klar?«

»Wird gemacht. Bis später.«

Lawson fluchte leise vor sich hin und eilte dann zur Tür. Das würde ein höllischer Tag werden.

Weird bat den Taxifahrer, einen Umweg zum Einkaufscenter in Kirkcaldy zu machen. Als sie da waren, gab er dem Fahrer ein Bündel Banknoten. »Tun Sie mir doch bitte einen Gefallen. Sie sehen ja, in welchem Zustand ich bin. Gehen Sie rein und

kaufen Sie mir ein Mobiltelefon. Eins von denen mit Karte und gleich noch zwei Extrakarten dazu. Ich muss Kontakt mit der Welt haben.«
Eine Viertelstunde später waren sie wieder unterwegs. Er holte den Zettel heraus, auf dem er die Handynummern von Alex und Lynn notiert hatte. Er versuchte noch einmal Alex. Noch immer keine Antwort. Wo in aller Welt war er nur?

Macfadyen starrte verwirrt auf das Baby. Sobald er es ins Haus gebracht hatte, hatte es angefangen zu schreien, aber er hatte keine Zeit gehabt, sich darum zu kümmern. Er musste E-Mails rausschicken, um der Welt da draußen mitzuteilen, was hier lief. Alles war bereit. Er musste nur online gehen, und mit ein paar Mausklicks würde seine Botschaft an alle Nachrichtenorgane im Land und an mehrere Nachrichten-Sites im Internet gehen. Jetzt würden sie endlich aufmerken müssen.
Er kehrte ins Wohnzimmer zurück, wo er die Babytragetasche auf den Boden gestellt hatte. Er wusste, er sollte bei dem Baby bleiben, um zu vermeiden, dass sie bei einem Angriff der Polizei getrennt waren, aber das Schreien hatte ihn ganz rasend gemacht, und er hatte es nach nebenan gebracht, damit er sich konzentrieren konnte. Dort und überall sonst im Haus hatte er die Vorhänge vorgezogen und sogar eine Decke vor das Badezimmerfenster genagelt, dessen Milchglas normalerweise ohne Vorhang war. Er wusste, wie Belagerungen abliefen. Je weniger die Bullen darüber wussten, was im Haus vor sich ging, desto besser für ihn.
Das Baby schrie immer noch. Sein Weinen war zu einem leisen Quengeln geworden, aber sobald er den Raum wieder betrat, hatte es von neuem angefangen zu brüllen. Das Geschrei drang wie ein Bohrer in seinen Kopf und machte das Denken unmöglich. Er musste es zum Schweigen bringen. Vorsichtig hob er es hoch und hielt es an seine Brust gedrückt. Das Schreien wurde so laut, dass er spürte, wie es in seiner Brust mitschwang. Vielleicht hat es etwas in der Windel, dachte er. Er

legte es auf den Boden und nahm die Decke ab, in die es eingewickelt war. Darunter war eine Fleecejacke. Er knöpfte sie auf und öffnete die Druckknöpfe an der Innenseite der Beinchen. Dann löste er das Hemdchen darunter. Wie viele Schichten brauchte das verdammte Balg? Vielleicht war ihm einfach zu heiß.

Er holte eine Rolle Küchenpapier und kniete sich hin, zog die Klebebänder ab, mit denen die Windel um den Bauch des Kindes befestigt war, und schreckte zurück. Oh Gott, das war ja ekelhaft. Herrgott, das war ja grün. Er rümpfte angewidert die Nase, nahm die schmutzige Windel ab und wischte den Rest weg. Hastig, bevor wieder etwas passieren konnte, legte er das Baby auf ein dickes Bündel Küchenpapier.

Und nach alldem weinte es immer noch. Mein Gott, was musste man tun, um der kleinen Göre das Maul zu stopfen? Er brauchte sie lebendig, zumindest noch für eine Weile, aber dieser Lärm machte ihn verrückt. Er schlug auf das rote Gesicht und hatte für einen Moment Ruhe. Aber sobald sich die Lunge des erschrockenen Kindes wieder gefüllt hatte, wurden die Schreie noch lauter.

Vielleicht sollte er es füttern? Er ging in die Küche zurück, schüttete Milch in eine Tasse und setzte sich, das Baby ungeschickt in der Armbeuge haltend, wie er es im Fernsehen gesehen hatte. Er steckte ihm einen Finger in den Mund und versuchte, etwas Flüssigkeit hineinzuträufeln. Milch lief über das Kinn herunter auf seinen Ärmel. Er versuchte es noch einmal, und diesmal wehrte es sich gegen ihn, wedelte mit den winzigen Armen und strampelte mit den Beinen. Wieso wusste das Balg nicht, wie man schluckt? Wieso benahm es sich, als wolle er es vergiften? »Was ist nur los mit dir, verdammt noch mal?«, rief er. Es wurde steif in seinen Armen und heulte nur noch lauter.

Er versuchte es noch eine Weile, aber ohne Erfolg. Doch ganz plötzlich hörte das Schreien auf. Das Baby schlief ein, als hätte jemand einen Schalter umgelegt. Gerade hatte es noch

gequengelt, und im nächsten Moment fielen ihm die Augen zu, und es war weg. Macfadyen entfernte sich ganz langsam von der Couch und zwang sich, es möglichst sanft in die Tasche zurückzulegen. Dass das höllische Geplärr wieder von neuem losging, konnte er nun gar nicht gebrauchen.
Er kehrte zu seinen Computern zurück und wollte ein paar Websites aufrufen, um zu sehen, ob sie die Neuigkeit schon brachten. Als er sah, dass auf den Bildschirmen die Botschaft »Keine Verbindung« erschien, war er nicht sonderlich überrascht. Er hatte erwartet, dass sie seine Telefonverbindung kappen würden. Als ob ihn das hindern könnte. Er nahm ein Mobiltelefon aus der Ladestation, verband es durch ein kurzes Kabel mit seinem Laptop und wählte sich dann ein. Gut, es war wie eine Reise auf dem Maultier, nachdem man einen Ferrari gefahren hatte. Aber obwohl es wahnsinnig lange dauerte, alles herunterzuladen, war er doch online.
Wenn sie meinten, sie könnten ihn so leicht zum Schweigen bringen, dann würden sie das noch mal überdenken müssen. Er war auf einen langwierigen Konflikt eingestellt, und er würde gewinnen.

43

Alex' Begeisterung begann nachzulassen. Nur die verbissene Überzeugung, dass die so verzweifelt gesuchte Antwort irgendwo da draußen war, ließ ihn weitermachen. Sie musste da sein. Er hatte die Südseite des Sees abgesucht, und jetzt ging er das Nordufer ab. Er wusste nicht, auf wie viele Felder er geblickt hatte. Gänse, Pferde, Schafe und einmal sogar ein Lama hatten in angestarrt. Er erinnerte sich vage, irgendwo gelesen zu haben, dass die Schäfer ihren Herden Lamas zur Abwehr gegen Füchse zugesellten, konnte aber partout nicht verstehen, wie so ein großer träger Klotz mit Augenwimpern, auf die ein Fotomodell neidisch wäre, ein so furchtloses Tier wie einen Fuchs abschrecken sollte. Er würde Davina hierher bringen und ihr eines Tages das Lama zeigen. Das würde ihr gefallen, wenn sie größer war.

Der Weg, den er hinunterfuhr, führte an einer armselig aussehenden Farm vorbei. Die Gebäude waren heruntergekommen, die Regenrinnen hingen durch, und an den Fensterrahmen blätterte die Farbe ab. Der Hof glich einem Friedhof für Maschinen, die seit Generationen still vor sich hin rosteten. Ein dürrer Collie mit irrem Blick zog an seiner Kette und bellte wütend und erfolglos, als er vorbeifuhr. Etwa hundert Meter hinter dem Tor der Farm wurden die Wagenspuren tiefer, dazwischen wuchs ein spärlicher Streifen Gras. Alex fuhr spritzend durch die Pfützen und zuckte zusammen, als ein Stein gegen die Karosserie flog.

Links von ihm in einer Hecke war ein hohes Tor, und Alex hielt müde davor an. Er ging vorn um seinen Wagen herum und lehnte sich auf die Eisenstangen, blickte nach links und sah eine Handvoll schmutzig brauner, traurig wiederkäuender Kühe. Er ließ den Blick flüchtig nach rechts schweifen, und da stockte ihm der Atem. Er konnte es kaum glauben. War er hier tatsächlich richtig?
Alex machte sich an der rostigen Kette zu schaffen, die das Tor verschloss, ging auf die Wiese und legte die Kette locker wieder um den Pfosten herum. Langsam bahnte er sich einen Weg durch das Gras; dass Dreck und Kot an seinen teuren amerikanischen Mokassins hängen blieben, war ihm egal. Je näher er seinem Ziel kam, desto sicherer war er, dass er gefunden hatte, was er suchte.
Seit fünfundzwanzig Jahren hatte er den Wohnwagen nicht gesehen, aber sein Gedächtnis sagte ihm, dass es dieser hier war. Zweifarbig, erinnerte er sich, oben cremefarben, unten graugrün. Die Farben hatten an Leuchtkraft verloren, aber sie entsprachen dem, was ihm im Gedächtnis geblieben war. Als er näher kam, sah er, dass er noch in gutem Zustand war. An beiden Seiten standen die Räder auf Leichtsteinen, damit sie nicht versanken, und auf dem Dach und den Fenstersimsen wuchs kein Moos. Als er vorsichtig darum herumging, sah er, dass die brüchige Gummifassung der Fensterrahmen mit einem Dichtungsmaterial repariert worden war, damit sie wasserdicht blieb. Nichts rührte sich. Die hellen Vorhänge waren zugezogen. Ungefähr zwanzig Meter unterhalb des Wohnwagens war ein kleines Tor im Zaun zum See hinunter. Alex sah, dass ein Ruderboot am Strand lag.
Er kehrte um, starrte wieder auf den Wohnwagen und konnte seinen Augen kaum trauen. Was ließ sich daraus machen, fragte er sich. Wahrscheinlich war die Chance nicht so winzig, wie es zunächst scheinen mochte. Möbel, Teppiche, Autos entsorgte man. Aber Wohnwagen blieben erhalten und behielten ein Eigenleben. Er dachte an das ältere Ehepaar, das

gegenüber von seinen Eltern wohnte. Sie hatten seit damals, als er noch Teenager war, den gleichen winzigen Wohnwagen mit zwei Betten. Im Sommer hängten sie ihn jeden Freitag ans Auto und fuhren ab. Nicht weit weg, nur die Küste entlang nach Leven oder Elie. Manchmal zogen sie wirklich los, überquerten den Forth und fuhren nach Dunbar oder North Berwick. Und sonntagabends kamen sie zurück, sehr von sich eingenommen, als wären sie am Nordpol gewesen. Es war also nicht so überraschend, dass PC Jimmy Lawson den Wohnwagen besaß, in dem er gewohnt hatte, während er sein Haus baute. Besonders da jeder Angler einen Unterschlupf braucht. Die meisten Leute hätten es wahrscheinlich genauso gemacht. Nur hätten natürlich die meisten Leute einen Tatort wohl nicht behalten.

»Glauben Sie Alex jetzt endlich?«, fragte Weird Lawson. Die Wirkung seiner Worte wurde dadurch abgeschwächt, dass er leicht gebückt dastand und die Arme an seine Rippen drückte, damit sie nicht gegeneinander stießen und ihm stechende Schmerzen verursachten.

Die Polizei war nicht viel früher da gewesen als Weird, der ein augenscheinliches Chaos vorfand. Männer in kugelsicheren Westen mit Helmen und Schusswaffen standen herum, während andere Polizisten mal hier- und mal dahin liefen, um ihre jeweiligen geheimnisvollen Aufgaben zu erfüllen. Merkwürdigerweise schien ihn kaum jemand zu beachten. Er stieg aus dem Taxi und hinkte mit prüfendem Blick näher an den Ort des Geschehens heran. Es dauerte nicht lange, bis er Lawson entdeckte, der über eine auf einer Motorhaube ausgebreitete Karte gebeugt stand. Die Polizistin, mit der er und Alex im Präsidium gesprochen hatten, war bei ihm und hielt ein Mobiltelefon ans Ohr.

Weird trat näher, sein Zorn und die Sorge ließen ihn die Schmerzen vergessen. »He, Lawson«, rief er aus ein paar Meter Entfernung. »Sind Sie jetzt zufrieden?«

Lawson drehte sich schnell um, schuldbewusst und überrascht. Seine Kinnlade fiel herunter, als er das übel zugerichtete Gesicht erblickte und Weird erkannte. »Tom Mackie?«, sagte er unsicher.

»Genau der. Glauben Sie Alex jetzt? Dieser Verrückte hat sein Kind da drin. Er hat schon zwei Leute umgebracht, und Sie stehen einfach da und hoffen, dass er Ihnen die Sache erleichtert, indem er den dritten erwischt.«

Lawson schüttelte den Kopf. Weird sah die Angst in seinen Augen. »Das ist nicht wahr. Wir tun alles, was wir können, um das Baby der Gilbeys unversehrt zurückzubekommen. Und Sie können ja nicht wissen, ob Graham Macfadyen irgendeiner anderen Tat schuldig ist als dieser.«

»Meinen Sie? Und wer, verdammt noch mal, hat Ziggy und Mondo umgebracht? Wer sonst hat mir das hier beigebracht?« Er zeigte mit einem Finger auf sein Gesicht. »Er hätte auch mich gestern Nacht umbringen können.«

»Haben Sie ihn gesehen?«

»Nein, ich musste zusehen, dass ich lebend davonkam.«

»Dann sind wir genauso weit wie vorher. Keine Beweise, Mr. Mackie. Keine Beweise.«

»Hören Sie, Lawson. Wir haben fünfundzwanzig Jahre mit Rosie Duffs Tod gelebt. Plötzlich taucht ihr Sohn aus dem Nichts auf. Und gleich darauf werden zwei von uns ermordet. Um Himmels willen, Mann, warum sind Sie der Einzige, der nicht begreift, dass es hier um Ursache und Wirkung geht?« Weird schrie jetzt und beachtete nicht, dass mehrere Polizisten ihn mit aufmerksamen, ungerührten Blicken betrachteten.

»Mr. Mackie, ich versuche hier eine komplexe Operation in Gang zu setzen. Es hilft wirklich nicht, wenn Sie im Weg stehen und mit haltlosen Behauptungen um sich werfen. Theorien sind ja etwas ganz Schönes, aber wir halten uns an Beweise.« Lawsons Wut war jetzt offensichtlich. Karen Pirie neben ihm hatte ihren Anruf beendet und näherte sich Weird unauffällig.

»Sie finden keine Beweise, wenn Sie nicht danach suchen.«
»Es ist nicht meine Aufgabe, in Mordfällen zu ermitteln, die außerhalb unseres Zuständigkeitsbereichs passieren«, schnauzte Lawson. »Sie verschwenden meine Zeit, Mr. Mackie. Und, wie Sie selbst betonten, das Leben eines Kindes ist gefährdet.«
»Das werden Sie büßen«, sagte Weird. »Beide«, fügte er hinzu und wandte sich Karen zu, um sie in seine Verdammung einzuschließen. »Sie waren gewarnt, und Sie haben nichts getan. Wenn er dem Kind ein Haar krümmt, schwöre ich Ihnen, Lawson, dann werden Sie sich wünschen, Sie wären nie geboren. Also, wo ist Lynn?«
Lawson schauderte insgeheim, als er daran dachte, wie Lynn Gilbey hier erschienen war. Sie hatte sich aus dem Streifenwagen gestürzt, sich ihm entgegengeworfen, mit den Fäusten auf seine Brust getrommelt und unzusammenhängende Worte geschrien. Karen Pirie hatte geschickt eingegriffen und ihre Arme um die verzweifelte Frau gelegt.
»Sie ist dort drüben in dem weißen Wagen. Karen, führen Sie Mr. Mackie zu dem Fahrzeug des Spezialeinsatzkommandos hinüber. Und bleiben Sie bei ihm und Mrs. Gilbey. Ich will nicht, dass sie hier herumlaufen und sich gefährden, wo wir hier überall Scharfschützen postiert haben.«
»Wissen Sie, wenn all dies vorbei ist«, sagte Weird, als Karen ihn wegführte, »dann werden Sie und ich miteinander abrechnen.«
»Darauf würde ich mich nicht verlassen, Mr. Mackie«, sagte Lawson. »Ich bin Polizeibeamter in höherer Position, und mir zu drohen ist strafbar. Gehen Sie jetzt und halten Sie eine Gebetsversammlung ab. Sie bleiben bei Ihrem Job, und ich tu den meinen.«

Carlton Way sah aus wie die Gasse einer Geisterstadt. Nichts regte sich. Es war am Tag immer ruhig hier, aber heute war es unnatürlich still. Der Arbeiter in Nummer sieben, der von der

Nachtschicht gekommen war, wurde in seinem Bett durch ein Hämmern an der Hintertür geweckt. Die zwei Polizisten, die vor seiner Tür standen, hatten den noch ganz Benommenen überredet, sich anzuziehen und ihnen über den Zaun am Ende seines Gartens und durch den Spielplatz zur Hauptstraße zu folgen. Dort hatte man ihm solch unwahrscheinliche Vorkommnisse berichtet, dass er wohl gedacht hätte, man wolle ihn auf den Arm nehmen, wäre da nicht das überwältigende Polizeiaufgebot und die Straßensperre gewesen, die den Carlton Way vom Rest der Welt abriegelte.

»Sind jetzt alle Häuser leer?«, fragte Lawson DI McIntyre.

»Ja, Sir. Und die einzige Telefonverbindung zu Macfadyens Haus haben wir. Alle bewaffneten Männer des Spezialeinsatzkommandos sind um das Haus herum aufgestellt.«

»Gut. Dann tun wir's jetzt.«

Zwei Streifenwagen und ein Van fuhren hintereinander in den Carlton Way. Sie parkten in einer Reihe vor Macfadyens Haus. Lawson stieg aus dem ersten Fahrzeug und ging zu John Duncan, dem Spezialisten, der für Verhandlungen mit Geiseln zuständig war und der hinter dem Van stand, wo er vom Haus aus nicht zu sehen war. »Wir können sicher sein, dass er da drin ist?«, fragte Duncan.

»Die Techniker sagen Ja. Wärmebildkameras oder so was. Er ist mitsamt dem Kind drin. Beide sind noch am Leben.«

Duncan gab Lawson einen Kopfhörer und nahm das Telefon, das eine Verbindung ins Innere des Hauses herstellte. Beim dritten Klingeln wurde abgenommen. Stille. »Graham? Sind Sie das?«, fragte Duncan mit fester, aber einfühlsamer Stimme.

»Wer ist dran?« Macfadyen klang erstaunlich gelassen.

»Mein Name ist John Duncan. Ich bin hier, um zu sehen, wie wir diese Situation auflösen können, ohne dass jemand verletzt wird.«

»Ich habe Ihnen nichts zu sagen. Ich will mit Lawson sprechen.«

»Er ist im Moment nicht hier. Aber ich kann ihm ausrichten, was immer Sie mir sagen.«

»Ich will mit Lawson sprechen, mit sonst niemand.« Macfadyens Tonfall war angenehm und ungezwungen, als rede er über Fußball oder das Wetter.

»Wie ich schon sagte, Mr. Lawson ist im Moment nicht hier.«

»Ich glaube Ihnen nicht, Mr. Duncan. Aber nehmen wir mal an, Sie sagen die Wahrheit. Ich hab's nicht eilig. Ich kann warten, bis Sie ihn finden.« Er legte auf. Duncan sah Lawson an. »Ende der ersten Runde«, sagte er. »Wir geben ihm zehn Minuten, dann werde ich's noch mal versuchen. Er wird schließlich doch anfangen zu reden.«

»Glauben Sie? Er klang so cool, finde ich. Meinen Sie nicht, ich sollte mit ihm sprechen? Dann bekommt er vielleicht das Gefühl, dass er das erreichen wird, was er verlangt.«

»Es ist zu früh für Zugeständnisse, Sir. Er muss uns irgendwie entgegenkommen, bevor wir ihm etwas dafür geben.«

Lawson seufzte tief und wandte sich ab. Er konnte das Gefühl nicht ausstehen, die Kontrolle nicht mehr zu haben. Es würde ein schreckliches Medientheater geben, und die Möglichkeiten, dass es schlimm ausging, waren sehr viel zahlreicher als die Alternativen. Er kannte sich mit solchen Belagerungssituationen aus. Für irgendjemanden ging so eine Sache fast immer schlecht aus.

Alex überlegte, welche Möglichkeiten er hatte. Bei jeder anderen Konstellation von Umständen wäre es das Vernünftigste gewesen, jetzt einfach zur Polizei zu gehen. Sie konnten ihr Team von Kriminaltechnikern schicken und den ganzen Wohnwagen auseinander nehmen, um den einen Tropfen Blut oder den tränenförmigen Farbtropfen zu suchen, der die unausweichliche Verbindung zwischen dem Wohnwagen und Rosie Duffs Tod herstellen würde.

Aber wie konnte er das tun, wenn der betreffende Wohnwagen dem stellvertretenden Polizeipräsidenten gehörte?

Lawson würde jede Untersuchung auf der Stelle stoppen, sie unterdrücken, bevor sie überhaupt angefangen hatte. Zweifellos würde der Wohnwagen in Flammen aufgehen, und die Schuld dafür würde irgendwelchen Randalierern gegeben. Und was hätte man dann? Nichts als einen Zufall. Lawson hatte sich in der Nähe des Ortes aufgehalten, an dem Alex sie gefunden hatte. Damals hatte niemand weiter darüber nachgedacht. In den siebziger Jahren war die Polizei in Fife noch über jeden Verdacht erhaben, sie waren diejenigen gewesen, die alles Böse fern hielten. Nicht einmal die Frage wurde gestellt, warum Lawson den Killer nicht gesehen hatte, der die verletzte Rosie auf den Hallow Hill fuhr, obwohl der Streifenwagen doch genau gegenüber dem Weg parkte, den dieser wahrscheinlich genommen hatte. Aber inzwischen war die Welt eine andere geworden, eine Welt, in der es möglich war, die Integrität von Männern wie James Lawson in Frage zu stellen.

Wäre Lawson der geheimnisvolle Freund in Rosies Leben gewesen, dann hätte es Sinn gemacht, dass sie nicht preisgab, wer er war. Für ihre Brüder, die immer in Schwierigkeiten gerieten, wäre es unerträglich gewesen, wenn sie mit einem Bullen gegangen wäre. Dann war da noch die Art und Weise, wie Lawson immer dann aufgetaucht war, wenn er oder seine Freunde bedroht wurden, als sei er ihr selbst ernannter Schutzengel. Schuldgefühle, dachte Alex jetzt. Schuldgefühle konnten einen Mann so weit bringen. Obwohl Lawson Rosie getötet hatte, hatte er immer noch so viel Anstand, zu meinen, dass nicht andere den Preis für sein Verbrechen zahlen sollten.

Aber keine dieser Annahmen war zu beweisen. Die Chance, nach fünfundzwanzig Jahren die Zeugen noch einmal zu hören und jemanden zu finden, der Rosie mit Jimmy Lawson gesehen hatte, waren gleich null. Der einzige handfeste Beweis befand sich in diesem Wohnwagen, und wenn Alex nichts unternahm, würde es zu spät sein.

Aber was konnte er tun? Die Fertigkeit von Einbrechern hatte er nicht. Als Teenager Autos knacken – das war Lichtjahre davon entfernt, ein Schloss zu öffnen, und wenn er die Tür aufbrach, würde Lawson aufmerksam werden. Zu jedem anderen Zeitpunkt hätte er es vielleicht Jugendlichen oder einem Wanderer ohne Unterkunft zugeschrieben. Aber jetzt nicht mehr, wo das Interesse am Fall Rosie Duff so groß war. Lawson konnte es sich nicht leisten, so etwas als unwesentlich abzutun, und würde möglicherweise den ganzen Wagen einfach anstecken.

Alex trat zurück und überlegte. Auf dem Dach bemerkte er ein Flachfenster. Vielleicht könnte er sich dort durchquetschen? Aber wie kam er aufs Dach? Es gab nur eine Möglichkeit. Alex stapfte zum Tor zurück, riss es auf und fuhr auf die morastige Wiese. Zum ersten Mal im Leben wünschte er, zu den Idioten zu gehören, die mit einem dieser großen, bescheuerten Geländewagen durch die Stadt kutschieren. Aber nein, er musste ja ein feiner Herr mit einem BMW 535 sein. Was konnte er tun, wenn er im Dreck stecken blieb?

Er fuhr langsam zu dem Wohnwagen hinunter und hielt parallel zum einen Ende an, öffnete den Kofferraum und machte die Sicherung des Werkzeugsets auf. Zangen, ein Schraubenzieher, ein Schraubenschlüssel. Er steckte alles ein, was aussah, als könne es nützlich sein, nahm Jackett und Krawatte ab und schloss den Kofferraum. Über die Motorhaube kletterte er auf das Dach seines Autos. Von hier war es nicht weit bis oben auf den Wohnwagen. Mit den Füßen einen guten Stand suchend, schaffte es Alex irgendwie, sich auf das Dach hochzuziehen.

Es war abscheulich da oben, das Dach war glatt und glitschig. Dreckstücke blieben an seinen Kleidern und an den Händen hängen. Das Fenster bestand aus einer gewölbten Plastikscheibe, die ungefähr 30 mal 70 Zentimeter groß war. Es würde sehr eng werden. Er stieß den Schraubenzieher unter den Rand und versuchte, ihn hochzustemmen.

Zuerst bewegte sich nichts. Aber nach wiederholten Versuchen an verschiedenen Stellen rührte sich etwas, und das

Fenster ließ sich mit einem Quietschen aufziehen. Alex fuhr sich mit dem Handrücken übers schweißnasse Gesicht und spähte hinein. Ein drehbarer Metallarm, der sich mittels eines Hebels verstellen ließ, hielt das Fenster in seiner Position, so dass man es von innen hochstellen und wieder schließen konnte. Er verhinderte auch, dass man das Fenster am einen Ende mehr als ein paar Zentimeter öffnen konnte. Alex stöhnte. Er würde den Metallarm abschrauben und dann wieder anbringen müssen.

Er versuchte, den passenden Winkel beim Ansetzen des Schraubenziehers zu finden. Die Schrauben, die seit der Zeit vor mehr als fünfundzwanzig Jahren, als sie eingesetzt wurden, nicht mehr bewegt worden waren, ließen sich nur schwer lösen. Er mühte sich ab, bis sich schließlich eine der Schrauben und dann auch die andere in ihrem Loch zu drehen begann. Schließlich ging das Fenster ganz auf.

Alex sah in den Wohnwagen hinein. Es war nicht so schlimm, wie es hätte sein können. Wenn er sich vorsichtig hinunterließ, schätzte er, dass er die Bank der Sitzecke an der einen Seite erreichen konnte. Er holte tief Luft, hielt sich am Rand fest und ließ sich durch die Öffnung gleiten.

Er fürchtete schon, seine Arme würden sich auskugeln, als er mit dem vollen Gewicht nach unten rutschte. Seine Füße traten wild in die Luft und versuchten, irgendwo Halt zu finden, aber nach ein paar Sekunden ließ er sich einfach fallen.

In dem matten Licht sah es fast aus, als hätte sich seit damals vor so vielen Jahren wenig geändert. Er hatte seinerzeit keine Ahnung gehabt, dass er genau an dem Ort war, wo Rosie einen so gewaltsamen Tod fand. Kein verräterischer Geruch, keine verdächtigen Blutspritzer, kein Fleck ließen Böses ahnen.

Aber jetzt war er einer Antwort so nah. Alex konnte es kaum über sich bringen, zur Decke hinaufzuschauen. Was war, wenn Lawson sie seitdem ein dutzend Mal gestrichen hatte? Würde man da noch einen Beweis finden können? Er wartete, bis sich sein Herzschlag beruhigt hatte, murmelte dabei ein an Weirds Gott gerichtetes Gebet, legte den Kopf zurück und sah hinauf.

Scheiße. Die Decke war nicht blau. Sie war cremefarben. Dieses ganze Theater war also umsonst gewesen. Na ja, er würde trotzdem nicht mit leeren Händen weggehen. Er kletterte auf die Bank genau in der Ecke, wo es kaum auffallen würde, und schabte mit der scharfen Kante des Schraubenziehers etwas Farbe ab. Die kleinen Blättchen fing er in einem Kuvert auf, das er aus seiner Aktentasche genommen hatte.

Als er eine genügende Menge gesammelt hatte, kletterte er hinunter und nahm ein ziemlich großes Stück heraus. Es war auf der einen Seite cremefarben und auf der anderen blau. Alex' Beine zitterten, und er setzte sich schwerfällig hin, von einer Fülle von wirren Gefühlen überwältigt. Er zog Jasons Farbskala aus der Hosentasche und betrachtete den länglichen blauen Farbtupfer, der seinem Gedächtnis nachgeholfen und ihn fünfundzwanzig Jahre zurückversetzt hatte. Er hob den Vorhangzipfel, um das Tageslicht hereinzulassen, und legte das Farbblättchen auf die blaue Probe. Sie waren kaum zu unterscheiden.

Stechende Tränen traten Alex in die Augen. War das endlich die Antwort?

44

Duncan hatte noch drei weitere Versuche gemacht, mit Graham Macfadyen zu sprechen, aber der hatte seine Forderung unerschütterlich aufrechterhalten, mit Lawson – und nur mit Lawson – zu reden. Er hatte Duncan hören lassen, wie Davina schrie, aber das war sein einziges Zugeständnis. Lawson beschloss schließlich aufgebracht, er hätte genug davon.

»Die Zeit verstreicht. Das Baby ist elend, wir haben Druck von der Presse. Geben Sie mir das Telefon. Ich rede jetzt mit ihm«, sagte er.

Duncan warf einen Blick auf das gerötete Gesicht seines Chefs und gab ihm den Hörer. »Ich werde Ihnen helfen, die Richtung zu halten«, sagte er.

Lawson wählte. »Graham? Ich bin's. James Lawson. Es tut mir leid, dass ich so lange gebraucht habe herzukommen. Ich höre, Sie wollen mich sprechen?«

»Da haben Sie verdammt recht, allerdings will ich Sie sprechen. Aber bevor wir anfangen, sollte ich Ihnen sagen, dass ich das Gespräch aufzeichne. Während wir sprechen, geht es live raus ins Internet. Alle Medien haben die URL und sind wahrscheinlich gespannt auf jedes Wort, das Sie sagen. Es bringt übrigens nichts, wenn Sie versuchen, die Website zu schließen. Ich habe es so eingerichtet, dass es von Server zu Server springt. Bevor Sie herausfinden würden, woher es kommt, ist es schon bei einem anderen.«

»Das ist doch nicht nötig, Graham.«

»Es ist auf jeden Fall nötig. Sie dachten, Sie könnten mich zum Schweigen bringen, indem Sie meine Telefonverbindung kappen ließen, aber Sie denken wie einer aus dem letzten Jahrhundert. Ich bin die Zukunft, Lawson, und Sie sind Geschichte.«

»Wie geht's dem Baby?«

»Es ist 'ne Nervensäge. Schreit einfach nur die ganze Zeit. Macht mich ganz fertig. Aber es geht ihm gut. Bis jetzt jedenfalls. Es hat noch keinen Schaden genommen.«

»Sie schaden ihm schon dadurch, dass Sie es von seiner Mutter fernhalten.«

»Das ist nicht meine Schuld. Alex Gilbey ist schuld daran. Er und seine Freunde, die mir meine Mutter genommen haben. Sie haben sie ermordet. Alex Gilbey, Tom Mackie, David Kerr und Sigmund Malkiewicz haben am 16. Dezember 1978 meine Mutter Rosie Duff ermordet. Zuerst haben sie sie vergewaltigt und dann umgebracht. Und die Polizei von Fife hat sie nie dieses Verbrechens angeklagt.«

»Graham«, unterbrach ihn Lawson, »das ist vergangen und vorbei. Wir sorgen uns um die Zukunft. Ihre Zukunft. Und je eher wir diese Sache zu Ende bringen, desto besser für Sie.«

»Reden Sie nicht mit mir, als sei ich begriffsstutzig, Lawson. Ich weiß, dass ich wegen der Sache ins Gefängnis kommen werde. Es macht nicht viel aus, ob ich meine Geisel herausgebe oder nicht. Nichts wird daran etwas ändern, verkaufen Sie mich also nicht für dumm. Ich habe nichts zu verlieren, aber ich kann dafür sorgen, dass andere Leute auch was abkriegen, verdammt noch mal. Also, wo war ich? Ach ja. Die Mörder meiner Mutter. Sie haben nie Anklage gegen sie erhoben. Und nachdem Sie kürzlich mit viel Trara und Getue, dass man alte Fälle mit DNA-Analysen lösen könne, den Fall wieder aufgerollt haben, stellte sich heraus, dass Sie die Beweisstücke verloren haben. Wie konnte Ihnen so etwas passieren? Wie konnte etwas so Wichtiges verloren gehen?«

»Wir verlieren die Kontrolle«, flüsterte Duncan. »Er spricht von Davina als ›es‹. Das ist schlecht. Sehen Sie zu, dass wir das Baby zurückbekommen.«

»Davinas Entführung wird daran nichts ändern, Graham.«

»Aber es wird Sie davon abhalten, die Ermordung meiner Mutter unter den Teppich zu kehren. Jetzt wird die ganze Welt erfahren, was Sie getan haben.«

»Graham, ich bin so engagiert wie nur möglich, was das Vorgehen gegen die Mörder Ihrer Mutter betrifft.«

Ein hysterisches Lachen kam aus der Leitung. »Ach ja, das weiß ich. Ich glaube nur nicht an Ihre Art des Vorgehens. Ich will, dass die Täter noch in dieser Welt leiden, nicht in der nächsten. Sie sterben wie Helden. Aber was sie wirklich waren, wird unter den Teppich gekehrt. Das kommt davon, wenn man es auf Ihre Art und Weise handhabt.«

»Graham, wir müssen über Ihre momentane Situation sprechen. Davina braucht ihre Mutter. Bringen Sie sie doch jetzt heraus, und wir sprechen dann über alles, was Ihnen missfällt, ja? Ich verspreche, ich werde Ihnen zuhören.«

»Sind Sie verrückt? Das hier ist die einzige Möglichkeit, Sie zum Zuhören zu zwingen, Lawson. Und ich habe vor, so viel wie möglich herauszuschlagen, bevor dies hier vorbei ist.« Das Gespräch endete abrupt, als der Hörer auf die Gabel geknallt wurde.

Duncan versuchte seine Frustration zu verbergen. »Na ja, wenigstens wissen wir jetzt, was ihn so aufregt.«

»Er ist übergeschnappt. Wir können nicht mit ihm verhandeln, wenn er es überallhin überträgt. Wer weiß, was für verrückte Anschuldigungen er noch erfindet? Der Mann sollte abgeschottet werden, statt dass man ihm seinen Willen lässt.« Lawson schlug mit der flachen Hand gegen die Karosserie.

»Bevor wir das tun können, müssen wir ihn und das Kind da herauskriegen.«

»Zum Teufel damit«, sagte Lawson. »In einer Stunde wird es dunkel. Wir werden das Haus stürmen.«

Duncan schien verblüfft. »Sir, das geht weit über die Regeln des Einsatzes hinaus.«
»Ein Baby zu entführen auch«, rief Lawson ihm über die Schulter zu, als er zu seinem Auto zurückging. »Ich stehe nicht tatenlos daneben, wenn das Leben eines Kindes in Gefahr ist.«

Alex fuhr mit einem Gefühl überwältigender Erleichterung den Weg entlang. Ein paar Augenblicke hatte er wirklich daran gezweifelt, dass er es ohne Traktor schaffen werde, je wieder aus der Wiese herauszukommen. Aber er hatte es gepackt. Er nahm sein Telefon, um Jason anzurufen und ihm zu sagen, er sei unterwegs und bringe ihm etwas sehr Interessantes. Keine Verbindung. Alex schnalzte frustriert mit der Zunge und fuhr auf dem ausgefahrenen Weg vorsichtig auf die Landstraße zu.
Als er in die Nähe von Kinross kam, klingelte sein Telefon. Er griff danach. Vier Nachrichten. Er drückte die Tasten und rief sie auf. Die erste war von Weird, eine knappe Aufforderung, zu Hause anzurufen, sobald er die Nachricht bekommen hätte. Die zweite war auch von Weird, der ihm eine Mobilnummer durchgab. Die dritte und vierte waren von Journalisten, die ihn baten, sie zurückzurufen.
Was war denn nur los? Alex fuhr auf den Parklatz eines Pubs am Stadtrand und rief Weirds Nummer an. »Alex. Gott sei Dank«, keuchte Weird. »Du fährst im Moment nicht, oder?«
»Nein, ich parke. Was ist los? Ich habe diese Nachrichten bekommen ...«
»Alex, du musst ruhig bleiben.«
»Was ist los? Etwas mit Davina? Oder Lynn? Was ist geschehen?«
»Alex, etwas Schlimmes ist passiert. Aber alle sind wohlauf.«
»Weird, sag mir's einfach, verflixt noch mal«, schrie Alex, während ihn Panik ergriff.
»Macfadyen hat Davina entführt«, sagte Weird langsam und

deutlich. »Er hält sie als Geisel fest. Aber es geht ihr gut. Er hat ihr nichts getan.«

Alex hatte das Gefühl, jemand hätte ihm das Herz herausgerissen. Alle Liebe, die er in sich hatte, schien sich in eine Mischung aus Angst und Wut zu verwandeln.

»Was ist mit Lynn? Wo ist sie?«, fragte er mit erstickter Stimme.

»Sie ist hier, vor Macfadyens Haus in St. Monans. Warte, ich geb sie dir.« Ein Moment verging, dann hörte er Lynns Stimme, die nur noch wie ein verlorenes Echo klang.

»Wo warst du, Alex? Er hat Davina mitgenommen. Er hat unser Baby gestohlen, Alex.« Er hörte am heiseren Klang, dass sie die Tränen zurückhielt.

»Ich war an einer Stelle, wo ich keinen Empfang hatte, Lynn, ich komme. Warte. Sie sollen nichts tun. Ich komme, und ich weiß etwas, das alles ändern wird. Lass sie nichts tun, hörst du? Alles wird gut. Hörst du? Es wird alles in Ordnung kommen. Bitte gib mir Weird noch mal, ja?« Während er noch sprach, ließ er den Motor an und fuhr vom Parkplatz.

»Alex?« Er hörte an Weirds Stimme, wie angespannt er war. »Wie schnell kannst du hier sein?«

»Ich bin in Kinross. Etwa vierzig Minuten. Weird, ich weiß, was Sache ist. Ich weiß, was mit Rosie passiert ist, und ich kann es beweisen. Wenn Macfadyen das hört, wird er begreifen, dass er an uns keine Rache zu nehmen braucht. Du musst sie daran hindern, dass sie irgendetwas tun, was Davina in Gefahr bringt, bis ich ihm sagen kann, was ich weiß. Es ist ein Hammer.«

»Ich werde mein Bestes tun. Aber sie haben uns von der Aktion abgeschottet.«

»Tu, was immer nötig ist, Weird. Und bitte pass für mich auf Lynn auf.«

»Natürlich. Komm her, so bald du kannst, ja? Gott sei mit dir.«

Alex drückte den Fuß aufs Gaspedal und raste los wie noch nie im Leben. Er wünschte fast, er würde wegen Geschwindigkeitsübertretung angehalten. Dann hätte er Polizeibegleitung. Blaulicht und Sirene auf der ganzen Strecke nach East Neuk, das hätte er jetzt brauchen können.

Lawson sah sich im Gemeindesaal der Kirche um, den sie sich für ihre Zwecke eingerichtet hatten. »Die Kriminaltechniker können feststellen, in welchen Räumen Macfadyen und das Baby sind. Bis jetzt war er die meiste Zeit in einem Zimmer im hinteren Teil des Hauses. Das Baby hatte er manchmal bei sich, und zwischendurch ließ er es im vorderen Zimmer. Es müsste also einfach sein. Wir warten, bis sie nicht zusammen sind, dann geht ein Team vorne rein und holt das Kind. Die andere Gruppe geht hinten rein und schnappt sich Macfadyen. Wir warten, bis es dunkel ist. Die Straßenbeleuchtung wird abgeschaltet. Er wird überhaupt nichts sehen können. Ich will, dass die Sache wie am Schnürchen klappt. Damit wir das Baby lebendig und unverletzt rauskriegen.

Mit Macfadyen ist es allerdings etwas anderes. Er ist labil. Wir haben keine Ahnung, ob er bewaffnet ist oder nicht. Wir haben Grund anzunehmen, dass er schon zwei Morde begangen hat. Gerade letzte Nacht hat er vermutlich jemanden brutal überfallen. Wäre er nicht gestört worden, hätte er, glaube ich, wieder jemanden umgebracht. Er sagte selbst, er hätte nichts zu verlieren. Sobald es so aussieht, als würde er zur Waffe greifen, gebe ich die Erlaubnis, das Feuer zu eröffnen. Hat jemand dazu noch Fragen?«

Es war still im Raum. Die Männer des Spezialkommandos waren für einen solchen Einsatz bestens geschult. Man spürte förmlich das viele Testosteron und Adrenalin im Raum. Dies war der Augenblick, in dem die Angst einen neuen Namen bekam.

Macfadyen tippte auf die Tasten und klickte mit der Maus. Die Verbindung über das Mobiltelefon war erbärmlich langsam, aber er hatte es jetzt geschafft, sein Gespräch mit Lawson auf die Website zu bringen. Anschließend sandte er eine E-Mail an die Nachrichtenorgane, die er vorher angerufen hatte, und sagte ihnen, sie könnten die Belagerung von der ersten Reihe aus miterleben, wenn sie auf diese Seite gingen, und könnten selbst hören, was sich abspielte.

Er machte sich keine Illusionen darüber, dass er den Ausgang nicht vorprogrammieren konnte. Aber er war entschlossen, so lange wie möglich die Regie zu führen und alles zu tun, dass dies in die Nachrichten und auf die Titelseiten der Zeitungen kam. Wenn dabei das Kind das Leben verlor, dann musste es eben so sein. Er war bereit. Er konnte es schaffen, das wusste er genau. Auch wenn sein Name in den Boulevardzeitungen für das Böse schlechthin stehen sollte, würde er aus dieser Sache nicht als der einzige Bösewicht hervorgehen. Auch wenn Lawson die Nachricht unterdrücken ließ, war die Information jetzt raus und nicht mehr zu stoppen. Das Internet konnte er nicht mundtot machen, und er konnte nicht verhindern, dass die Tatsachen überall bekannt wurden. Lawson musste doch inzwischen wissen, dass Macfadyen einen Trumpf in petto hatte.

Wenn sie wieder anriefen, würde er es ihnen klar machen. Er würde darlegen, wie arglistig die Polizei gehandelt hatte. Er würde es der Welt sagen, wie tief das Recht in Schottland gesunken war.

Heute wurde abgerechnet.

Alex wurde von einer Polizeiabsperrung aufgehalten. Er sah weiter vorn eine Menge Notfallfahrzeuge und konnte gerade noch die rot-weiße Absperrung am Anfang des Carlton Way erkennen. Als er das Fenster herunterkurbelte, war er sich bewusst, wie schmutzig und zerzaust er aussah. »Ich bin der Vater«, sagte er zu dem Polizisten, der sich herunterbeugte, um mit ihm zu sprechen. »Da drin ist mein Kind. Meine Frau ist irgendwo hier, ich muss zu ihr.«

»Können Sie sich ausweisen, Sir?«, fragte der Beamte.
Alex zeigte seinen Führerschein vor. »Ich bin Alex Gilbey. Bitte, lassen Sie mich durch.«
Der Mann verglich sein Gesicht mit dem Foto auf dem Führerschein und wandte sich dann ab, um in sein Funkgerät zu sprechen. Einen Moment danach antwortete er ihm: »Tut mir leid, Mr. Gilbey. Wir müssen vorsichtig sein. Wenn Sie da drüben auf dem Grasstreifen parken würden, einer der Kollegen wird Sie zu Ihrer Frau bringen.«
Alex folgte einem weiteren Polizisten in gelber Jacke zu einem weißen Minibus. Er machte die Tür auf, und Lynn sprang vom Sitz hoch und fiel ihm auf den Stufen in die Arme. Sie zitterte, und er spürte, wie heftig ihr Herz klopfte. Es gab keine Worte für ihren Schmerz. Sie hielten sich einfach umschlungen, ihre Qual und Angst waren greifbar.
Beide schwiegen lange. Dann sagte Alex: »Alles wird gut. Ich kann es jetzt zu Ende bringen.«
Lynn sah mit roten, verquollenen Augen zu ihm auf. »Wie, Alex? Du kannst das doch nicht in Ordnung bringen.«
»Doch, Lynn. Ich kenne jetzt die Wahrheit.«
Er schaute über ihre Schulter zu Karen Pirie, die an der Tür neben Weird saß. »Wo ist Lawson?«
»Er ist bei einer Lagebesprechung«, sagte Karen. »Er wird bald zurück sein. Sie können dann mit ihm sprechen.«
Alex schüttelte den Kopf.
»Ich will nicht mit ihm sprechen. Ich will mit Macfadyen sprechen.«
»Das wird nicht möglich sein, Mr. Gilbey. Die Verhandlungen werden von professionell geschulten Kräften geführt. Sie kennen sich mit so etwas aus.«
»Sie missverstehen mich. Es gibt Dinge, die er hören muss und die nur ich ihm sagen kann. Ich will ihm nicht drohen. Ich will ihn nicht einmal um etwas bitten. Ich muss ihm nur etwas sagen.«
Karen seufzte. »Ich weiß, dass Sie sehr beunruhigt sind, Mr.

Gilbey. Aber Sie könnten in bester Absicht eine Menge Schaden anrichten.«

Alex machte sich sachte von Lynn los. »Es geht hier um Rosie Duff, ja? All dies geschieht, weil er denkt, dass ich etwas mit Rosie Duffs Ermordung zu tun hatte, nicht wahr?«

»Ja, Sir, so ist es wohl«, sagte Karen vorsichtig.

»Was wäre, wenn ich Ihnen sagte, dass ich seine Fragen beantworten kann?«

»Wenn Sie Informationen bezüglich des Falls haben, bin ich diejenige, mit der Sie sprechen sollten.«

»Alles zu seiner Zeit, das werde ich bestimmt tun. Aber Graham Macfadyen verdient es, als Erster die Wahrheit zu hören. Bitte. Vertrauen Sie mir. Ich habe meine Gründe. Hier steht doch das Leben meiner Tochter auf dem Spiel. Wenn Sie mich nicht mit Macfadyen reden lassen, werde ich der Presse mitteilen, was ich weiß. Und glauben Sie mir, so weit sollten Sie es wirklich nicht kommen lassen.«

Karen überdachte die Lage. Gilbey schien relativ ruhig zu sein. Fast zu ruhig. Sie hatte keine Übung im Umgang mit solchen Situationen. Normalerweise würde sie das nach oben weitergeben. Aber Lawson war anderweitig beschäftigt. Vielleicht war derjenige, mit dem man sprechen sollte, der Spezialist für Geiselnahmen: »Lassen Sie uns rübergehen und es Inspector Duncan sagen. Er hat mit Macfadyen gesprochen.«

Sie stieg aus dem Bus und rief einen der uniformierten Kollegen herüber. »Bitte bleiben Sie bei Mrs. Gilbey und Mr. Mackie.«

»Ich gehe mit Alex«, sagte Lynn störrisch. »Ich geh nicht von Alex' Seite.«

Alex nahm ihre Hand. »Wir gehen zusammen«, sagte er zu Karen.

Sie wusste, wann sie sich geschlagen geben musste. »Okay, also los«, sagte sie und führte die beiden auf die Absperrkette vor Macfadyens Haus zu.

Alex hatte sich noch nie so voller Leben gefühlt. Er war sich jedes Schrittes, den er tat, und jeder Bewegung seiner Muskeln bewusst. Seine Sinnesorgane schienen geschärft, jedes Geräusch und jeder Geruch fast unerträglich verstärkt. Dieses kurze Stück Weges würde er nie vergessen. Es war der wichtigste Moment seines Lebens, und er war entschlossen, auf angemessene Art und Weise das Richtige zu tun. Während seiner wilden Fahrt nach St. Monans hatte er das Gespräch eingeübt und war sicher, dass er die rechten Worte finden würde, um seine Tochter zu befreien.

Karen brachte ihn zu dem weißen Van, der vor dem Haus parkte, das er schon kannte. In der sich langsam herabsenkenden Dunkelheit schien alles von einer düsteren Stimmung erfüllt, die den Gedanken jener entsprach, die in die Belagerungsaktion verwickelt waren. Karen klopfte an den Wagen, und die Seitentür wurde aufgeschoben. John Duncans Kopf erschien im Spalt.

»DC Pirie, nicht wahr? Was kann ich für Sie tun?«

»Hier sind Mr. und Mrs. Gilbey. Er möchte mit Macfadyen sprechen, Sir.«

Beunruhigt zog Duncan die Augenbrauen hoch. »Ich glaube nicht, dass das eine gute Idee ist. Macfadyen möchte nur mit ACC Lawson sprechen. Und der hat Anweisung gegeben, Macfadyen nicht wieder anzurufen, bevor er zurück ist.«

»Er muss hören, was ich ihm mitzuteilen habe«, sagte Alex bedeutungsschwer. »Er tut dies alles, weil er will, dass die Öffentlichkeit erfährt, wer seine Mutter umgebracht hat. Er glaubt, dass ich und meine Freunde es waren. Aber er irrt sich. Ich habe heute die Wahrheit herausgefunden, und er sollte der Erste sein, der sie hört.«

Duncan konnte sein Erstaunen nicht verbergen. »Sie sagen, Sie wissen, wer Rosie Duff umgebracht hat?«

»Ja.«

»Dann sollten Sie bei einem unserer Beamten eine Aussage machen«, sagte er bestimmt.

Über Alex' Gesicht huschte ein Zittern, das verriet, wie mühsam er seine Gefühle in Schach hielt. »Das ist meine Tochter da drin. Ich kann dem jetzt ein Ende setzen. Jede Minute, die Sie verschwenden, indem Sie mich nicht mit ihm sprechen lassen, ist eine Minute, in der sie in Gefahr ist. Ich spreche mit niemandem außer Macfadyen. Und wenn Sie mich nicht mit ihm sprechen lassen, gehe ich zur Presse. Ich werde ihnen sagen, dass ich die Mittel habe, diese Situation hier zu beenden, und dass Sie es nicht zulassen, sie einzusetzen. Wollen Sie wirklich, dass das für immer Ihrem beruflichen Image anhängt?«

»Sie wissen nicht, was Sie tun. Sie sind nicht geschult im Verhandeln.« Alex spürte, dass dies Duncans letzter Versuch war.

»Ihre ganze Ausbildung scheint Sie nicht sehr weit gebracht zu haben, oder?«, warf Lynn ein. »Alex verbringt die meiste Zeit im Beruf damit, dass er mit Leuten verhandelt. Er ist sehr gut. Lassen Sie es ihn versuchen. Wir übernehmen die volle Verantwortung dafür, wie es ausgeht.«

Duncan sah Karen an, die mit den Schultern zuckte. Er holte tief Luft und seufzte. »Ich werde zuhören«, sagte er. »Wenn ich glaube, dass die Situation außer Kontrolle gerät, werde ich abbrechen.«

Vor Erleichterung wurde Alex ganz schwindelig.

»Gut. Also, dann tun wir's jetzt«, sagte er.

Duncan brachte das Telefon heraus und setzte Kopfhörer auf. Er gab auch Karen einen und Alex den Hörer. »Sie sind dran.«

Das Telefon klingelte. Einmal. Zweimal. Dreimal. Beim vierten Klingeln wurde abgehoben. »Wollen Sie noch eine Abfuhr, Lawson?«, sagte die Stimme am anderen Ende.

Er klingt so normal, dachte Alex. Nicht wie ein Mann, der ein Baby entführen und sein Leben aufs Spiel setzen würde. »Hier ist nicht Lawson. Hier spricht Alex Gilbey.«

»Ich habe Ihnen nichts zu sagen, Sie gemeiner Mörder.«

»Geben Sie mir eine Minute Zeit. Ich habe Ihnen etwas mitzuteilen.«

»Wenn Sie leugnen wollen, dass Sie meine Mutter umgebracht haben, sparen Sie sich das. Ich glaube Ihnen nicht.«

»Ich weiß, wer Ihre Mutter umgebracht hat, Graham. Und ich habe den Beweis. Er ist hier in meiner Tasche. Ich habe die Farbstückchen, die zu denen auf den Kleidern Ihrer Mutter passen. Ich habe sie heute Nachmittag aus einem Wohnwagen oben am Loch Leven geholt.« Keine Antwort außer einem tiefen Atemzug war zu hören. Alex ließ sich nicht entmutigen. »In der Nacht damals war noch jemand anders da. Jemand, den niemand beachtete, weil er einen Grund hatte, dort zu sein. Jemand, der Ihre Mutter nach der Arbeit traf und sie in seinen Wohnwagen mitgenommen hat. Ich weiß nicht, was geschah, aber ich habe den Verdacht, dass sie sich wahrscheinlich weigerte, mit ihm Sex zu haben, und dass er sie vergewaltigt hat. Als er wieder bei Verstand war, wurde ihm klar, dass er ihr nicht erlauben konnte, dies zu erzählen. Es wäre für ihn das Ende gewesen. Also hat er sie erstochen, brachte sie auf den Hallow Hill und ließ sie da liegen. Und niemand hat ihn je verdächtigt, weil er bei der Polizei war.« Karen Pirie starrte ihn jetzt mit offenem Mund entsetzt an, als sie die Bedeutung des Gesagten erfasste.

»Sagen Sie seinen Namen«, flüsterte Macfadyen.

»Jimmy Lawson. Es war Jimmy Lawson, der Ihre Mutter ermordet hat, Graham. Nicht ich.«

»Lawson?« Es war fast ein Schluchzen. »Das ist doch nur ein Trick, Gilbey.«

»Nein, Graham, kein Trick. Wie ich schon sagte, ich habe den Beweis. Was haben Sie zu verlieren, wenn Sie mir glauben? Hören Sie auf damit, jetzt, wo Sie die Möglichkeit bekommen, dass endlich die Gerechtigkeit ihren Lauf nimmt.«

Ein langes Schweigen folgte. Duncan beugte sich vor, schon bereit, Alex den Hörer abzunehmen. Alex wandte sich ab und packte den Hörer fester. Dann sprach Macfadyen.

»Ich dachte, er täte das, weil es die einzige Möglichkeit war, irgendwie eine Art von Gerechtigkeit zu erreichen. Und ich wollte nicht, dass es nach ihm ging, weil ich doch Sie und Ihre Freunde leiden sehen wollte. Dabei hat er es getan, um sich selbst zu schützen«, erklärte Macfadyen, aber seine Worte sagten dem verwirrten Alex nichts.

»Was hat er getan?«, fragte Alex.

»Ihre Freunde umgebracht.«

45

Über dem Carlton Way hingen finstere Wolken. Im Dämmergrau bewegten sich dunkle Schatten mit halbautomatischen Waffen, die fest an die kugelsicheren Westen gedrückt waren. Sie schlichen mit der lautlosen Geschmeidigkeit von Löwen, die sich an eine Antilope heranpirschen, um das Haus herum. Als sie näher kamen, trennten sie sich, um gebückt unter den Fenstern entlangzulaufen, und trafen an der Haus- und Hintertür wieder aufeinander. Jeder Mann bemühte sich, leise und gleichmäßig zu atmen, obwohl das Herz laut klopfte wie eine Trommel, die zur Schlacht rief. Finger überprüften den Sitz der Kopfhörer. Keiner wollte das Kommando verpassen, das sie zum Einsatz rief. Wenn er denn kam. Aber jetzt waren klare Entscheidungen gefragt. Wenn der Befehl ausgegeben wurde, würden sie ihre Einsatzbereitschaft unter Beweis stellen.

Über ihren Köpfen schwebte der Hubschrauber, in dem die Techniker gespannt vor ihren Bildschirmen mit Infrarotbildern saßen. Sie trugen die Verantwortung, den rechten Moment zu wählen. Schweiß brannte in ihren Augen und an ihren feuchten Handflächen, während sie sich auf die zwei hellen Figuren konzentrierten. Solange sie auseinanderblieben, konnten sie das Zeichen zum Einsatz geben. Aber wenn sie zu einer Gestalt verschmolzen, musste jeder an seinem Platz bleiben. Hier durfte kein Fehler passieren. Nicht wenn ein Leben auf dem Spiel stand.

Jetzt lag alles in den Händen eines Mannes. Assistant Chief Constable James Lawson ging den Carlton Way hinunter und wusste, dass dies der entscheidende Moment war.

Alex versuchte, Macfadyens Worte zu deuten. »Was meinen Sie damit?«, fragte er.
»Ich habe ihn gestern Abend gesehen. Mit dem Baseballschläger. Unter der Brücke. Wie er Ihren Freund zusammengeschlagen hat. Ich dachte, er wolle Gerechtigkeit. Ich dachte, deshalb täte er es. Aber wenn Lawson meine Mutter getötet hat …«
Alex klammerte sich an die einzige Tatsache, von der er wusste, dass sie wirklich zutraf. »Er hat sie getötet, Graham. Ich habe den Beweis.« Plötzlich wurde die Verbindung unterbrochen. Verblüfft wandte sich Alex zu Duncan um. »Was soll das?«, fragte er.
»Genug«, antwortete Duncan und riss sich die Kopfhörer vom Kopf. »Ich lasse das nicht nach draußen übertragen. Was ist los, zum Teufel, Gilbey? Ein Pakt zwischen Ihnen und Macfadyen, um Lawson fertig zu machen?«
»Was reden Sie da?«, fragte Lynn.
»Lawson hat es getan«, sagte Alex.
»Ich habe dich gehört, Lawson hat Rosie ermordet«, sagte Lynn und ergriff seinen Arm.
»Nicht nur Rosie. Er hat Ziggy und auch Mondo ermordet. Und er hat versucht, Weird zu erledigen. Macfadyen hat ihn gesehen«, sagte Alex verwundert.
»Ich weiß nicht, was Sie vorhaben …«, begann Duncan zu sagen. Er wurde jäh durch den auf ihn zukommenden Lawson unterbrochen. Blass und schwitzend blickte der ACC alle in der Gruppe an, verwirrt und offensichtlich zornig.
»Was machen Sie beide hier, verdammt noch mal?«, fragte er und zeigte auf Alex und Lynn. Er fuhr Karen an: »Ich habe Ihnen Anweisung gegeben, sie nicht aus dem SK-Bus rauszulassen. Herrgott noch mal, was ist das hier für ein Theater. Bringen Sie sie weg.«

Einen Moment herrschte Schweigen, dann sagte Karen Pirie: »Sir, es sind sehr schwer wiegende Behauptungen vorgebracht worden, über die wir reden müssen ...«
»Karen, das ist hier kein Debattierclub. Wir sind mitten in einer Operation, bei der es um Leben und Tod geht«, rief Lawson. Er hob das Funkgerät an den Mund. »Sind alle bereit?«
Alex schlug Lawson das Funkgerät aus der Hand. »Hör mal, du Dreckskerl.« Bevor er noch etwas sagen konnte, zwang Duncan ihn zu Boden. Alex wehrte sich, bekam den Kopf frei und rief: »Wir kennen die Wahrheit, Lawson. Sie haben Rosie umgebracht. Und Sie haben meine Freunde erledigt. Es ist aus. Sie können sich nicht länger verstecken.«
Lawsons Augen blitzten voller Wut. »Sie sind genauso verrückt wie er.« Er bückte sich, hob das Funkgerät auf, und zwei uniformierte Polizisten stürzten sich auf Alex.
»Sir«, sagte Karen eindringlich.
»Jetzt nicht, Karen«, fuhr Lawson sie an. Er wandte sich ab und hielt wieder das Funkgerät vors Gesicht. »Ist jeder auf seinem Posten?«
Die Antworten kamen aus dem knackenden Hörer. Bevor Lawson antworten konnte, hörte er die Stimme des Leiters der Technikergruppe im Hubschrauber. »Nicht schießen. Objekt ist bei Geisel.«
Er zögerte nur eine Sekunde. »Los«, sagte er dann. »Los, los, los.«

Macfadyen war bereit, sich der Welt zu stellen. Alex Gilbeys Worte hatten seinen Glauben daran wieder hergestellt, dass es doch noch eine Chance für die Gerechtigkeit gab. Er würde dem Mann seine Tochter zurückgeben. Um bestimmt durchzukommen, würde er ein Messer mitnehmen. Eine letzte Garantie, damit er sicher durch die Tür kam und die wartende Polizei erreichte.
Mit einem Küchenmesser in der freien Hand und Davina unter den Arm geklemmt, war er schon fast bei der Haustür, als

seine Welt in die Luft flog. Die Türen vorn und hinten gaben krachend nach. Männerstimmen riefen etwas, der Lärm war ohrenbetäubend. Grellweißes Licht blendete ihn. Instinktiv nahm er das Kind hoch und drückte es an seine Brust. Die Hand mit dem Messer bewegte sich auf Davina zu. Mitten in dem Chaos glaubte er, jemanden rufen zu hören: »Lass sie fallen.«

Er war wie gelähmt, konnte sie nicht loslassen.

Der Anführer der Scharfschützen sah ein Kind in Lebensgefahr. Mit gespreizten Beinen hob er die Hand mit der Waffe und zielte auf den Kopf.

46

April 2004, Blue Mountains, Georgia

Die Frühlingssonne leuchtete über den Bäumen, als Alex und Weird den Gebirgskamm erreichten. Weird ging zu einer Felsnase voraus, die über den Abhang hinausragte, kletterte hoch, setzte sich darauf und ließ die langen Beine baumeln. Er griff in seinen Rucksack und holte ein kleines Fernglas heraus, richtete es auf den Hügel und gab es an Alex weiter.

»Geradeaus runter, dann leicht nach links.«

Alex stellte es scharf ein und ließ den Blick über das Gebiet da unten schweifen. Plötzlich merkte er, dass er auf das Dach ihrer Hütte schaute. Die Gestalten, die davor herumrannten, waren Weirds Kinder. Die Erwachsenen am Picknicktisch waren Lynn und Paul. Und das Baby, das strampelnd auf der Decke zu ihren Füßen lag, war Davina. Er sah zu, wie seine Tochter die Arme weit ausbreitete und mit glucksendem Lachen in die Bäume hinaufblickte. Seine Liebe zu ihr durchfuhr ihn brennend heiß.

Er war so nahe daran gewesen, sie zu verlieren. Als er den Schuss hörte, glaubte er, sein Herz würde auseinander bersten. Lynns Schrei hatte in seinem Kopf gedröhnt, als ginge die Welt unter. Eine Ewigkeit verging, bevor einer der Polizisten in Uniform mit Davina in den Armen herauskam, und selbst das

hatte ihm noch keine Beruhigung gebracht. Denn als er auf ihn zukam, sah er zunächst nur Blut.
Aber es war das Blut von Macfadyen gewesen. Unbeirrt hatte der Scharfschütze sein Ziel getroffen. Lawsons Gesicht war so ausdruckslos, als wäre es aus Granit.
In dem folgenden Chaos hatte Alex sich von seiner Frau und Tochter so lange losgerissen, dass er sich Karen Pirie schnappen konnte. »Sie müssen den Wohnwagen sichern.«
»Welchen Wohnwagen?«
»Lawsons Wohnwagen, von dem aus er angeln geht. Oben am Loch Leven. Darin hat er Rosie Duff getötet. Die Farbe an der Decke passt genau zu der auf Rosies Strickjacke. Man weiß ja nie, vielleicht gibt es sogar noch Blutspuren.«
Sie hatte ihn angewidert angesehen. »Sie erwarten, dass ich diesen Mist ernst nehme?«
»Es ist die Wahrheit.« Er zog ein Kuvert aus seiner Tasche. »Hier drin ist die Farbprobe, die beweisen wird, dass ich recht habe. Wenn Sie Lawson zum Wohnwagen fahren lassen, wird er ihn zerstören. Die Beweise werden sich in Rauch auflösen. Sie müssen ihn davon abhalten, das zu tun. Ich erfinde das nicht«, sagte er, verzweifelt darum bemüht, glaubhaft zu klingen. »Duncan hat es ja auch gehört. Macfadyen hat gesehen, wie Lawson gestern Abend Tom Mackie angegriffen hat. Ihr Chef wird vor nichts Halt machen, um seine Spuren zu verwischen. Nehmen Sie ihn fest und sichern Sie den Wohnwagen.«
Karens Gesicht war ausdruckslos geblieben. »Sie wollen damit sagen, ich soll meinen Assistant Chief Constable verhaften?«
»Die Polizei von Strathclyde hat Hélène Kerr und Jackie Donaldson auf Grund von wesentlich weniger Beweismitteln in Gewahrsam genommen als die, die Sie hier heute Nachmittag gehört haben.« Alex strengte sich enorm an, ruhig zu bleiben. Er konnte es nicht fassen, dass ihm jetzt noch alles aus den Fingern gleiten sollte. »Wenn Lawson nicht der wäre, der er ist, würden Sie keinen Augenblick zögern.«

»Aber er ist, der er ist: ein höherer Polizeibeamter, dem außerordentlich viel Respekt entgegengebracht wird.«

»Sie sind so vertrauenswürdig wie Caesars Frau. Desto mehr Grund, diese Sache ernst zu nehmen. Glauben Sie nicht, dass das morgen früh in allen Zeitungen stehen wird? Wenn Sie glauben, dass Lawson nichts zu verbergen hat, dann weisen Sie es doch nach.«

»Ihre Frau ruft Sie, Sir«, hatte Karen eisig gesagt, war weggegangen und hatte ihn stehen lassen.

Aber sie hatte sich seine Worte gemerkt. Zwar hatte sie Lawson nicht verhaftet, sich aber zusammen mit zwei uniformierten Kollegen unauffällig entfernt. Am nächsten Morgen kam ein triumphierender Anruf von Jason, er hätte gerüchteweise von der Gerichtsmedizin gehört, dass seine Kollegen in Dundee spät in der vorangegangenen Nacht einen Wohnwagen in Verwahrung genommen hätten. Das Spiel konnte beginnen.

Alex setzte das Glas ab. »Wissen sie, dass du ihnen hinterherspionierst?«

Weird lächelte. »Ich sage ihnen, dass Gott alles sieht und ich einen direkten Draht zu ihm habe.«

»Ja, das glaube ich gern.« Alex lehnte sich zurück und ließ die Sonne sein schweißnasses Gesicht trocknen. Es war ein steiler Anstieg gewesen, der sie ziemlich ins Keuchen gebracht hatte. Keine Zeit zum Reden. Jetzt hatte er seit ihrer Ankunft am Tag zuvor zum ersten Mal Gelegenheit, mit Weird allein zu sein.

»Karen Pirie ist letzte Woche vorbeigekommen«, sagte er.

»Wie geht es ihr?«

Das war, wie Alex inzwischen wusste, eine für Weird typische Frage. Nicht »Wie hat sie sich gerechtfertigt?«, sondern »Wie geht es ihr?«. Er hatte seinen Freund in der Vergangenheit zu oft unterschätzt. Aber jetzt würde er vielleicht Gelegenheit haben, das wieder gutzumachen. »Ich glaube, die Sache geht ihr noch gehörig nach. Ihr genauso wie den meisten Polizisten in Fife. Es ist ja doch ein ziemlicher Hammer, herauszufinden, dass der stellvertretende Chef der Kripo eine Frau vergewaltigt hat und ein mehrfacher Mörder ist. Die Nachwirkungen sind recht ernst. Ich vermute, die Hälfte der Polizisten glaubt immer noch, dass Graham Macfadyen und ich die ganze Sache erfunden haben.«

»Hat dir Karen also einen Nachbericht geliefert?«

»Sozusagen. Es ist natürlich nicht mehr ihr Fall. Sie musste die Ermittlungen im Fall Rosie Duff an Beamte von einer Dienststelle außerhalb von Fife abgeben. Aber sie hat sich mit einem Kollegen dieser Kommission angefreundet. Das heißt, dass sie noch einen Insiderdraht hat. Man muss es ihr hoch anrechnen, dass sie gekommen ist und uns die neuesten Nachrichten überbracht hat.«

»Und die wären?«

»Die kriminaltechnischen Untersuchungen des Wohnwagens sind abgeschlossen. Neben der Übereinstimmung der Farbtröpfchen hat man auch winzige Blutspritzer in der Ritze zwischen Bank und Fußboden gefunden. Man hat Blutproben von Rosies Brüdern und auch von Macfadyens Leiche genommen, von Rosies DNA ist natürlich nichts mehr da, deshalb mussten sie sich an nahe Verwandte halten. Und die Wahrscheinlichkeit, dass das Blut in Lawsons Wohnwagen von Rosie stammt, ist sehr hoch.«

»Das ist ja unglaublich«, sagte Weird. »Nach so langer Zeit wird er auf Grund eines Farbsplitters und eines Blutstropfens überführt.«

»Einer seiner früheren Kollegen hat sich mit einer Aussage gemeldet. Lawson habe öfter damit geprahlt, dass er sich in der Nachtschicht die Zeit damit vertriebe, Mädchen in seinen Wohnwagen mitzunehmen und mit ihnen Sex zu haben. Und unsere Aussage bestätigt ja, dass er sich in der Nähe des Fundorts aufhielt. Karen sagt, bei der Staatsanwaltschaft sei man zunächst etwas unsicher gewesen, habe dann aber beschlossen, Anklage zu erheben. Als Lawson das hörte, sei er einfach zusammengebrochen. Sie sagte, es sei gewesen, als könne er die Last nicht mehr tragen. Offenbar ist das gar nicht so selten.

Karen sagte mir, wenn man Mörder in die Enge treibe, hätten sie oft das Bedürfnis, jede schlechte Tat zu bekennen, die sie je begangen haben.«

»Und warum hat er es getan?«

Alex seufzte. »Er war ein paar Wochen mit ihr ausgegangen. Und sie wollte nicht mit ihm schlafen. Er sagte, sie ließ ihn immer nur bis zu einem bestimmten Punkt gehen und nicht weiter. Sie hätte ihn so gereizt, dass er die Kontrolle verlor und sie dann vergewaltigte. Daraufhin habe sie gesagt, sie würde ihn sofort anzeigen. Das konnte er nicht verkraften, nahm sein Filetmesser und erstach sie. Es schneite schon, und er dachte, niemand würde auf den Straßen sein, also ließ er sie auf dem Hallow Hill liegen. Es sollte wie ein Ritualmord aussehen. Er sagt, er sei entsetzt gewesen, als er sich darüber klar wurde, dass wir verdächtigt wurden. Natürlich wollte er selbst nicht überführt werden, aber er behauptete, er hätte auch nicht gewollt, dass das Verbrechen jemand anderem angehängt wurde.«

»Das wäre ja eine sehr hehre Gesinnung«, sagte Weird zynisch.

»Ich glaube, es ist wirklich so. Mit einer kleinen Lüge hätte er uns doch ins Unglück stürzen können. Als Maclennan von dem Landrover erfahren hatte, hätte Lawson doch nur zu sagen brauchen, es sei ihm jetzt wieder eingefallen, dass er ihn vorher gesehen hatte. Entweder auf dem Weg den Hallow Hill hinauf oder vor dem Lammas, bevor dort geschlossen wurde.«

»Der Herr allein kennt die Wahrheit, aber von mir aus, wir können es ja zu seinen Gunsten annehmen. Weißt du, er muss doch nach so langer Zeit absolut sicher gewesen sein, dass er aus dem Schneider war. Nie gab es auch nur den leisesten Verdacht gegen ihn.«

»Ja. Es hat nur uns getroffen. Lawson hat fünfundzwanzig Jahre ein anscheinend untadeliges Leben geführt. Und dann kündigt der Chief Constable an, dass man die ungelösten Fälle aufrollen werde. Karen hat berichtet, dass Lawson die Beweisstücke verschwinden ließ, nachdem zum ersten Mal vor Gericht eine DNA-Analyse als Beweis anerkannt wurde. Die Sachen waren damals noch in St. Andrews, er hatte also ohne Schwierigkeiten Zugriff darauf. Die Strickjacke war wirklich irgendwie verloren gegangen, als die Beweisstücke von einem Lager zum anderen gebracht wurden, aber der Rest der Kleider, die Sachen mit den Blut- und Spermaspuren, die hat er selbst beseitigt.«

Weird runzelte die Stirn. »Wie war denn damals die Strickjacke an eine ganz andere Stelle als die Leiche gekommen?«

»Als Lawson zu seinem Streifenwagen zurückging, fand er die Jacke im Schnee. Er hatte sie fallen lassen, als er Rosie den Hügel hochtrug. Er stopfte sie einfach in die nächste Hecke; dass sie ausgerechnet in seinem Polizeiauto lag, wollte er nun wirklich nicht. Da am Ende alle wichtigen Beweisstücke verschwunden waren, muss er wohl gedacht haben, er würde auch die Wiederaufnahme des Falles gut überstehen.«

»Und dann taucht plötzlich Graham aus dem Nichts auf. Der einzige Faktor, den er nie hatte berücksichtigen können, weil ihn das starke Bedürfnis der Familie nach Ehrbarkeit daran gehindert hatte. Hier war jetzt jemand, der wirklich Anteil an Rosies Tod nahm und seine Fragen beantwortet haben wollte. Aber ich verstehe immer noch nicht, warum Lawson anfing, uns einen nach dem anderen umzulegen«, sagte Weird.

»Nach dem, was Karen sagte, hat Macfadyen ihn ständig bedrängt. Er verlangte, dass er die Zeugen von neuem verhören solle. Besonders uns. Er war von unserer Schuld überzeugt. Auf seinem Computer fand sich ein Bericht über seine Gespräche mit Lawson. Einmal erwähnte er, es hätte ihn überrascht, dass Lawson nichts Verdächtiges gesehen hatte, während er im Streifenwagen saß. Als er Lawson dazu befragte, sei der sehr gereizt gewesen, und Macfadyen glaubte, er habe vielleicht so geklungen, als wolle er ihn kritisieren. Aber was wirklich dahintersteckte, war natürlich: Lawson wollte nicht, dass irgendjemand sich darauf konzentrierte, was er in dieser

Nacht gemacht hatte. Alle hatten seine Anwesenheit vor Ort als selbstverständlich angesehen, aber wenn man uns aus der Gleichung herausnahm, war Lawson der einzige Mensch, von dem wir sicher wissen, dass er in jener Nacht in der Nähe war. Wäre er kein Polizist, dann wäre er der Hauptverdächtige gewesen.«

»Aber trotzdem. Warum beschloss er nach so langer Zeit, uns zu beseitigen?«

Alex rutschte unbehaglich auf dem Felsen herum. »Das ist der Teil, der schwer zu schlucken ist. Laut Lawson wurde er erpresst.«

»Erpresst? Von wem?«

»Von Mondo.«

Weird war wie vom Donner gerührt. »Mondo? Du machst wohl Witze. Was für morbide Sprüche hat sich Lawson jetzt ausgedacht?«

»Ich glaube nicht, dass es Sprüche sind. Erinnerst du dich an den Tag, als Barney Maclennan starb?«

Weird schauderte. »Wie könnte ich das vergessen?«

»Lawson war der erste Mann vorn am Tau. Er hat gesehen, was geschah. Er sagte, Maclennan hätte sich an Mondo festgehalten, aber Mondo geriet in Panik und trat nach ihm, so dass er das Tau losließ.«

Weird schloss einen Moment die Augen. »Ich wünschte, ich könnte sagen, ich glaube es nicht, aber genauso würde Mondo reagieren. Trotzdem verstehe ich nicht, was das damit zu tun haben soll, dass Lawson erpresst wurde.«

»Nachdem sie Mondo hochgezogen hatten, gab es ein allgemeines Durcheinander. Lawson kümmerte sich um Mondo. Er war während der Fahrt im Krankenwagen bei ihm und sagte, er hätte gesehen, was passiert sei, und er werde dafür sorgen, dass Mondo den vollen, im Gesetz vorgeschriebenen Preis für das zahlen werde, was er getan hatte. Und da hat Mondo seine kleine Bombe losgelassen. Er behauptete, er hätte gesehen, wie Rosie eines Abends vor dem Lammas in

Lawsons Streifenwagen gestiegen sei. Na ja, Lawson wusste, dass er ganz schön in der Tinte säße, wenn das herauskam. Deshalb trafen sie eine Vereinbarung. Wenn Mondo nichts darüber sagen würde, was er gesehen hatte, würde Lawson das auch tun.«

»Eigentlich keine Erpressung, sondern eine Übereinkunft, mit der jeder auf den anderen Druck ausüben konnte«, sagte Weird schroff. »Was hat nicht geklappt?«

»Sobald die Wiederaufnahme des Falles angekündigt wurde, ging Mondo zu Lawson und sagte ihm, der Preis für sein weiteres Stillschweigen sei, dass er in Ruhe gelassen werde. Er wolle nicht, dass sein Leben ein zweites Mal ruiniert würde. Und er sagte Lawson, er sei abgesichert, denn er sei nicht der Einzige, der wüsste, was er gesehen hatte. Nur gab er natürlich nicht genau an, wem von uns er es angeblich gesagt hatte. Deshalb bestand Lawson so hartnäckig darauf, dass Karen sich auf die Beweisstücke konzentrierte, statt uns noch einmal zu vernehmen. Er kaufte sich Zeit, während er alle umbrachte, die eventuell die Wahrheit kannten. Aber dann übertrieb er es mit der Raffinesse. Er wollte einen Verdächtigen für den Mord an Mondo konstruieren. Deshalb gab er Robin Maclennan ein Motiv, indem er ihm erzählte, wie Barney wirklich zu Tode kam. Aber bevor Lawson Mondo umbringen konnte, nahm Robin Maclennan mit Mondo Kontakt auf, der Panik bekam und wieder zu Lawson ging.« Alex lächelte bitter. »Das war die Sache, die Mondo in Fife zu erledigen hatte, als er mich besuchen kam. Jedenfalls warf Mondo Lawson vor, er hätte seinen Teil der Abmachung nicht eingehalten. Er war jetzt älter und klüger, jedenfalls hielt er sich dafür. Er sagte, er würde seinen Teil der Geschichte zuerst vorbringen, so dass Lawsons Behauptung, er hätte Barney Maclennan getötet, wie die verzweifelte Verleumdung eines Mannes aussehen würde, der mit dem Rücken zur Wand stand.« Alex fuhr sich mit einer Hand übers Gesicht.

Weird stöhnte: »Der arme, dumme Mondo.«

»Das Ironische an der Geschichte ist, dass Lawson uns ganz gut alle vier hätte umbringen können, wäre Graham Macfadyen nicht so von dem Fall besessen gewesen.«

»Wie meinst du das?«

»Wenn Graham uns nicht alle übers Internet aufgespürt hätte, hätte er nie von Ziggys Tod erfahren und hätte diesen Kranz nicht geschickt. Dann hätten wir nie den Zusammenhang zwischen den beiden Morden hergestellt, und Lawson hätte uns ganz gemütlich um die Ecke bringen können. Aber selbst zu dem Zeitpunkt verwischte er die Spuren noch so gut wie möglich. Er hat dafür gesorgt, dass ich alles über Graham wusste, obwohl er so tat, als sei es ihm nur so herausgerutscht. Und natürlich erzählte er Robin Maclennan, wie Mondo seinen Bruder umgebracht hatte. So konnte er sich etwas absichern. Nachdem Mondo tot war, ging der hinterlistige Scheißkerl zu Robin und bot ihm ein Alibi an. Und Robin nahm es an und dachte keine Sekunde daran, dass das auch andersherum funktionierte, dass er dem wirklichen Mörder damit ein Alibi gab.«

Weird zitterte und zog die Beine bis an die Brust hoch. Er spürte einen Stich in den Rippen, ein Nachklang der früheren Schmerzen. »Aber warum war er hinter mir her? Es muss ihm doch klar gewesen sein, dass wir beide nicht wussten, was Mondo gesehen hatte, sonst hätten wir ihn doch nach Mondos Tod damit konfrontiert.«

Alex seufzte. »Da saß er schon zu tief in der Klemme. Wegen Macfadyens Kränzen hatten wir den Zusammenhang zwischen den beiden Morden hergestellt, die vollkommen unabhängig voneinander erscheinen sollten. Seine einzige Hoffnung war, Macfadyen als Killer hinstellen zu können. Und Macfadyen hätte ja nach zweien nicht aufgehört, oder? Er hätte weitergemacht, bis wir alle erledigt waren.«

Weird schüttelte traurig den Kopf. »Was für ein furchtbarer Schlamassel. Aber warum hat er Ziggy zuerst umgebracht?«

Alex stöhnte. »Es ist so banal, dass es einem die Tränen in die Augen treibt. Offenbar hatte er schon einen Urlaub in den Staaten gebucht, bevor die Wiederaufnahme der ungelösten Fälle bekannt gegeben wurde.«
Weird fuhr sich mit der Zunge über die Lippen. »Es hätte also geradeso gut mich treffen können?«
»Wenn er sich entschlossen hätte, in deinem Teil des Landes angeln zu gehen, ja.«
Weird schloss die Augen und legte im Schoß die Fingerspitzen aneinander. »Was ist jetzt mit Ziggy und Mondo? Was tut sich da?«
»Ich fürchte, es läuft nicht so gut. Obwohl Lawson singt wie eine Nachtigall, gibt es keine Beweise, die bestätigen, dass er etwas mit Mondos Ermordung zu tun hatte. Er war sehr, sehr vorsichtig. Er hat kein Alibi, aber er behauptet, dass er in der Nacht damals oben in seinem Wohnwagen war. Selbst wenn sie einen Nachbarn finden sollten, der bestätigt, dass sein Auto nicht vor seinem Haus stand, ist er abgesichert.«
»Er wird also damit durchkommen, oder?«
»Sieht so aus. Nach schottischem Recht muss ein Geständnis anderweitig bestätigt sein, bevor ein Staatsanwalt mit Erfolg Klage erheben kann. Aber die Polizisten in Glasgow halten sich von Hélène und Jackie fern, was sozusagen auch ein Ergebnis davon ist.«
Weird schlug frustriert mit der flachen Hand auf den Felsen. »Was ist mit Ziggy? Macht die Polizei von Seattle ihre Sache besser?«
»Etwas besser. Aber nicht viel. Wir wissen, dass Lawson in der Woche vor Ziggys Tod in den USA war. Er soll eine Fahrt durch Südkalifornien zum Sportfischen gemacht haben. Aber da gibt es einen Widerspruch. Als er seinen Mietwagen zurückgab, waren zweieinhalbtausend Meilen mehr auf dem Tachometer, als man bei Fahrten in der Gegend dort zusammenbekäme.«
Weird trat mit dem Fuß gegen den Fels unter seinen Füßen.

»Und das ist die Hin- und Rückfahrt von Südkalifornien nach Seattle, stimmt's?«

»Genau. Aber es gibt auch wieder keine direkten Beweise. Lawson ist schlau genug, dass er mit Kreditkarten nur dort gezahlt hat, wo er sowieso sein sollte. Karen sagt, die Polizei von Seattle hat ein Foto in Läden mit Anglerbedarf und in Motels herumgezeigt, aber bis jetzt hatten sie kein Glück damit.«

»Ich kann es nicht fassen, dass er wieder ungeschoren davonkommen soll«, sagte Weird.

»Ich dachte, dass du an ein Gericht glaubst, das mächtiger als das der Menschen ist?«

»Gottes Gericht befreit uns nicht von der Pflicht, auf eine moralische Welt hinzuwirken«, sagte Weird ernst. »Eine Möglichkeit, unseren Mitmenschen Liebe zu zeigen, ist, sie vor ihren eigenen schlimmsten Neigungen zu schützen. Kriminelle ins Gefängnis zu schicken ist nur ein extremes Beispiel dafür.«

»Die fühlen sich bestimmt geliebt«, sagte Alex boshaft. »Karen hatte noch eine Neuigkeit. Sie haben inzwischen beschlossen, Lawson den Angriff auf dich nicht als Mordversuch zur Last zu legen.«

»Aber warum denn nicht? Ich habe ihnen damals gesagt, ich sei bereit hinzukommen und auszusagen.«

Alex richtete sich auf. »Ohne Macfadyen gibt es keine direkten Beweise, dass es Lawson war, der dich verprügelt hat.«

Weird lächelte. »Na ja, wenigstens wird er sich aus der Sache mit Rosie nicht herauswinden können. Es macht wohl nicht viel aus, ob er auch wegen des Überfalls auf mich angeklagt wird. Weißt du, ich war immer stolz darauf, dass ich ganz gut wusste, wo es langgeht«, sinnierte er. »Aber damals an dem Abend bin ich so voll draufgängerischer Courage aus deinem Haus getreten. Ich frage mich, ob ich genauso tapfer oder dumm gewesen wäre, wenn ich gewusst hätte, dass nicht nur eine, sondern zwei Personen mich verfolgten.«

»Sei dankbar dafür. Wenn Macfadyen uns nicht nachspioniert

hätte, wäre es uns nie gelungen herauszufinden, dass Lawson und sein Auto vor Ort waren.«

»Ich kann es immer noch nicht glauben, dass er sich nicht einmischte, als Lawson anfing, auf mich einzudreschen«, sagte Weird bitter.

»Vielleicht wurde er daran gehindert, weil Eric Hamilton dazukam«, seufzte Alex. »Ich nehme an, wir werden es nie erfahren.«

»Ich glaube, am wichtigsten ist, dass wir endlich eine Antwort auf die Frage haben, wer Rosies Leben ausgelöscht hat«, sagte Weird. »Es war doch fünfundzwanzig Jahre ein Pfahl in unserem Fleisch, und nun können wir das abschließen. Wir haben es dir zu verdanken, dass wir es geschafft haben, das Gift, das uns alle vier angesteckt hatte, unschädlich zu machen.«

Alex warf ihm einen neugierigen Blick zu. »Hast du dich je gefragt, ob ...?«

»Ob es vielleicht doch einer von uns war?«

Alex nickte.

Weird überlegte. »Ich wusste, dass Ziggy es nicht gewesen sein konnte. Er interessierte sich nicht für Frauen, und sogar damals schon wollte er nicht geheilt werden. Mondo hätte nicht die Nerven gehabt, den Mund zu halten, wenn er es gewesen wäre. Und du, Alex ... Na ja, sagen wir mal, ich konnte mir nicht vorstellen, wie du sie zum Hallow Hill hochgeschafft hättest. Die Schlüssel zum Landrover hast du ja nie gehabt.«

Alex war schockiert. »Das ist der einzige Grund, weshalb du fandest, dass ich es nicht gewesen sein konnte?«

Weird lächelte. »Du warst stark genug, die Sache für dich zu behalten. Du hast die Fähigkeit, unter großem Druck ungeheuer gelassen zu bleiben, aber wenn du explodierst, dann wie ein Vulkan. Du warst von dem Mädchen angetan ... Ich will ehrlich sein. Ich habe mal dran gedacht. Aber sobald sie uns sagten, sie sei an einer anderen Stelle überfallen und dann auf dem Hügel liegen gelassen worden, wusste ich, dass du es nicht gewesen sein konntest. Die logistischen Probleme haben dich vor dem Argwohn bewahrt.«

»Danke für dein Vertrauen«, sagte Alex gekränkt.

»Du hast mich ja gefragt. Und du? Wen hast du verdächtigt?«

Alex hatte den Anstand, verlegen auszusehen. »Du bist mir auch kurz eingefallen. Besonders als du gläubig wurdest. Es schien mir, dass ein Mann, der sich schuldig fühlt, so etwas hätte tun können.« Er blickte über die Baumkronen hinweg zum fernen Horizont, wo die Berge sich im bläulichen Dunst voreinander schoben. »Ich überlege oft, wie anders mein Leben verlaufen wäre, wenn Rosie meine Einladung angenommen hätte und an dem Abend auf die Party gekommen wäre. Sie wäre noch am Leben. Und Mondo und Ziggy wären es auch. Unsere Freundschaft wäre weniger beschädigt worden, und wir hätten ohne Schuldgefühle leben können.«

»Du hättest vielleicht Rosie geheiratet, statt Lynn«, äußerte Weird spöttisch.

»Nein.« Alex runzelte die Stirn. »Das wäre nie passiert.«

»Wieso nicht? Du solltest nicht unterschätzen, wie dünn die Fäden sind, die uns an das Leben binden, das wir führen. Du warst doch in sie verknallt.«

»Es wäre vorbeigegangen. Und sie hätte sich mit einem Jungen wie mir nie zufrieden gegeben. Sie war viel zu erwachsen. Außerdem glaube ich, ich wusste selbst damals schon, dass Lynn diejenige war, die mich retten würde.«

»Retten wovor?«

Alex lächelte in sich hinein. »Vor allem.« Er starrte auf die Hütte und die Lichtung hinunter, wohin sein Herz ihn zog. Seit fünfundzwanzig Jahren hatte er zum ersten Mal eine Zukunft, nicht nur den Mühlstein der Vergangenheit. Und es erschien ihm wie ein Geschenk, das er endlich verdient hatte.

Danksagung

Es ist eine willkommene Abwechslung, ein Buch zu schreiben, das nicht viele Recherchen erfordert. Trotzdem habe ich zu danken für die Unterstützung durch Sharon von »That Café«, Wendy vom *St. Andrews Citizen*, Dr. Julia Bray an der St. Andrews University und die Anthropologin Dr. Sue Black. Wie immer wurde meine Arbeit ergänzt durch wertvolle Vorschläge meiner Lektorinnen Julia Wisdom und Anne O'Brien, meiner Beraterin in redaktionellen Dingen Lisanne Radice und meiner Agentin Jane Gregory. Brigid Baillie beriet mich in juristischen Dingen und war meine erste Leserin.

»Val McDermid ist die wahre Herrscherin
im Reich des psychologischen Thrillers.«
The Express

Val McDermid

Ein kalter Strom

Roman

Ein Psychopath, der als Kind von seinem Großvater schwer misshandelt und gedemütigt wurde, quält aus Rache seine Opfer und ertränkt sie anschließend. Mit Vorliebe bestraft er Psychologen dafür, dass sie in anderer Leute Seele herumpfuschen. Der Profiler Tony Hill soll den Wahnsinnigen aufspüren und gerät ins Visier des Serienkillers. Zur gleichen Zeit ist Detective Inspector Carol Jordan einem internationalen Dealerring auf den Fersen – und wird von einem Drogenbaron gejagt, dessen toter Geliebten sie zum Verwechseln ähnlich sieht. Das Ermittlerduo stößt in ein Wespennest aus Korruption, Grausamkeit und Gewalt.

»Autorin Val McDermid bewährt sich mal wieder
als versierte Meisterin des eisigen Schreckens.«
Bildwoche

Wenn Sie wissen wollen,
wie Tony Hill und Carol Jordan diesen Fall lösen,
dann lesen Sie einfach weiter:

Leseprobe

aus

Val McDermid

Ein kalter Strom

erschienen bei

Knaur Taschenbuch Verlag

Seine Hände bedienten geschickt die Hebel des kleinen Krans, der seinen Golf vom Achterdeck der *Wilhelmina Rosen* hob. Dies war der Moment, in dem er von einem Leben ins andere wechselte und sich schließlich vom Besitzer eines schönen Rheinschiffs in einen gnadenlosen Hinrichtungsvollstrecker verwandelte. Heute Abend würde er wieder sternhagelvoll sein und seinen jüngsten Sieg zwischen den Schenkeln eines Bremer Weibsstücks feiern. Er verschränkte die Arme über der breiten Brust und umfasste seine Schultern. Wenn sie doch wüssten, was sie in sich aufnahmen, wenn sie die Beine für ihn breit machten! Er war derjenige, der Licht in die Finsternis brachte. Er hatte die Dunkelheit in seinem Inneren in etwas verwandelt, das wie ein Juwel glühte und diese Helligkeit jetzt auf die düsteren Geheimnisse der Vergangenheit fallen ließ, so dass alle Welt sie sehen konnte.
Es würde nicht lange dauern, bis jemand von der Polizei darauf kam, dass all seine Opfer ihren egoistischen Zielen zuliebe Menschen in Laborratten verwandelt hatten. War diese Verbindung erst einmal erkannt worden, war der nächste Schritt unvermeidlich. Polizeibüros haben immer undichte Stellen. Es würde überall in der Presse erscheinen. Sobald die Allgemeinheit von den Verbrechen erfuhr, die im Namen der Wissenschaft begangen wurden, würden die Manipulationen der menschlichen Seele aufhören müssen. Es würde einen öffentlichen Aufschrei geben, und alles würde sich ändern müssen. Erst dann würde er aufhören.
Es würde ihm nichts ausmachen, aufzuhören, weil seine Arbeit dann getan war.
Er war kein Killer, weil er den Nervenkitzel liebte, keiner, dem das Morden Spaß machte. Es stimmte, dass seine Rache endlich die dunklen Wolken in seinem Gemüt aufgelöst und ihm

erlaubt hatte, seinen Platz in der Welt als richtiger Mann einzunehmen, aber das war nur ein zufälliger, glücklicher Nebeneffekt. Wenn er aufhörte, würde er immer noch Geschlechtsverkehr haben können, denn es war ja nicht der Mord, der ihn in Fahrt brachte. Er war nicht anormal, sondern einfach ein Mann mit einer Aufgabe. Die Tat selbst brachte ihm keinen Genuss, es ging ihm nur um das, wofür sie stand. Freude empfand er, wenn er mit der *Wilhelmina Rosen* auf dem Wasser war. Sein eigentliches Leben war die Arbeit, sonst nichts. Das Schiff gab ihm Befriedigung.

Sie waren pünktlich an ihrem Zielort angekommen und erreichten den Kai an der Weser so früh, dass sie genug Zeit hatten, um die Fracht am Nachmittag noch zu löschen. Die nächste Ladung würden sie erst am folgenden Morgen aufnehmen. Alles lief genau nach Plan. Sie hatten die *Wilhelmina Rosen* zu dem Schienenkopf gebracht, wo sie sie mit Kohle beladen sollten, und jetzt gab er das Kommando an Gunther ab, damit er seine persönlichen Angelegenheiten an Land erledigen konnte.

Er ließ den Wagen behutsam auf die Kaistraße hinunter, lockerte die Greifer und sagte zu Gunther: »Ich fahre jetzt.«

»Hast du was Interessantes vor?«, fragte Gunther und sah nicht einmal von seinem Taschenbuch mit den Eselsohren auf.

»Ich muss mit ein paar Schiffsagenten reden. Ein bisschen mehr Arbeit hier oben wäre mir recht.«

Gunther brummte unverbindlich: »Wir kommen dieser Tage nicht oft genug nach Hause.«

»Was gibt es in Hamburg so Besonderes? Du bist geschieden und siehst deine Kinder nie, selbst wenn wir im Hafen liegen.«

Gunther blickte von seinem Buch auf. »Meine Kumpel sind in Hamburg.«

»Du hast doch überall Kumpel«, sagte er und ging über die Brücke davon. Er wollte Gunther nicht verlieren, aber einen neuen Mann zu finden war nicht das Schwierigste auf der

Welt. Wenn Gunther die Routen nicht mochte, die seine Mission ihnen vorschrieb, brauchte er nicht zu bleiben. Natürlich gab es nicht mehr viele gute Jobs auf den Schiffen, und eigentlich glaubte er nicht, dass er sich bald nach einem Ersatz würde umsehen müssen. Aber er wünschte, Gunther hätte nicht gerade jetzt von Hamburg angefangen. Seine Äußerung glich zu sehr einem Haken, der ihn in die Vergangenheit zurückziehen wollte, wo es ihm doch so wichtig war, sich vorwärts in die Zukunft zu bewegen.

Jetzt lag diese Zukunft hier in Bremen, ein paar Kilometer entfernt. Er hatte sich eine gute Geschichte ausgedacht, das musste er zugeben. Er hatte lange und intensiv daran gearbeitet. Zuerst hatte er daran gedacht, sich als Kollege zu präsentieren, erkannte dann aber, dass man ihm zu leicht auf die Schliche kommen würde. Akademiker trafen sich oft bei Konferenzen und Kongressen. Das Risiko war zu hoch, dass das Opfer die Person tatsächlich kannte, als die er sich ausgab. Und heutzutage, wo die Kommunikation mit E-Mail so leicht war, würde eine Überprüfung zu einfach sein. Aber was sonst würde sie dazu bewegen, auf seinen Wunsch nach einem Treffen einzugehen?

Eitelkeit, das war der Schlüssel. Sie sprachen alle furchtbar gern über sich selbst und ihre Arbeit. Sie waren total von sich eingenommen und glaubten fest, alles am besten zu wissen. Wie konnte er sich das zunutze machen?

Die Antwort lag in den neuen Technologien. Es war leicht, sich dort hinter einer Maske zu verstecken. Sie hatten natürlich sowieso schon einen Computer an Bord. Heutzutage kamen viele ihrer Lieferaufträge und Fahrtanweisungen auf diesem Weg. Es faszinierte ihn, wie viele Möglichkeiten die Technologie ihm zur Unterstützung seiner Mission eröffnete. Er hatte also die Jungs nach Hamburg geschickt, das Schiff eine Woche im Hafen liegen lassen, hatte sich einen Laptop gekauft und einen Intensivkurs für das Surfen im Internet und das Entwerfen von Internetseiten gemacht. Er hatte den Domainnamen psychodialogue.com eintragen lassen und schuf eine Website, die das Erscheinen von *PsychoDialogue* ankündigte, einer neuen elektronischen Fachzeitschrift, die der Verbreitung aktuellen Gedankenguts auf dem Gebiet der experimentellen Psychologie diente. Er glaubte, dass er sich bei seinen eigenen Nachforschungen über die Opfer genug Fachterminologie angeeignet hatte, um dem Ganzen einen echt aussehenden Anstrich geben zu können.

Dann ließ er Geschäftskarten drucken, auf denen er sich als Hans Hohenstein, Chefredakteur von *PsychoDialogue*, auswies. Er hatte E-Mails an seine Opfer geschickt, um Termine zu vereinbaren, bei denen sie über ihre Arbeit sprechen sollten, und der Rest hatte sich wie von selbst ergeben. Einer der Dozenten beim Computerkurs, nach eigener Aussage ein früherer Hacker, hatte ihm sogar gezeigt, wie man E-Mails verschicken konnte, in die eine logische Bombe integriert war, damit die Mail sich nach einer vorher festgelegten Zeit im Zielcomputer automatisch löschen würde. So könnte also selbst dieser potentielle Überrest eines Beweises verschwinden.

Heute Abend würde Dr. Margarethe Schilling für ihre Grausamkeit und Eitelkeit büßen. Er überflog die Wegbeschreibung, die sie ihm gegeben hatte, und genoss die Ironie, dass sie so willig zu ihrem eigenen Untergang beitrug. Dann fuhr er los.

Die Straße, in der sie wohnte, lag am Stadtrand, wo kümmerliche Ausläufer der ländlichen Umgebung noch bis in die Straßen reichten und nur eine einsame Baumgruppe und verkommene Grasflächen an das erinnerten, was früher hier einmal gewesen war. Diese letzten Überreste freier Natur lagen unerschlossen zwischen bebauten Gebieten und gaben den Hausbesitzern die Illusion, auf dem Land zu wohnen. Sie konnten in der Dämmerung auf den Wald hinausschauen, sich dabei als Herr über alles fühlen, was vor ihnen lag, und sich so darüber hinwegtäuschen, dass ihre Häuser nur hässliche Klötze mit je zwei Wohn- und drei Schlafzimmern, anderthalb Bädern und einer Einbauküche waren. Das wiederholte sich die ganze Straße entlang wie nach einem grotesken, geklonten Bauplan. Er begriff nicht, was daran attraktiv sein sollte. Er hätte lieber in einer winzigen Wohnung mitten in der Stadt gewohnt, als neben der Geräumigkeit auf diese Weise die Hässlichkeit zu vervielfältigen. Noch besser war es, eine Kajüte auf einem Schiff zu haben, eine mobile Welt, die mit einem mitreiste und einem jeden Tag eine andere Aussicht bescherte.

Langsam fuhr er die Straße entlang, im diesigen Nieselregen mit eingeschalteten Scheinwerfern, und sah nach den Hausnummern. Nichts unterschied Margarethe Schillings Haus von denen ihrer Nachbarn. Obwohl die Farben der Türen und die Stoffmuster der Stores unterschiedlich waren, verschmolz alles irgendwie zu einem formlosen Einerlei. Ihr Auto stand vor der Garage, bemerkte er. Er fragte sich, ob sein eigener Wagen zu sehr auffallen würde, wenn er ihn auf der Straße parkte, während alle anderen Fahrzeuge in Garagen oder Einfahrten standen. Hinter dem älteren Audi war noch Platz für seinen Golf, so beschloss er, ihn dort abzustellen.

Mit einer Tüte in der Hand ging er auf die Haustür zu und hoffte, dass die Leute hier im Vorort zu sehr mit den eigenen Dingen zu tun hatten, um ihn zu bemerken. Nicht etwa, dass sie sich an jemand so Belanglosen erinnern würden. An ihm war ja nur sein Inneres bemerkenswert. Er klingelte an der Tür und wartete. Die Tür ging auf und ließ eine Frau mittlerer Statur sehen. *Nicht zu schwer zum Hochheben*, dachte er zufrieden. Ihr blondes, schon ergrauendes Haar war zu einem Pferdeschwanz zurückgebunden, das Gesicht wirkte müde und abgehärmt. Die Mascara war etwas verschmiert, als hätte sie sich gedankenlos die Augen gerieben. Sie trug eine maßgeschneiderte, anthrazitfarbene Hose und einen kastanienbraunen Chenillepullover, der ihre Figur verbarg. »Herr Hohenstein?«, sagte sie.

Er neigte den Kopf. »Dr. Schilling, ich freue mich sehr, Sie kennen zu lernen.«
Sie trat zurück und ließ ihn mit einer einladenden Handbewegung eintreten. »Hier geradeaus«, sagte sie. »Ich hoffe, es macht Ihnen nichts aus, wenn wir uns in der Küche unterhalten, aber das ist der gemütlichste Raum im Haus.«
Er hatte gehofft, dass sie ins Arbeitszimmer gehen würden. Aber als sie in die Küche kamen, sah er, dass sie für seinen Zweck ideal war. Ein zerkratzter Tisch aus Kiefernholz stand mitten im Raum, an perfekter Stelle für die Zeremonie, die bevorstand. Später würde er das Arbeitszimmer ausfindig machen und seine Visitenkarte in ihren Unterlagen hinterlassen. Fürs Erste würde jedoch die Küche genügen.
Er wandte sich zu Margarethe um und sagte lächelnd: »Es ist sehr gemütlich hier.«
»Ich bin meistens hier drin«, sagte sie und ging an ihm vorbei zum Herd. »Also, was möchten Sie trinken? Tee, Kaffee? Oder etwas Kräftigeres?«
Er maß die Abstände mit dem Blick. Der Kühlschrank war am günstigsten. »Ein Bier wäre gut«, sagte er, weil er wusste, dass sie ihm dann den Rücken zudrehen musste.
Und so fing alles wieder an. Hände und Hirn funktionierten in reibungsloser Folge und hielten sich ohne Zögern oder Stocken an einen eingeübten Ablauf. Er beugte sich gerade hinunter, um ihren linken Knöchel an das Tischbein zu binden, als ihn das grelle Klingeln an der Tür hochfahren ließ und ihm vor Schreck die Schnur aus der Hand fiel. Sein Herz raste, und er spürte, wie die panische Erregung ihm wie ein Kloß in der Kehle saß. Jemand war da, nur zwanzig Meter entfernt von ihm. Jemand, der erwartete, dass Margarethe Schilling die Tür öffnete. Sie konnte es nicht geplant haben, sagte er sich. Sie wusste, dass er kam, und hatte also niemanden eingeladen. Es musste jemand sein wie die Zeugen Jehovas oder ein Hausierer, versuchte er sich zu beruhigen. Entweder das oder einer

der Nachbarn, der Schillings Auto in der Einfahrt gesehen hatte und deshalb erwartete, dass sie zu Hause war. So musste es doch sein, oder?

Es klingelte wieder, diesmal länger. Er wusste nicht, was tun, und trat vom Tisch zurück, wo Margarethe mit ausgestreckten Gliedmaßen und noch ganz angezogen lag. Was, wenn der Besucher so hartnäckig war, um das Haus herum zur Hinterseite zu kommen? Er brauchte nur einen Blick in die hell erleuchteten Küchenfenster zu werfen. Hastig suchte er nach dem Lichtschalter. Gerade als seine Finger ihn berührten, hörte er ein Geräusch, das ihn noch mehr erstarren ließ als die Türglocke. Das unmissverständliche Klicken eines Schlüssels im Schloss.

Er stand unbeweglich mit trockenem Mund und überlegte, wie er entkommen konnte. Die Haustür ging auf, und eine Männerstimme rief: »Margarethe?« Die Tür schloss sich, dann kamen Schritte auf die Küche zu. »Ich bin's«, hörte er.

Er packte eine schwere gusseiserne Pfanne vom Herd und drückte sich flach gegen die Wand neben der Tür. Sie öffnete sich, und der Schatten eines großen Mannes erschien auf der Schwelle. Von draußen kam genug Licht, dass der Umriss von Margarethes Körper auf dem Tisch zu erkennen war. »Margarethe?«, sagte der Mann wieder und hob die Hand zum Lichtschalter.

Die Pfanne krachte auf seinen Hinterkopf hinunter, und der Mann ging in die Knie wie ein niedergestreckter Stier. Sein Oberkörper schwankte einen Moment, dann sackte er zusammen und landete mit dem Gesicht nach unten auf dem Boden.

Mit lautem Klappern ließ er die Pfanne fallen und schaltete das Licht wieder an. Der Eindringling lag ausgestreckt auf dem Boden, ein Rinnsal Blut kam aus der Nase. Es war ihm egal, ob er tot oder bewusstlos war, solange ihm genug Zeit blieb, das zu Ende zu bringen, was er angefangen hatte. Er trat ihm wütend in die Rippen. Scheißkerl. Wofür hielt er sich eigentlich, dass er einfach so hereinstürmte?

Jetzt beeilte er sich, zu seiner Aufgabe zurückzukehren. Er brachte das Anbinden zu Ende und riss der Frau dann hastig das Klebeband vom Mund. Wiederholt musste er nachsehen, ob der Mann noch bewusstlos war, was ihn noch mehr Zeit kostete. Er machte sich nicht die Mühe, dem Weib zu erklären, warum er an ihr ein Exempel statuierte. Sie hatte seine gewohnte Prozedur gestört und ihm die Freude an seiner guten Arbeit verdorben, sie verdiente nicht zu wissen, dass es einen triftigen Grund für das gab, was mit ihr geschah.

Es machte ihn wütender, als er es für möglich gehalten hatte, dass er sich jetzt beeilen musste. Es gelang ihm, das Hautabziehen ziemlich gut hinzukriegen, aber er arbeitete nicht so exakt, wie er es sich gewünscht hätte. Unter heftigem Fluchen, schließlich war er Schiffer, beendete er die Arbeit in der Küche, wischte jede Oberfläche ab, die er möglicherweise berührt haben konnte, und gab im Vorbeigehen dem Fremden obendrein noch einen brutalen Tritt in die Nieren.

Jetzt musste er nur noch den Hefter unterbringen. Er rannte nach oben und ging, ohne Licht einzuschalten, durch die Zimmer, damit er nicht noch mehr auf sich aufmerksam machte. Der erste Raum mit einem großen Bett und einer ganzen Wand eingebauter Kleiderschränke war eindeutig ihr Schlafzimmer. Der zweite sah nach dem Zimmer eines Kindes aus, mit Fußballer-Postern von Werder Bremen und einer Playstation auf dem Tisch am Fenster.

Das hintere Zimmer war das, was er suchte, es war als Büro eingerichtet. Er zog die Schublade des altmodischen Aktenschranks auf und steckte den Hefter hinein. Es war ihm inzwischen schon egal, ob es die richtige Stelle war. Er wollte nur fertig sein und raus, bevor alles noch schlimmer wurde.

Ein letzter Blick auf den Fremden zeigte, dass er immer noch bewusstlos war, dann öffnete er vorsichtig die Haustür einen Spalt. Nichts regte sich. Er sah, dass ein VW Passat vor dem Haus parkte, aber Gott sei Dank stand er nicht vor der Ein-

fahrt. Mit gesenktem Kopf verließ er Margarethe Schillings Haus und eilte zum Auto.
Seine Hände am Steuer waren schweißnass und glatt und seine Finger kribbelig und zittrig. Schweiß rann ihm an den Schläfen herab und ins Haar. Er musste sich zurückhalten, in den stillen Vorstadtstraßen nicht zu schnell zu fahren. In seinem Kopf hörte er immer wieder das schreckliche Geräusch der sich öffnenden Tür, und jedes Mal verkrampfte sich sein Herz von neuem vor Panik. Die Angst fing an, sich in seinem Inneren einzunisten, und er kämpfte stöhnend dagegen an. Bevor er spürte, dass er wieder regelmäßig atmete, war er schon auf der Straße zum Hafen. Seit er seinen Feldzug begonnen hatte, war er zum ersten Mal direkt auf die Gefahren gestoßen, die es auf dem eingeschlagenen Weg gab. Und das mochte er ganz und gar nicht.
Aber es war kein Grund einzuhalten, sagte er sich. Jetzt musste er vor allem vermeiden, dauernd an die panische Angst zu denken. Er brauchte eine Frau. Als er an einigen Bars vorbeikam, deren matte Lichter in der Nacht gelb schimmerten, hielt er an. Hier würde er finden, was er suchte. Er würde sich irgendeine Schlampe nehmen und es ihr besorgen, bis es Morgen würde.

»So müssen Krimis sein!«
Brigitte

Val McDermids Romanreihe
um Tony Hill und Carol Jordan
bei Knaur:

Das Lied der Sirenen

»Ungeheuer fesselnd!«
Minette Walters

Schlussblende

»Val McDermid bringt nicht einfach nur Spannung in die brillant erzählte Geschichte, sie dringt selber in die abartigen Gedankengänge von Psychopathen ein.«
Berner Zeitung

Ein kalter Strom

»Hochspannend, virtuos, strukturiert, labyrinthisch und voller Fallstricke. Wie man es von Erfolgsautorin Val McDermid gewohnt ist.«
Journal für die Frau

Tödliche Worte

»Unsere führende Pathologin des Bösen im Alltag … Die subtile Inszenierung des Schreckens ist meisterhaft.«
The Guardian

Knaur Taschenbuch Verlag

Die Erfindung des Todes

Knaur Taschenbuch Verlag

Weitere Bestseller vom »Roaring Ferrari«
unter den englischen Krimiautoren

Val McDermid

Die Erfinder des Todes

Roman

Ein Ort für die Ewigkeit

Roman

Abgekupfert

Crime Stories

»Von McDermids literarischen Katz-und-Maus-Spielen kann man einfach nicht genug bekommen.«
Brigitte

»McDermids Fähigkeit, in die gestörte Psyche eines Kriminellen einzudringen, ist furchterregend.«
The Times

Knaur Taschenbuch Verlag